SPIEGEL VAN DE ZIEL

DEAN KOONTZ

SPIEGEL VAN DE ZIEL

UITGEVERIJ LUITINGH ~ SIJTHOFF

Voor meer informatie: kijk op **www.boekenwereld.com**

Dit boek is opgedragen aan drie buitengewone mannen – en aan hun vrouwen, die zo hard gewerkt hebben om hen te boetseren uit zulke grove klei. Kortom: voor Leason en Marlene Pomeroy, voor Mike en Edie Martin, en voor Jose en Rachel Perez. Na Het Project zal het me niet lukken 's ochtends op te staan, overdag een moment in huis door te brengen of 's avonds naar bed te gaan zonder aan jullie te denken. Ik denk dat ik daarmee gewoon zal moeten leven.

De geest van de beschaafde mens... zal het gevoel van
geheimzinnigheid niet van zich af kunnen zetten.
– *Doctor Faustus*, THOMAS MANN

I

Eerst was de appel doormidden gesneden en daarna waren de twee helften met grof, zwart draad weer aan elkaar genaaid. Op gelijke afstand van elkaar zaten tien grote hechtingen. Elke knoop was aangetrokken met de precisie van een arts.

De soort appel, een rode delicious, betekende misschien iets. Aangezien al deze boodschappen in de vorm van objecten en beelden waren afgeleverd, nooit in woorden, zou elk detail de bedoeling van de afzender kunnen verduidelijken, zoals proza werd verduidelijkt met adjectieven en interpuncties.

Maar het was waarschijnlijker dat deze appel was uitgekozen omdat hij nog niet rijp was. Zachter vruchtvlees zou kapotgetrokken zijn, ook als de naald uiterst zorgvuldig was gehanteerd en elke hechting heel voorzichtig was aangetrokken.

De appel lag, in afwachting van nader onderzoek, op het bureau in de studeerkamer van Ethan Truman. De zwarte doos waarin de appel had gezeten, stond ook op het bureau, met eromheen kapotgescheurd zwart papier. De doos had al kenbaar gemaakt welke aanwijzingen die bevatte: geen.

Hier, in de westelijke vleugel van het landhuis, bestond het appartement van Ethan op de benedenverdieping uit zijn werkkamer, een slaapkamer, een badkamer en een keuken. Hoge dubbele deuren gaven een weids uitzicht op een onwerkelijke wereld.

De vorige bewoner zou de werkkamer een woonkamer hebben genoemd en zou het vertrek als zodanig hebben ingericht. Ethan deed te weinig aan wonen om er een hele kamer aan op te offeren.

Hij had de zwarte doos voordat hij hem openmaakte gefotografeerd met een digitale camera. Hij had ook vanuit drie standpunten opnamen gemaakt van de rode delicious.

Hij nam aan dat de appel was opengesneden om een object in het hart te verbergen. Hij aarzelde met het doorknippen van de hechtingen om te kijken wat er in zou kunnen zitten.

Jaren als rechercheur bij de afdeling Moordzaken hadden hem in een aantal opzichten gehard. Op andere manieren had een teveel aan ervaring met buitengewoon geweld hem kwetsbaar gemaakt. Hij was pas zevenendertig, maar zijn politiecarrière zat erop. Zijn intuïtie evenwel was scherp gebleven en zijn somberste verwachtingen waren er niet minder op geworden.

Een zuchtende wind drukte tegen de ruiten van de deuren. Een zacht getik van voortgejaagde regen.

De lichte storm verschafte hem voldoende excuus om de appel te laten liggen en naar het dichtstbijzijnde raam te lopen.

Lijsten, posten, spijlen, sponningen – elk onderdeel van elk raam in het enorme huis was van brons. Buiten had de blootstelling aan de elementen er een mooi, vlekkerig groen patina op gelegd. Binnen hield het vlijtige onderhoud het brons in een donkere roodbruine kleur.

Het glas in elk ruitje was aan de zijkanten schuin afgeslepen. In zelfs de meest bescheiden dienstruimtes – de bijkeuken, de waskamer op de benedenverdieping – was het glas geslepen.

Hoewel de woning aan het einde van de crisisjaren was gebouwd voor een filmmagnaat, was nergens iets van bezuiniging te merken, vanaf de hal bij de ingang tot de verste uithoek van de laatste gang achterin.

Toen de staalindustrie inzakte, de kleren aan de rekken in de kledingwinkels werden opgevreten door de motten, toen auto's in de showrooms stonden te roesten door het gebrek aan kopers, bleef de filmindustrie bloeien. In slechte zowel als in goede tijden waren eten en illusie de enige twee absolute behoeftes.

Vanuit de hoge openslaande deuren leek het uitzicht een schilderij zoals sommige verstilde opnames in films: een prachtig driedimensionaal tafereel dat door het verraderlijke oog van de camera zowel heel overtuigend een landschap op een buitenaardse planeet zou kunnen zijn als een plek op deze aarde die qua perfectie niet reëel is.

Groener dan de velden van het paradijs rolde het land weg van het huis, zonder ook maar één verdwaalde grassspriet of stukje onkruid. De majestueuze kronen van de immense Californische eiken en de hangende takken van de melancholieke himalayaceders, allemaal authentieke exemplaren, waren met zilver en diamanten behangen door de druilerige decemberregen.

Door de strengen regen, even fijn als engelenhaar, zag Ethan in de verte de laatste draai van de oprit. De grijsgroene keien van kwartsiet, glanzend in een schitterend zilver door de regen, leidden naar de versierde bronzen poort in de muur om het landgoed heen.

Die nacht was de ongewenste bezoeker te voet naar de poort gekomen. Misschien omdat hij vermoedde dat deze versperring was voorzien van moderne beveiligingsapparatuur en dat het gewicht van een klimmer een alarm zou doen overgaan bij de bewakingsdienst, had hij het pakje over de hoge gekrulde rand van het hek op de oprit gegooid.

De doos met de appel was gevoerd met bubbeltjespapier en verpakt in een witte plastic zak om hem te beschermen tegen het slechte weer. Een rode cadeaustrik zat op de doos geniet en zorgde ervoor dat de inhoud niet voor afval zou worden aangezien.

Dave Ladman, een van de twee bewakers van de nachtploeg, had het pakketje om vier minuten voor vier die ochtend gevonden. Hij had het heel voorzichtig naar het beveiligingskantoor gebracht in het gebouw van de terreinbeheerder achter op het land.

Dave en zijn ploegmaat, Tom Mack, hadden het pakje doorgelicht met een röntgenapparaat. Ze hadden naar draden en andere metalen componenten van een bom of van een moordmachine met een veerwerking gezocht.

Tegenwoordig hadden sommige bommen geen metalen onderdelen meer. Daarom hadden Dave en Tom na het röntgenapparaat een geuranalysator gebruikt die tweeëndertig explosieve componenten kon herkennen uit slechts drie kenmerkende moleculen per kubieke centimeter lucht.

Toen het pakketje onschuldig bleek te zijn, hadden de bewakers het uitgepakt. Na het vinden van het zwarte doosje, hadden ze een boodschap op Ethans voicemail achtergelaten en de bestelling voor hem apart gezet om ernaar te kijken.

Om vijf over halfnegen die ochtend had een van de twee bewakers van de ochtendploeg, Benny Nguyen, de doos naar Ethans appartement in het hoofdgebouw gebracht. Benny had ook een videoband meegenomen waarop relevante opnamen stonden van de camera's bij de muur die de levering hadden geregistreerd.

Tevens had hij een traditionele Vietnamese aardewerken pan meegenomen met *com tay cam* van zijn moeder, een kip-met-rijst gerecht waar Ethan dol op was.

'Mama heeft weer kaarsvet gelezen,' zei Benny. 'Ze heeft een kaars aangestoken in jouw naam, die gelezen en ze zegt dat jij versterking nodig hebt.'

'Waarvoor? Het meest inspannende dat ik tegenwoordig doe, is 's ochtends opstaan.'

'Ze heeft niet gezegd waarvoor. Maar niet alleen voor kerstinkopen. Ze had die blik van de tempeldraak toen ze het erover had.'

'Die blik waardoor pitbulls op hun rug gaan liggen?'

'Ja. Ze zei dat je goed moest eten, elke ochtend en avond je gebeden moest zeggen en sterkedrank moest mijden.'

'Een probleem. Door het drinken van sterkedrank zeg ik juist mijn gebeden.'

'Ik zal mam gewoon vertellen dat jij je whisky door de afvoer hebt gespoeld, en dat je, toen ik wegging, op je knieën God dankte dat

hij kippen had geschapen zodat zij *com tay cam* kon bereiden.'
'Ik heb nooit geweten dat je moeder nee als antwoord wil horen,' zei Ethan.
Benny glimlachte. 'Ze wil ja ook niet als antwoord horen. Ze verwacht helemaal geen antwoord. Alleen plichtsgetrouwe gehoorzaamheid.'
Nu, een uur later, stond Ethan bij het raam naar de motregen te staren, die als draden vol zaadparels de heuvels van Bel Air versierde.
Door naar het weer te kijken, klaarde zijn hoofd op.
Soms voelde alleen de natuur echt aan, terwijl alle menselijke monumenten en acties het decor en de plots van dromen leken.
Uit zijn dagen in uniform en in burger hadden vrienden bij het korps gezegd dat hij te véél dacht. Sommigen van hen waren dood.
De appel was in de zesde zwarte doos gekomen die hij in tien dagen had ontvangen. De inhoud van de eerdere vijf waren verontrustend geweest.
Door lessen in criminele psychologie, gecombineerd met jaren van straatervaring, raakte Ethan niet meer zo snel onder de indruk van zaken die te maken hadden met het menselijke vermogen tot slechtheid. Toch wekten deze cadeautjes een enorme bezorgdheid op.
In de afgelopen jaren, beïnvloed door het zwierige optreden van boeven in films, kon elke gewone schurk en elke aankomende seriemoordenaar die de hoofdrol speelde in de film in zijn eigen hoofd niet gewoon zijn smerige praktijken uitoefenen en dan verdergaan. De meesten leken er obsessief op gericht een dramatische persoonlijkheid te ontwikkelen, een kleurrijke misdaadlokatie te kiezen en ingenieuze treiterijen te gebruiken om hun slachtoffers van tevoren te kwellen of, na een moord, de zogeheten competentie van de wetshandhavers te beschimpen.
Maar de bronnen van hun inspiratie waren allemaal afgezaagd. Het lukte hun alleen schrikbarende wreedheden te begaan die net zo vermoeiend waren als de fratsen van een niet-leuke clown.
Het lukte de afzender van de zwarte dozen wat de anderen niet was gelukt. Om te beginnen waren zijn woordloze dreigementen inventief.
Als zijn bedoelingen uiteindelijk bekend waren en de dreigementen beter begrepen konden worden in het licht van welke actie ook die hij ondernam, zouden ze ook weleens slim kunnen zijn. Zelfs duivels.
Daarbij had hij zichzelf geen dwaze of onhandige naam gegeven voor de boulevardpers als die uiteindelijk lucht kreeg van zijn spel.

Hij ondertekende met geen enkele naam, wat zelfverzekerdheid aangaf en geen wanhopige behoefte om beroemd te worden.

Bovendien was zijn doelwit de grootste filmster ter wereld, misschien de best bewaakte man in het land na de president van de Verenigde Staten. Toch, in plaats van heimelijk rond te sluipen, onthulde hij zijn bedoelingen in woordloze raadsels vol dreiging, waardoor hij zich ervan verzekerde dat zijn prooi nog moeilijker te bereiken werd dan gewoonlijk.

Nadat hij de appel steeds maar weer had rondgedraaid in zijn geest, de details van de verpakking en presentatie had bestudeerd, haalde Ethan een nagelschaartje uit de badkamer. Toen ging hij terug naar het bureau.

Hij trok de stoel uit de knieruimte. Hij ging zitten, duwde de lege cadeaudoos opzij en zette de gerepareerde appel midden op het vloeiblad.

De eerste vijf zwarte dozen, elk van een andere afmeting, en de inhoud ervan, waren op vingerafdrukken onderzocht. Hij had drie bestellingen zelf zonder succes met poeder behandeld.

Omdat de zwarte dozen zonder woord van uitleg waren gekomen, zouden de autoriteiten die niet zien als doodsbedreigingen. Zolang de bedoelingen van de afzender nog openstonden voor discussie, was dit geen zaak voor de politie.

Bestelling vier en vijf waren toevertrouwd aan een oude vriend bij het vingerafdrukkenlaboratorium van de Wetenschappelijke Recherchedienst van het politiekorps van Los Angeles die ze onofficieel had onderzocht. Ze waren in een glazen bak gezet en behandeld met een wolk cyanoacrylaatgassen die snel als een hars neersloegen op de oliën van de latente vingerafdrukken.

In fluorescerend licht waren geen ribbelpatronen van witte hars zichtbaar geworden. En ook bleek in een verduisterd lab met een kegelvormige afgeschermde halogeenlamp die er schuin op gericht was, dat de dozen en de inhoud ervan schoon waren.

Zwart magnetisch poeder, aangebracht met een Magna-brush, had niets opgeleverd. Zelfs ondergedompeld in een methanoloplossing van rodamine 6G, gescand in een donker laboratorium met een spookachtige straal van een met water gekoelde argon ionenlasergenerator had de objecten geen aantoonbare verlichte spiralen gegeven.

De naamloze stalker was te voorzichtig om zulk bewijs achter te laten.

Toch behandelde Ethan het zesde pakje met de zorg die hij ook had betoond bij het bestuderen van de vijf voorafgaande objec-

ten. Natuurlijk zaten er geen vingerafdrukken op die hij kon vernietigen, maar misschien wilde hij het later nog eens bekijken.

Met het nagelschaartje knipte hij zeven hechtingen door en gebruikte de laatste drie als scharnieren.

De afzender moest de appel met citroensap behandeld hebben of
met een ander gewoon culinair bewaarmiddel om voor een keurige presentatie te zorgen. Het vruchtvlees was voornamelijk wit,
met slechts een lichte verkleuring onder de schil.

Het klokhuis zat er nog. Maar de pitten waren eruit gehaald om
ruimte te maken voor het ding dat erin was gestopt.

Ethan had een worm verwacht: regenworm, larve, bloedzuiger,
rups, platworm, de een of andere soort worm.

Maar in plaats daarvan vond hij ingebed in de appel een oog.

Een afschuwelijk moment dacht hij dat het oog misschien echt
was. Toen zag hij dat het slechts een plastic bol was met overtuigende details.

Eigenlijk geen bol, maar een halve bol. De achterkant van het oog
bleek plat, met een knoophaakje.

Ergens grijnsde een halfblinde pop.

Toen de stalker naar de pop had gekeken, had hij misschien het
beroemde onderwerp van zijn obsessie op dezelfde manier ver-
minkt gezien.

Ethan was bijna net zo verontrust door deze ontdekking als hij
zou zijn geweest als hij een echt oog in de rode delicious had gevonden.

Onder het oog, in het uitgeholde klokhuis, zat een strak opgerold
stukje papier, een beetje vochtig door het opgenomen sap. Toen
hij het openvouwde zag hij getypte woorden, het eerste directe bericht in de zes pakjes.

HET OOG IN DE APPEL? DE AANDACHTIGE WORM? DE WORM VAN
DE OORSPRONKELIJKE ZONDE? HEBBEN WOORDEN NOG EEN AN-
DERE BEDOELING DAN VERWARRING?

Ethan was zeker in verwarring. Wat het ook betekende, dit dreigement – het oog in de appel – trof hem als bijzonder boosaardig.
Hier had de afzender een kwade zo niet raadselachtige verklaring
afgegeven, waarvan de symboliek juist geïnterpreteerd moest worden, en snel.

2

Achter het geslepen glas verborgen de ijzerzwarte wolken die eerder de lucht aan het zicht hadden onttrokken zich nu achter grijze slierten langstrekkende mist. De wind ging naar elders met zijn gejammer en de doorweekte bomen stonden net zo stil en ernstig als toeschouwers bij een begrafenisstoet.

De grijze dag dreef naar het hart van de storm en uit elk van de drie ramen in het werkvertrek keek Ethan naar het treurende weer, terwijl hij nadacht over de betekenis van de appel in relatie tot de vijf bizarre zaken die eraan vooraf waren gegaan. De natuur loerde naar hem terug door een melkachtige grauwe staar en bleef, in overeenstemming met zijn innerlijke beeld, bewolkt.

Hij veronderstelde dat de glanzende appel misschien beroemdheid en weelde voorstelde, het benijdenswaardige leven van zijn werkgever. Dan zou het poppenoog een soort worm kunnen zijn, een symbool van een bijzondere verwording in de kern van het beroemd zijn, en daardoor een aanklacht, een tenlastelegging en een veroordeling van het Gezicht.

Al twaalf jaar was de acteur de grootste publiekstrekker in de wereld. Sinds zijn eerste hit noemde de sterrengekke media hem het Gezicht.

Deze vleiende bijnaam was vermoedelijk gelijktijdig voortgekomen uit de pennen van talrijke showbizzverslaggevers in een gedeelde opgeklopte bewondering voor zijn charismatische knappe uiterlijk. Ongetwijfeld had een slimme en altijd wakkere publiciteitsagent een paar mensen aangesproken en puur geld betaald om deze spontane betiteling te lanceren en daarna meer dan tien jaar vol te houden.

In het Hollywood van zwart-wit, zo ver terug in de tijd en in kwaliteit dat hedendaagse bioscoopgangers er slechts iets meer van wisten dan van de Spaans-Amerikaanse Oorlog, werd een prachtige actrice, Greta Garbo, in haar tijd het Gezicht genoemd. Die vleiende benaming was het werk geweest van een persagent van de studio, maar Garbo had bewezen meer te zijn dan alleen maar een reclamestunt.

Al tien maanden was Ethan hoofd beveiliging van Channing Manheim, het Gezicht van het nieuwe millennium. Tot dusver had hij zelfs nog geen fractie gezien van de diepte van Garbo. Het gezicht van het Gezicht leek zo'n beetje alles wat Channing had.

Ethan had geen minachting voor de acteur. Het Gezicht was innemend, even ontspannen als misschien een echte halfgod die leefde in de wetenschap dat leven en jeugd hem eeuwig toebehoorden.

De onverschilligheid van de ster voor andere omstandigheden dan die van zichzelf, kwam niet voort uit egocentriciteit en evenmin uit een opzettelijk gebrek aan medeleven. Intellectuele beperkingen ontzegden hem een besef dat andere mensen meer achtergrond hadden dan een velletje script en dat hun karakters veel te complex waren om neergezet te worden in achtennegentig minuten. Zijn wreedheden zo nu en dan waren nooit bewust.

Maar als hij niet was geweest wie hij was, en als hij niet zo opvallend qua uiterlijk was geweest, zou niets van wat Channing zei of deed enige indruk hebben nagelaten. In een broodjeszaak in Hollywood die sandwiches naar sterren vernoemde, zou Clark Gable misschien roggebrood met rosbief en kaas met mierikswortel zijn geweest; Cary Grant misschien peperkippenborst met Zwitserse kaas op meergranenbrood met mosterd; en Channing Manheim zou dan waterkers op licht beboterde toast zijn.

Ethan had geen directe afkeer van zijn werkgever, en hij hoefde hem niet aardig te vinden om hem te willen beschermen en hem in leven te houden.

Als het oog in de appel het symbool van verval was, zou het het ego van de ster in de mooie vrucht kunnen betekenen.

Misschien stond het poppenoog niet voor verval, maar voor de andere kant van de roem. Een beroemdheid van de grootte van Channing had maar weinig privacy en werd altijd nauwgezet in de gaten gehouden. Het oog in de appel was misschien symbolisch het oog van de stalker – altijd toekijkend, en oordelend.

Onzin. Goedkope analyse. Ondanks al zijn sombere overpeinzingen, in weersomstandigheden die leidden tot bespiegelingen en duistere speculaties, leek elk commentaar van Ethan voor de hand liggend en nutteloos.

Hij overdacht de appelnatte woorden: HET OOG IN DE APPEL? DE AANDACHTIGE WORM? DE WORM VAN DE OORSPRONKELIJKE ZONDE? HEBBEN WOORDEN NOG EEN ANDERE BEDOELING DAN VERWARRING?

Toen hij niets meer wist te verzinnen, was hij blij dat even na tienen de telefoon ging die hem weghaalde van de ramen en het bureau.

Laura Moonves, een oude vriendin bij de politie had voor hem een nummerplaat nagetrokken. Ze werkte bij de ondersteuningsdienst van de recherche. Slechts één keer eerder het afgelopen jaar had hij op deze manier van hun vriendschap gebruik gemaakt.

'Ik heb die smeerlap van je,' zei Laura.

'Vermoedelijke smeerlap,' corrigeerde hij.

'De drie jaar oude Honda staat op naam van een Rolf Herman Reynerd in Hollywood-West.' Ze spelde elke naam en gaf hem een adres.

'Wat voor soort ouders noemen hun kind Rolf?'

Laura wist alles over namen. 'Die is niet zo slecht. Heerlijk mannelijk eigenlijk. In het oud-Germaans betekent die "beroemde wolf". Ethan betekent natuurlijk "duurzaam, zeker".'

Twee jaar geleden gingen ze met elkaar uit. Voor Laura was Ethan allesbehalve duurzaam en zeker geweest. Ze zou duurzaamheid en een beetje zekerheid wel leuk hebben gevonden. Hij was te gekwetst geweest om haar te geven wat ze wilde. Of te stom.

'Ik heb gekeken of hij een strafblad heeft,' zei Laura, 'maar dat heeft hij niet. Het departement rijbewijzen zegt "bruin haar, blauwe ogen". Er staat "geslacht mannelijk". Ik hou van mannelijke geslachten. Ik krijg niet genoeg mannelijk geslachten. Lengte een vijfentachtig, gewicht eenentachtig kilo. Geboren: zes juni negentien tweeënzeventig, dus hij is eenendertig.'

Ethan schreef het allemaal op een kladblok. 'Bedankt, Laura. Je hebt iets van me te goed.'

'Vertel me dan maar – hoe groot is zijn leuter?'

'Staat dat niet in het rijbewijzendossier?'

'Ik bedoel niet de leuter van Rolf, ik bedoel die van Manheim. Komt die tot zijn enkels of gewoon tot zijn knieën?'

'Ik heb zijn leuter nog nooit gezien, maar hij lijkt geen problemen met lopen te hebben.'

'Snoepie, misschien kun je ons een keer aan elkaar voorstellen.'

Ethan had nooit geweten waarom ze hem Snoepie noemde. 'Je zou je dood vervelen met die man, Laura, en dat is echt waar.'

'Hij is zo knap dat ik geen gesprek nodig heb. Ik stop gewoon een prop in zijn mond, plak zijn lippen dicht en we vertrekken naar het paradijs.'

'In wezen is het mijn baan om mensen als jij bij hem vandaan te houden.'

'Truman komt van twee oude Engelse woorden,' zei ze. 'Het betekent "standvastig, loyaal, betrouwbaar en constant".'

'Je krijgt geen afspraak met het Gezicht door mij een schuldgevoel aan te praten. Bovendien, wanneer was ik dan niet loyaal en betrouwbaar?'

'Snoepie, twee van de vier betekent niet dat je je naam verdient.'

'Je was trouwens te goed voor me, Laura. Jij hebt meer te geven dan een zwerver als ik kan waarderen.'

'Ik zou graag je prestatiekaart nog eens willen zien,' zei ze, doelend op zijn staat van dienst in het korps. 'Er zullen wel meer sterren op staan voor het slijmen van een beroemdheid dan op welke honderd kaarten ook in de geschiedenis van de baan.'

'Als je klaar bent met me afzeiken, ik heb me zitten afvragen... Rolf. Beroemde wolf. Slaat dat ergens op? Wat moet een wolf doen om beroemd te worden?'

'Een heleboel schapen pakken, denk ik.'

Tegen de tijd dat Ethan Laura gedag zei, was er weer een lichte regen gaan vallen. Zonder de bezieling van de wind, kusten de druppels nauwelijks de ramen van de werkkamer.

Met de afstandsbediening zette hij de tv aan en daarna de videorecorder. De band zat er al in. Hij had hem zes keer eerder bekeken.

Er waren in totaal zesentachtig beveiligingscamera's buiten op het landgoed. Elke deur van het huis en elk raam en alle toegangen tot het terrein werden in de gaten gehouden.

Alleen de noordmuur van het landgoed grensde aan openbaar bezit. Deze lange muur, inclusief de poort, was onder surveillance van camera's die in de bomen op het land direct aan de overkant van de straat waren gemonteerd, een perceel dat ook eigendom was van Channing Manheim.

Iedereen die de beveiliging aan de voormuur verkende, de werking van de poort en de protocollen van identificatie van bezoekers, zou geen camera's vinden op de openbare weg of in de bomen op het landgoed die over de muur hingen. Ze zouden aannemen dat surveillance alleen maar vanaf het terrein zelf gedaan kon worden.

Ondertussen zouden ze in de gaten gehouden worden door de camera's aan de overkant van deze smalle weg in Bel Air, nauwelijks twee rijbanen breed, zonder stoepen of straatlantaarns. Een zoomshot zou een heldere identificatie opleveren om tot een veroordeling te komen als de persoon van verkenning overging tot welke criminele daad ook.

De camera's stonden elke dag de hele dag aan. Vanuit het beveiligingskantoor in het gebouw van de terreinbeheerder en op sommige punten in het huis kon toegang verkregen worden tot elke videocamera van het systeem als je de code kende.

Een aantal televisies in het huis en een rij van zes stuks in het beveiligingskantoor konden de videobeelden van elke camera ontvangen. Een tv kon tegelijkertijd vier beelden vertonen in een vierde schermformaat. Daardoor kon het beveiligingsteam beelden van vierentwintig camera's tegelijkertijd bestuderen.

De bewakers dronken voornamelijk koffie en vertelden elkaar sterke verhalen. Maar als er een alarm overging, konden ze een direct beeld van dichtbij krijgen van elke hoek van het landgoed waar iemand probeerde binnen te komen. Camera voor camera konden ze een binnendringer volgen als hij van het zicht van de ene camera naar de andere liep.

Op het toetsenbord in het beveiligingskantoor kon een bewaker de opnamen van elk van de zesentachtig bronnen naar een videorecorder leiden. Het systeem bevatte twaalf recorders die tegelijkertijd vierentachtig opnamen in een vierde schermformaat konden opnemen.

Zelfs als een bewaker niet oplette zouden bewegingsdetectors verbonden met elke camera voor een automatische registratie zorgen van dat camerastandpunt als een levend wezen groter dan een hond door het betreffende gebied liep.

Om twee minuten over halfvier 's ochtends hadden bewegingssensors verbonden met Camera 01 die onophoudelijk over het westelijke einde van de noordelijke grens zwenkte een drie jaar oude Honda opgepikt. In plaats van langs te rijden zoals het andere schaarse verkeer de hele nacht had gedaan, was de auto naar de kant gegaan en had geparkeerd op honderd meter voor de ingangspoort.

De eerdere vijf zwarte dozen waren met een valse afzender via Federal Express gekomen. Hier kreeg Ethan zijn eerste kans om de afzender te identificeren.

Nu, nog geen zeven uur later, stond hij in zijn werkkamer naar de Honda op het scherm te kijken. Door de smalle berm van de weg kon de chauffeur de auto niet helemaal naast de rijbaan naar het oosten parkeren.

Overdag hadden de exclusieve straten van Bel Air slechts weinig verkeer. Zo laat in de nacht kwam er nauwelijks nog iemand langs. Toch, om veiligheidsredenen, doofde de chauffeur van de Honda zijn koplampen niet toen hij parkeerde. Hij liet de motor draaien en zette zijn waarschuwingsknipperlichten aan.

De camera, voorzien van moderne nachtzichttechnologie, gaf een beeld met hoge resolutie ondanks de duisternis en het slechte weer. Een ogenblik draaide Camera 01 voorbij de Honda – staakte toen zijn geprogrammeerde zwenkbeweging en keerde terug naar de auto. Dave Ladman was op dat moment bezig met een verkenning te voet van het landgoed. Tom Mack, die het beveiligingskantoor bemande, had de aanwezigheid van een verdacht voertuig opgemerkt en had ingegrepen in de automatische functie van 01.

Het had hevig geregend. Onophoudelijk kwamen schermen regendruppels met kracht op het asfalt neer en veroorzaakten zoveel schuim en dansende nevel dat de straat scheen te koken.

Het portier naast het stuur ging open en Camera 01 zoomde in naar een close-up toen een lange, compact gebouwde man uit de auto stapte. Hij droeg een zwart waterdicht windjack. Zijn gezicht ging verborgen in de schaduw van een kap.

Tenzij Rolf Reynerd zijn auto aan een vriend had uitgeleend, was dit de beroemde wolf. Hij paste bij het fysieke profiel op Reynerds rijbewijs.

Hij sloot het portier, opende de achterdeur en haalde een grote, witte bal van de achterbank. Dit bleek de vuilniszak te zijn waarin het cadeau van de gehechte appel zat.

Reynerd sloot het portier, liep naar de voorkant van de auto en verder naar de poort met de oprit honderd meter verderop. Ineens bleef hij staan en draaide zich om om de door de regen geteisterde smalle straat af te kijken, gereed om ervandoor te gaan.

Misschien dacht hij een naderende motor te horen boven het geruis uit van de regen die door de bomen kletterde. De beveiligingstape had geen geluid.

Op dat verlaten uur zou het, als er een andere auto ten tonele was verschenen, een patrouillewagen van de Bel Air Patrol zijn geweest, de privébeveiligingsdienst die hielp de orde te handhaven van deze uiterst welgestelde gemeenschap.

Toen noch een patrouillewagen noch een minder officiële auto verscheen, hervond de man met de kap zijn zelfvertrouwen. Hij haastte zich naar het oosten, naar de poort.

Camera 02 volgde hem toen hij buiten het bereik van Camera 01 kwam. Bij de poort werd hij in de gaten gehouden door Camera 03 vanaf de overkant van de straat, die inzoomde voor een nadere beoordeling.

Onmiddellijk, toen hij bij de ingangspoort kwam, gooide Reynerd de witte zak naar de bovenkant van die bronzen barrière. Het pakje kwam niet over de hoogste krullen heen en stuiterde naar hem terug.

Bij zijn tweede poging, lukte het wel. Toen hij zich van de poort omdraaide, zakte zijn kap half af en Camera 03 kreeg een duidelijk beeld van zijn gezicht in het schijnsel van de lantaarns naast de poort.

Hij had de gebeeldhouwde gelaatstrekken om een succesvol kelner te zijn in de meest trendy restaurants in L.A. waar zowel het bedienende personeel als de klanten de fantasie koesterden dat elke jongen of meid die tijdens de dienst op dinsdagavond schotels van een te dure zwaardvis van de keuken naar de tafel bracht op woensdag misschien een begeerde rol zou krijgen in de volgende film van honderdvijftig miljoen van Tom Cruise.

Toen Rolf Reynerd zich van de poort omdraaide nadat hij de appel had afgeleverd, grijnsde hij.

Misschien had de grijns van de man, als Ethan niet de betekenis van de voornaam van de man zou hebben gekend, niets wolfachtigs. Misschien zou hij anders gedacht hebben aan een krokodil of een hyena.

In ieder geval was dit niet de vrolijke grijns van een grappenmaker. Vastgelegd op video deed deze kromming van de lippen en de ontblote tanden denken aan de vrolijkheid van een waanzinnige waarvoor een volle maan en medicijnen nodig waren.

Plassend door zwarte poelen die door de koplampen waren afgezet met zilver liep Reynerd terug naar de auto.

Toen de Honda wegreed van de berm en weer op de rijbaan naar het oosten zat, voerde Camera 01 nogmaals een zwenking uit en zoomde in, vervolgens Camera 02. Allebei leverden ze leesbare opnames van de achterste nummerplaat op.

Verdwijnend in de nacht toverde de auto kort zwevende geesten uit zijn uitlaat.

Daarna lag de smalle straat verlaten in een vochtige duisternis, behalve bij de lantaarns naast de Manheim-poort. Zwarte regen, als van een oplossende nachtelijke hemel, stroomde onophoudelijk neer, en dreef de duisternis van het heelal in de door iedereen begeerde huizen van Bel Air.

Voor hij zijn kamers in de westelijke vleugel verliet, belde Ethan de huishoudster, Mrs. McBee, om te melden dat hij het grootste deel van de dag weg zou zijn.

Efficiënter dan welke machine ook, betrouwbaarder dan de natuurkundige wetten, en even degelijk als een aartsengel, zou Mrs. McBee binnen een paar minuten een van de zes dienstmeisjes onder haar bevel naar Ethans appartement sturen. Zeven dagen per week verzamelde een dienstmeisje het afval en hing nieuwe handdoeken op. Twee keer per week werden zijn kamers gestoft, gestofzuigd en in een onberispelijk staat gebracht. De ramen werden twee keer per maand gelapt.

Er zaten voordelen aan het wonen in een groot huis met een bediening van vijfentwintig man personeel.

Als hoofd beveiliging die zich zowel op de persoonlijke veiligheid van het Gezicht als de beveiliging van het landgoed richtte, genoot Ethan veel voordelen, waaronder gratis maaltijden die waren bereid door Mr. Hachette, of door Mr. Baptiste, respectievelijk de chef-kok en de kok van het huishouden. Mr. Baptiste miste de opleiding van zijn baas op de beste koksscholen, maar niemand met smaakpapillen klaagde ooit over de gerechten die hij op tafel zette.

De maaltijden konden genuttigd worden in het grote en gerieflijk gemeubileerde dagverblijf waar het personeel niet alleen at, maar ook de planning van het huishouden deed, de koffiepauzes hield en alle regelingen trof voor de uitgebreide partijen die het Gezicht vaak gaf als hij thuis was. De chef of de kok zou ook een bord sandwiches klaarmaken of elke andere gewenste lekkernij die Ethan mee zou willen nemen naar zijn vertrekken.

Natuurlijk kon hij maaltijden bereiden in de keuken van zijn appartement als hij dat liever wilde. Mrs. McBee hield zijn koelkast en voorraadkast bij volgens het boodschappenlijstje dat hij haar gaf, en waarvoor hij niet hoefde te betalen.

Behalve op maandag en donderdag, als een van de dienstmeisjes de bedden verschoonde – het beddengoed van Mr. Manheim werd dagelijks verschoond als hij aanwezig was – moest Ethan elke ochtend zijn bed opmaken.

Het leven was zwaar.

Nu, na een zacht leren jasje aangetrokken te hebben, stapte Ethan zijn appartement uit naar de gang op de begane grond van de westelijke vleugel. Hij deed zijn deur niet op slot, zoals hij evenmin gedaan zou hebben als hij de eigenaar was geweest van het hele huis.

Hij nam een dossier mee dat hij had gemaakt over de zaak van de zwarte dozen, een paraplu en een in leer gebonden exemplaar van *Lord Jim* van Joseph Conrad. Hij had de roman de avond ervoor uitgelezen en was van plan die terug te brengen naar de bibliotheek.

Deze gang, bijna vier meter breed, met op de vloer kalkstenen tegels die bijna overal op de benedenverdieping van het huis gebruikt waren, was versierd met moderne Perzische tapijten in zachte kleuren. Hoogwaardig Frans antiek – alles uit de empireperiode, met ook de stijl van na de empire die biedermeier heet – sierde de lange ruimte: stoelen, kisten, een bureau, een dressoir.

Zelfs met meubels aan weerskanten zou Ethan met een auto door de gang hebben kunnen rijden zonder een enkel stuk antiek te schampen.

Misschien zou hij het wel leuk hebben gevonden om met een auto door de gang te rijden als hij zich erna niet had hoeven verantwoorden bij Mrs. McBee.

Tijdens de stimulerende wandeling naar de bibliotheek, ontmoette hij twee meisjes in uniform en een bediende met wie hij begroetingen uitwisselde. Omdat hij een wat Mrs. McBee noemde leidinggevende functie onder het personeel vervulde, sprak hij die medewerkers aan bij hun voornaam, maar zij noemden hem Mr. Truman.

Voordat een nieuwe werknemer aan zijn eerste dag op het werk begon, voorzag Mrs. McBee die van een ringband die 'Regels en praktijk' heette en die ze zelf had opgesteld en verzameld. Wee de verlichte ziel die de inhoud ervan niet kende en niet altijd volgens die richtlijnen werkte.

De vloer van de bibliotheek was van walnotenhout in een donker, warm roodbruin. Hier waren de Perzische tapijten antiek die in waarde veel sneller stegen dan de beste aandelen van de grootste maatschappijen van het land.

Clubstoelen in gerieflijke opstellingen wisselden af met doolhoven van mahoniehouten planken die meer dan zesendertigduizend boeken bevatten. Sommige boeken stonden op planken op een tweede niveau dat was voorzien van een bijna twee meter breed looppad dat te bereiken was via een open trap met een sierlijk vergulde ijzeren leuning.

Als je niet omhoogkeek naar het plafond om een beter idee te krijgen van de werkelijke afmeting van de enorme kamer, zou je misschien de illusie koesteren dat die eeuwig doorliep. Misschien was het ook zo. Alles leek hier mogelijk.

In het midden van het plafond zat een koepel van gebrandschilderd glas met een doorsnede van zo'n tien meter. De donkere kleuren van het glas – karmozijnrood, smaragdgroen, gebrand geel, hemelsblauw – filterden het natuurlijke licht zelfs op een heldere dag zo grondig, dat de boeken niet het risico liepen beschadigd te worden door zonlicht.

Ethans oom Joe – die als pseudo-vader had gefungeerd als Ethans echte vader te dronken was om zijn taak te vervullen – was vrachtwagenchauffeur geweest voor een regionale bakker. Hij had zes dagen per week, acht uur per dag, broden en taarten naar super-markten en restaurants gereden. De meeste tijd had Joe nog een tweede baan gehad als nachtportier, drie dagen in de week.

In zijn beste vijf jaar bij elkaar had oom Joe niet genoeg verdiend om de prijs van deze gebrandschilderde koepel te betalen.

Toen hij zijn eerste politiesalaris begon te verdienen, had Ethan het gevoel gehad rijk te zijn. Vergeleken met Joe had hij scheppen poen verdiend.

Van zijn totale inkomen van zestien jaar bij de politie van Los An-geles zou hij de prijs van deze ene kamer niet hebben kunnen be-talen.

'Ik had filmster moeten worden,' zei hij toen hij de bibliotheek binnenstapte om *Lord Jim* terug te zetten op de plank waar hij hem vandaan had gehaald.

Elk boek in de verzameling stond in alfabetische volgorde, op au-teur. Een derde ervan was in leer gebonden, de andere waren ge-wone uitgaven. Een aanzienlijk deel was zeldzaam en duur.

Het Gezicht had er niet een van gelezen.

Meer dan tweederde van de collectie was samen met het huis ge-komen. Op instructies van haar werkgever, een keer per maand, kocht Mrs. McBee de meest besproken en door critici bejubelde moderne romans en non-fictieboeken die onmiddellijk werden ge-catalogiseerd en in de bibliotheek geplaatst.

Deze nieuwe boeken werden alleen maar gekocht om ermee te pronken. Ze maakten indruk op de gasten van het huis, diner-gasten en andere bezoekers met hetzelfde intellectuele niveau als Channing Manheim.

Als hem naar zijn mening werd gevraagd over een boek, ontlok-te het Gezicht eerst het oordeel van de bezoeker, waarna hij er op zo'n charmante manier mee instemde dat hij zowel erudiet als in alle opzichten een verwante geest leek.

Terwijl Ethan *Lord Jim* terugschoof op de plank tussen twee an-dere titels van Conrad zei een klein piepend stemmetje achter hem: 'Gaat het over magie?'

Hij draaide zich om en ontdekte de tienjarige Aelfric Manheim die nagenoeg levend was opgeslokt door een van de grotere leunstoe-len.

Volgens Laura Moonves, was Aelfric (uitgesproken als elf-rick) een oud-Engels woord dat 'elfenbeheersing' of 'beheerst door el-fen' betekende, en dat in het begin werd gebruikt voor verstandi-ge en slimme daden, maar op den duur was gaan verwijzen naar hen die verstandig en slim handelden.

Aelfric.

De moeder van de jongen – Fredericka 'Freddie' Nielander – een supermodel dat in één jaar met het Gezicht was getrouwd en van hem was gescheiden, had in haar leven minstens drie boeken gelezen. *In de ban van de ring* in drie delen. Om eerlijk te zijn had ze die meermalen gelezen.

Ze had op het punt gestaan de jongen Frodo te noemen. Gelukkig, of niet, had een maand voordat Freddie moest bevallen haar beste vriendin, een actrice, de naam Aelfric ontdekt in het script voor een goedkope fantasyfilm waarin zij een rol van een amazone-alchemiste met drie borsten zou spelen.

Zou de vriendin van Freddie een bijrol in *The Silence of the Lambs* hebben gekregen, dan zou Aelfric nu waarschijnlijk Hannibal Manheim hebben geheten.

De jongen gaf er de voorkeur aan Fric genoemd te worden, en van iedereen stond alleen zijn moeder erop zijn volledige naam te gebruiken. Gelukkig, of niet, was ze niet vaak in de buurt om hem ermee te kwellen.

Betrouwbare geruchten zeiden dat Freddie Fric al in meer dan zeventien maanden niet meer had gezien. Zelfs de carrière van een op jaren rakend supermodel kon veeleisend zijn.

'Wat moet er over magie gaan?' vroeg Ethan.

'Het boek dat u net hebt weggezet.'

'Een soort magie, maar waarschijnlijk niet de magie die jij bedoelt.'

'In deze staat een teringzooi aan magie,' zei Fric, terwijl hij een paperback liet zien met draken en tovenaars op de omslag.

'Is dat wel wenselijke taal voor een verstandig en slim persoon?' vroeg Ethan.

'Verroest, alle vrienden van mijn ouweheer in het vak gebruiken wel ergere woorden dan teringzooi. Mijn ouweheer ook.'

'Niet als hij weet dat jij in de buurt bent.'

Fric hield zijn hoofd schuin. 'Noemt u mijn vader een hypocriet?'

'Als ik je vader ooit zo noem, bijt ik mijn tong af.'

'De boze tovenaar in dit boek zou die in een drankje gebruiken. Een van zijn moeilijkste taken is het vinden van de tong van een eerlijk mens.'

'Waardoor denk je dat ik eerlijk ben?'

'Doe normaal. U hebt een driedubbele teringzooi aan eerlijkheid.'

'Wat doe je als Mrs. McBee je dat soort woorden hoort gebruiken?'

'Ze is ergens anders.'

'O ja?' vroeg Ethan, suggererend dat hij iets wist over de huidige lokatie van Mrs. McBee waardoor de jongen zou wensen iets discreter te zijn geweest.

Fric, niet in staat een schuldige uitdrukking te onderdrukken, ging rechtop zitten en keek door de bibliotheek.

De jongen was klein voor zijn leeftijd, en mager. Soms, op afstand bezien terwijl hij alleen door de uitgestrekte gangen liep of door een kamer die was afgestemd op koningen en hun gevolg, leek hij bijna een spriet.

'Volgens mij heeft ze geheime doorgangen,' fluisterde Fric. 'U weet wel, doorgangen door de muren.'

'Mrs. McBee?'

De jongen knikte. 'We wonen hier zes jaar, maar zij woont hier al eeuwig.'

Mrs. McBee en Mr. McBee – allebei midden in de vijftig – waren aangenomen door de voormalige eigenaar van het goed en waren aangebleven op verzoek van het Gezicht.

'Het is moeilijk voor te stellen dat Mrs. McBee rondsluipt in de muren,' zei Ethan. 'Ze is niet bepaald geniepig.'

'Maar als ze wél geniepig was,' zei Fric hoopvol, 'zouden de dingen hier heel wat interessanter zijn.'

Frics bruine bos haar, anders dan de goudblonde lokken van zijn vader die met een beweging van zijn hoofd perfect in model vielen, was voortdurend in de war. Hij had haar dat borstels onbruikbaar maakte en goede kammen deed breken.

Fric zou knap kunnen worden en blijk geven van zijn afkomst, maar op dit moment zag hij eruit als een gemiddelde jongen van tien.

'Waarom heb je geen les?' vroeg Ethan.

'Bent u atheïstisch of zoiets? Weet u niet dat dit de week voor Kerstmis is? Zelfs in Hollywood hebben kinderen die thuis les krijgen vakantie.'

Een ploeg privéleraren kwam vijf dagen per week op bezoek. Het privéschooltje waar Fric een tijdje op had gezeten, bleek geen goede omgeving voor hem.

Met de beroemde Channing Manheim als vader, met de beroemde en *beruchte* Freddie Nielander als moeder, was Fric het onderwerp van naijver en spot geworden, zelfs onder de kinderen van andere beroemdheden. Als de magere zoon van een gelikte ster, geadoreerd om zijn heldenrollen, werd hij het onderwerp voor lol van wredere kinderen. Zijn hevige astma was een extra argument om hem lessen aan huis te geven in een beheerste omgeving.

'Heb je enig idee wat je op kerstochtend krijgt?' vroeg Ethan.

'Ja. Ik moest op vijf december Mrs. McBee mijn verlanglijstje geven. Ik heb tegen haar gezegd dat ze niets hoefde in te pakken, maar ze doet het toch. Ze doet het altijd. Ze zegt dat het *zonder* enig geheim geen echte kerstochtend is.'

'Ik ben het met haar eens.'

De jongen haalde zijn schouders op en zakte weer weg in zijn stoel. Hoewel het Gezicht op het moment voor een film op lokatie zat, zou hij de dag voor Kerstmis terugkeren uit Florida.

'Het is goed dat je vader thuiskomt met de feestdagen. Hebben jullie nog speciale plannen voor als hij terug is?'

De jongen haalde weer zijn schouders op en probeerde te doen alsof hij van niets wist of dat het hem onverschillig liet, maar hij vertoonde daarmee – onopzettelijk – een treurigheid die Ethan een onkarakteristiek hulpeloos gevoel bezorgde.

Fric had de lichtgevende, groene ogen van zijn moeder geërfd. In de bijzondere diepte van die ogen kon voldoende gelezen worden over de eenzaamheid van de jongen om twee planken in de bibliotheek te vullen.

'Nou,' zei Ethan, 'misschien krijg je op kerstochtend dit jaar wel een paar verrassingen.'

Fric leunde naar voren in zijn stoel, gretig naar een gevoel van geheim dat hij daarnet nog als onbelangrijk had afgedaan, en zei: 'Wat – hebt u iets gehoord?'

'Als ik iets gehoord zou hebben, waarvan ik niet zal zeggen of het zo is of niet, zou ik je niet kunnen vertellen wat ik heb gehoord, aangenomen dat ik iets heb gehoord, en de verrassing de verrassing laten, waarmee ik niet wil zeggen dat er wel of niet een verrassing is.'

De jongen keek een ogenblik zwijgend voor zich uit. 'Nou, u klinkt niet zo eerlijk als een smeris, u klinkt als een studiobaas.'

'Jij weet hoe studiobazen klinken, hè?'

'Ze komen soms hier,' zei de jongen op een toon vol wereldse wijsheid. 'Ik ken hun babbel.'

Ethan parkeerde aan de overkant van de straat tegenover het flatgebouw in Hollywood-West, zette de ruitenwissers uit, maar liet de motor draaien voor de verwarming. Hij bleef een tijdje in de Ford Expedition naar het gebouw zitten kijken en vroeg zich af hoe hij Rolf Reynerd het beste kon aanpakken.

De Expedition was er een van een verzameling auto's die beschikbaar waren voor zowel het werk als persoonlijk gebruik door de acht inwonende leden van het vijfentwintig man tellende personeel van het landgoed. Onder de andere auto's in de onderste garage bevond zich een Mercedes ML500 suv, maar die zou misschien te veel aandacht hebben getrokken tijdens een observatie als er op een dag gesurveilleerd moest worden.

Het flatgebouw van drie verdiepingen scheen in goede, maar niet voortreffelijke staat. Het crèmekleurige stucwerk had geen gaten of barsten, maar het schilderwerk van het gebouw leek minstens een jaar achter te lopen. Een van de nummers boven de voordeur hing scheef.

Cameliastruiken vol rode bloemen, een verscheidenheid aan varens en phoenixpalmen met enorme kronen, verschaften de weelderigheid van dure tuinarchitectuur, maar alles had al een maand geleden gesnoeid moeten worden. Het woekerende gras liet weten dat het niet elke week werd gemaaid, maar twee keer per maand.

De huisbaas beknibbelde op zijn kosten, maar het gebouw zag er toch aangenaam uit om te wonen.

Niemand met een uitkering huurde hier. Reynerd moest een baan hebben, maar het feit dat hij om halfvier 's ochtends doodsbedreigingen afleverde, gaf de suggestie dat hij niet vroeg op hoefde te staan om naar zijn werk te gaan. Misschien was hij nu thuis.

Wanneer Ethan de werkplek van zijn verdachte opspoorde en navraag naar hem ging doen bij collega's en buren, zou Reynerd zeker door iemand worden gewaarschuwd. Daarna zou hij zo voorzichtig worden dat hij niet meer direct kon worden benaderd.

Ethan besloot met de man zelf te beginnen en dan verder te werken vanuit dat eerste contact.

Hij sloot zijn ogen, liet zijn hoofd tegen de hoofdsteun vallen en dacht na over hoe hij verder moest gaan.

Het motorgebrul van een naderende auto werd zo luid dat hij zijn ogen opendeed, half in de verwachting plotseling een sirene te horen en een achtervolging door de politie te zien. Een kersenrode Ferrari Testarossa, die veel te hard reed voor een woonbuurt, schoot voorbij alsof de chauffeur eigenlijk hoopte een overschietend kind omver te rijden of een oude dame met een kruk voortschuifelend op orthopedische schoenen.

Een door de banden opgeworpen straal water spoot op van de straat vol plassen en besproeide de Expedition. Het glas in het portier naast het stuur werd een ogenblik ondoorzichtig door rimpelingen vuil water.

Aan de overkant van de straat leek het flatgebouw te flikkeren alsof het een gebouw in een droom was. Enig aspect van die voorbijgaande vervorming leek een vage herinnering te starten aan een lang vergeten nachtmerrie, en het zien van het gebouw in deze vervormde conditie deed de haren onverklaarbaar overeind komen in Ethans nek.

Toen dropen de laatste druppels van het raampje. Neervallende regen spoelde snel de laatste restjes modder van het glas. Het flatgebouw was niet anders dan wat het was geweest toen hij het daarnet voor het eerst zag: een mooie plek om te wonen.

Na geoordeeld te hebben dat de regen alleen maar hard genoeg neerkwam om meer narigheid van een paraplu te hebben dat voordeel, stapte hij uit de SUV en schoot de straat over.

In Zuid-Californië leed moeder natuur aan het einde van de herfst en het begin van de winter aan onvoorspelbare stemmingsveranderingen. Van jaar tot jaar, en zelfs van dag tot dag in hetzelfde jaar, kon de week voor Kerstmis veranderen van mild tot ijskoud. Deze lucht was koel, de regen kouder dan de lucht, en de lucht even grauw als die zou kunnen zijn in een echt winters klimaat veel verder naar het noorden.

De voordeur van het gebouw had geen veiligheidsslot dat met een zoemer geopend werd. De buurt was zo veilig dat de hal van het flatgebouw geen beveiligingsaanpassingen nodig had.

Druipend liep hij een kleine ruimte binnen, eerder een halletje dan een hal, met een vloer van Mexicaanse tegels. Een lift en een reeks trappen leidden naar hogere verdiepingen.

In de lucht van het halletje hing de vlezige lucht van Canadese bacon, uren eerder gebakken, en de muffe geur van verschraalde cannabis. Wiet had een bepaalde geur. Iemand had die ochtend hier zijn joint opgerookt voordat hij naar buiten, de mistroostige dag in, was gestapt.

Aan de rij postbussen telde Ethan vier flats op de benedenverdieping, zes op de eerste en zes op de tweede. Reynerd woonde in het midden van het gebouw op 2B.

Alleen de achternamen van de huidige huurders stonden op de brievenbussen. Ethan had meer informatie nodig dan de kleefetiketten aangaven.

Een open, gemeenschappelijke bak, weggewerkt in de muur, was voor tijdschriften en andere publicaties, voor die momenten dat de postbode door de hoeveelheid andere post die niet meer in de brievenbussen kwijt kon.

Er lagen twee tijdschriften op het brievenrek. Allebei waren ze voor George Keesner van flat 2E.

Ethan tikte met zijn knokkels tegen de aluminium deurtjes van diverse brievenbussen van flats waarin hij geen interesse had. Het holle geluid gaf aan dat ze leeg waren. Hoogstwaarschijnlijk was de post van vandaag nog niet bezorgd.

Toen hij op de brievenbus van Keesner tikte, klonk die alsof hij volgepakt zat met post. Duidelijk was de man een aantal dagen niet thuisgekomen.

Ethan beklom de trap naar de eerste verdieping. Een lange gang, drie deuren aan weerskanten. Bij 2E drukte hij op de bel en wachtte.

De flat van Reynerd, 2B, was direct tegenover die van 2E.

Toen niemand opendeed op het aanbellen bij de flat van Keesner, belde Ethan weer, twee keer. Na een pauze klopte hij hard aan.

Elke deur was voorzien van een fish-eye-lens waardoor de bewoner kon zien wie er aanbelde voordat hij besloot of hij hem binnen zou laten of niet. Misschien dat Reynerd van de overkant van de gang nu het achterhoofd van Ethan in de gaten hield.

Toen er geen reactie kwam op zijn kloppen, draaide Ethan zich om bij Keesners deur en maakte een hele vertoning van frustratie. Hij ging met een hand langs zijn natgeregende gezicht. Hij ging met die hand door zijn vochtige haar. Hij schudde zijn hoofd. Hij keek links en rechts door de gang.

Toen Ethan aanbelde bij 2B, deed de appelman bijna direct open, ongehinderd door de bescherming van een veiligheidsketting.

Hoewel hij zonder meer leek op het beeld van de beveiligingscamera, bleek hij knapper dan hij was geweest in de regen van de afgelopen nacht. Hij leek op Ben Affleck, de acteur.

Maar naast het Affleck-aspect, had hij ook iets van welkom-in-het-Bates-motel dat elke fan van Anthony Perkins zou hebben herkend. De strakheid in zijn mondhoeken, het snelle kloppen in zijn rechterslaap en vooral de harde glans in zijn ogen suggereerden dat hij misschien aan de pep was, niet helemaal high maar wel voortrazend op grote hoogte.

'Meneer,' zei Ethan op het moment dat de deur nog niet helemaal open was, 'het spijt me u lastig te vallen, maar ik ben wanhopig op zoek naar George Keesner van 2E aan de overkant. Kent u George?'

Reynerd schudde zijn hoofd. Hij had een stierennek. Veel tijd doorgebracht met gewichten op de sportclub.

'Ik ken hem van gedag zeggen op de gang,' zei Reynerd, 'en hoe is het weer. Dat is alles.'

Als dat waar was, voelde Ethan zich veilig genoeg om te zeggen:

'Ik ben zijn broer. Ik heet Ricky Keesner.'

Die truc moest werken zolang Keesner ergens tussen de twintig en vijftig was.

'Onze oom Harry ligt op de intensive care op sterven,' loog Ethan. 'Die maakt het niet lang meer. Sinds gisterochtend ben ik George al aan het bellen op elk nummer dat ik van hem heb. Hij belt niet terug. En hij doet niet open.'

'Volgens mij is hij weg,' zei Reynerd.

'Weg? Daar heeft hij tegen mij niets over gezegd. Weet u waar hij misschien naartoe is?'

Reynerd schudde zijn hoofd. 'Hij is eergisteravond met een kleine koffer vertrokken, net toen ik thuiskwam.'

'Heeft hij u verteld wanneer hij terug zou komen?'

'We hebben het er alleen maar over gehad dat het leek alsof het zou gaan regenen, en toen ging hij weg,' antwoordde Reynerd.

'Man, hij is zo dol op oom Harry – wij allebei – hij zal ontdaan zijn dat hij niet de kans heeft gekregen afscheid te nemen. Misschien kan ik een briefje voor hem achterlaten zodat hij het direct ziet als hij terugkomt.'

Reynerd staarde Ethan alleen maar aan. Een ader in zijn hals begon te kloppen. Zijn op pep draaiende geest maakte toptijden, maar hoewel pep hypersnelle gedachten gaf, hielp het niet om hélder te denken.

'Waar het om gaat,' zei Ethan, 'ik heb geen papier. Of een pen.'

'O. Natuurlijk, maar ik wel,' zei Reynerd.

'Het spijt me echt u lastig te vallen...'

'Het geeft niet,' stelde Reynerd hem gerust, die zich omdraaide en weg begon te lopen van de open deur om een notitieboekje en een pen te pakken.

Achtergelaten op de drempel stond Ethan te popelen om de flat in te lopen. Hij wilde een betere kijk hebben op Reynerds hol dan hij zou kunnen krijgen vanaf de drempel.

Net toen Ethan besloot dan maar brutaal te zijn en naar binnen te lopen zonder uitnodiging, bleef Reynerd staan, draaide zich om en zei: 'Kom binnen. Ga zitten.'

Nu de uitnodiging uitgebreid werd, kon Ethan zich permitteren enige authenticiteit in zijn optreden te brengen door bezwaar te maken. 'Bedankt, maar ik kom net uit de regen...'

'Daar zullen deze meubels geen schade door oplopen,' stelde Reynerd hem gerust.

Ethan liet de deur achter zich open en liep naar binnen.

De woonkamer en eethoek vulden één grote ruimte. De keuken

was open naar deze kamer aan de voorkant, maar ervan gescheiden door een bar met twee krukken.

Reynerd liep verder naar de keuken, naar een werkblad onder een muurtelefoon, terwijl Ethan in de woonkamer op de rand van een leunstoel ging zitten.

De flat was spaarzaam gemeubileerd. Een bank, een leunstoel, een salontafel en een televisietoestel. De eethoek bevatte een kleine tafel en twee stoelen.

Op de televisie brulde de leeuw van MGM. Het geluid stond laag, het brullen was zacht.

Aan de muren diverse ingelijste foto's: grote kunstdrukken van veertig bij vijftig in zwart-wit. Elke foto had als onderwerp vogels.

Reynerd kwam terug met een aantekenblok en een potlood. 'Is dit goed?'

'Perfect,' zei Ethan terwijl hij ze in ontvangst nam.

Reynerd had ook een plakbandhouder. 'Om het briefje op Georges deur te plakken.' Hij zette hem op de salontafel.

'Bedankt,' zei Ethan. 'Mooie foto's.'

'Vogels vertegenwoordigen de volledige vrijheid,' zei Reynerd.

'Dat lijkt me ook, hè? De vrijheid van vliegen. Hebt u de foto's gemaakt?'

'Nee. Ik verzamel ze alleen maar.'

Op een van de afdrukken vloog een vlucht duiven in een werveling van gevederde opwinding op van de kasseien van een plein met als achtergrond oude Europese gebouwen. Op een andere vlogen ganzen in formatie door een sombere lucht.

Wijzend naar de zwart-witfilm op tv zei Reynerd: 'Ik wilde net wat te knabbelen halen voor bij de tv. Als u het niet erg vindt...?'

'Hè? O, natuurlijk. Het spijt me, vergeef me. Ik schrijf dit even en dan ben ik weg.'

Op een van de foto's kwamen de vogels recht op de fotograaf af gevlogen. De opname was een close-up montage van elkaar overlappende vleugels, open snavels en kraalachtige zwarte ogen.

'Ik ga nog eens dood aan chips,' zei Reynerd toen hij terugliep naar de keuken.

'Ik heb het met ijs. Daar heb ik meer van in mijn aderen zitten dan bloed.'

Ethan schreef in blokletters BESTE GEORGE, hield even op alsof hij nadacht en keek door de kamer.

Vanuit de keuken vervolgde Reynerd: 'Ze zeggen dat je nooit maar één chip kunt eten, maar ik kan nooit maar één zak eten.'

Twee kraaien zaten op een ijzeren hek. Een baan zonlicht bracht scherpe randen aan op hun snavels.

Een wit tapijt lag ongerept als winterse sneeuw van muur tot muur. De meubels waren bekleed met een zwarte stof. Van een afstand leek het formicablad van de tafel in de eethoek zwart.

Alles in de flat was zwart-wit.

Ethan schreef OOM HARRY LIGT OP STERVEN en pauzeerde weer, alsof een simpel berichtje een aanslag was op zijn schrijftalent.

De filmmuziek, hoewel zacht, had een melodramatische klank. Een misdaadfilm uit de jaren dertig of veertig.

Reynerd bleef in de keukenkastjes rommelen.

Daar leken twee duiven in de lucht tegen elkaar aan te botsen. Verderop keek een uil met grote ogen, alsof hij geschokt was door wat hij zag.

Buiten was de wind teruggekeerd in de dag. Een regen met het geratel van dobbelstenen trok Ethans aandacht naar het raam.

Vanuit de keuken klonk het herkenbare geritsel van een zak chips.

BEL ME ALSJEBLIEFT schreef Ethan.

Terugkerend naar de woonkamer zei Reynerd: 'Als je chips eet, zijn dit de ergste, want er zit meer olie in.'

Ethan keek op en zag een zak chips Hawaï. Reynerd had zijn rechterhand in de open zak gestoken.

Zoals de zak om de hand van appelman sloot, kwam als *fout* op Ethan over. Natuurlijk kon de man een paar chips pakken, maar zijn vreemde houding, een spanning die erin zat, suggereerde anders.

Reynerd bleef naast de bank, op nog geen twee meter van hem af, staan en zei: 'Je werkt voor het Gezicht, hè?'

In het nadeel in de leunstoel deed Ethan alsof hij hem niet begreep. 'Voor wie?'

Toen de hand uit de zak kwam, zat er een pistool in.

Ethan, als privédetective met vergunning en als bevoegd lijfwacht, mocht een verborgen wapen dragen. Behalve in het gezelschap van Channing Manheim, als hij zich uit gewoonte bewapende, nam hij zelden de moeite het pistool om te gorden.

Reyners wapen was een 9mm-pistool.

Deze ochtend, verstoord door het oog in de appel en door de wolfachtige grijns die de man had getoond op de beveiligingstape, had Ethan zijn schouderholster omgedaan. Hij had niet verwacht een wapen nodig te hebben, niet echt, en hij had zich eigenlijk belachelijk gevoeld dat hij het zonder een duidelijkere reden meenam. Nu dankte hij God dat hij gewapend was.

'Ik begrijp het niet,' zei hij, terwijl hij probeerde zowel verbijsterd als bang te kijken.

'Ik heb je foto gezien,' zei Reynerd tegen hem.

Ethan wierp een blik op de open deur, de gang erachter.

'Het kan me niet schelen wie het ziet of hoort,' zei Reynerd. 'Het is toch al allemaal voorbij, hè?'

'Luister, als mijn broer George iets heeft gedaan om je nijdig te maken,' zei Ethan, terwijl hij wat tijd probeerde te winnen.

Reynerd gaf hem niets te winnen. Op het moment dat Ethan het notitieblok liet vallen en naar de 9mm-Glock onder zijn jasje greep, schoot de appelman hem van dichtbij in zijn buik.

Een ogenblik voelde Ethan geen pijn, maar slechts een ogenblik. Hij schommelde naar achteren in zijn stoel en keek met open mond naar het stromende bloed. Daarna pijn.

Hij hoorde het eerste schot, maar het tweede hoorde hij niet. De kogel trof hem dreunend midden in zijn borst.

Alles in de zwart-witte flat werd zwart.

Ethan wist dat de verzameling vogels aan de muren hem zag sterven.

Hij hoorde weer het geratel van dobbelstenen. Ditmaal niet de regen tegen het raam. Zijn adem die in zijn gebroken keel ratelde.

Geen Kerstmis.

3

Ethan opende zijn ogen.

Veel te snel rijdend voor een woonstraat schoot een kersenrode Ferrari Testarossa langs en wierp een fontein aan smerig water op van het wegdek vol plassen.

Door het zijraampje van de Expedition werd het flatgebouw aan het zicht onttrokken en vervormde naar een vreemde geometrie, als een huis in een nachtmerrie.

Alsof hij een elektrische schok had gekregen, schokte hij woest en haalde adem met de wanhoop van een verdrinkende man. De lucht smaakte zoet, fris, heerlijk en schoon. Hij ademde explosief uit.

Geen buikschot. Geen borstwond. Zijn haar was niet nat van de regen.

Zijn hart sloeg, sloeg als de vuist van een waanzinnige op de beklede deur van een beklede kamer.

Nooit eerder in zijn leven had Ethan Truman een droom gehad die zo helder was, zo intens, en evenmin een nachtmerrie met zulke scherpe details als de ervaring in de flat van Reynerd.

Hij raadpleegde zijn horloge. Als hij had geslapen, dan had hij niet langer dan een minuut gedroomd.

Hij kon niet alle kronkelingen van zo'n gedetailleerde droom in slechts een minuut verkend hebben. Onmogelijk.

De regen spoelde de laatste modderresten van het raam. Achter de druipende bladeren van de phoenixpalm stond het flatgebouw te wachten, niet meer vervormd, maar nu voor altijd vreemd.

Toen hij naar achteren had geleund tegen de hoofdsteun en zijn ogen had gesloten om zijn aanpak van Rolf Reynerd beter te formuleren, was Ethan helemaal niet slaperig geweest. Of zelfs maar moe.

Hij wist zeker dat hij niet één minuut had geslapen. Wat dat betrof, had hij zelfs geen vijf seconden geslapen.

Als de eerste Ferrari een element van zijn droom was geweest, gaf de tweede sportauto aan dat de werkelijkheid nu precies het pad van de nachtmerrie volgde.

Hoewel zijn explosieve ademhaling rustig was geworden, plotte zijn hart met een onverminderde snelheid voort, galopperend achter de rede aan die nog sneller ging en langzaam buiten bereik kwam.

Intuïtief wist hij dat hij nu weg moest gaan, een Starbucks moest zoeken en een kop koffie moest gaan drinken. Een koffie bestellen die zo sterk was dat het roerstaafje oploste.

Met wat tijd en afstand van de gebeurtenis zou hij de sleutel vinden om het mysterie te ontsluiten en om tot begrip te komen. Geen puzzel kon zich tegen een oplossing verzetten als er maar voldoende denkwerk en rigoureuze logica op losgelaten werden.

Hoewel zijn jaren bij de politie hem hadden geleerd net zo op zijn intuïtie te vertrouwen als een baby dat op zijn moeder doet, zette hij de motor af en stapte uit de Expedition.

Het viel niet te betwisten: intuïtie was een wezenlijk stuk gereedschap om te overleven. Maar eerlijkheid tegenover zichzelf was belangrijker dan het volgen van intuïtie. In een vlaag van eerlijkheid moest hij toegeven dat hij weg wilde rijden, niet om een plek en de tijd te vinden om het eens rustig te overdenken, niet om zich over te geven aan een deductie à la Sherlock Holmes, maar omdat de angst hem in een tang had.

Angst mocht het nooit winnen. Als je je er eenmaal aan overgaf, had je het gehad als smeris.

Natuurlijk was hij geen smeris meer. Hij was meer dan een jaar geleden bij het korps weggegaan. Het werk dat zijn leven betekenis had gegeven toen Hannah nog leefde, was in de jaren na haar dood geleidelijk aan minder gaan betekenen. Hij geloofde niet meer dat hij enig verschil in de wereld kon uitmaken. Hij had zich willen terugtrekken, zich willen afkeren van de lelijke werkelijkheid van de menselijke gesteldheid die zo duidelijk te zien was in het dagelijkse werk van een rechercheur bij de afdeling Moordzaken. De wereld van Channing Manheim was zo ver van die werkelijkheid af als hij maar kon komen en hij kon nog steeds zijn brood verdienen.

Hoewel hij geen penning droeg, hoewel hij dan misschien geen smeris meer was in de officiële betekenis van het woord, bleef hij in wezen een smeris. We zijn wie we zijn, ongeacht wat we willen zijn, of pretenderen te zijn.

Met de handen weggestoken in de zakken van zijn leren jasje, de schouders opgetrokken alsof de regen een last was, schoot hij de straat over naar het flatgebouw.

Druipend liep hij de hal in. Mexicaanse tegelvloer. Lift. Trap. Zoals het hoorde. Zoals het was geweest.

De lucht, verschaald door de vettige geur van een gebakken ontbijt en marihuanarook, voelde dik aan en leek als slijm in zijn keel op te hopen.

Er lagen twee tijdschriften op het rek. Op elk etiket stond de naam George Keesner.

Ethan beklom de trap. Zijn benen voelden slap en zijn handen trilden. Op de overloop bleef hij staan om een paar keer diep adem te halen, om de gerafelde stof van zijn zenuwen weer te herstellen.

Het flatgebouw was stil. Geen stemmen gedempt door de muren, geen muziek voor een melancholieke maandag.

Hij beeldde zich in dat hij het zwakke getik en gekras van kraaienpoten op een ijzeren hek hoorde, het gefladder en geritsel van duiven die opvlogen, het *tik-tik-tik* van onophoudelijk pikkende snavels. In het echt, wist hij, waren dat alleen maar de vele stemmen van de regen.

Hoewel hij het gewicht van het pistool in zijn schouderholster voelde, stak hij zijn rechterhand in zijn jasje en legde die op het wapen om er zeker van te zijn dat hij het meegenomen had. Met een vingertop ging hij langs de ribbels op de kolf.

Hij haalde zijn hand uit zijn jasje en liet het pistool in de holster. De regen, verzameld in elke haar op zijn achterhoofd, ging met een druipende vinger langs zijn nek en ontlokte hem een huivering.

Toen Ethan de gang op de eerste verdieping bereikte, keek hij nauwelijks naar flat 2E waar George Keesner niet zou reageren op zowel aanbellen als aankloppen en ging direct op 2B af waar hij de moed verloor, hoewel slechts voor even.

De appelman deed bijna meteen open op het aanbellen. Lang, sterk, vol zelfvertrouwen nam hij niet eens de moeite de veiligheidsketting te gebruiken.

Hij leek allerminst verrast Ethan weer te zien of in leven te zien, alsof hun eerste ontmoeting nooit had plaatsgevonden.

'Is Jim hier?' vroeg Ethan.

'U hebt de verkeerde flat,' zei Reynerd.

'Jim Briscoe? Echt waar? Ik weet zeker dat dit zijn flat was.'

'Ik woon hier al langer dan een halfjaar.'

Achter Reynerd lag een zwart-witte kamer.

'Zes maanden? Is het al zo lang geleden dat ik hier was?' Ethan klonk onecht voor zichzelf, maar hij ging door. 'Ja, dat zal het geweest zijn, zes of zeven maanden.'

Op de muur tegenover de deur staarde een uil met immense ogen alsof hij een schot verwachtte.

Ethan zei: 'Hé, heeft Jim een adres achtergelaten?'

'Ik heb de vorige huurder nooit ontmoet.'

De harde glans in Reynerds ogen, het snelle kloppen van zijn slaap, de strakheid in zijn mondhoeken gaven Ethan nu wel de juiste waarschuwing.

'Het spijt me u lastig gevallen te hebben,' zei hij.

Toen hij het zachte geluid van Reynerds televisie hoorde, het zachte gebrul van de MGM-leeuw, aarzelde hij niet langer en liep direct op de trap af. Hij besefte dat hij met een verdachte snelheid de aftocht blies, en hij probeerde niet te rennen.

Halverwege de trap, op de overloop, vertrouwde Ethan op zijn instinct, draaide zich om, keek omhoog en zag Rolf Reynerd boven aan de trap stil naar hem staan kijken. De appelman had in zijn hand noch een wapen, noch een zak chips.

Zonder verder nog iets te zeggen liep Ethan de laatste trap af naar de hal. Toen hij de voordeur opendeed, wierp hij een blik achterom, maar Reynerd was hem niet naar beneden gevolgd.

Niet meer loom joeg de regen nu achter regen aan over de straat en een koude wind raasde door de palmen.

Weer achter het stuur van de Expedition startte Ethan de motor, deed de portieren op slot en zette de verwarming aan.

Een sterke dubbele koffie bij Starbucks leek niet langer voldoende. Hij wist niet waar hij heen moest.

Voorgevoel. Voorkennis. Helderziendheid. Clairvoyance. Het woordenboek van *Twilight Zone* sloeg zijn eigen pagina's om in de bibliotheek van zijn geest, maar geen enkele mogelijkheid die hem werd geboden leek zijn ervaring te verklaren.

Volgens de kalender zou de winter officieel pas de volgende dag beginnen, maar hij ging al vroeg in zijn botten zitten. Hij bevatte een kilte die onbekend was in Zuid-Californië.

Hij bracht zijn handen omhoog om ernaar te kijken en had nooit geweten dat ze zo konden trillen. Zijn vingers waren bleek, elke nagel net zo wit als het halvemaantje onderop.

Noch de bleekheid noch het trillen deerde Ethan half zo erg als wat hij zag onder de nagels van zijn rechterhand. Een donkere substantie, roodachtig zwart.

Hij staarde een ogenblik naar deze smurrie en aarzelde om stappen te ondernemen en vast te stellen of dit echt was of gehallucineerd.

Ten slotte gebruikte hij de duimnagel van zijn linkerhand om iets van het spul weg te schrapen dat onder de nagel van zijn rechterduim zat. Het spul bleek een beetje vochtig, kleverig.

Aarzelend bracht hij de substantie bij zijn neus. Hij snoof er één keer aan, twee keer, en hoewel de geur zwak was, hoefde hij niet nog een keer te ruiken.

Ethan had bloed onder alle vijf nagels van zijn rechterhand. Met een zekerheid die zelden werd gegeven aan een man die begreep dat de wereld een uiterst onzekere plek was, wist hij dat dit zijn eigen bloed zou blijken te zijn.

4

Palomar Laboratories in Hollywood-Noord was gevestigd in een uitgestrekt betonnen gebouw van slechts een verdieping hoog, met zulke kleine en ver uiteen staande ramen en met zo'n laag, iets afhellend plaatijzeren dak, dat het in het noodweer een bunker leek. Het medische laboratorium van Palomar onderzocht bloedmonsters, uitstrijkjes, biopsies en andere organische materialen. In hun industriële afdeling deden ze chemische analyses in elke vorm, voor klanten uit zowel de privésector als overheidsdiensten.

Elk jaar stuurden fans van het Gezicht meer dan een kwart miljoen poststukken naar hem toe, voornamelijk afgehandeld door zijn studio, die wekelijks partijen van die correspondentie naar de publiciteitsfirma doorstuurde die ze beantwoordde uit naam van de ster. Onder die brieven zaten cadeaus, waaronder meer dan een paar zelfgemaakte lekkernijen: koekjes, taarten, toffees. Minder dan een op de duizend fans was misschien gestoord genoeg om vergiftigde brownies te sturen, maar toch opereerde Ethan volgens het principe van zekerheid voor alles: alle etenswaren moesten worden weggegooid zonder dat iemand ervan proefde.

Zo nu en dan, als er een zelfgemaakte lekkernij van een fan arriveerde met een bijzonder verdachte brief, werd het eetbare lekkers niet onmiddellijk vernietigd, maar doorgegeven aan Ethan om nader te bestuderen. Als hij een vergiftiging vermoedde, bracht hij het object hier naar Palomar om te laten analyseren.

Als een volslagen vreemde voldoende haat kon opbrengen om te proberen het Gezicht te vergiftigen, wilde Ethan weten dat de schoft bestond. Daarna werkte hij samen met de politie in de woonplaats van de gifmenger om elke criminele aanklacht in te dienen die stand zou houden voor de rechtbank.

Nu, terwijl hij eerst naar de publieke balie ging, tekende hij een formulier waarmee hij hun toestemming gaf bloed bij hem af te nemen. Omdat hij geen verwijsbriefje van een arts had voor de tests, betaalde hij contant voor de analyses die hij wilde hebben Hij vroeg om een standaard DNA-profiel. 'En ik wil weten of er medicamenten in mijn lichaam zitten.'

'Welke medicijnen neemt u?' vroeg de receptioniste.

'Alleen maar aspirines. Maar ik wil dat u het test op elke mogelijke substantie voor het geval ik gedrogeerd ben zonder dat ik het wist.'

Misschien waren ze in Hollywood-Noord gewend volslagen paranoïde mensen tegenover zich te krijgen. De receptioniste sloeg haar ogen niet ten hemel, trok geen wenkbrauw op of leek op een andere manier verrast te zijn hem te horen zeggen dat hij misschien het slachtoffer was van een gemene samenzwering.

De medische assistente die zijn bloedmonster nam, was een tengere en lieftallige Vietnamese vrouw met de aanraking van een engel. Hij voelde helemaal niets toen de naald in zijn ader verdween. Bij een andere receptiebalie voor monsters die niets met de standaard medische tests te maken hadden, vulde hij een tweede formulier in en betaalde weer een bedrag. Deze receptionist schonk hem wel een vreemde blik toen hij uitlegde wat hij geanalyseerd wilde hebben.

Op een laboratoriumtafel, onder schel tl-licht, gebruikte een assistent die op Britney Spears leek een dun maar bot stalen mes om het bloed onder de nagels van zijn rechterhand weg te schrapen en op een vierkant velletje zuurvrij wit papier te verzamelen. Ethan had zijn nagels al langer dan een week niet schoongemaakt, dus zij haalde er een aanzienlijke hoeveelheid aan restjes onder vandaan waarvan sommige nog steeds kleverig schenen.

Tijdens het hele gebeuren trilden zijn handen. Zij dacht waarschijnlijk dat zijn nervositeit door haar schoonheid kwam.

Het materiaal onder zijn nagels zou eerst getest worden om te zien of het inderdaad bloed was. Daarna zou het worden overgebracht naar de afdeling van het medische lab om geclassificeerd te worden en om het DNA-profiel ervan te vergelijken met het bloedmonster dat de Vietnamese assistente had afgenomen. De volledige toxicologische resultaten zouden pas woensdagmiddag klaar zijn.

Ethan begreep niet hoe hij zijn eigen bloed onder zijn nagels kon hebben als hij dan toch niet in zijn buik en borst was geschoten. Maar net als trekganzen die noord en zuid kennen zonder hulp van een kompas, wist hij dat dit bloed van hem was.

5

Op de parkeerplaats van Palomar, terwijl de regen en wind een stoet kleurloze geestvormen op de voorruit van de Expedition schilderden, pleegde Ethan een telefoontje naar de mobiel van Hazard Yancy.

Hazard was als Lester geboren, maar hij had die naam gehaat. Les vond hij al net zomin iets. Volgens hem klonk de verkorte versie *Les*, minder, als een belediging.

'Ik ben niet *minder* dan jij,' had hij een keer tegen Ethan gezegd, maar vriendelijk.

Inderdaad was Hazard Yancy met zijn een meter negentig en honderdacht kilo, met een geschoren hoofd dat zo groot leek als een basketbal, en een nek die net iets smaller was dan de spanwijdte van zijn oren, voor niemand het toonbeeld van minimalisme.

'Waar het om gaat, is dat ik in een heleboel dingen méér ben dan sommige mensen. Zoals vastberadener, leuker, ik maak waarschijnlijk meer stompzinnige keuzes in vrouwen en heb meer kans in mijn reet geschoten te worden. Mijn ouders hadden me More, meer, Yancy moeten noemen. Daarmee had ik kunnen leven.

Toen hij tiener en jongeman was, hadden zijn vrienden hem Brick genoemd, baksteen, een verwijzing naar het feit dat hij was gebouwd als een bakstenen muur.

Niemand bij Roof/Moord had hem in twintig jaar Brick genoemd. Bij het korps stond hij bekend als Hazard, gevaar, omdat samen met hem op een zaak zitten even gevaarlijk was als het rijden van een vrachtwagen vol dynamiet.

Het werk als stille bij Roof/Moord was dan misschien gevaarlijker dan een carrière als groenteboer, maar rechercheurs hadden minder kans tijdens hun werk te sterven dan winkelbediendes van een nachtzaak. Als je de opwinding van het regelmatig neergeschoten worden wilde meemaken, dan maakte je een betere kans bij de Dienst Bendeactiviteiten, de Narcotica-afdeling en zeker bij de ploegen van Strategische Wapens en Tactieken dan wanneer je de rotzooi van moordenaars opruimde.

Zelfs het gewoon in uniform lopen beloofde meer geweld dan in een pak de straat op gaan.

Hazards carrière was een uitzondering op de regel. Er werd regelmatig op hem geschoten.

Hij was erdoor verrast, niet door de frequentie waarmee kogels zijn richting in werden gestuurd, maar door het feit dat de schutters mensen waren die hem persoonlijk niet kenden. 'Als vriend van mij,' had hij een keer gezegd, 'zou je toch denken dat het andersom was, nietwaar?'

Hazards geheimzinnige aantrekkingskracht voor hogesnelheidsprojectielen was niet het gevolg van roekeloosheid of slechte recherchetechnieken. Hij was een voorzichtige, eersteklas rechercheur.

In Ethans ervaring opereerde het universum niet altijd met het klokmechanisme van oorzaak en gevolg dat de wetenschappers zo vol vertrouwen hebben beschreven. Het barstte van de afwijkingen. Afwijkingen van de gewone regel, vreemde omstandigheden, ongerijmdheden.

Je zou jezelf een beetje krankzinnig kunnen maken, zelfs rijp voor het gekkenhuis, als je volhield dat het leven altijd volgens het een of ander dit-omdat-dat-systeem van logica verliep. Soms moest je het onverklaarbare accepteren.

Hazard koos zijn zaken niet uit. Net als de andere rechercheurs ging hij te lijf wat het noodlot hem toewierp. Om redenen die alleen de geheime meester van het universum kent, kreeg hij meer gevallen met daders die schietgrage idioten waren dan hij zaken kreeg met deftige dames op leeftijd die giftige thee schonken aan hun vrienden, echte heren.

Gelukkig waren de meeste schoten die op hem gelost waren mis geweest. Hij was maar twee keer geraakt: allebei de keren oppervlakkige verwondingen. Twee partners van hem hadden ernstiger verwondingen opgelopen dan Hazard, maar geen van hen was gedood of invalide geraakt.

Ethan had vier jaar van de tijd dat hij bij het korps had gezeten, samen met Hazard aan zaken gewerkt. Die periode maakte het meest bevredigende politiewerk uit dat hij ooit had gedaan.

Toen Yancy zijn mobiel beantwoordde na de derde keer overgaan, zei Ethan: 'Slaap je nog steeds met een opblaaspop?'

'Solliciteer je naar die positie?'

'Hé, Hazard, heb je het druk?'

'Ik heb mijn voet op de nek van een snotpegel.'

'Letterlijk?' vroeg Ethan.

'Figuurlijk. Was het letterlijk geweest, dan zou ik op zijn luchtpijp hebben staan stampen en zou je doorverbonden zijn geweest met mijn voicemail.'

'Als jij op het punt staat een arrestatie te doen...'

'Ik wacht op een antwoord van het laboratorium. Ik krijg het pas morgenochtend.'

'Wat dacht je ervan om samen te lunchen, op kosten van Channing Manheim?'

'Zolang ik niet verplicht ben een van zijn zeikfilms te zien.'

'Iedereen mag vinden wat hij vindt.' Ethan noemde een beroemd restaurant in de west-side waar het Gezicht een lopende reservering had.

'Hebben ze echt lekker eten, of is het alleen maar binnenhuisarchitectuur op een bord?' vroeg Hazard.

'Ze zullen schalen mooie courgettes vol mousselinesaus van groenten, babyasperges en patronen van sauzen hebben,' gaf Ethan toe. 'Ga je liever naar de Armeen?'

'Moet ik het zeggen? De Armeen om één uur?'

'Ik ben die man die eruitziet als een ex-smeris die probeert slim te zijn.'

Toen hij op de toets drukte om een einde aan het gesprek te maken, was Ethan verbaasd dat het hem was gelukt doodnormaal te klinken.

Zijn handen trilden niet meer, maar een koude, vettige angst kroop nog steeds rusteloos door elke spiraal in zijn darmen. In de achteruitkijkspiegel kwamen zijn ogen hem niet helemaal bekend voor. Ethan zette de ruitenwissers aan. Hij reed de parkeerplaats van Palomar Laboratories af.

In de heksenketel van de lucht kookte het late ochtendlicht tot een dikke duisternis die beter bij een winterse schemering paste.

De meeste chauffeurs hadden hun koplampen ontstoken. Heldere geestslangen glibberden over het natte wegdek.

Met nog een uur en vijftien minuten te gaan tot de lunch, besloot Ethan een bezoek te brengen aan de levende doden.

6

Het Onze Lieve Vrouwe van de Engelen-ziekenhuis was een hoog, wit gebouw dat in de hogere verdiepingen een ziggoerat-achtige getrapte vorm had, bekroond met een reeks kleiner wordende sokkels die een laatste zuil torsten. Gloeiend in de stortbui zat boven op de hoge zuil een koepelvormig licht, waar weer een radiomast bovenuit stak met een knipperend rood waarschuwingslicht voor het vliegverkeer.

Het ziekenhuis leek vertroosting te bieden aan de zieke zielen achter de heuvels van Los Angeles op de dicht bevolkte plateaus. De taps toelopende vorm ervan suggereerde een ruimteschip dat misschien diegenen naar de hemel vervoerde wier levens niet gered konden worden door medicijnen of gebed.

Ethan ging eerst naar het herentoilet in de hal van de benedenverdieping waar hij energiek zijn handen waste bij een van de wasbakken. De labassistente had niet elk spoortje bloed onder zijn nagels weggeschraapt.

De vloeibare zeep in de houder bleek een sterke sinaasappelgeur te hebben. De wc geurde naar een citrusboomgaard tegen de tijd dat hij klaar was.

Veel warm water en nog meer boenen maakten zijn huid vuurrood. Hij zag geen enkel spoortje meer. Maar toch had Ethan het gevoel dat zijn handen nog steeds vuil waren.

Hij was aangedaan door het verontrustende idee dat zolang er nog een paar moleculen van die gestigmatiseerde resten van zijn aangekondigde dood aan zijn handen kleefden, de Grauwe Ruiter hem door de geur kon opsporen en het uitstel dat hem verleend was ongedaan kon maken.

Terwijl hij zijn reflectie in de spiegel bestudeerde, verwachtte hij half door zijn lichaam heen te kijken, zoals door een vitrage, maar hij was massief.

Toen hij in zichzelf de mogelijkheid van een obsessie opmerkte, en bezorgd raakte dat hij misschien zijn handen zonder ophouden zou wassen tot ze rauw waren geboend, droogde hij ze snel met papieren handdoeken af en verliet het herentoilet.

In de lift was hij in gezelschap van een ernstig jong stel dat elkaars handen vasthield voor wederzijdse sterkte. 'Het komt wel goed met haar,' mompelde de jongeman, en de vrouw knikte, de ogen glanzend van ingehouden tranen.

Toen Ethan op de zesde verdieping uitstapte, ging het jonge stel verder naar boven naar hogere ellende.

Duncan 'Dunny' Whistler lag al drie maanden in bed op de zesde verdieping. Tussen momenten op de intensive care in – ook op deze verdieping – had hij op diverse kamers gelegen. In de vijf weken sinds zijn laatste crisis lag hij op kamer 742.

Een non met een lief Iers gezicht maakte oogcontact met Ethan, glimlachte en liep hem voorbij zonder ook maar enig geruis van haar omvangrijke kledij.

De zusterorde die het Onze Lieve Vrouwe van de Engelen leidde, verwierp de moderne dracht van veel nonnen, die leek op het uniform van stewardessen. In plaats daarvan gaven ze de voorkeur aan de traditionele tot op de vloer reikende habijten met ruime mouwen, borstdoek en gevleugelde kappen.

Hun habijten waren stralend wit, in plaats van wit met zwart. Toen Ethan hen etherisch door deze gangen zag glijden, waarbij ze minder leken te lopen dan te zweven als geesten, kon hij bijna geloven dat het ziekenhuis niet alleen maar grond besloeg in Los Angeles, maar een brug vormde tussen deze wereld en de volgende.

Dunny had in een soort ongewisheid geleefd, tussen werelden in, al sinds vier boze mannen zijn hoofd een keer te vaak in een toiletpot hadden geduwd en hem te lang onder hadden gehouden. De ambulancebroeders hadden het water uit zijn longen gepompt, maar het was de artsen niet gelukt hem uit zijn coma te halen.

Toen Ethan kamer 742 bereikte, trof hij die in diepe schaduwen aan. Een oude man rustte in het bed dat het dichtst bij de deur stond: bewusteloos, verbonden met een ventilator die met een ritmisch gehijg lucht in hem blies.

Het bed het dichtst bij het raam, waarin Dunny de afgelopen vijf weken had gelegen, was leeg. De lakens waren fris, nieuw, lichtgevend in de duisternis.

Verdronken daglicht projecteerde vage beelden van amoebeachtige regensporen vanaf het raam op het bed. De lakens leken te krioelen van doorzichtige spinnen.

Toen hij zag dat de patiëntenkaart weg was, nam Ethan aan dat Dunny naar een andere kamer was overgebracht of weer op de intensive care lag.

In de verpleegsterskamer op de zesde verdieping vroeg een jonge verpleegster, toen hij navraag deed waar hij Duncan Whistler zou kunnen vinden, hem te wachten op de hoofdzuster die ze oppiepte.

Ethan kende het hoofd van de verpleging, zuster Jordan, van eerdere bezoeken. Een zwarte vrouw met de doelgerichte houding van een sergeant-instructeur en de zachte doorrookte stem van een zangeres; ze arriveerde in de verpleegsterskamer met het bericht dat Dunny die ochtend was overleden.

'Het spijt me, Mr. Truman, maar ik heb beide nummers gebeld die u ons hebt gegeven en heb boodschappen op de voicemail achtergelaten.'

'Wanneer is dat dan geweest?' vroeg hij.

'Hij is vanochtend om tien voor halfelf overleden. Ik heb u ongeveer vijftien of twintig minuten daarna gebeld.'

Om ongeveer tien over halfelf had Ethan aan de deur van Rolf Reynerd gestaan, trillend door de herinnering aan zijn voorziene dood, terwijl hij deed alsof hij op zoek was naar de niet-bestaande Jim Briscoe. Hij had zijn mobiel achtergelaten in de Expedition.

'Ik weet dat u niet zo dik bevriend was met Mr. Whistler,' zei zuster Jordan, 'maar het blijft toch altijd een soort schok, weet ik. Sorry dat u het op deze manier moest vernemen – het lege bed.'

'Is het lichaam naar beneden naar de tuinkamer van het ziekenhuis gebracht?' vroeg Ethan.

Zuster Jordan bekeek hem met een nieuwe aandacht. 'Ik besefte niet dat u politieagent was, Mr. Truman.'

'Tuinkamer' was politiejargon voor 'mortuarium'. Al die lijken die wachtten om geplant te worden.

'Roof/Moord,' antwoordde hij zonder de moeite te nemen uit te leggen dat hij uit het korps was gestapt en waarom.

'Mijn man heeft voldoende uniforms versleten om in maart met pensioen te gaan. Ik werk over om niet krankzinnig te worden.'

Ethan begreep het. Smerissen doorliepen vaak een lange carrière in wetshandhaving zonder zich al te veel zorgen te maken over het gedoe van dat van stof zijt gij en tot stof zult ge wederkeren, om dan de laatste maanden voor het pensioen zo stijf te staan van de spanning dat ze Metamucil per pond moesten innemen om obstipatie tegen te gaan. De zorg kon zelfs erger zijn voor de vrouwen. 'De arts heeft een akte van overlijden getekend,' zei zuster Jordan, 'en Mr. Whistler is naar beneden gegaan om in de koelcel te wachten tot hij door het mortuarium wordt opgehaald. O... eigenlijk zal het geen mortuarium worden, hè?'

'Het is nu moord,' zei Ethan. 'De lijkschouwer zal een autopsie op hem willen plegen.'

'Dan zullen ze gebeld zijn. We hebben een waterdicht systeem.' Ze keek op haar horloge en zei: 'Maar ze hebben waarschijnlijk nog geen tijd gehad om het lichaam op te halen, als u zich dat afvraagt.'

Ethan ging met de lift helemaal naar beneden naar de doden. De tuinkamer was op het derde en laagste niveau van de kelder, grenzend aan de ambulancegarage.

Onder het dalen kreeg hij een serenade van een orkestrale versie van een oud liedje van Sheryl Crow waar alle seks was uitgehaald en opgewektheid was toegevoegd, waardoor alleen het vel van de melodie overbleef om een andere en minder smakelijke worstsoort in te verpakken. In deze ontaarde wereld werden zelfs de meest onbeduidende dingen, zoals popsongs, onvermijdelijk bezoedeld. Hij en Dunny, nu allebei zevenendertig, waren vanaf hun vijfde tot hun twintigste elkaars beste vrienden geweest. Opgegroeid in dezelfde vervallen buurt met afbladderende gestuukte bungalows, waren ze allebei enig kind geweest en ze waren net zo close met elkaar als broers.

Een gedeelde ontbering had hen met elkaar verbonden, net als de emotionele en fysieke pijn van het leven onder de duim van een alcoholische vader met een opvliegend temperament. En met de vurige wens te bewijzen dat zelfs de zoons van dronkaards, en van armoede, ooit iemand konden worden.

Zeventien jaar van vervreemding, waarin ze nauwelijks met elkaar hadden gesproken, verdoofde Ethans gevoel van verlies. Maar met al het andere dat nu op zijn geest drukte, werd hij in een melancholische stemming getrokken over wat had kunnen zijn.

Dunny Whistler had de band tussen hen doorgesneden met zijn keuze buiten de wet te leven op het moment dat Ethan in opleiding was om die juist te handhaven. Armoede, en de chaos van het leven onder de heerschappij van een zelfzuchtige dronkaard, hadden in Ethan een respect voortgebracht voor zelfdiscipline, voor orde en voor de beloning van een leven dat werd geleefd in dienst van anderen. Dezelfde ervaringen hadden Dunny doen verlangen naar bergen geld en naar voldoende macht om ervoor te zorgen dat niemand hem ooit nog zou durven vertellen wat hij moest doen of hem ooit nog liet leven volgens andere regels dan die van zichzelf.

Terugziend waren hun reacties op dezelfde spanningen al sinds hun eerste tienertijd andere richtingen ingegaan. Misschien had de vriendschap Ethan te lang verblind voor de groeiende verschillen tussen hen. De een had ervoor gekozen respect te zoeken door iets te bereiken. De ander wilde dat respect dat ontstaat als mensen bang voor je zijn.

Daarbij waren ze verliefd geworden op dezelfde vrouw, die misschien zelfs bloedbroeders uit elkaar zou hebben gedreven. Hannah was in hun leven gekomen toen ze allemaal zeven waren. Eerst was ze een van de jongens geweest, het enige kind dat ze toelieten bij hun eerdere spelletjes voor twee jongens. Gedrieën waren ze onafscheidelijk geweest. Toen werd Hannah langzamerhand zowel vriendin als plaatsvervangende zuster, en de jongens hadden gezworen haar te beschermen. Ethan had nooit de dag kunnen noemen dat ze ophield gewoon vriendin te zijn, gewoon zuster, en door zowel hem als door Dunny... werd aanbeden.

Dunny wilde Hannah dolgraag, maar raakte haar kwijt. Ethan wilde Hannah niet alleen maar; hij koesterde haar, won haar hart en trouwde met haar.

Twaalf jaar lang hadden hij en Dunny niet met elkaar gesproken, pas op de nacht dat Hannah in ditzelfde ziekenhuis overleed.

Ethan liet de ruïne van Sheryl Crow achter in de lift en volgde een brede en helder verlichte gang met witgeverfde betonnen muren. In plaats van nepmuziek was het enige geluid het zwakke maar oorspronkelijke gezoem van de tl-buizen aan het plafond.

Dubbele deuren met vierkante ramen gingen open naar de receptie van de tuinkamer.

Aan een gehavend bureau zat een door acne getekende man van in de veertig in ziekenhuisgroen. Een plaatje op het bureau identificeerde hem als VIN TOLEDANO. Hij keek op van een paperbackroman die een belachelijk lijk op de omslag had staan.

Ethan vroeg hoe het met hem ging en de broeder zei dat hij nog leefde, zodat het wel goed zou zijn, en Ethan zei: 'Nog geen uur geleden heb je een Duncan Whistler van zeshoog gekregen.'

'Hij ligt op ijs,' bevestigde Toledano. 'Kan hem niet vrijgeven aan het mortuarium. De patholoog-anatoom krijgt hem als eerste, want het is een moord.'

Er stond maar één stoel voor bezoekers. Transacties betreffende bederfelijke lijken werden gewoonlijk snel afgehandeld, waardoor er geen behoefte was aan het gemak van een wachtkamer en oude tijdschriften met ezelsoren.

'Ik ben niet van het mortuarium,' zei Ethan. 'Ik was een vriend van de overledene. Ik was niet hier toen hij stierf.'

'Sorry, maar ik kan je het lijk nu niet laten zien.'

Terwijl hij in de bezoekersstoel ging zitten, zei Ethan: 'Ja, ik weet het.'

Om te verhinderen dat de advocaat van de verdediging het autopsierapport voor de rechtbank in twijfel zou trekken, moest een officiële reeks regels in acht genomen worden om ervoor te zorgen dat geen buitenstaander ermee kon knoeien.

'Hij heeft geen familie meer om hem te identificeren, en ik ben de executeur van het bezit,' legde Ethan uit. 'Dus als ze willen dat ik de identiteit bevestig, doe ik het liever hier dan in het stadsmortuarium.'

Toledano legde zijn paperback weg en zei: 'De man met wie ik opgroeide, werd het afgelopen jaar uit een auto gegooid met een snelheid van honderdveertig kilometer per uur. Het is moeilijk om een goede vriend jong te verliezen.'

Ethan kon niet doen alsof hij rouwde, maar hij was dankbaar voor elk gesprek dat zijn aandacht weghaalde van Rolf Reynerd. 'We hebben elkaar heel lang niet gezien. We hebben twaalf jaar niet tegen elkaar gesproken, daarna maar drie keer in de afgelopen vijf jaar.'

'Maar hij heeft jou tot zijn executeur benoemd?'

'Stel je voor, ja. Ik wist het pas toen Dunny hier twee dagen op de intensive care lag. Ik kreeg een telefoontje van zijn advocaat die me vertelde dat ik niet alleen zijn executeur-testamentair was, maar ook de volmacht had zijn zaken af te handelen en medische beslissingen voor hem te nemen.'

'Er moet dan toch iets speciaals tussen jullie hebben bestaan.'

Ethan schudde zijn hoofd. 'Niets.'

'Het moet iets zijn geweest,' hield Vin Toledano vol. 'Jeugdvriendschappen gaan dieper dan je denkt. Je hoeft elkaar lange tijd niet te zien, maar als je elkaar weer treft, is het alsof er geen tijd voorbij is gegaan.'

'Zo was het met ons niet.' Maar Ethan wist dat het speciale iets tussen hem en Dunny Hannah was geweest en hun liefde voor haar. Om van onderwerp te veranderen, zei hij: 'Dus hoe komt het dat die vriend van je met honderdveertig kilometer per uur uit een auto wordt geduwd?'

'Hij was een fantastische man, maar hij dacht altijd meer met zijn kleine eikel dan met zijn grote.'

'Hij is niet de enige.'

'Hij zit in een bar, ziet drie geile wijven, geen kerels erbij, dus hij eropaf. Alle drie stortten ze zich op hem, zeggen hem mee te gaan naar hun huis, en hij denkt dat hij Brad Pitt is en dat ze drie op één willen spelen.'

'Maar de bedoeling is beroving,' gokte Ethan.

'Erger nog. Hij laat zijn auto achter, gaat in die van hen mee. Twee meiden geilen hem op op de achterbank, kleden hem half uit – en gooien hem er dan voor de lol uit.'

'Dus die wijven zaten op pep of zoiets.'

'Misschien wel, misschien niet,' zei Toledano. 'Het blijkt dat ze het twee keer eerder hebben gedaan. Deze keer worden ze gepakt.'

Ethan zei: 'Ik zag laatst die oude film op tv. Frankie Avalon, Annette Funicello. Een van die strandfilms. Vrouwen waren toen beslist anders.'

'Iedereen was anders. Niemand is beter of aardiger geworden sinds midden jaren zestig. Ik wou dat ik dertig jaar eerder was geboren. Dus hoe is die van jou gestorven?'

'Vier gasten dachten dat hij hen belazerd had met geld, dus ze stompten hem een beetje, bonden zijn polsen op zijn rug en hielden zijn hoofd lang genoeg onder in een wc-pot dat hij hersenbeschadiging opliep.'

'Man, dat is lelijk.'

'Het is geen Agatha Christie,' gaf Ethan toe.

'Maar nu je hiermee te maken hebt, betekent het dat er nog iets overgebleven moet zijn tussen jou en je maat. Niemand hoeft executeur-testamentair te zijn als hij dat niet wil.'

Twee helpers van de lijkschouwer duwden de dubbele deuren open en kwamen de receptie van de tuinkamer binnen.

De eerste man was lang, in de vijftig, en duidelijk trots dat hij al zijn haar nog had. Hij droeg het in een pompadoerkapsel dat zo ingewikkeld was dat het wel met strikken versierd had mogen worden.

Ethan kende Pomps partner. Jose Ramirez was een bijziende gedrongen Amerikaan van Mexicaanse afkomst met de lieve dromerige glimlach van een koalabeer.

Jose leefde voor zijn vrouw en vier kinderen. Terwijl Pomp het papierwerk afhandelde dat hem gegeven werd door de assistent, vroeg Ethan aan Jose de laatste foto's van Maria en de kinderen in zijn portefeuille te laten zien.

Toen de formaliteiten eenmaal gedaan waren, bracht Toledano hen door een inwendige deur naar de tuinkamer. In plaats van een vloerbedekking van vinyl zoals in de receptie had deze ruimte keramische tegels met voegen van anderhalve millimeter: een gemakkelijke oppervlakte om te steriliseren voor het geval die vervuild raakte door lichaamsvloeistoffen.

Hoewel de koude lucht voortdurend rondgeleid werd door moderne filters, behield hij een zwakke maar onaangename geur. De meeste mensen stierven niet geurend naar shampoo, zeep en eau de cologne.

Vier standaard roestvrijstalen laden bevatten misschien lichamen, maar twee lijken op brancards maakten direct indruk. Allebei waren ze bedekt met een laken.

Een derde brancard was leeg met een verkreukt lijkkleed erop, en Toledano liep erheen met een verbijsterde uitdrukking op zijn gezicht. 'Dit was hem. Hier.'

Fronsend van verwarring trok Toledano de lakens weg van de hoofden van de twee andere lijken. Geen van hen was Dunny Whistler.

Een voor een trok hij de vier roestvrijstalen laden open. Ze waren leeg.

Omdat het ziekenhuis de grote meerderheid van de patiënten naar huis stuurde en niet naar begrafenisondernemingen, was deze tuinkamer klein vergeleken met het stadsmortuarium. Alle mogelijke schuilplaatsen waren al verkend.

7

In deze raamloze kamer, drie verdiepingen onder de grond, waren de vier levenden en twee doden een ogenblik zo stil dat Ethan zich verbeeldde dat hij de regen kon horen vallen in de straten ver boven hen.

Toen zei de lijkendrager met het pompadoerkapsel: 'Je bedoelt dat je Whistler aan de verkeerde mensen hebt meegegeven?'

De broeder, Toledano, schudde onvermurwbaar zijn hoofd. 'Absoluut niet. Dat heb ik veertien jaar lang niet gedaan en ik ben er vandaag ook niet mee begonnen.'

Een brede deur diende om lijken op brancards direct van de tuinkamer naar de ambulancegarage te rijden. Twee grendels hadden hem op slot moeten houden. Ze waren allebei weggeschoven.

'Ik had ze op slot,' hield Toledano vol. 'Ze zijn altijd op slot, *altijd*, behalve als ik toezicht hou op een aflevering en dan ben ik altijd hier, híér, en hou ik toezicht.'

'Wie zou er een lijk willen jatten?' vroeg Pomp.

'Zelfs als de een of andere smeerlap er een zou willen jatten, zou het niet kunnen,' zei Vin Toledano terwijl hij de deur naar de garage opentrok om te laten zien dat die aan de buitenkant geen sleutelgaten had. 'Twee blinde sloten. Nooit zijn er sleutels voor gemaakt. De deur kan alleen maar van het slot gehaald worden als je in deze kamer bent, dan gebruik je de druksloten.'

De stem van de broeder was snel iel geworden door de zorgen. Ethan meende dat Toledano zijn baan even zeker door de gootsteen gespoeld zag worden als het bloed dat door de zwaartekracht aangetrokken van een schuine autopsietafel in een afvoerputje liep.

Jose Ramirez zei: 'Misschien was hij niet dood, weet je, en is hij zelf weggelopen.'

'Hij was dooier dan dood,' zei Toledano. 'Zo dood als een pier.'

Met een ophalen van zijn ingezakte schouders en een koalagrijns zei Jose: 'Fouten gebeuren.'

'Niet in dit ziekenhuis, hier niet,' hield de broeder vol. 'Niet meer sinds vijftien jaar geleden, toen die oude dame bijna een uur op ijs lag, officieel doodverklaard, en daarna rechtop gaat zitten en gilt.'

'Hé, ik herinner me dat ik daarover gehoord heb,' zei Pomp. 'Een non kreeg er een hartaanval door.'

'De man die voor mij deze baan had, kreeg de hartaanval, en de non was degene die hem zo uitkafferde dat hij hem kreeg.'

Ethan bukte zich en pakte vanonder de baar waarop Dunny had gelegen een witte plastic zak. Eraan zaten trekkoordjes met aan één een naamplaatje met de naam DUNCAN EUGENE WHISTLER, met zijn geboortenaam en zijn sofinummer.

Met iets van paniek in zijn stem zei Toledano: 'Daar hebben de kleren in gezeten die hij aanhad toen hij in het ziekenhuis werd opgenomen.'

Nu bleek de zak leeg. Ethan legde hem op de brancard. 'Heb je sinds de oude dame vijftien jaar geleden wakker werd de bevinding van de artsen zelf ook nog gecheckt?'

'Drievoudig, viervoudig,' verklaarde Toledano. 'Ik gebruik als er een dooie binnenkomt als eerste een stethoscoop, luister naar hart- en longactiviteit. Luister naar hoge tonen en lage tonen.' Hij bleef knikken alsof hij, terwijl hij praatte, mentaal een checklist naging van stappen die hij had ondernomen nadat hij Dunny's lichaam binnen had gekregen. 'Gebruik de spiegeltest voor ademhaling. Meet vervolgens intern de lichaamstemperatuur, doe het een half- uur daarna weer, en dan na een halfuur nog eens, om te kijken of die daalt zoals hoort bij een echte dode.'

Pomp vond het amusant. 'Inwendige temperatuur. Je bedoelt, dat je je tijd verdoet door lijken thermometers in hun kont te steken?'

Niet-geamuseerd zei Jose: 'Toon wat respect,' en sloeg een kruis.

Ethans handpalmen waren vochtig. Hij veegde ze af aan zijn hemd. 'Nou, als niemand hier binnen kon komen om hem te halen, en als hij dood was – waar is hij dan nu?'

'Waarschijnlijk neemt een van de zusters je in de maling,' zei Pomp tegen de lijkenbroeder. 'Die nonnen zijn grappenmakers.'

Koude lucht, sneeuwwitte keramische tegels, roestvrijstalen deu- ren met laden glinsterend als ijs: niets kwam overeen met de he- vigheid van Ethans verkilling.

Hij vermoedde dat de subtiele geur van de dood zijn kleren had doordrenkt.

Dit soort plekken had hem in het verleden nooit last bezorgd. Nu wel.

In de ruimte onder de kop NAASTE FAMILIE OF VERANTWOORDE- LIJKE PARTIJ bevatten de papieren van het ziekenhuis Ethans naam en telefoonnummers, maar toch gaf hij de verontruste broeder een kaartje met dezelfde informatie.

Terug naar boven in de lift luisterde hij half naar een van de bes- te liedjes van de Barenaked Ladies dat in iets slaapverwekkends was veranderd.

Hij ging helemaal naar boven naar de zesde verdieping waar Dun- ny was gestorven. Toen de liftdeuren opengingen, besefte hij dat hij niet hoger had hoeven gaan dan de garage op de eerste ver- dieping onder de grond, waar hij de Expedition had geparkeerd, twee verdiepingen boven de tuinkamer.

Nadat hij op de knop had gedrukt voor het niveau van de hoofd- garage, ging hij eerst helemaal omhoog naar de veertiende ver- dieping voordat de liftcabine weer ging dalen. Mensen stapten in de lift, stapten uit, maar Ethan zag hen nauwelijks.

Zijn voortsnellende geest bracht hem elders. Het incident in de flat van Reynerd. De verdwijning van de dode Dunny.

Zonder insigne bleef Ethan toch de intuïtie van een smeris houden. Hij begreep dat twee van dergelijke buitengewone gebeurtenissen, die plaatsvonden op dezelfde ochtend, niet toevallig konden zijn.

Maar de kracht van intuïtie alleen was niet voldoende om de aard van de verbinding tussen die geheimzinnige gebeurtenissen te verklaren. Hij zou dan net zo goed intuïtief hersenchirurgie kunnen uitvoeren.

De logica gaf ook geen directe antwoorden. In dit geval zou misschien Sherlock Holmes zich zelfs wanhopig hebben gevoeld bij de kansen om de waarheid te achterhalen via deductie.

In de garage reed een binnenkomende auto langs de rijen op zoek naar een parkeerplaats, ging een hoek om naar een afrit naar beneden, en een andere auto verscheen uit de betonnen afgrond, achter koplampen, als een bergingsduikboot die omhoogkomt uit een oceaantrog, en die reed naar de uitgang, maar alleen Ethan was te voet.

Gepokt door jaren van roetige gassen die raadselachtige en tergende rorschachvlekken vormden, leek het lage grijze plafond steeds lager en lager te komen, terwijl hij verder de garage in liep. Als de romp van een duikboot leken de muren nauwelijks in staat het vernietigende gewicht van de zee, de verpletterende druk, tegen te houden.

Stap voor stap verwachtte Ethan te ontdekken dat hij toch niet als enige te voet was. Achter elke suv, achter elke betonnen pilaar kon een oude vriend staan wachten, zijn toestand geheimzinnig en zijn bedoeling onkenbaar.

Ethan bereikte de Expedition zonder incident.

Niemand wachtte op hem in de auto.

Achter het stuur, nog voor hij de motor startte, sloot hij de portieren af.

8

Het Armeense restaurant op Pico Boulevard had de atmosfeer van een joodse delicatessenzaak, een menu met zulk heerlijk eten dat het een ter dood veroordeelde zou inspireren lachend zijn laatste maaltijd te nuttigen, en meer smerissen in burger en mensen uit de filmindustrie op één plaats bij elkaar dan je ergens buiten de rechtbank zou vinden waar het proces gaande was tegen een beroemdheid die zijn wederhelft had vermoord.

Toen Ethan arriveerde zat Hazard Yancy te wachten aan een tafeltje bij het raam. Zelfs zittend tekende hij zo enorm groot af dat hij heel goed een auditie zou kunnen doen voor de titelrol van *The Incredible Hulk* als Hollywood ooit een zwarte versie zou maken. Hazard had al een dubbele bestelling voor zich van het voorgerecht kibby met komkommer, tomaat en ernaast zure raap.

Toen Ethan tegenover de grote rechercheur ging zitten, zei Hazard: 'Iemand heeft me verteld dat hij op het nieuws zag dat jouw baas zevenentwintig miljoen dollar heeft gekregen voor zijn laatste twee films.'

'Zevenentwintig miljoen per stuk. Hij is de eerste die de grens van vijfentwintig miljoen heeft doorbroken.'

'Dus geen armoede meer,' zei Hazard.

'Plus dat hij een deel achteraf krijgt, wat inhoudt dat als de film een groot succes wordt, hij een deel van de opbrengsten krijgt, soms zelfs een percentage van de bruto-opbrengst.'

'Op hoeveel komt dat neer?'

'Volgens de *Daily Variety* heeft hij films gehad die wereldwijd zo succesvol werden dat hij soms wegwandelde met vijftig miljoen, of daaromtrent.'

'Lees jij tegenwoordig de showbizzverhalen?' vroeg Hazard.

'Daardoor blijf ik me ervan bewust hoe groot hij zichzelf als doelwit maakt.'

'Jij hebt inderdaad werk dat op jou is toegesneden. Hoeveel films doet de man per jaar?'

'Nooit minder dan twee. Soms drie.'

'Ik was van plan zoveel te eten op zijn kosten, dat Mr. Channing Manheim het zou merken en jij ontslagen zou worden wegens misbruik van jouw creditcardprivileges.'

'Zelfs jij kunt geen honderdduizend dollar aan kibby wegwerken.'

Hazard schudde zijn hoofd. 'Chan de Man. Misschien ben ik niet hip meer, maar ik zie hem niet aan voor vijftig miljoen dollar.'

'Hij bezit ook een tv-productiemaatschappij met drie programma's op het grote netwerk, vier op de kabel. Hij haalt een paar miljoen binnen uit Japan met tv-commercials voor hun best verkopende bier. Hij heeft een lijn in sportkleding. Nog veel meer. Zijn agent noemt de inkomsten die hij naast het acteren vergaart: "extra inkomstenstromen".'

'De mensen pissen gewoon geld op hem, hè?'

'Hij zal nooit op koopjes uit hoeven.'

Toen de serveerster bij hun tafeltje kwam, bestelde Ethan Marokkaanse zalm met couscous en ijsthee.

Toen ze de bestelling van Hazard opnam, gebruikte ze bijna de hele punt van haar potlood: lebne met meikaas en extra komkommer, hommez, gevulde druivenbladeren, lahmajoon brood, seafood tagine... 'Plus twee van die flesjes orangina.'

'De enige persoon die ik zoveel heb zien eten,' zei Ethan, 'was die ballerina met boulimie. Na elk gerecht ging ze naar de plee om over te geven.'

'Ik proef alleen maar en ik draag nooit een tutu.' Hazard brak zijn laatste kibby in tweeën. 'Dus wat voor grote klootzak is Chan de Man?'

Het maskerende geraas van andere lunchgesprekken voorzag Ethan en Hazard van een privacy die bijna te vergelijken was met die op een afgelegen heuvel in de Mojave.

'Je kunt onmogelijk een hekel aan hem hebben,' zei Ethan.

'Is dat je beste compliment?'

'Het is alleen maar dat hij in het echt niet zo'n impact heeft als op het scherm. Op geen enkele manier doet hij je emotioneel iets.'

Hazard prikte met zijn vork een halve kibby in zijn mond en maakte een geluidje van genot. 'Dus hij is alleen maar beeld, geen substantie.'

'Dat is het niet helemaal. Hij is zo... blanco. Genereus tegenover personeel. Niet arrogant. Maar... hij heeft die gewichtloosheid om zich heen. Het kan hem niet echt veel schelen hoe hij mensen behandelt, zelfs zijn eigen zoon niet, maar het is een *goedaardige* onverschilligheid. Hij is niet opzettelijk slecht.'

'Met dat geld, al die adoratie, verwacht je een monster.'

'Bij hem heb je dat niet. Je hebt...'

Ethan zweeg even om na te denken. In de maanden dat hij voor Manheim werkte, had hij tegen niemand zoveel en zo open over de man gepraat.

Ze hadden op hem en Hazard geschoten, en allebei hadden ze hun leven aan de ander toevertrouwd. Hij kon zeggen wat hij wilde en wist dat niets van wat hij zei doorverteld zou worden.

Met zo'n vertrouwelijk klankbord wilde hij het Gezicht niet alleen zo eerlijk mogelijk beschrijven, maar ook zo duidelijk mogelijk. Door Manheim aan Hazard te verduidelijken, zou hij misschien ook de acteur duidelijker voor zichzelf maken.

Nadat de serveerster de ijsthee en de orangina's had gebracht, zei Ethan ten slotte: 'Hij is op zichzelf gericht, maar niet zoals filmsterren dat gewoonlijk zijn, niet zo waardoor hij zelfzuchtig lijkt.

Hij geeft wel om geld, denk ik, maar ik denk niet dat het hem iets kan schelen wat anderen van hem vinden of dat hij beroemd is. Hij is inderdaad op zichzelf gericht, volledig op zichzelf gericht, maar het lijkt op die... die zenmanier van op jezelf gericht zijn.'

'Zenmanier?'

'Ja. Alsof het leven gaat om hem en de natuur, om hem en de kosmos, niet om hem en andere mensen. Hij lijkt altijd half in meditatieve staat, niet helemaal erbij, zoals die nepyogi's doen alsof ze niet van deze aarde zijn, behalve dat hij wel oprecht is. Hij denkt altijd na over het universum, en vertrouwt er ook op dat het universum over hem nadenkt, dat hun fascinatie wederzijds is.'

Na zijn laatste kibby gegeten te hebben, zei Hazard: 'Spencer Tracy, Clark Gable, Jimmy Stewart, Bogart – waren dat allemaal windbuilen zonder dat iemand dat wist, of waren filmsterren in die tijd echte mensen met hun voeten op de grond?'

'Er zitten nog steeds echte mensen in de business. Ik heb Jodie Foster en Sandra Bullock ontmoet. Zij lijken me echt.'

'Ze zien eruit alsof ze van wanten weten ook,' zei Hazard.

Er waren twee serveersters nodig om al het eten naar de tafel te brengen.

Hazard grijnsde en knikte terwijl elk gerecht voor hem werd neergezet: 'Mooi. Mooi. Dat is mooi. Echt mooi. O, heel mooi.'

De herinnering in zijn buik geschoten te zijn, bedierf Ethans eetlust. Terwijl hij in zijn Marokkaanse zalm en couscous prikte, stelde hij het onderwerp Rolf Reynerd uit. 'Dus je zei dat je een voet op de nek van de een of andere snotpegel had. Wat is het voor zaak?'

'Tweeëntwintigjarig blond lekkertje, gewurgd en in het bekken van een rioolzuiveringsinstallatie gedumpt. We noemen het Blondie in de Put.'

Een smeris die bij de afdeling Moordzaken werkte is voor altijd getekend door zijn werk. De slachtoffers achtervolgen hem met de rustige volharding van bacteriën die gif in het bloed produceren. Humor is je beste en vaak enige verdediging tegen de verschrikking. Aan het begin van het onderzoek krijgt elke moord een bijzondere naam, die daarna bij Moordzaken wordt gebruikt.

Jouw meerdere zou je nooit vragen: *maak je al vorderingen met de Ermitrude Pottlesby-moord?* Het zou altijd zijn: *nog nieuws over Blondie in de Put?*

Toen Ethan en Hazard samenwerkten aan de moord op twee lesbiennes die afkomstig waren uit het Midden-Oosten, werd de zaak Lessen in Fezzen genoemd. Een andere jonge vrouw, vastgebonden aan een keukentafel, was gestikt in pannensponzen en brillo-schuursponzen die haar moordenaar in haar mond en keel had ge-propt; haar zaak heette Poetsvrouw.

Buitenstaanders zouden zich wellicht beledigd voelen als ze de on-officiële namen van de zaken hoorden. Burgers beseften niet dat rechercheurs vaak droomden over de doden voor wie ze gerech-tigheid zochten, of dat een rechercheur zo nu en dan zo gehecht kon raken aan een slachtoffer waardoor het verlies persoonlijk werd. Nee, nooit was er sprake van een gebrek aan respect met die namen van zaken – en soms drukten die een vreemde, melan-cholieke affectie uit.

'Gewurgd,' zei Ethan, verwijzend naar Blondie in de Put. 'Dat duidt op hartstocht, een goede kans dat het iemand was die ro-mantische betrekkingen met haar onderhield.'

'Ach. Dus je bent niet helemaal soft geworden in je dure leren jas-je en je Gucci-loafers.'

'Ik draag Rockports, geen loafers. Dat hij haar in een spaarbek-ken van een rioolzuiveringsinstallatie heeft gedumpt, betekent waarschijnlijk dat hij haar heeft betrapt terwijl ze met een ander naaide en haar ziet als smerig, een waardeloze hoop stront.'

'Plus misschien dat hij kennis had van het zuiveringsbedrijf, een gemakkelijke manier wist om haar lichaam daar te krijgen. Is dat een kasjmieren sweater?'

'Katoen. Dus die smeerlap van jou werkt bij het bedrijf?'

Hazard schudde zijn hoofd. 'Hij is lid van de gemeenteraad.'

Ethan die ineens al zijn eetlust kwijtraakte, legde zijn vork neer. 'Een politicus? Waarom zoek je geen hoge rotswand en spring je naar beneden?'

Terwijl hij een gevuld druivenblad in zijn mond propte, lukte het Hazard te grijnzen terwijl hij kauwde zonder ook maar een keer zijn mond te openen. Na alles doorgeslikt te hebben, zei hij: 'Ik heb al een rotswand gevonden en ik duw hém eraf.'

'Als er iemand op die rotswand eindigt, ben jij het wel.'

'Jij hebt die bergwandmetafoor net een stapje te ver genomen,' zei Hazard, terwijl hij hommez in een pitabroodje lepelde.

Na een halve eeuw van kraakheldere ambtenaren en een eerlijke regering, was Californië zelf de laatste tijd een diep rioolbekken geworden, zoals niet meer was gezien sinds de jaren dertig en veer-tig toen Raymond Chandler over de schaduwzijde van de staat schreef. Hier in de vroege jaren van het nieuwe millennium had op staatsniveau en in te veel lokale jurisdicties de corruptie een graad van verrotting bereikt die zelden werd gezien buiten een bananenrepubliek, hoewel in dit geval een bananenrepubliek zonder bananen en met de pretentie van glamour.

Een beduidend percentage van de politici opereerde hier als tuig. Als het tuig je achter een van hen aan zag komen, zouden ze aannemen dat zij de volgende zouden zijn en zouden ze al hun macht gebruiken om je op de een of andere manier te gronde te richten. In een ander van gangsters vergeven tijdvak had Eliot Ness, in een kruistocht tegen de corruptie, een groep wetshandhavers geleid die zo onaantastbaar waren voor omkoping en zo onverschrokken voor kogels, dat ze de naam de Untouchables, Onaanraakbaren, kregen. In het huidige Californië zouden zelfs Ness en zijn voorbeeldige groep vernietigd worden, niet door omkoping of kogels, maar door een bureaucratie die werd gehanteerd als een bijl en door laster die gemakkelijk werd omgezet in smaad door hongerige media met een sentimentele affectie voor het tuig, zowel de gekozen als de niet-gekozen variëteit, over wie ze dagelijks verslag deden.

'Als je nog steeds het echte werk deed zoals ik,' zei Hazard, 'zou je dit niet anders aanpakken dan ik nu doe.'

'Ja. Maar ik zou er zeker niet over grinniken.'

Wijzend op Ethans sweater zei Hazard: 'Katoen – zoals Rodeo Drive-katoen?'

'Katoen, zoals Macy's-katoen in de uitverkoop.'

'Hoeveel betaal je tegenwoordig voor een paar sokken?'

Ethan zei: 'Tienduizend dollar.'

Hij had geaarzeld om de situatie met Rolf Reynerd ter sprake te brengen. Nu meende hij dat hij niets beters kon doen voor Hazard dan hem af te leiden van deze zelfmoordactie door een gemeenteraadslid op moord te pakken.

'Moet je deze eens zien.' Hij maakte een gele envelop van tweeëntwintig bij dertig open, haalde de inhoud eruit en reikte die over tafel aan.

Terwijl Hazard bekeek wat hij had gekregen, vertelde Ethan hem over de vijf zwarte dozen die door Federal Express waren afgeleverd en de zesde die over het hek was gegooid.

'Ze kwamen met Federal Express, dus je weet wie ze heeft gestuurd?'

'Nee. De afzender was nep. Ze zijn afgeleverd bij verschillende buurtwinkeltjes met een brievenbus die inzamelt voor FedEx en ups, de United Parcel Service. De afzender betaalde contant.'

'Hoeveel post krijgt Channing per week?'

'Misschien vijfduizend stuks. Maar bijna alles wordt naar de studio gestuurd waar hij een kantoor heeft. Een publiciteitsfirma bekijkt ze en beantwoordt ze. Zijn huisadres is geen geheim, maar ook niet algemeen bekend.'

In de envelop zaten computeruitdraaien van digitale foto's met een hoge resolutie die in Ethans werkkamer waren gemaakt, en de eerste toonde een kleine pot op een wit doek. Naast de pot lag het deksel. Uitgespreid op het doek lag wat de inhoud van de pot was geweest: tweeëntwintig torren met zwarte stippen op een oranje dekschild.

'Lieveheersbeestjes?' vroeg Hazard.

'De entomologische naam is *Hippodamia convergens*, van de familie Coccinellidae. Niet dat het volgens mij wat uitmaakt, maar ik heb het opgezocht.'

Hazards schrandere gezicht sprak duidelijk genoeg zonder woorden, maar hij zei: 'Jij bent ernstiger afgestompt dan iemand die zijn armen en benen mist.'

'Deze man denkt dat ik Batman ben en hij de Riddler.'

'Waarom tweeëntwintig torren? Slaat het aantal ergens op?'

'Ik weet het niet.'

'Leefden ze nog toen je ze kreeg?' vroeg Hazard.

'Ze waren allemaal dood. Of ze leefden toen hij ze opstuurde, weet ik niet, maar ze zagen eruit alsof ze al een tijdje dood waren. De schilden waren heel, maar de teerdere delen van de tor waren uitgedroogd en broos.'

Op de tweede foto was een verzameling verschillende, spiraalvormige, lichtbruine schelpen te zien die schuin lagen bij een grijze hoop smurrie die uit een zwarte doos op een vel vetvrij papier was gekieperd.

'Tien dode slakken,' zei Ethan. 'Nou, eigenlijk leefden er nog twee die bijna dood waren toen ik de doos openmaakte.'

'Dat is een geur die Chanel niet in een flesje zal doen.'

Hazard pauzeerde even om wat seafood tagine op te prikken.

De derde foto was een klein doorzichtig potje met een schroefdeksel. Het etiket was verwijderd, maar het deksel gaf aan dat er ooit ingemaakt zuur in had gezeten.

Omdat de foto niet helder genoeg was om de duistere inhoud van de pot weer te geven, zei Ethan: 'Er dreven tien stukjes doorschijnend weefsel in formaldehyde met een vaag roze kleur. Buisvormig. Moeilijk te beschrijven. Als kleine exotische kwallen.'

'Heb je ze naar het lab gebracht?'

'Ja. Toen ze me de analyse gaven, schonken ze me ook een vreemde blik. Wat ik in het potje had zitten, waren voorhuiden.'

Hazards kaak raakte vast tijdens het kauwen, alsof de seafood tagine hard was geworden als een gebitsvorm.
'Tien voorhuiden van mannen, niet van kinderen,' benadrukte Ethan.
Na mechanisch gekauwd te hebben, met minder trek dan ervoor, en alles met een grimas doorgeslikt te hebben, zei Hazard: 'Au. Hoeveel volwassen mannen laten zich besnijden?'
'Ze staan er niet voor in de rij,' beaamde Ethan.

9

Corky Laputa gedijde in de regen.
Hij droeg een lange, glanzende gele regenjas en een slappe gele regenhoed. Hij was fleurig als een paardenbloem.
De regenjas had veel binnenzakken, diep en waterdicht.
In zijn hoge, zwarte rubberlaarzen hielden twee paar sokken zijn voeten heerlijk warm.
Hij snakte naar de donder.
Hij smachtte naar de bliksem.
Stortbuien in Zuid-Californië, gewoonlijk zonder donder en bliksem, waren te rustig naar zijn smaak.
Maar hij hield van de wind. Sissend, blazend, een kampioen van de wanorde, die maakte de regen scherp en beloofde chaos.
Ficussen en dennen trilden, huiverden. Palmbladeren ratelden en kletterden.
Afgerukte bladeren tolden rond in een onregelmatige groene toverij, kortlevende demonen die de goten in geblazen werden.
Uiteindelijk zouden de bladeren, als de afvoerputten verstopt raakten, de oorzaak zijn van ondergelopen straten, gestrande auto's, te laat komende ambulances, en veel kleine maar welkome ellendes.
Hier, in de winderige, druipende namiddag, liep Corky door een charmante woonwijk in Studio City. Wanorde zaaiend.
Hij woonde hier niet. Dat zou hij nooit doen.
Dit was een arbeidersbuurt, hoogstens de hogere arbeiders. Intellectuele stimulansen zou je in zo'n omgeving nauwelijks vinden.
Hij was hierheen gereden om een eindje te wandelen.
In het geel van noodsituaties, in schetterend kanariegeel, liep hij toch volslagen anoniem door deze straten en trok net zo weinig

aandacht als een geest zou doen van wie de substantie nauwelijks meer was dan een zucht ectoplastische mist.

Hij was nog niemand te voet tegenkomen. Er reden maar weinig auto's door de stille straten.

De regen hield de meeste mensen knus binnen.

Het glorieuze slechte weer was een prachtige samenzweerder voor Corky.

Op deze tijd waren natuurlijk de meeste bewoners van deze huizen naar hun werk. Zwoegend, zwoegend, met stompzinnige bedoelingen.

Omdat dit een vakantieweek was, waren de meeste kinderen niet naar school. Vandaag: maandag. Vrijdag: eerste kerstdag. Versier de huizen.

Sommige kinderen zouden in het gezelschap zijn van hun broers of zusters. Een kleiner aantal zou onder de hoede zijn van niet-werkende moeders.

Anderen zaten alleen thuis.

Maar op dit moment vormden kinderen niet de richting waarlangs Corky zich wilde uitdrukken. Hier waren ze veilig voor de gele geest die langsliep.

Bovendien was Corky tweeënveertig. Kinderen waren tegenwoordig te snugger om hun deuren te openen voor vreemde mannen.

Welkome wanorde en heerlijke decadentie hadden de wereld de afgelopen tijd diep geïnfecteerd. Nu waren de lammeren van alle leeftijden op hun hoede.

Hij stelde zich tevreden met kleinere wandaden, was gewoon gelukkig om buiten in de regen te lopen en een beetje schade aan te richten.

In een van zijn ruime binnenzakken had hij een plastic zak met glinsterende blauwe kristallen. Een gemeen sterk chemisch ontbladeringsmiddel.

Het was ontwikkeld door het Chinese leger. Vóór een oorlog zouden hun agenten dit spul uitzaaien op de boerderijen van hun vijanden.

De blauwe kristallen haalden het gewas door een groeicyclus van twaalf maanden heen en verdorden het. Een vijand die niet te eten heeft, kan niet vechten.

Een van Corky's collega's aan de universiteit had een subsidie gekregen om de kristallen te bestuderen voor het ministerie van defensie. Ze voelden de dringende noodzaak een manier te vinden om zichzelf te beschermen tegen het chemische middel voordat het gebruikt werd.

In zijn lab had de collega een vat met twintig kilo van het spul staan. Corky had een pond gestolen.

Hij droeg dunne beschermende latex handschoenen die hij heel gemakkelijk kon verbergen in de enorme vleugelachtige mouwen van zijn regenjas.

De regenjas was net zozeer een poncho als een jas. De mouwen waren zo ruim dan hij er zijn armen uit kon halen om in zijn binnenzakken te zoeken en ze dan weer terug te steken met handenvol gif.

Hij strooide blauwe kristallen over teunisbloemen en liriope, over winterjasmijn en bougainville. Azalea's en varens. Rozen en sneeuwbal.

De kristallen losten snel op in de regen. Het middel sijpelde door tot op de wortels.

Over een week zouden de planten geel worden en hun bladeren laten vallen. Over twee weken zouden ze inzakken tot een hoop stinkende rotzooi.

Grote bomen zouden geen last hebben van de hoeveelheden die Corky gebruikte. Maar gazons, bloemen, struiken, wingerds en de kleine bomen zouden wel afsterven in bevredigende aantallen.

Hij zaaide de dood niet in elke aangelegde tuin voor een huis. Een op de drie, in geen duidelijk patroon.

Als een heel huizenblok door een plantenziekte werd getroffen, zouden de buren naar elkaar toe trekken door de gedeelde catastrofe. Als sommigen niet werden getroffen zouden ze de jaloezie van de getroffenen oogsten. En het kon wantrouwen wekken.

Corky's missie was niet alleen om verwoesting te veroorzaken. Elke dwaas kon dingen stukmaken. Hij wilde ook tweedracht zaaien, wantrouwen, onenigheid en wanhoop.

Zo nu en dan blafte of gromde een hond uit de beschutting van een veranda waar hij zat vastgebonden of vanuit een hondenhok achter een houten schutting of een stenen muur.

Corky hield van honden. Ze waren 's mensens beste vriend, hoewel het een geheim bleef waarom ze die rol wilden vervullen, gezien de verachtelijke aard van de mensheid.

Zo nu en dan, als hij een hond hoorde, viste hij lekkere koekjes op uit een binnenzak. Hij gooide die op veranda's, over hekken heen.

In het belang van een maatschappelijke deconstructie kon hij zijn liefde voor honden van zich afzetten en doen wat er gedaan moest worden. Offers moesten gebracht worden.

Je kunt geen eieren eten zonder ze te breken, en dat soort dingen.

De hondenkoekjes waren behandeld met cyanide. De dieren zouden sneller sterven dan de planten.

Slechts weinige dingen konden wanhoop zo effectief verspreiden als de vroegtijdige dood van een geliefd huisdier.

Corky was verdrietig. Verdrietig om de ongelukkige honden.

Hij was ook blij. Blij dat hij dagelijks op duizend verschillende kleine manieren bijdroeg aan de val van een corrupte orde – en daardoor aan de opkomst van een betere wereld.

Om dezelfde reden dat hij niet bij elk huis de tuin vernietigde, vermoordde hij niet elke hond. Laat de buren elkaar verdenken.

Hij maakte zich geen zorgen dat hij gepakt zou worden tijdens het strooien van gif. Entropie, de grootste macht in het universum, was zijn bondgenoot en zijn beschermer.

Bovendien zouden de ouders thuis naar platte talkshows kijken waarin dochters aan hun moeder onthulden dat ze de hoer speelden, waarop vrouwen aan hun mannen bekenden dat ze een affaire hadden met hun zwager.

Nu niet op school, zouden de kinderen het druk hebben met het scherpen van hun moordzuchtige vaardigheden op videospelletjes. En nog beter: de puberende jongens zouden het net af surfen op pornografie en dat delen met onschuldige jongere broers, en plannen bedenken het kleine meisje van de buren te verkrachten.

Omdat hij die activiteiten goedkeurde, deed Corky zijn werk zo discreet mogelijk, zodat hij de mensen niet zou afleiden van hun zelfdestructie.

Corky Laputa was niet alleen maar een sombere gifmenger. Hij was een man van vele talenten en wapens.

Van tijd tot tijd, terwijl hij onder de druipende bomen over stoepen vol plassen sjokte, gaf hij zich over aan een lied. Natuurlijk zong hij 'Singin' in the Rain', wat misschien afgezaagd was, maar het amuseerde hem.

Hij danste niet.

Niet dat hij niet kón dansen. Hoewel niet zo lenig en ritmisch als Gene Kelly, maar hij kon op elke dansvloer schitteren.

Maar dansen over straat in een gele regenjas, even ruim als het habijt van een non, was geen verstandig gedrag voor een anarchist die de anonimiteit verkoos.

De brievenbussen aan de straat voor elk huis droegen altijd een nummer. Sommige brievenbussen hadden ook de naam van de bewoner erop.

Soms scheen een naam joods te zijn. Stein. Levy. Glickman.

Bij elk van die brievenbussen bleef Corky even staan. Hij deed er een van de witte brieven in die hij met tientallen in een andere zak van zijn regenjas meedroeg.

Op elke envelop een zwarte swastika. In elke envelop twee velletjes opgevouwen papier die beslist angst en woede zouden veroorzaken.

Op het eerste velletje in vette blokletters waren de woorden DOOD AAN ALLE SMERIGE JODEN geschreven.

De foto op het tweede velletje toonde lijken die met tien op elkaar op het veld voor de verbrandingsoven van een concentratiekamp van de nazi's waren opgestapeld. Eronder in rode blokletters de schreeuwende tekst JULLIE ZIJN HIERNA AAN DE BEURT.

Corky had geen vooroordelen tegen joden. Hij minachtte alle rassen, religies en etnische groepen evenveel.

Tijdens andere speciale ondernemingen had hij briefjes met DOOD AAN ALLE SMERIGE KATHOLIEKEN, DOOD AAN ALLE ZWARTEN en CELSTRAFFEN VOOR ALLE WAPENBEZITTERS rondgedeeld.

Al tientallen jaren hadden politici de mensen in hun greep gehad door hen onder te verdelen in groepen en ze tegen elkaar op te zetten. Het enige dat een goede anarchist kon doen, was proberen de bestaande haat te versterken en benzine uit te gieten op de vuren die de politici hadden aangestoken.

Tegenwoordig was de haat tegenover Israël – en bij uitbreiding alle joden – het gangbare intellectuele standpunt bij de meest swingende mediafiguren, onder wie vele niet-gelovige joden. Corky gaf de mensen alleen maar wat ze wilden hebben.

Van azalea via sneeuwbal naar jasmijn, van hond naar hond naar brievenbus, trok hij door de met regen overspoelde dag. Chaos zaaiend.

Vastberaden terroristen konden dan wolkenkrabbers opblazen en een adembenemende destructie veroorzaken. Hun werk hielp.

Maar tienduizend Corky Laputa's – intelligent en ijverig – zouden in hun rustige vasthoudendheid veel meer doen om de funderingen van de maatschappij te ondermijnen dan alle zelfmoordpiloten en bommengooiers bij elkaar.

Voor elke duizend schutters, dacht Corky, heb ik liever een van haat vervulde leraar die subtiel propaganda maakt in een klaslokaal, een hulpverlener met een onmiskenbare dorst naar wreedheid, een atheïstische priester die zich verschuilt in soutane, albe en kazuifel.

Door een cirkelvormige route kwam hij weer in het zicht van de BMW waar hij die anderhalf uur eerder had geparkeerd. Precies op schema.

Te lang in een enkele buurt blijven hangen zou riskant kunnen worden. De verstandige anarchist blijft in beweging, omdat entropie de beweger begunstigt en beweging de wet verijdelt.

De wolken van grijswitte melk waren tijdens zijn wandeling lager komen hangen en waren gestremd tot roetige wrongel. In de duisternis van de stortbui, in de natte schaduw van de eik, stond zijn zilverkleurige sedan donker als ijzer te wachten.

Takken van bougainvilles geselden de lucht en wierpen rode bloemen af, haalden doornige nagels over de gestuukte muren van een huis, maakten krassende geluiden: *kras-kras-krijs-krijs*.

De wind wierp bladeren op, haalde uit met zweepslagen, deed tunnels van regen tollen. De regen siste, ziedde, klokte, spatte.

Corky's telefoon ging over.

Hij was nog een halve straat van zijn auto vandaan. Hij zou het telefoontje missen als hij wachtte met opnemen tot hij in de BMW zat.

Hij trok zijn rechterarm uit de mouw, en pakte onder zijn regenjas de telefoon van zijn riem.

De arm terug in de mouw, telefoon bij het oor, geel als een boterbloem voortwaggelend en even lachwekkend als de personages in een tv-programma voor kinderen, was Corky Laputa in zo'n goede stemming dat hij de telefoon opnam met de woorden: 'Verlicht de plaats waar je bent.'

De beller was Rolf Reynerd. Rolf, net zo zwaargebouwd als Corky geel was, dacht dat hij het verkeerde nummer had gedraaid.

'Ik ben het,' zei Corky snel voordat Reynerd op kon hangen.

Tegen de tijd dat hij de BMW had bereikt, wenste hij dat hij nooit de telefoon had beantwoord. Reynerd had iets stoms uitgehaald.

10

Aan de andere kant van het raam in het restaurant viel de regen, even schoon als het geweten van een baby, op de vuile bestrating van de stad en deed de goten overlopen in smerige, kolkende rivieren.

Hazard die de foto van de pot vol voorhuiden bestudeerde, zei: 'Tien kleine hoedjes van tien trotse hoofdjes? Denk je dat het trofeeën kunnen zijn?'

'Van mannen die hij heeft vermoord? Mogelijk, maar onwaarschijnlijk. Iemand die zoveel moorden pleegt, is niet het soort dat zijn slachtoffers eerst treitert met krankzinnige cadeautjes in zwarte dozen. Die *knapt gewoon de klus op*.'

'En als het trofeeën waren, zou hij ze niet zo gemakkelijk weggegeven hebben.'

'Ja. Dan zou het het centrale thema van zijn huisinrichting zijn geworden. Volgens mij werkt hij met lijken. Misschien bij een begrafenisonderneming of in een mortuarium.'

'Postmortale besnijdenis.' Hazard draaide een paar slierten gesmolten kaas op zijn vork zoals hij gedaan zou kunnen hebben met een hap spaghetti. 'Kinky, maar het moet het antwoord wel zijn, omdat ik niets heb gehoord over tien onopgeloste moorden waarbij de dader misschien een waanzinnige rabbi is.' Hij doopte de kaas in de lebne en ging verder met de lunch.

Ethan zei: 'Volgens mij heeft hij ze alleen maar van de lijken gehaald om ze naar Channing Manheim te sturen.'

'Om wat te zeggen – dat Chan de Man een lul is?'

'Ik betwijfel het of de boodschap zo simpel ligt.'

'Beroemd zijn lijkt me niet meer zo aantrekkelijk.'

De vierde zwarte doos was groter geweest dan de andere. Twee foto's waren ervoor nodig om de inhoud ervan vast te leggen.

Op de eerste foto stond een honingkleurige keramische kat. De kat zat op zijn achterpoten en hield in elke voorpoot een keramisch koekje vast. Rode letters op zijn borst en buik spelden het woord KOEKJESKAT.

'Het is een koekjespot,' zei Ethan.

'Ik ben zo'n goede rechercheur, dat ik dat zelf al helemaal heb bedacht.'

'Hij was gevuld met scrabbleblokjes.'

De tweede foto toonde een stapel blokjes. Voor de stapel had Ethan zes stukjes gebruikt om OWE, schuld, en WOE, wee, te spellen.

'De pot bevatte negentig stuks van elke letter: *O, W, E*. Elk woord kon negentig keer gespeld worden, of beide woorden vijfenveertig keer, naast elkaar. Ik weet niet wat zijn bedoeling was.'

'Dus die mafkees zegt: "Ik ben je pijn schuldig." Hij vindt dat Manheim hem op de een of andere manier verkeerd heeft behandeld en dat het nu tijd wordt wraak te nemen.'

'Misschien. Maar waarom in een koekjespot?'

'Je zou ook *wow* kunnen spellen,' merkte Hazard op.

'Ja, maar dan hou je de helft van de O's en alle E's over en daar kun je niets mee vormen. Alleen *owe* en *woe* gebruiken alle letters.'

'Wat dacht je van combinaties van twee woorden?'

'De eerste is *wee woo*. Wat "tijdelijke liefde" zou kunnen beteke-nen, denk ik, maar ik zie daar geen boodschap in. De tweede is *E-W-E*, ooi, en weer *woo*.'

'Schapenliefde, hè?'

'Dat lijkt me nergens op slaan. Volgens mij bedoelde hij *owe woe*, een van de twee, of allebei.

Hazard smeerde lebne op een plak van het ongedesemde brood en zei: 'Misschien kunnen we hierna monopoly gaan spelen.'

In de vijfde zwarte doos had een gebonden boek gezeten dat *Paws for Reflection* had geheten. Op de omslag stond een foto van een schattige golden retriever-puppy.

'Het is een autobiografie,' zei Ethan. 'De man die het heeft ge-schreven – Donald Gainsworth – heeft dertig jaar blindengeleide-honden opgeleid en honden voor mensen die in rolstoelen zitten.'

'Zaten er geen torren of voorhuiden tussen de pagina's?'

'Nee. En ik heb elke pagina gecontroleerd op onderstrepingen, maar niets was geaccentueerd.'

'Het is zo totaal verschillend van de rest. Een onschuldig boekje, zelfs lief.'

'Doos nummer zes werd over het hek gegooid, vanochtend, even over halfvier.'

Hazard bestudeerde de laatste twee foto's. Eerst de gehechte ap-pel. Daarna het oog erin. 'Is het oog echt?'

'Hij heeft hem uit een pop geplukt.'

'Toch verontrust deze mij het meeste.'

'Mij ook. Waarom jou?'

'De appel heeft het meeste werk gekost. Er is veel aandacht aan besteed, dus waarschijnlijk heeft die volgens hem de meeste bete-kenis.'

'Tot dusver kan ik er maar weinig van maken,' zei Ethan klagend.

Vastgeniet aan de laatste foto zat een kopie van de getypte bood-schap die onder het oog in het klokhuis was gevouwen. Na het twee keer gelezen te hebben, zei Hazard: 'Heeft hij met de eerste vijf pakjes zoiets meegestuurd?'

'Nee.'

'Dan is dit waarschijnlijk het laatste wat hij stuurt. Hij heeft alles gezegd wat hij wil zeggen, in symbolen en nu in woorden. Nu gaat hij over van dreigementen naar actie.'

'Ik denk ongeveer hetzelfde. Maar de woorden zijn me net zo'n raadsel als de symbolen en de objecten.'

Met een zilverkleurige vasthoudendheid doorkliefden koplampen de duisternis van de namiddag. Stralende watervleugels vlogen op van het wegdek vol plassen, onttrokken de banden aan het gezicht en verleenden een aura van een bovennatuurlijke roeping aan de auto's die over de stromen van Pico Boulevard laveerden.

Na een broedende stilte zei Hazard: 'Een appel symboliseert misschien gevaarlijke of verboden kennis. De eerste zonde die hij noemt.'

Ethan probeerde zijn zalm en couscous weer. Hij had net zo goed stijfsel kunnen eten. Hij legde zijn vork neer.

'De zaden van kennis zijn vervangen door het oog,' zei Hazard, bijna meer tegen zichzelf dan tegen Ethan.

Een groepje wandelaars haastte zich langs de ramen van het restaurant, voorovergebogen alsof ze tegen een wind opboksten die groter was dan die de decemberdag uitademde, onder de nutteloze bescherming van zwarte paraplu's, als rouwenden die gehaast op weg waren naar een graf.

'Misschien zegt hij: "Ik zie je geheimen, de bron – de zaden – van jouw slechtheid."'

'Ik had ook zoiets gedacht. Maar het voelt niet helemaal juist en het brengt me nergens waarmee ik uit de voeten kan.'

'Wat hij er ook mee mag bedoelen,' zei Hazard, 'het zit me dwars dat je dat oog in de appel hebt gekregen net na dit boek over een man die blindengeleidehonden opleidt.'

'Als hij dreigt Manheim blind te maken, is het al erg genoeg,' zei Ethan. 'Maar ik denk dat hij iets veel ergers van plan is.'

Na de foto's nog een keer doorgekeken te hebben, gaf Hazard ze terug aan Ethan en richtte zich weer met smaak op de seafood tagine. 'Ik neem aan dat je jouw baas goed beschermd hebt.'

'Hij filmt in Florida. Vijf lijfwachten reizen met hem mee.'

'Jij niet?'

'Gewoonlijk niet. Ik leid alle beveiligingsoperaties vanuit Bel Air. Ik praat minstens een keer per dag met het hoofd van de reizende soldaten.'

'Reizende soldaten?'

'Dat is een grapje van Manheim. Zo noemt hij de lijfwachten die met hem mee reizen.'

'Is dat een grap? Ik ruft grappiger dan hij praat.'

'Ik heb nooit beweerd dat hij de koning van de lach was.'

'Toen iemand vannacht de zesde doos over de poort gooide,' vroeg Hazard, 'wie was die iemand? Nog beveiligingsbanden?'

'Veel. Inclusief een duidelijke opname van zijn nummerbord.'

Ethan vertelde hem over Rolf Reynerd – hoewel hij niet zijn ontmoeting met de man noemde, niet de echte ontmoeting, en ook niet de ontmoeting die hij gedroomd leek te hebben.

'En wat wil je van mij?' vroeg Hazard.

'Misschien zou je hem eens kunnen natrekken.'

'Hem natrekken? Hoe ver? Wil je dat ik zijn zaakje vasthoud als hij zijn hoofd afwendt en hoest?'

'Misschien niet zover.'

'Wil je dat ik kijk naar poliepen in zijn karteldarm?'

'Ik weet al dat hij geen eerdere criminele...'

'Dus ik ben niet de eerste van wie je een gunst wilt hebben.'

Ethan trok zijn schouders op. 'Je kent me. Ik gebruik mensen. Niemand is veilig. Het zou nuttig zijn om te weten of Reynerd een wettig geregistreerd vuurwapen heeft.'

'Heb je met Laura Moonves van de ondersteuningsdienst gesproken?'

'Ze heeft me geholpen,' gaf Ethan toe.

'Je zou met haar moeten trouwen.'

'Zóveel heeft ze me niet over Reynerd gegeven.'

'Zelfs wij, imbecielen, kunnen zien dat jij en zij bij elkaar passen als brood en boter.'

'We zijn al in geen anderhalf jaar met elkaar uit geweest,' zei Ethan.

'Dat komt omdat jij niet zo slim bent als wij, imbecielen. Jij bent gewoon een idioot. Dus hou me niet voor de gek. Moonves zou een registratie van een vuurwapen voor jou te pakken kunnen krijgen. Dat wil je niet van mij.'

Terwijl Hazard zich concentreerde op de lunch, staarde Ethan naar de valse schemering van het noodweer.

Na twee winters met te weinig regen voor de gemiddelde winter, hadden de klimatologische experts ervoor gewaarschuwd dat Californië voor een lange en rampzalige droogte kwam te staan. Zoals gewoonlijk was gebleken dat de crop volgende ijselijke verhalen over droogte waarmee de media werden overspoeld de zekere voorspellers waren van een enorme zondvloed.

De zwangere buik van de hemel hing laag, grijs en dik, en het water brak om de geboorte van nog veel meer water aan te kondigen.

'Ik denk dat ik wil,' zei Ethan ten slotte, 'dat je die gast eens van dichtbij bekijkt en me vertelt wat je van hem vindt.'

Even opmerkzaam als altijd zei Hazard: 'Jij hebt al bij hem aangeklopt, hè?'

'Ja. Ik deed alsof ik iemand kwam opzoeken die er voor hem gewoond had.'

'Je kreeg de kriebels van hem. Er hangt iets heel vreemds om hem heen.'

'Je zult het wel zien, of niet,' zei Ethan ontwijkend.

'Ik ben smeris bij Moordzaken. Hij is geen verdachte van een moord. Hoe rechtvaardig ik dat?'

'Ik vraag je niet om een officieel bezoek.'

'Als ik niet met een penning zwaai, kom ik de drempel nog niet over, zo gemeen als ik eruitzie.'

'Als het niet gaat, gaat het niet. Dat geeft niet.'

Toen de serveerster arriveerde om te vragen of ze nog iets wilden, zei Hazard: 'Ik vind die walnootmamouls heerlijk. Geef me er zes dozijn van mee.'

'Ik hou van mannen met een grote trek,' zei ze koket.

'Jou, jongedame, zou ik met één hap weg kunnen schrokken,' zei Hazard, waarmee hij bij haar een zweem van erotische belangstelling en een nerveus lachje opwekte.

Toen de serveerster wegliep, zei Ethan: 'Zes dozijn?'

'Ik hou van koekjes. Dus waar woont die Reynerd?'

Eerder had Ethan het adres op een stukje papier geschreven. Hij gaf het over tafel door. 'Als je gaat, ga dan beschermd.'

'Hoe dan – in een tank?'

'Zorg voor bescherming.'

'Waartegen?'

'Waarschijnlijk niets, misschien wel iets. Hij is of heel erg gespannen of van nature een mafketel. En hij heeft een pistool.'

Hazards blik ging over Ethans gezicht alsof hij zijn geheimen net zo snel kon lezen als een optische scanner de streepjescode. 'Ik dacht dat je wilde dat ik keek of hij een geregistreerd wapen had.'

'Ik heb het van een buurman gehoord,' loog Ethan. 'Volgens hem is Reynerd een beetje paranoïde en houdt hij het wapen meestal dicht bij zich in de buurt.'

Terwijl Ethan de op de computer afgedrukte foto's terugstak in de gele envelop, staarde Hazard hem aan.

De papieren leken aanvankelijk niet in de envelop te passen. Vervolgens was het metalen pennetje een ogenblik te groot om door het gat in de klep te passen.

'Dat is een behoorlijk bibberende envelop,' zei Hazard.

'Te veel koffie vanochtend,' zei Ethan, en om Hazards ogen te vermijden keek hij naar de lunchbezoekers.

De gegeselde lucht van menselijke stemmen sloeg door het restaurant, mepte tegen de muren waardoor wat oppervlakkig op een feestelijk gebrul leek boosaardig klonk als je er aandachtiger naar luisterde, en klonk nu eens als de nauwelijks ingehouden woede van een menigte, en dan weer als de kwelling van hele legioenen door een wrede onderdrukking.

Ethan besefte dat zijn blik van gezicht naar gezicht ging, zoekend naar één gezicht in het bijzonder. Hij verwachtte half de in de wc verdronken Dunny Whistler te zien, dood maar toch aan de lunch.

'Jij hebt nauwelijks je zalm aangeraakt,' zei Hazard op een toon van bijna moederlijke bezorgdheid.

'Hij is niet goed,' zei Ethan.

'Waarom heb je hem niet teruggestuurd?'

'Ik heb toch niet zo'n honger.'

Met zijn hevig gebruikte vork testte Hazard de zalm. 'Hij is wel goed.'

'Ik vond hem niet lekker,' hield Ethan vol.

De serveerster kwam terug met de rekening en met roze taartdozen vol mamouls in een doorschijnende plastic zak met het logo van het restaurant erop.

Terwijl Ethan een creditcard uit zijn portefeuille viste, wachtte de serveerster, haar gezicht een duidelijk venster naar haar gedachten. Ze wilde nog wat met Hazard flirten, maar zijn indrukwekkende verschijning maakte haar voorzichtig.

Toen Ethan de rekening teruggaf met zijn pasje van American Express, bedankte de serveerster hem en wierp even een blik op Hazard die met een theatraal genot zijn lippen aflikte waardoor zij wegschoot als een konijn dat zo gevleid was geraakt door de bewondering van een vos dat ze zichzelf bijna als avondeten had aangeboden voordat haar overlevingsinstincten het weer hadden overgenomen.

'Bedankt dat je betaalt. Nu kan ik zeggen dat ik door Chan de Man voor de lunch ben uitgenodigd. Hoewel ik denk dat deze mamouls weleens de duurste gebakjes zullen blijken die ik ooit heb gegeten.'

'Het is maar een lunch. Geen verplichtingen. Zoals ik al zei: als je niet kunt, kun je niet. Reynerd is mijn probleem, niet dat van jou.'

'Ja, maar je hebt me geïntrigeerd. Jij kunt beter flirten dan de serveerster.'

Te midden van een opeenhoping van sombere emoties, vond Ethan een oprechte glimlach.

Een plotselinge draaiing van de wind joeg flarden regen tegen de grote ramen.

Achter het overspoelde glas, leken voetgangers en voorbijgaand verkeer op te lossen tot wrakstukken, alsof ze onderworpen waren aan een armageddon van vuurloze hitte, een zondvloed van bijtend zuur.

Ethan zei: 'Als hij een zak chips, popcorn, dat soort dingen in zijn handen heeft, kan er weleens meer dan alleen maar iets te snacken in zitten.'

'Is dit het paranoïde gedeelte? Jij zei dat hij zijn wapen bij zich in de buurt hield.'

'Dat heb ik gehoord. In een zak chips, dat soort dingen, waar hij het kan pakken, en jij niet beseft wat hij aan het doen is.'

Hazard staarde hem aan en zei niets.

'Misschien is het een Glock negen millimeter,' voegde Ethan eraan toe.

'Heeft hij ook een atoombom?'

'Niet dat ik weet.'

'Waarschijnlijk bewaart hij de bom in een doos kaaskoekjes.'

'Neem gewoon een zak mamouls mee en je kunt alles aan.'

'Verrek, ja. Als je hier iemand mee raakt, gooi je hem een barst in zijn schedel.'

'En daarna eet je het bewijs op.'

De serveerster kwam terug met zijn creditcard en de bon.

Terwijl Ethan de fooi erbij voegde en de rekening ondertekende, leek Hazard zich bijna onbewust van de vrouw en keek haar niet één keer aan.

Met regennaalden tatoeëerde de gierende wind kortstondige patronen op het raam en Hazard zei: 'Het ziet er buiten koud uit.'

Dat was precies wat Ethan ook had zitten denken.

II

Gehuld in regenjas en laarzen, gekleed in dezelfde spijkerbroek en wollen trui als ervoor, voelde Corky Laputa zich achter het stuur van zijn zilverkleurige BMW geremd door een frustratie die net zo zwaar en verstikkend was als een bontjas.

Hoewel hij zijn hemd niet tot bovenaan had dichtgeknoopt, kneep woede zijn keel dicht alsof hij zijn halsmaat veertig in een boordmaat achtendertig had geperst.

Hij wilde naar Hollywood-West rijden en Reynerd vermoorden.

Zulke impulsen moesten natuurlijk onderdrukt worden, want hoewel hij droomde van een maatschappelijke ineenstorting om een volledige wetteloosheid te bereiken van waaruit een nieuwe orde zou ontstaan, de wetten tegen moord bleven gelden. Ze werden nog steeds toegepast.

Corky was een revolutionair, maar geen martelaar.

Hij begreep de noodzaak om radicale actie in evenwicht te houden met geduld.

Hij begreep tot hoever hij kon gaan in zijn anarchistische woede. Om zichzelf te kalmeren at hij een reep.

In tegenspraak met de beweringen van de georganiseerde medische wetenschap, zowel die van de door hebzucht gecorrumpeerde westelijke variant als de spiritueel zelfvoldane oosterse soort, werd Corky van geraffineerde suiker niet hyperactief. Sucrose kalmeerde hem.

Heel oude mensen, wier zenuwen tot een folterende gevoeligheid afgeschaafd waren door het leven en de teleurstellingen ervan, kenden allang de kalmerende effecten van een teveel aan suiker. Hoe meer hun hoop en dromen buiten hun greep kwamen, hoe zoeter hun dieet werd met ijs per liter, zoete koekjes in reusachtige voordeelverpakkingen en chocola in alle soorten, van bonbons via Hershey's Kisses tot aan zelfs chocolade paashazen die ze kwaadaardig stuk konden breken en consumeren om dubbel te genieten.

In haar laatste jaren was zijn moeder een ijsjunk geweest. IJs voor ontbijt, lunch, avondeten. IJs in parfaitglazen, in enorme coupes, en direct uit de verpakking gegeten.

Ze slobberde voldoende ijs om een aderennetwerk van Californië naar de maan en terug dicht te laten slibben. Een tijdlang had Corky gedacht dat zij zelfmoord aan het plegen was met cholesterol. In plaats van zichzelf naar een hartkwaal toe te eten, scheen ze gezonder te worden. Ze kreeg een blos in haar gezicht en een helderheid in haar ogen die ze nooit eerder had gehad, zelfs niet in haar jeugd.

Liters, vaten, bakken vol Chocolate Mint Madness, Peanut-Butter-and-Chocolate Fantasy, Maple Walnut Delight en vijfentwintig andere soorten leken haar biologische klok terug te draaien, wat de wateren van duizend fonteinen niet was gelukt bij de ontdekkingsreiziger Ponce de Leon.

Corky was gaan denken dat in het geval van het unieke metabolisme van zijn moeder de sleutel tot onsterflijkheid bij botervet zou kunnen liggen. Dus hij vermoordde haar.

Als ze bereid was geweest iets van haar geld met hem te delen toen ze nog leefde, zou hij haar in leven hebben gelaten. Hij was niet hebzuchtig.

Maar ze geloofde niet in generositeit of zelfs maar in ouderlijke verantwoordelijkheid en ze gaf helemaal niets om zijn gevoel of behoeften. Hij had zich zorgen gemaakt dat ze uiteindelijk haar testament zou veranderen om hem voor altijd lam te leggen, puur voor de lol.

Toen ze nog werkte, was zijn moeder professor in de economie aan de universiteit geweest, gespecialiseerd in marxistische economiemodellen en de kwaadaardige institutionele politiek van de academische wereld.

Ze had alleen maar geloofd in de rechtvaardigheid van jaloezie en de macht van de haat. Toen beide geloven waardeloos bleken, had ze die geen van beide van zich afgezet, maar aangevuld met ijs.

Corky haatte zijn moeder niet. Hij haatte niemand.

Hij was ook op niemand jaloers.

Toen hij zag dat beide goden zijn moeder in de steek lieten, had hij beide verworpen. Hij wilde niet oud worden zonder gerief, maar met zijn lievelingssoort eersteklas kokostoffees.

Vier jaar geleden, toen hij haar in het geniep een bezoek had gebracht met de bedoeling haar snel en genadig in haar slaap te smoren, had hij haar in plaats daarvan doodgeslagen met een pook, alsof hij een rol speelde in een verhaal dat was begonnen door een ironische Anne Tyler en dat wreed was afgemaakt door een woedende Norman Mailer.

Hoewel het geen opzet was, bleek de daad met de pook zuiverend. Niet dat hij plezier had beleefd aan het geweld. Dat was niet zo. De beslissing om haar te vermoorden was echt net zo emotieloos geweest als de aankoop van aandelen van een goedlopend bedrijf, en de moord zelf was gepleegd met dezelfde koele efficiëntie als waarmee hij elke investering op de aandelenmarkt zou hebben gedaan.

Zijn moeder, als econome, zou het beslist hebben begrepen.

Zijn alibi was waterdicht geweest. Hij erfde al haar bezittingen. Het leven ging verder. In ieder geval zijn leven.

Nu, na de reep verorberd te hebben, voelde hij zich gekalmeerd door de suiker, en vertroeteld door de chocola.

Hij wilde Reynerd nog steeds vermoorden, maar de onverstandige haast van de dwang was voorbij. Hij zou de tijd nemen om de moord op te zetten.

Als hij in actie kwam, zou hij zijn plan getrouw volgen. Deze keer zou het kussen geen pook worden.

Toen hij merkte dat er door de gele regenjas een heleboel water op de stoel was gekomen, zuchtte hij, maar deed niets. Corky was een te toegedane anarchist om zich zorgen te maken over de bekleding.

Bovendien moest hij over Reynerd nadenken. Het was Rolf, als eeuwige puber met een harde buitenkant, niet gelukt zich te verzetten tegen de verleiding de zesde doos zelf te bezorgen. Alleen al om de opwinding.

De gek had gedacht dat de beveiligingscamera's op het terrein er niet waren omdat hij ze zelf niet kon zien.

Bestaan er geen andere planeten in het zonnestelsel, had Corky hem gevraagd, *alleen maar omdat je ze niet aan de hemel kunt zien?*

Toen Ethan Truman, chef beveiliging van Manheim, aan de deur was verschenen, was Reynerd stomverbaasd geweest. Hij had toegegeven dat hij zich verdacht had gedragen.

Terwijl Corky de wikkel van een reep verfrommelde en in de asbak propte, wenste hij dat hij net zo makkelijk Reynerd kon weggooien.

Plotseling begon de regen heviger neer te komen dan eerder tijdens het noodweer. De zondvloed schudde stugge eikels uit de eik waaronder hij geparkeerd stond en strooide die over de BMW uit. Ze ratelden op het lakwerk en maakten beslist krassen, en ze stuiterden van de voorruit zonder die te beschadigen.

Hij hoefde hier niet te staan, in het gevaar van de eikels, terwijl hij bezig was met de dood van Reynerd, tot een verrotte tak van vijfhonderd kilo loskwam, op de auto viel en hem voor al zijn moeite verpletterde. Hij kon verder gaan met zijn dag en in zijn hoofd een blauwdruk van de moord uitwerken terwijl hij zich bezighield met andere zaken.

Corky reed een paar kilometer naar een drukbezocht chic winkelcentrum en parkeerde in de ondergrondse garage.

Hij stapte uit de BMW, trok zijn regenjas uit, zette zijn druipnatte regenhoed af en gooide ze op de bodem van de auto. Hij trok een tweed sportjasje aan over zijn trui en spijkerbroek.

Een lift bracht hem van de ondergrondse wereld naar de bovenste van twee verdiepingen met winkels, restaurants en attracties. De speelhal was op deze bovenste verdieping.

Door de vakantie dromden kinderen om de computerspelletjes heen. De meesten waren jonge tieners.

De apparaten piepten, rinkelden, belden, klingelden, blèrden, tjirpten, floten, klopten, dreunden, gilden, piepten, huilden en loeiden als opgevoerde motoren, lieten flarden bombastische muziek horen, het gekrijs van virtuele slachtoffers, ze schitterden, flitsten, knipperden en fonkelden in alle bekende kleuren, en slokten kwartjes, dollars op, gulziger zelfs dan de iconische pacman eens koekjes had opgeslokt op miljoenen computerschermen in een tijdvak dat nu archaïsch zo niet onbekend was voor het huidige publiek.

Wandelend tussen de automaten deelde Corky gratis drugs uit aan de kinderen.

Die kleine plastic zakjes bevatten allemaal acht ecstasypillen – of extasy als je naar een particuliere lagere school was geweest – met een etiket in blokletters dat GRATIS x beloofde met daarna de tekst: DENK ERAAN WIE JE VRIEND IS.

Hij deed zich voor als dealer die zijn zaakje aan het uitbreiden was. Hij verwachtte niet een van die snotneuzen ooit terug te zien.

Sommige kinderen namen de zakjes aan, vonden het cool.

Anderen toonden geen belangstelling. Zij deden geen poging hem bij iemand aan te geven; niemand hield van een verklikker.

In een paar gevallen liet Corky de zakjes in de jaszakken van de kinderen glijden zonder dat ze het merkten. Die zouden ze later wel vinden en verbaasd zijn.

Sommigen zouden het spul gebruiken. Anderen gooiden of gaven het weg. Uiteindelijk zou hij erin geslaagd zijn weer een paar hersentjes te vergiftigen.

De waarheid: hij was er niet in geïnteresseerd verslaafden te creëren. Hij zou heroïne of zelfs crack hebben weggegeven als dat zijn bedoeling was geweest.

Uit wetenschappelijk onderzoek van ecstasy was gebleken dat de gebruiker van slechts één dosis na vijf jaar nog last kon hebben van veranderingen in de chemie van de hersenen. Na regelmatig gebruik kon er hersenbeschadiging optreden.

Enkele oncologen en neurologen beweerden dat in de decennia die nog moesten komen, het huidige grote gebruik van ecstasy een dramatische toename van hersentumoren op jonge leeftijd zou veroorzaken, evenals een afname in de cognitieve vermogens van honderdduizenden, zo niet miljoenen burgers.

Cadeautjes van acht pillen zoals nu zouden niet van de ene op de andere dag de ineenstorting van de beschaving bewerkstelligen. Corky was gericht op de gevolgen op lange termijn.

Hij had nooit meer dan vijftien zakjes bij zich, en als hij die eenmaal begon uit te delen, zorgde hij ervoor ze zo snel mogelijk kwijt te raken. Hij was te slim om wegens bezit opgepakt te worden, en stond binnen drie minuten weer buiten de speelhal.

Omdat hij niet hoefde te blijven staan om te handelen, kreeg het personeel niet de gelegenheid hem op te merken. Tegen de tijd dat hij weer de speelhal uit was, was hij gewoon iemand die winkelde: niets belastends in zijn zakken.

Bij een Starbuck bestelde hij een koffie met melk en dronk die aan een van de tafeltjes op de promenade terwijl hij naar de paraderende mensheid keek in al zijn absurditeiten.

Toen hij de koffie op had, liep hij naar een kledingzaak. Hij had sokken nodig.

12

De bomen, een groepje van acht, met prachtige knoestige stammen, staken hun prachtig gedraaide takken hoog op, schudden hun sierlijke grijsgroene kruinen in de natte wind en leken zowel de storm uit te dagen als te vieren. Door dit seizoen zaten ze zonder vruchten en lieten dus geen olijven vallen, alleen maar bladeren, op de keien van het wandelpad.

De kerstlichtjes, in de takken vervlochten, brandden nog niet op dit uur, bolletjes doffe kleuren die wachtten om 's avonds te schitteren.

Dit flatgebouw van vier verdiepingen in Westwood, op nog geen straat van Wilshire Boulevard vandaan, was niet zo chic als sommige andere in de buurt en niet zo groot dat er een portier was. Toch zou een degenslikker hier in de koopprijs van een appartement stikken.

Ethan stapte over de vredesbladeren, liep onder de niet-brandende kerstlampjes door en ging een hal met een marmeren vloer en marmeren panelen binnen. Hij gebruikte een sleutel om door de inwendige beveiligingsdeur te komen.

Achter de foyer was de beveiligde hal klein maar knus, met een breed tapijt op het marmer, twee art-decostoelen en een tafel met een namaak Tiffany-lamp die een kap van rood, geel en groen gebrandschilderd glas had.

Hoewel er een trap was in het gebouw van vier verdiepingen, nam Ethan de trage lift. Dunny Whistler woonde – had gewoond – op de vierde verdieping.

De parterre en de eerste drie verdiepingen bevatten vier grote appartementen, maar de bovenste was verdeeld in slechts twee grote penthouses.

In de lift hing een vage, onaangename geur van een eerdere gebruiker. De geur, complex en subtiel, daagde het geheugen uit, maar Ethan kon die niet helemaal identificeren.

Toen hij de eerste verdieping passeerde, gaf de lift hem plotseling de indruk kleiner te zijn dan hij zich herinnerde van eerdere bezoeken. Het plafond hing laag, als een deksel op een pan.

Bij de tweede verdieping besefte hij dat hij sneller ademhaalde dan noodzakelijk was, alsof hij er stevig de pas in zette. De lucht leek dun te zijn geworden, en ontoereikend.

Tegen de tijd dat hij de derde verdieping bereikte, raakte hij ervan overtuigd dat hij iets *verkeerds* ontdekte in de motor van de lift, in het gezoem van kabels door de geleidewielen. Dit gekraak, die tik, en deze piep leken op het geluid van een splitpen die loskwam in het hart van de machinerie.

De lucht bleef dunner worden, de wanden benauwender, het plafond lager, de machine verdachter.

Misschien gingen de deuren niet open. Misschien werkte de alarmtelefoon niet. Misschien werkte zijn mobiel niet in de lift.

Bij een aardbeving stortte de schacht misschien in en werd de liftcabine geplet tot het formaat van een doodskist.

Toen hij de vierde verdieping naderde, besefte hij dat de claustrofobische symptomen die hij nooit eerder had gehad, een masker waren die een andere angst verborgen, die hij, als rationeel mens, haatte toe te geven.

Hij verwachtte half dat Rolf Reynerd hem op de vierde verdieping stond op te wachten.

Hoe Reynerd zou moeten weten van het bestaan van Dunny of waar Dunny woonde, hoe hij geweten zou hebben wanneer Ethan van plan was hierheen te komen – dat waren niet te beantwoorden vragen zonder een uitgebreid onderzoek en misschien wel met het uitsluiten van de logica.

Toch stapte Ethan naar de zijkant van de cabine om een kleiner doelwit van zichzelf te maken. Hij trok zijn pistool.

De liftdeuren gingen open naar een halletje van drie bij vier meter met honingkleurige, versierde teakhouten panelen. Verlaten.

Ethan stak zijn wapen niet terug in de holster. Gelijke deuren gaven toegang tot twee penthouses en hij liep direct naar die van het Whistler-appartement.

Met de sleutel die hij van Dunny's advocaat had gekregen, ontsloot hij de deur, duwde hem voorzichtig open en liep behoedzaam verder.

Het inbraakalarm was niet ingeschakeld. Op zijn laatste bezoek, acht dagen geleden, had Ethan het alarm geactiveerd toen hij vertrok.

Mrs. Hernandez, de huishoudster, was in de tussentijd langs geweest. Voordat Dunny in coma in een ziekenhuis werd opgenomen, had ze hier drie dagen per week gewerkt; maar nu kwam ze alleen op woensdags.

Naar alle waarschijnlijk was Mrs. Hernandez vergeten de alarmcode in te toetsen toen ze de afgelopen week vertrok. Maar hoe waarschijnlijk deze verklaring misschien ook was, Ethan geloofde hem niet. Juanita Hernandez was een verantwoordelijke vrouw en hield methodisch elk detail in de gaten.

Net over de drempel bleef hij staan luisteren. Hij liet de deur achter zich open.

Regen trommelde op het dak, een ver gerommel als de marcherende voeten van legioenen op weg naar de oorlog in een ver, vervallen koninkrijk.

Verder werd zijn gerichte aandacht alleen begroet door stilte. Misschien werd hij gewaarschuwd door zijn intuïtie of hield zijn intuïtie hem voor de mal, maar hij voelde dat dit geen loze stilte was, maar een opgerolde rust vol potentiële energie als van een cobra, een ratelslang of zwarte mamba.

Omdat hij geen aandacht wilde trekken van de buren en alleen maar zijn eigen vertrek wilde vergemakkelijken, deed hij de deur dicht. En draaide hem op slot.

Dunny Whistler was rijk geworden met zwendel, drugs en erger. Criminelen richten zich voornamelijk op het grote geld, maar slechts weinigen houden het vast of behouden de vrijheid het uit te geven. Dunny was slim genoeg geweest om zich niet te laten arresteren, zijn geld wit te wassen en zijn belastingen te betalen.

Daarom was zijn flat enorm, met twee verbindingsgangen, kamers die naar andere kamers leidden, kamers die gewoonlijk niet ronddraaiden zoals ze nu rond leken te draaien als de ene nautilusschelp in de andere.

Zou Ethan een normale gevaarlijke situatie hebben verkend, dan zou hij verder zijn gelopen met het wapen in beide handen, de armen gestrekt, met een afgemeten druk op de trekker. Hij zou snel en laag de deuropeningen hebben genomen.

Maar nu hield hij zijn pistool in zijn rechterhand, gericht op het plafond. Hij liep voorzichtig verder, maar niet met de volledige vertoning die inherent is aan de stijl van de politieacademie.

Om zijn rug altijd naar een muur te houden, om te voorkomen dat zijn rug naar een deuropening wees, om snel verder te gaan terwijl hij van links naar rechts naar links keek en goed oplette waar hij zijn voeten neerzette, om zijn evenwicht goed te blijven bewaren om ogenblikkelijk de schuttershouding aan te kunnen nemen: als hij dat allemaal deed, dan zou hij hebben moeten toegeven dat hij bang was voor een dode man.

En dat was de waarheid. Uit de weg gegaan, maar nu bekend.

De claustrofobie in de lift en de verwachting dat hij Rolf Reynerd op de vierde verdieping zou treffen, waren alleen maar pogingen geweest zichzelf niet te laten nadenken over zijn werkelijke angst, over de zelfs nog minder rationele overtuiging dat dode Dunny was opgestaan van de brancard in het lijkenhuis en met onbekende bedoelingen naar huis was gewandeld.

Ethan geloofde er niet in dat doden konden lopen.

Hij betwijfelde het of Dunny, dood of levend, hem iets zou doen.

Zijn angst kwam voort uit de mogelijkheid dat Dunny Whistler, als hij inderdaad op eigen kracht uit de tuinkamer van het ziekenhuis was vertrokken, alleen maar in naam Dunny zou zijn. Nadat hij bijna verdronken was en drie maanden in coma had gelegen, zou hij een hersenbeschadiging kunnen hebben die hem gevaarlijk maakte.

Hoewel Dunny zijn goede kanten had, en ook zeker het verstand had gehad om in Hannah een vrouw van uitzonderlijke kwaliteiten te herkennen, was hij ook in staat geweest tot meedogenloos geweld. Zijn succes in het criminele leven was niet voortgekomen uit de vaardigheden van een beschaafd mens en een vriendelijke glimlach.

Hij kon koppen kraken als het nodig was om koppen te kraken.

En soms had hij ze gekraakt als het kraken niet nodig was.

Als Dunny nog maar voor de helft de man was die hij ooit was geweest, en de verkéérde helft, gaf Ethan er de voorkeur aan hem niet tegen te komen. Door de jaren heen had hun relatie vreemde wendingen gekend; een laatste en nog duisterder wending kon niet voor onmogelijk worden gehouden.

De enorme woonkamer bevatte dure, moderne banken en stoelen, bekleed met tarwekleurige zijde. De tafels, kastjes en sierobjecten waren allemaal Chinees antiek.

Of Dunny had een lamp met een geest gevonden en zichzelf een buitengewone smaak gewenst, of hij had een prijzige binnenhuisarchitect in de arm genomen.

Hier, hoog boven de olijfbomen, toonden de grote ramen de gebouwen aan de overkant van de straat en een lucht die eruitzag als de doorweekte verkoolde resten van een uitgestrekt, geblust vuur.

Buiten: een autoclaxon in de verte, het lage, sombere gegrom van verkeer op Wilshire Boulevard.

Met het geritsel van de junikever, het geklik van de scarabee, het getik van de mestkever sprak de regen met keverstemmen tegen het raam: *klik-klik-klik*.

In de woonkamer werd de stilte gezuiverd. Alleen zijn ademhaling. Zijn hart.

Ethan liep de werkkamer in om de bron van een zacht licht te zoeken.

Op het Chinese bureau stond een bronzen lamp met een albasten kap. De botergele gloed onttrok iriserende kleuren aan het ingelegde parelmoer.

Eerder had er een ingelijste foto van Hannah op het bureau gestaan. Hij was weg.

Ethan herinnerde zich zijn verrassing toen hij die foto had gezien tijdens zijn eerste bezoek aan het appartement, elf weken geleden, nadat hij had gehoord dat hij Dunny's zaken onder zijn hoede had gekregen.

De verrassing was vergezeld gegaan van ontzetting. Hoewel Hannah al vijf jaar dood was, leek de aanwezigheid van de foto een daad van emotionele agressie, en op een of andere manier een belediging aan zijn herinnering dat zij een object van genegenheid – en ooit een object van begeerte – was van een man die zijn leven had gewijd aan misdaad en geweld.

Ethan had de foto onaangeroerd gelaten, want zelfs met de volmacht over alle zaken van Dunny, had hij het gevoel gehad dat de foto in het mooie zilveren lijstje niet van hem was en hij die dus niet mocht weggooien of pakken.

Ethan en Dunny hadden in de nacht van Hannahs dood in het ziekenhuis met elkaar gesproken, daarna weer tijdens de begrafenis, na een verwijdering van twaalf jaar. Maar hun wederzijdse verdriet had hen niet verder bij elkaar gebracht. Ze hadden drie jaar geen woord met elkaar gewisseld.

Op de dag drie jaar na Hannahs overlijden had Dunny gebeld om te zeggen dat hij in die zesendertig maanden lang en diep had nagedacht over haar vroegtijdige dood op haar tweeëndertigste. Het verlies van haar – te weten dat ze nergens meer op aarde bestond – had hem langzaam maar intens aangegrepen en hem voor altijd veranderd.

Dunny beweerde dat hij het rechte pad zou bewandelen, dat hij zich terug zou trekken uit al zijn criminele ondernemingen. Ethan had hem niet geloofd, maar had hem veel geluk gewenst. Daarna hadden ze niet meer met elkaar gesproken.

Later had hij van anderen gehoord dat Dunny uit het leven was gestapt, dat oude vrienden en compagnons hem nooit meer zagen, dat hij zoiets als een kluizenaar was geworden, een teruggetrokken leesfanaat.

Met die geruchten had Ethan voldoende zout binnengekregen om een dorst naar de waarheid te ontwikkelen. Hij bleef er zeker van dat hij uiteindelijk zou horen dat Dunny Whistler in zijn oude fouten teruggevallen was – en die nooit echt achter zich had gelaten. Weer later had hij gehoord dat Dunny teruggekeerd was naar de kerk, elke week de mis bijwoonde, en zichzelf gedroeg met een nederigheid die hem eerder nooit gekarakteriseerd had.

Of dit nu waar was of niet, het feit bleef dat Dunny het fortuin had bewaard dat hij had verzameld door fraude, diefstal en drugshandel. Elke oprecht hervormde man zou, levend in een luxe die was betaald met zulk smerig geld, misschien wel zo gekweld zijn door schuldgevoel dat hij ten slotte zijn rijkdommen zou gebruiken om zich te reinigen.

Er was meer dan alleen de foto van Hannah uit de werkkamer verdwenen. Een atmosfeer van onschuldige boekengekte was ook verdwenen.

Twee stapels van tientallen boeken op de vloer in een hoek. Ze waren van twee planken gehaald van een boekenkast die van muur tot muur liep.

Een van de planken, die net zo vast had geleken als de andere, was verwijderd. Een deel van de achterkant van de boekenkast die ook vast had geleken, was opzij geschoven waardoor een muurkluis te zien was.

De deur van de kluis met een diameter van dertig centimeter stond open. Ethan tastte erin. De ruime kluis bleek leeg.

Hij had niet geweten dat er een kluis in de werkkamer was. De logica suggereerde dat alleen Dunny – en de installateur – van het bestaan ervan wisten.

Man met hersenbeschadiging kleedt zich aan. Vindt zijn weg naar huis. Herinnert zich de combinatie van zijn kluis.

Of – dode man komt thuis. In een stemming om feest te vieren, haalt hij wat zakgeld op.

Dunny dood klonk bijna net zo zinnig als Dunny met een ernstige hersenbeschadiging.

13

Fric in een oorlogssituatie: twee treinen ratelend en fluitend op belangrijke kruisingen. Nazi's in de dorpen, Amerikaanse troepen die vechtend de heuvel af komen, overal dode soldaten, en schurkachtige ss-officieren in zwarte uniformen die joden in de goederenwagons drijven van een derde trein die bij een station is gestopt, nog meer ss-schoften die katholieken neerschieten en hun lichamen begraven in een massagraf bij een dennenbos.

Maar weinig mensen wisten dat de nazi's niet alleen joden hadden doodgeschoten, maar ook miljoenen christenen. De meeste nazi's in de hogere echelons hadden een vreemd en informeel heidens geloof aangehangen, dat land en ras en de mythen van het oude Saksen vereerde, bloed en macht vereerde.

Maar weinig mensen wisten het, maar Fric wist het wel. Hij vond het leuk om dingen te weten die andere mensen niet wisten. Vreemde stukjes geschiedenis. Geheimen. De mysteriën van alchemie. Wetenschappelijke weetjes.

Zoals hoe je een elektrische klok kon laten lopen op een aardappel. Je had een koperen pin nodig, een zinken spijker en wat draad. Een klok die op een aardappel liep, zag er stom uit, maar hij werkte.

Zoals de afgeknotte piramide op de achterkant van één biljet van een dollar. Het vertegenwoordigde de onafgemaakte Tempel van Salomo. Het oog dat boven de piramide hangt staat symbool voor de Grote Architect van het Heelal.

Zoals wie de eerste lift bouwde. Afwisselend mensen, dieren en waterkracht gebruikend, construeerde de Romeinse architect Vitruvius de eerste lift in ongeveer 50 v.C.

Fric wist het.

Veel van de vreemde zaken die hij wist, hadden weinig te maken met het dagelijkse leven en veranderden niets aan het feit dat hij klein was voor zijn leeftijd, en mager voor zijn leeftijd, of dat hij een rare nek had en de enorme onwerkelijke groene ogen waar schrijvers in tijdschriften zo kwijlend over deden als ze zijn moeder beschreven waardoor hij een kruising leek van een oehoe en een buitenaards wezen. Hij vond het toch leuk deze rare dingen te weten, ook al haalde dat hem niet uit het moeras van Fricdom. Door exotische kennis te hebben die andere mensen niet bezaten, had Fric het gevoel een tovenaar te zijn. Of minstens een tovenaarsleerling.

Buiten Mr. Jurgens die elke maand twee keer naar het huis kwam om de enorme verzameling moderne en antieke elektrische treinen schoon te maken en te onderhouden, wist alleen Fric *alles* over de treinkamer en hoe die in elkaar stak.

De treinen waren eigendom van die wereldberoemde filmster, Channing Manheim, die toevallig ook nog eens zijn vader was. In de privéwereld van Fric heette de filmster allang Geestpapa omdat hij hier gewoonlijk alleen in de geest was.

Geestpapa wist weinig over de treinkamer. Hij had genoeg geld aan de verzameling uitgegeven om alle eilanden van Tuvalu op te kopen, maar hij speelde hier zelden.

De meeste mensen hadden nog nooit van Tuvalu gehoord. Negen eilanden in de Grote Oceaan met een bevolking van net tienduizend mensen en met als voornaamste exportproduct kopra en kokosnoot.

De meeste mensen hadden geen idee wat kopra was. Fric ook niet. Hij was al sinds hij over Tuvalu had gehoord van plan geweest het op te zoeken.

De treinkamer lag in de bovenste van de twee kelderverdiepingen, en grensde aan de bovenste garage. Hij mat eenentwintig bij dertien meter, wat meer vierkante meter betekende dan een gemiddeld huis telde.

Het ontbreken van ramen zorgde ervoor dat de echte wereld niet kon binnendringen. Hier heerste de treinenfantasie.

Langs de twee korte muren hingen planken van de vloer tot aan het plafond waarop de verzameling treinen stond, afgezien van de modellen die op het moment werden gebruikt.

Aan de twee lange muren hingen fantastische schilderijen van treinen. Hier denderde een locomotief door de dikke, lichtgevende mist, de koplamp fel stralend. Daar reed een trein over een door de maan verlichte prairie. Treinen uit elk jaar daverden door bossen, staken rivieren over, klommen in regen en hagel, in sneeuw en mist en de duisternis van de nacht tegen bergen op, terwijl rook uit hun schoorstenen golfde en vonken opspatten van de wielen.

In het centrum van deze enorme ruimte, op een massieve tafel met veel poten, stond een aangelegd landschap van groene heuvels, weiden, bossen, valleien, ravijnen, rivieren en meren. Zeven miniatuurdorpjes, bestaande uit honderden nauwgezet gedetailleerde huizen, waren bereikbaar via landweggetjes, achttien bruggen, negen tunnels. Convexe en concave bochten, hoefijzervormige bochten, aflopende en stijgende hellingen bevatten meer rails dan er kokosnoten op Tuvalu waren.

84

Deze verbazingwekkende constructie mat vijftien bij tien meter, en je kon er of omheen lopen, of, door een klep op te tillen, erin gaan en rondkijken aan de binnenkant van het spoorwegstelsel als een reus op vakantie in het land van de lilliputters.

Fric zat er middenin.

Hij had legers speelgoedsoldaten over dit landschap verdeeld en speelde trein en oorlogje tegelijkertijd. Gezien de troepen die hij onder zijn bevel had, zou het leuker moeten zijn dan het was.

Telefoons bevonden zich zowel bij het uitwendige als inwendige controlestation. Als die met hun specifieke beltoon overgingen, schrok hij van het geluid. Hij kreeg zelden telefoontjes.

Het landgoed was voorzien van vierentwintig lijnen. Twee ervan waren voor het beveiligingssysteem, een andere voor het regelen van het hotelachtige verwarmings- en airconditioningsysteem. Twee waren faxlijnen en twee waren er beschikbaar voor internetverbindingen.

Zestien van de overblijvende zeventien lijnen waren verdeeld onder de familie en het personeel. Lijn 24 had een hogere bestemming.

Frics vader genoot het gebruik van vier lijnen, omdat iedereen in de wereld – één keer zelfs de president van de Verenigde Staten – met hem wilde praten. Telefoontjes voor Channing – of Chan of Channi, of zelfs (in het geval van één smoorverliefde actrice) Chi-Chi – kwamen vaak binnen als hij er niet was.

Mrs. McBee had vier lijnen, hoewel dit niet betekende, zoals Geestpapa soms grappend zei, dat Mrs. McBee moest denken dat ze net zo belangrijk was als haar baas.

Ha, ha, ha.

Een van die vier lijnen was voor het appartement van Mrs. en Mr. McBee. De andere drie waren haar zakelijke telefoonlijnen.

Op een gewone dag had de leiding van het huis die drie lijnen niet nodig. Maar als Mrs. McBee een feest voor vier- of vijfhonderd imbecielen uit Hollywood moest plannen en uitvoeren, waren drie lijnen niet altijd voldoende om de zaken te regelen met de organisator, de cateraar, de bloemenzaak, de managers van sterren en de ontelbare andere mysterieuze diensten en krachten die zij moest coördineren om een onvergetelijke avond te presenteren.

Fric vroeg zich af of het al die kosten en moeite wel waard was.

Aan het einde van de avond vertrok de helft van de gasten zo dronken of zo stoned van de dope dat ze de volgende dag niet meer zouden weten waar ze waren geweest.

Als je ze in tuinstoelen neerzette, zakken vol hamburgers gaf en voorzag van tankwagens wijn, zouden ze net zo dronken worden als altijd. Daarna zouden ze naar huis gaan en hun ingewanden eruit kotsen zoals altijd, bewusteloos ter aarde storten zoals altijd en de volgende dag zonder ook maar enig benul weer wakker worden.

Omdat hij hoofd beveiliging was, had Mr. Truman twee lijnen in zijn flat, één privé en één voor zaken.

Maar twee van de zes dienstmeisjes woonden op het landgoed en zij deelden een lijn met de chauffeur.

De terreinbeheerder had een eigen lijn, maar de puur enge chefkok, Mr. Hachette, en de vrolijke kok, Mr. Baptiste, deelden een van de telefoons van Mrs. McBee.

Miss Hepplewhite, de persoonlijke assistente van Geestpapa, had twee lijnen tot haar beschikking.

Freddie Nielander, het beroemde supermodel dat in Fricsylvanië Mam in Naam heette, had hier een eigen lijn, hoewel ze bijna tien jaar geleden van Geestpapa was gescheiden en sinds die tijd nog geen tien keer een nacht was gebleven.

Geestpapa had Freddie een keer verteld dat hij zo nu en dan haar lijn belde, in de hoop dat ze zou opnemen en hem zou vertellen dat ze eindelijk bij hem was teruggekomen en voor altijd zou blijven.

Ha, ha, ha, ha, ha, ha.

Fric had al sinds zijn zesde een eigen lijn. Hij belde nooit iemand, behalve een keer toen hij de contacten van zijn vader had gebruikt om achter het geheime telefoonnummer van Mr. Mike Myers te komen, de acteur die de stem van de hoofdfiguur in *Shrek* had gedaan, om hem te vertellen dat *Shrek* absoluut, zonder twijfel, *swingde*.

Mr. Myers was heel aardig geweest, had voor hem de Shrek-stem gedaan en een heleboel andere stemmen, en had hem doen lachen tot hij pijn in zijn buik had gekregen. Deze kwetsuur van zijn buikspieren was voor een deel het gevolg van het feit dat Mr. Myers heftig grappig was en voor een deel omdat Fric de laatste tijd niet zoveel oefening had gekregen voor zijn verzameling lachspieren als hij wel zou willen.

Frics vader, een gelovige in een teringzooi paranormale fenomenen, had de laatste lijn gereserveerd voor het ontvangen van telefoontjes van de doden. Dat was een verhaal op zich.

Nu, voor het eerst in acht dagen sinds het laatste telefoontje van Geestpapa, hoorde Fric zijn eigen beltoon opklinken van de telefoons in de treinkamer.

Iedereen op het landgoed had een verschillend geluid toegewezen gekregen voor de lijn of lijnen die van hem of haar waren. Elke lijn van Geestpapa gaf een eenvoudig *brrrrrrrr*. De toon van Mrs. McBee was een reeks muzikale akkoorden. De lijnen van Mr. Truman speelden de eerste tonen van de titelsong van een oude politieserie op tv, *Dragnet*, heel stom. Mr. Truman vond dat ook, maar hij kon ermee leven.

Dit hoogst moderne telefoonsysteem kon tot twaalf verschillende beltonen leveren. Acht waren standaard. Vier – zoals *Dragnet* – waren speciaal gemaakt voor de klant.

Fric had de stomste van de standaardtonen gekregen, die de telefoonproducent beschreef als 'een opgewekt, kindvriendelijk geluid, geschikt voor kinderkamer of slaapkamer van jongere kinderen'. Waarom zuigelingen in babykamers of peuters in wiegjes hun eigen telefoon moesten hebben, bleef voor Fric een raadsel.

Zouden ze de babywinkel bellen en bijtringen met kreeftsmaak bestellen? Misschien zouden ze hun mammies bellen en zeggen: *Getsie. Ik heb in mijn luier gepoept en ik voel me niet lekker.*

Stom.

Oedelie-oedelie-oe, deden de telefoons in de treinkamer.

Fric had een hekel aan het geluid. Hij had er al op zijn zesde een hekel aan gehad, en nu had hij er zelfs een nog grotere hekel aan.

Oedelie-oedelie-oe.

Dit was het irritante geluid dat gemaakt zou kunnen zijn door een of ander knuffelig, roze halfbeer, halfhond, halfgaar personage in een video gemaakt voor kinderen die nog niet naar school gingen en die stompzinnige programma's als *Teletubbies* het toppunt van humor en verfijning vonden.

Vernederd, ook al was hij alleen, haalde Fric twee transformatorschakelaars over om de stroom voor de treinen uit te zetten en hij nam op bij het vierde belsignaal. 'Bobs Hamburgertent en Kakkerlakkenshow,' zei hij. 'Onze specialiteit van vandaag is salmonella op toast met koolsla voor een dollar.'

'Hallo, Aelfric,' zei een man.

Fric had verwacht de stem van zijn vader te horen. Zou hij in plaats daarvan de stem van Mam in Naam hebben gehoord, dan zou hij een hartstilstand hebben gekregen en dood zijn neergevallen op de bedieningspanelen van het treinemplacement.

Het hele personeel, mogelijk met uitzondering van chef-kok Hachette, zou om hem gerouwd hebben. Ze zouden heel erg verschrikkelijk treurig zijn. Heel erg, heel erg, verschrikkelijk, verschrikkelijk. Ongeveer veertig minuten lang. Dan zouden ze het druk hebben gekregen, druk, druk, bezig om het galafeest na de begrafenis voor te bereiden, waarvoor misschien duizend beroemde en bijna beroemde dronkenlappen, dopies en reetlikkers uitgenodigd zouden worden, die dolgraag hun lippen op de gouden reet van Geestpapa wilden drukken.

'Wie is dit?' vroeg Fric.

'Geniet je van de treinen, Fric?'

Fric had deze stem nog nooit gehoord. Niet iemand van het personeel. Beslist een vreemdeling.

De meeste mensen in het huis wisten niet dat Fric in de treinkamer zat, en iemand buiten het landgoed kon het onmogelijk weten.

'Hoe weet je dat van de treinen?'

De man zei: 'O, ik weet een heleboel dingen die andere mensen niet weten. Net als jij, Fric. Net als jij.'

De getalenteerde haren in Frics nek deden een imitatie van voortsnellende spinnen.

'Wie ben je?'

'Je kent me niet,' zei de man. 'Wanneer komt je vader terug uit Florida?'

'Als je zoveel weet, waarom vertel je het mij dan niet?'

'Vierentwintig december. In het begin van de middag. Kerstavond,' zei de vreemdeling.

Fric was niet onder de indruk. Miljoenen mensen wisten waar zijn ouweheer zat en wat zijn plannen met Kerstmis waren. Nog geen week geleden had Geestpapa een optreden gehad in *Entertainment Night* om te praten over de film die hij aan het opnemen was en hoezeer hij er naar uitzag om met de feestdagen naar huis te gaan.

'Fric, ik zou graag je vriend zijn.'

'Wat ben je, een smeerlap?'

Fric had over smeerlappen gehoord. Verroest, hij had er misschien wel honderden ontmoet. Hij was niet op de hoogte van alle dingen die ze met kinderen konden doen, en hij wist niet echt zeker welke dingen zij het liefste deden, maar hij wist wel dat ze bestonden en een verzameling aan kinderogen hadden en dat ze halsbanden droegen die gemaakt waren van de botten van hun slachtoffers.

'Ik heb niet de wens jou iets aan te doen,' zei de vreemdeling, wat ongetwijfeld elke smeerlap gezegd zou hebben. 'Juist het tegendeel. Ik wil je helpen, Fric.'

'Waarmee?'

'Overleven.'

'Hoe heet je?'

'Ik heb geen naam.'

'Iedereen moet een naam hebben, al is het er maar een, zoals Cher of Godzilla.'

'Ik niet. Ik ben slechts een van de velen, momenteel zonder naam. Er komen problemen aan, jonge Fric, en je moet er klaar voor zijn.'

'Wat voor problemen?'

'Weet je een plek in je huis waar je je kunt verstoppen en nooit gevonden zult worden?' vroeg de vreemdeling.

'Dat is een mafketelige vraag.'

'Je zult een plek nodig hebben om je te verstoppen en waar niemand je kan vinden. Een onbekende en heel geheime plek.'

'Verstoppen voor wie?'

'Dat kan ik je niet vertellen. Laten we hem gewoon het Beest in Geel noemen. Maar je zult echt snel een geheime plek nodig hebben.'

Fric wist dat hij moest ophangen, dat het gevaarlijk kon worden mee te spelen met deze malloot. Hoogstwaarschijnlijk was hij een zielige smeerlap die geluk had gehad met een telefoonnummer en vroeg of laat met zijn smerige teksten zou beginnen. Maar de man kon ook een tovenaar zijn die je op afstand kon betoveren, of misschien was hij wel een kwaadaardige psycholoog die een jongen over de telefoon kon hypnotiseren en hem drankzaken kon laten overvallen en hem dan zover krijgen dat hij al het geld overdroeg terwijl hij tokte als een kip.

Zich bewust van die risico's en van nog veel meer, bleef Fric desondanks aan de lijn. Dit was met stip het meest interessante telefoontje dat hij ooit had gehad.

Alleen maar voor het geval de man zonder naam per ongeluk diegene was voor wie hij zich moest verstoppen, zei Fric: 'Hoe dan ook, ik heb lijfwachten en ze hebben machinepistolen bij zich.'

'Dat is niet waar, Aelfric. Leugens brengen je alleen maar ellende. Er is wel een zware bewaking op het landgoed, maar je zult er niets aan hebben als de tijd daar is, als het Beest in Geel verschijnt.'

'Het is waar,' hield Fric leugenachtig vol. 'Mijn lijfwachten zijn voormalige commando's van Delta Force, en een van hen was daarvoor zelfs Mr. Universe. Zij kunnen zeker weten behoorlijk tekeergaan.'

De vreemdeling gaf geen antwoord.

Na een paar seconden, zei Fric: 'Hallo? Ben je er nog?'

De man sprak nu fluisterend. 'Het lijkt erop dat ik een bezoeker

heb, Fric. Ik bel je later weer.' Zijn gefluister ging over in een gemompel dat Fric slechts nog met grote moeite kon horen. 'Begin
ondertussen met zoeken naar die onbekende en speciale schuilplaats. Je hebt niet veel tijd.'

'Wacht,' zei Fric, maar de verbinding werd verbroken.

14

Met zijn pistool in de aanslag, de loop naar boven wijzend, liep
Ethan van kamer naar gang naar kamer door Dunny's nautilus-
appartement en bereikte de slaapkamer.

Een lamp op een nachtkastje brandde nog. Tegen het hoofdeinde
van het Chinese sleebed lagen decoratieve zijden kussens die kun-
stig waren gearrangeerd door de huishoudster.

Op het bed lagen ook, duidelijk haastig neergegooid, kledingstukken van een man. Verkreukeld, vol vlekken, nog vochtig van
de regen. Broek, hemd, sokken, ondergoed.

In een hoek lag een paar schoenen.

Ethan wist niet wat Dunny had aangehad toen hij was verdwenen
uit het mortuarium van het Onze Lieve Vrouwe van de Engelen-
ziekenhuis. Maar hij zou er alles onder verwed hebben dat dit dezelfde kleren waren.

Toen hij dichter naar het bed toe liep, bespeurde hij de vage stank
die hij eerder in de lift had geroken. Sommige componenten van
de geur waren nu gemakkelijker te herkennen dan ze eerder hadden gedaan: zweet, een zweempje oude zalf op zwavelbasis, dunne spoortjes zure urine. De geur van ziekte, van bedlegerigheid,
en van alleen maar gewassen zijn met kom en spons.

Ethan werd zich bewust van een gesis op de achtergrond, dat hij
aanvankelijk hield voor een nieuwe manifestatie van de regen.
Toen besefte hij dat hij luisterde naar het stromen van water in de
douche van de grote slaapkamer.

De badkamerdeur stond op een kier. Van de andere kant van de
drempel, door een kier heen, kwamen met het gesis een spleet licht
en wolkjes stoom.

Hij duwde de deur helemaal open.

Goudkleurig marmer op de vloer. In het zwarte granito muurblad
zaten twee keramische wasbakken met dof glanzende gouden kranen.

Boven het blad een lange spiegel met schuin afgeslepen randen, vol condens, waardoor er geen duidelijke weerspiegeling was. Zijn misvormde gedaante bewoog zich achter dat beslagen oppervlak als een vreemd bleek ding dat zich net onder de met schaduwen bespikkelde oppervlakte van een meertje beweegt.

Slierten stoom dreven door de lucht.

In de badkamer was een wc. De deur stond open, de closetpot was zichtbaar. Er was niemand.

Dunny was bijna verdronken in deze wc.

Buren van de derde verdieping hadden hem wild horen vechten voor zijn leven en schreeuwen om hulp.

De politie was snel gekomen en had de wanhopig vluchtende aanvallers te pakken gekregen. Ze vonden Dunny op zijn zij voor de closetpot, half bewusteloos, water uitbrakend.

Toen de ambulance arriveerde, was hij al in coma geraakt.

Zijn aanvallers – die waren gekomen voor geld, wraak of allebei – waren recentelijk niet door Dunny belazerd. Ze hadden zes jaar in de gevangenis gezeten, waren lang daarvoor vrijgelaten en waren een rekening van lang geleden komen vereffenen.

Dunny mocht dan gehoopt hebben zijn leven van criminaliteit achter zich te hebben gelaten, maar oude zonden hadden hem die nacht ingehaald.

Nu lagen op de vloer van de badkamer twee verkreukte, natte zwarte handdoeken. Twee droge handdoeken hingen aan het rek.

De douche bevond zich in de rechterhoek van de badkamer tegenover de ingang. Zelfs als de door stoom ondoorzichtige glazen deur helder was geweest, zou Ethan vanaf geen enkele afstand in het hokje hebben kunnen kijken.

Terwijl hij op de cabine af liep, had hij een beeld in zijn hoofd van de Dunny Whistler die hij verwachtte te treffen. Huid ziekelijk bleek of van een levenloos grijs, ongevoelig voor de roze gloed ten gevolge van het warme water. Grijze ogen, het wit nu puur rood door bloedingen.

Met het wapen nog steeds in zijn rechterhand, greep hij de deur met zijn linker beet en trok hem, na een aarzeling, open.

De douche was leeg. Water plensde op de marmeren vloer en draaide kolkend weg in het afvoerputje.

Hij boog zich in de cabine, stak zijn hand uit tot achter de waterval naar de enkele kraan en draaide die dicht.

De plotselinge stilte na het gekletter van het water leek zijn aanwezigheid net zo duidelijk aan te kondigen als wanneer hij op een toeter had geblazen.

Nerveus draaide hij zich om naar de badkamerdeur in de verwachting een reactie te krijgen, zonder te weten wat het er voor een zou kunnen zijn.

Zelfs nu de kraan was dichtgedraaid bleef er stoom uit de douche ontsnappen, hoewel in dunnere slierten, en die stroomde over de bovenkant van de glazen deur om Ethan heen.

Ondanks de vochtige lucht was zijn mond droog geworden. Zijn tong zat tegen zijn gehemelte gedrukt en kwam net zo onwillig los als twee repen klittenband.

Toen hij naar de deur van de badkamer wilde lopen, werd zijn aandacht weer getrokken door zijn vage en vervormde reflectie in de beslagen spiegel boven de wasbakken.

Toen zag hij de onmogelijke gedaante die hem tot stilstand bracht. In de spiegel, achter de laag condens, bevond zich een bleke gedaante, even vaag als Ethans versluierde beeld, maar toch herkenbaar als een persoon, een man of een vrouw.

Ethan was alleen. Een snelle blik door de badkamer onthulde hem geen object of architectonische grap die de bewasemde spiegel in een spookachtige menselijke gedaante kon veranderen.

Dus hij sloot zijn ogen. Opende ze. Nog altijd de verschijning.

Hij kon nu alleen nog maar zijn hart horen, alleen zijn hart, niet snel, maar sneller, zwaar als een moker, bonzend en bonzend, bloed naar zijn hersenen jagend om redeloosheid uit te bannen.

Natuurlijk had zijn verbeelding betekenis gegeven aan een betekenisloze vlek in een spiegel, op dezelfde manier waarop hij misschien mannen en draken en allerlei fantastische figuren gevonden zou hebben in de wolken op een zomerse dag. Verbeelding. Natuurlijk.

Maar toen bewoog deze man zich, deze draak, wat dan ook – hij bewoog in de spiegel. Niet veel, een beetje, genoeg om het mokerhart van Ethan te laten haperen tussen twee slagen in.

Misschien was de beweging ook verbeelding.

Aarzelend liep hij op de spiegel af. Hij ging niet direct voor de geestverschijning staan, want ondanks de heftige bloedstroom die zijn denken helder had moeten maken, had Ethan last van de bijgelovige overtuiging dat er iets vreselijks met hem zou gebeuren als hij zijn reflectie voor de spookachtige schim bracht.

Natuurlijk was de beweging van de bewasemde verschijning denkbeeldig geweest, maar als het zo was, dan verbeeldde hij het zich wéér. De gedaante leek naar hem te gebaren naar voren te komen, dichterbij.

Ethan zou niet aan Hazard Yancy of aan een andere smeris van vroeger, misschien zelfs niet aan Hannah als ze nog zou leven, toe-gegeven hebben dat hij, toen hij zijn hand tegen de spiegel druk-te, half verwachtte geen vochtig glas te voelen, maar de hand van iemand anders, die contact maakte vanuit een koud en afschrik-wekkend Elders.

Hij veegde een baan damp weg en liet een glinsterend spoor wa-ter achter.

Op het moment dat Ethans hand bewoog, deed de geest in de spie-gel dat ook en gleed weg van de veegbeweging. Sluw ontwijkend bleef hij achter de beschermende condens – en ging direct voor hem staan.

Met uitzondering van zijn gezicht was Ethans vage reflectie in het bewasemde glas donker geweest omdat zijn kleren en zijn haar donker waren. De bedauwde gedaante voor hem steeg op, bleek als maanlicht en de vleugels van nachtvlinders, en verdrong op on-mogelijke wijze zijn beeld.

De angst klopte op zijn hart, maar hij wou die niet binnenlaten, zoals hij, toen hij nog smeris was en er op hem werd geschoten, niet in paniek durfde te raken.

Hij had trouwens het gevoel half in trance te zijn en hier het on-mogelijke net zo makkelijk te accepteren als hij misschien een droom zou doen.

De verschijning boog zich naar hem toe, alsof hij probeerde zijn karakter waar te nemen van de andere kant van het verzilverde glas, bijna net zoals hij zich naar voren boog om hem weer te be-studeren.

Toen hij zijn hand weer omhoog bracht, veegde Ethan aarzelend een smalle baan mist weg, in de volle verwachting dat als hij oog in oog met zijn reflectie zou komen, de ogen niet die van hem zou-den zijn, maar grijs als de ogen van Dunny Whistler.

Weer bewoog het mysterie in de spiegel, sneller dan Ethans hand, en bleef vaag achter de nevel van de condens.

Pas toen zijn adem explosief naar buiten kwam, besefte Ethan dat hij die ingehouden had.

Toen hij inademde hoorde hij een klap in een verre kamer van het appartement, de fragiele muziek van brekend glas.

15

Ethan had Palomar Laboratories gezegd zijn bloed te onderzoeken op sporen van illegale chemicaliën voor het geval hij gedrogeerd was zonder dat hij het wist. Tijdens de gebeurtenissen in de flat van Reynerd had het bijna geleken alsof hij in een veranderde staat van bewustzijn was geweest.

Nu, terwijl hij de badkamer uit liep, voelde hij zich niet minder gedesoriënteerd dan toen hij, nadat hij in zijn buik was geschoten, zichzelf ongedeerd had teruggevonden achter het stuur van de Expedition.

Na wat er was gebeurd – of alleen léék te zijn gebeurd – in de spiegel, vertrouwde hij zijn zintuigen niet meer. Daarom ging hij behoedzamer verder, aannemend dat de dingen nu misschien weer niet waren wat ze schenen.

Hij kwam door kamers die hij al had doorzocht, daarna op nieuw terrein en bereikte uiteindelijk de keuken. Op de ontbijttafel en op de vloer fonkelden glasscherven.

Op de vloer lag ook het zilveren fotolijstje dat niet meer op het bureau in de werkkamer had gestaan. De foto van Hannah was eruit gehaald.

Degene die de foto had weggenomen, had te veel haast gehad om de vier klipjes aan de achterkant van het lijstje los te maken en had daarom het glas stukgeslagen.

De achterdeur van de flat stond open.

Erachter was een brede gang die toegang gaf tot beide penthouses. Aan de ene kant, dichtbij, gaf een bord het trappenhuis aan. Aan de andere kant, verder weg, was een goederenlift, groot genoeg om koelkasten en grote stukken meubilair te verhuizen.

Als iemand de goederenlift naar beneden had genomen, dan was hij daar al aangekomen. Er klonk geen enkel geluid van de machinerie van de lift.

Ethan haastte zich naar de trap. Hij deed de branddeur open. Bleef op de drempel staan en luisterde.

Gekreun of gejammer, een melancholische zucht, of gerammel van ketenen: zelfs een geest hoorde geluid te maken, maar slechts een holle stilte steeg op uit het trappenhuis.

Hij ging snel naar beneden, tien trappen naar de begane grond, daarna nog eens twee trappen naar de garage. Hij kwam noch een bewoner van vlees en bloed noch een spook tegen.

De geur van ziekte en koortszweet, voor het eerst opgemerkt in de lift, hing hier niet. In plaats daarvan rook hij een vage zeep-geur, alsof iemand net uit bad hierlangs was gekomen. En een spoor van geurige aftershave.

Hij duwde de stalen branddeur open en stapte de garage binnen, en hij hoorde een motor, rook uitlaatgassen. Van de veertig par-keerplaatsen waren er veel leeg op dit uur van een werkdag.

Aan de voorkant van de garage reed een auto achteruit uit een parkeervak. Ethan herkende Dunny's nachtblauwe Mercedes se-dan.

Aangestuurd door een afstandsbediening ging het hek van de ga-rage al omhoog met een staalachtig geklik en gekletter.

Met het pistool in zijn hand rende Ethan naar de auto die van hem weg reed. Het hek ging langzaam omhoog en de Mercedes moest ervoor blijven staan. Door de achterruit kon hij het silhouet zien van een man achter het stuur, maar niet duidelijk genoeg om hem te identificeren.

Vlakbij de Mercedes maakte hij een omtrekkende beweging. Hij was van plan direct op het portier van de bestuurder af te gaan.

De auto schoot naar voren terwijl de barrière nog omhoog rolde en nog niet volledig uit de weg was. Het dak van de Mercedes mis-te op een haar na de onderkant van het omhooggaande hek zodat er geen royaal lakmonster op achter werd gelaten en racete tegen het steile talud omhoog naar de straat.

De chauffeur drukte op CLOSE op zijn afstandsbediening toen hij onder het hek door reed en het kletterde alweer naar beneden toen Ethan het bereikte. De Mercedes was al in de straat boven ver-dwenen.

Hij bleef daar een ogenblik staan en tuurde door het hek naar het licht van de grijze stortregen.

Regenwater stroomde langs de hellende oprit naar beneden. Schui-mend verdween het in het rooster van een afvoer in de weg net buiten de garage.

Op die betonnen helling worstelde een kleine hagedis met een ge-broken rug door een autoband tegen het wegstromende water op. Zo volhardend kroop hij centimeter voor centimeter naar boven dat hij leek te geloven dat met hem alles goed zou komen en dat al zijn verwondingen door een macht op het hoogste niveau ge-nezen zouden worden.

Ethan, die niet wilde zien hoe het kleine diertje onvermijdelijk ver-slagen en meegespoeld zou worden om te sterven op het rooster van de afvoer, wendde zich af van het tafereel.

Hij stak het pistool terug in zijn schouderholster.

Hij keek naar zijn handen. Ze trilden.

Hij liep naar de trap aan de achterkant en klom terug naar de vierde verdieping; weer trof hem de zeepgeur die daar hing, het spoortje aftershave. Deze keer bespeurde hij ook een andere geur die minder schoon was als de eerste twee, niet grijpbaar maar storend. Wat hij verder ook nog mocht zijn, Dunny Whistler was beslist een levend mens, geen tot leven gewekt lijk. Waarom zou een van de wandelende doden naar huis komen om te douchen, zich te scheren en schone kleren aan te trekken? Absurd.

In de keuken van het appartement gebruikte Ethan een kruimeldief om de scherven van het gebroken glas op te zuigen.

Hij vond een lepel en een open bak ijs van twee liter in de gootsteen. Blijkbaar hielden degenen die kortgeleden tot leven waren gewekt van chocolade-karamelijs.

Hij zette het ijs in de ijskast en bracht het lege fotolijstje terug naar de werkkamer.

In de grote slaapkamer bleef hij vlak voor de badkamerdeur staan. Hij was van plan geweest de spiegel weer te bekijken om te zien of die nog steeds beslagen was en of er, in het glas, iets bewoog dat er niet hoorde te zijn.

Plotseling leek het actief op zoek gaan naar die geest een slecht idee. In plaats van dat te doen verliet hij het appartement, terwijl hij de lichten uitdeed en de deur achter zich op slot draaide.

In de lift, tijdens het dalen, dacht Ethan: *om dezelfde redenen trekt de spreekwoordelijke wolf schaapskleren aan om zich onopgemerkt onder de lammeren te begeven.*

Daarom douchte een van de wandelende doden zich, schoor hij zich en trok hij een net pak aan.

Toen de lift Ethan op de begane grond afzette, wist hij hoe Alice zich gevoeld moest hebben tijdens haar vrije val in het konijnenhol.

16

Na het treinencomplex uitgezet te hebben, verliet Fric de smerige nazi's met hun kwaadaardige plannen, vertrok uit de onwerkelijkheid van de treinkamer naar de onwezenlijkheid van de autoverzameling van vele miljoenen in de garage, en rende naar de trap. Hij had de lift moeten nemen. Maar dat kabelloze mechanisme dat de cabine deed stijgen en zakken op een krachtige hydraulische *ram* zou te langzaam zijn geweest voor zijn huidige stemming. Frics motor racete, racete. Het telefoongesprek met de rare vreemdeling – die hij de Geheimzinnige Beller had genoemd – was benzine met een hoog octaangehalte voor een jongen met een saai leven, een koortsachtige verbeelding en lege uren die hij moest vullen.

Hij beklom de trappen niet, hij stórmde ertegenop. Met pompende benen, grijpend naar de leuning, schoot Fric van de kelder omhoog, en overwon twee, vier, zes, acht lange trappen naar de top van het Palazzo Rospo, waar hij kamers had op de tweede verdieping.

Alleen Fric leek de betekenis te kennen van de naam die door de eerste eigenaar aan het enorme huis was gegeven: Palazzo Rospo. Bijna iedereen wist dat *palazzo* Italiaans was voor 'paleis', maar niemand, op misschien een paar hatelijk superieure Europese filmregisseurs na, leek enig idee te hebben wat *rospo* betekende.

Om eerlijk te zijn gaven de meeste mensen die een bezoek brachten aan het landgoed er geen zier om hoe het heette of wat zijn grootse naam eigenlijk betekende. Ze hadden belangrijker dingen aan hun hoofd – zoals de kassuccessen van het weekend, de laatste tv-peilingen, de laatste veranderingen in het bestuur van de studio's en televisienetwerken, wie ze moesten belazeren in de nieuwe transactie die ze aan het voorbereiden waren, voor hoeveel ze hen moesten belazeren, hoe ze hen moesten verblinden zodat ze niet zouden beseffen dat ze belazerd werden, waar ze een nieuwe cokeleverancier konden vinden en of hun carrière misschien niet nog groter zou zijn geweest als ze al met facelifts waren begonnen toen ze achttien waren.

Onder die paar mensen die ooit over de naam van het landgoed hadden nagedacht, bestonden rivaliserende theorieën.

Sommigen geloofden dat het huis was vernoemd naar een beroemde Italiaanse staatsman, filosoof of architect. Het aantal mensen in de filmindustrie die iets wisten van staatslieden, filosofen en architecten, was bijna net zo klein als het aantal dat een lezing zou kunnen geven over de structuur van de materie op een subatomair niveau; en daarom werd deze theorie gretig omarmd en nooit betwist. Anderen wisten zeker dat Rospo óf de meisjesnaam van de geliefde moeder van de oorspronkelijke bewoner was geweest óf de naam van een sleetje waarop hij in zijn jeugd opgetogen had gesleed, toen hij voor het laatst in zijn leven nog echt gelukkig was geweest.

Weer anderen namen aan dat het was vernoemd naar de geheime liefde van de oorspronkelijke eigenaar, een jonge actrice die Vera Jean Rospo heette.

Vera Jean Rospo had echt bestaan in de jaren dertig, hoewel ze eigenlijk Hilda May Glorkal heette.

De producent, agent of wie haar Rospo had genoemd, moest de arme Hilda heimelijk veracht hebben. *Rospo* was Italiaans voor 'pad'.

Alleen Fric leek te weten dat Palazzo Rospo in het Italiaans nagenoeg hetzelfde was als je huis Villa Pad noemen.

Fric had het een en ander nagezocht. Hij vond het leuk dingen te weten.

Duidelijk had de filmmagnaat, die het landgoed meer dan zestig jaar geleden had laten bouwen, én gevoel voor humor gehad én *The Wind in the Willows* gelezen. In dat boek woonde een personage dat Pad heette in een herenhuis dat Villa Pad was genoemd.

Tegenwoordig las niemand in de filmindustrie meer boeken.

Voor zover Fric wist had ook niemand in de industrie nog gevoel voor humor.

Hij beklom de trappen zo snel dat hij zwaar ademde toen hij de noordelijke gang op de tweede verdieping had bereikt. Dit was niet goed. Hij had moeten stoppen. Hij had even rust moeten nemen.

Maar hij haastte zich door de noordgang naar de oostgang waar zijn privékamers zich bevonden. De antiquiteiten die hij op de bovenste verdieping passeerde, waren spectaculair, hoewel niet van museumkwaliteit zoals die op de twee lagere verdiepingen.

Frics kamer was een jaar eerder opnieuw gemeubileerd. De binnenhuisarchitect van Geestpapa was met Fric gaan winkelen. Voor de herinrichting van zijn kamers had zijn vader hem een budget gegeven van vijfendertigduizend dollar.

Fric had niet om mooie nieuwe meubels gevraagd. Hij vroeg nooit ergens om – behalve met Kerstmis als hij het kinderlijke verlanglijstje voor de Lieve Kerstman moest invullen dat hij op aandringen van zijn vader kreeg van Mrs. McBee. Het idee van opnieuw meubileren was helemaal afkomstig van Geestpapa.

Fric was de enige die het maf had gevonden om een jongen van negen vijfendertigduizend dollar te geven voor de herinrichting van zijn kamers. De architect en de verkopers deden alsof het de gewoonste zaak van de wereld was, alsof elk kind van negen zo'n bedrag had uit te geven om zijn kamers te verfraaien.

Idioten.

Fric vermoedde vaak dat de zacht pratende, ogenschijnlijk rede-lijke mensen om hem heen allemaal eigenlijk HARTSTIKKE GETIKT waren.

Elk onderdeel in zijn nieuwe kamers was modern, gestroomlijnd en glanzend.

Hij had niets tegen meubilair en kunstwerken uit vroeger tijden. Hij hield van al dat spul. Maar vijfenvijftighonderd vierkante me-ter prachtig antiek was wel genoeg.

In zijn eigen privéruimte wilde hij zich kind voelen, geen oude Franse dwerg, wat hij soms leek tussen al dit Franse antiek. Hij wilde geloven dat zoiets als toekomst werkelijk bestond.

Een hele suite was voor hem gereserveerd. Woonkamer, slaapka-mer, badkamer, inloopkast.

Nog steeds zwaar ademend snelde Fric door zijn woonkamer. Nog harder ademhalend liep hij door zijn slaapkamer naar de inloop-kast.

Inloop was een ernstig onjuiste omschrijving. Als Fric een Porsche zou hebben gehad, zou hij de kast in hebben kunnen rijden.

Zou hij een Porsche op zijn verlanglijstje voor Kerstmis zetten, dan zou er aanstaande Kerstmis hoogstwaarschijnlijk eentje op de oprit geparkeerd staan met een reusachtige cadeaustrik eromheen. Idioten.

Hoewel Fric meer kleren bezat dan hij nodig had, meer dan hij wilde hebben, besloeg zijn garderobe slechts een kwart van de kast. De rest van de ruimte was voorzien van planken waarop hele ver-zamelingen speelgoedsoldaatjes opgeslagen lagen, die hij koester-de, spellen in dozen waar hij niets om gaf – evenals video's en dvd's met elke stomme, saaie film die de afgelopen vijf jaar voor kinderen was gemaakt en die hem toegestuurd waren door stu-diomanagers en door anderen die een wit voetje wilden halen bij zijn vader.

Achter in de kast was de breedte van bijna zes meter verdeeld in drieën met planken van vloer tot aan plafond. Hij stak zijn hand onder de derde plank van het rechtergedeelte en drukte op een ver-borgen knop.

Het middengedeelte bleek een geheime deur die openzwaaide om een as in het midden. Het plankengedeelte was vijfentwintig cen-timeter diep waardoor een doorgang aan weerszijden overbleef van ongeveer vijfenzeventig centimeter.

Sommige volwassenen zouden zich een slag moeten draaien om zijdelings door een van de openingen te kunnen. Maar Fric kon direct de geheime ruimte achter de kast binnenlopen.

Achter de planken was een ruimte van twee bij twee meter en een roestvrijstalen deur. Hoewel het staal niet massief was, was hij tien centimeter dik en zag er indrukwekkend uit.

De deur had niet op slot gezeten toen Fric hem drie jaar geleden had gevonden. Hij zat nu ook niet op slot. Hij had de sleutel nooit gevonden.

Afgezien van de gewone hendel aan de rechterkant van de deur, had de deur nog een tweede hendel in het midden. Deze draaide 360 graden en was eigenlijk geen hendel, maar een soort zwengel zoals op alle openslaande ramen van het huis ook zaten.

Naast de zwengel zaten twee interessante dingen die leken op een soort ventielen.

Hij opende de deur, knipte het licht aan en stapte een vertrek binnen dat vijf bij drieëneenhalve meter mat. In veel opzichten een vreemde ruimte.

De vloer werd gevormd door een reeks stalen platen. De wanden en het plafond waren ook bedekt met staalplaat.

Deze platen en panelen waren bij elke voeg nauwgezet aan elkaar gelast. Tijdens zijn inspectie van de kamer was het Fric nooit gelukt ook maar een kier of gat in de lasnaden te vinden.

De deur had een rubberen pakking. Het rubber, nu oud, verdroogd en gescheurd, had waarschijnlijk ooit voor een luchtdichte zekering met de stijlen gezorgd.

Aan de binnenkant van de deur zat een fijnmazig scherm waarachter een mechanisme lag dat Fric meermalen met een zaklantaarn had bestudeerd. Door het scherm kon hij ventilatorschoepen zien, tandwielen, stoffige kogellagers en andere onderdelen die hij niet kon benoemen.

Hij vermoedde dat de zwengel aan de buitenkant van de deur ooit de pomp in werking had gesteld die alle lucht uit de ruimte zoog via de ventielen tot er zoiets als een vacuüm ontstond.

Hij bleef in het duister tasten over de bedoeling van de ruimte.

Een tijdje had hij gedacht dat het misschien een stikkatorium was. Stikkatorium was een woord dat Fric had bedacht. Hij stelde zich een kwade genius voor die zijn doodsbange slachtoffer onder bedreiging van een pistool het stikkatorium binnen dwong, de deur dichtsloeg en opgewekt de lucht uit de kamer pompte tot het slachtoffer langzamerhand stikte.

In romans ontwikkelden boeven soms ingewikkelde apparaten en plannen om mensen te doden terwijl een mes of een pistool veel sneller en goedkoper zou zijn. Kwade geesten zaten blijkbaar net zo ingewikkeld in elkaar als het gangenstelsel van een mierenkolonie.

Of misschien waren sommige psychotische moordenaars bang voor bloed. Misschien hielden ze wel van doden, maar niet als ze de troep moesten opruimen. Dergelijke moordzuchtige types zouden misschien een geheim stikkatorium laten installeren.

Maar bepaalde elementen van het ontwerp van de kamer waren in tegenspraak met de griezelig aantrekkelijke verklaring.

Om te beginnen zat er een hendel aan de binnenkant van de deur die de deur kon openen als die aan de buitenkant met een sleutel op slot was gedaan. Het was duidelijk de bedoeling geweest ervoor te zorgen dat niemand per ongeluk in de kamer opgesloten kon worden, maar het zorgde er ook voor dat niemand hier opzettelijk ingesloten kon worden.

De roestvrijstalen haken aan het plafond waren iets anders. Twee rijen ervan strekten zich uit over de lengte van de ruimte, elke rij ongeveer een halve meter van een wand af.

Terwijl Fric omhoogkeek naar de glanzende haken, hoorde hij zichzelf net zo moeilijk ademhalen als hij deed aan het einde van de race tegen de acht trappen op. Het geluid van elke inademing en uitademing ruiste en weerkaatste tegen de metalen wanden.

Een kriebel tussen zijn schouderbladen verspreidde zich snel naar zijn nek. Hij wist wat dát betekende.

Dit was ook niet zomaar een versnelde ademhaling. Hij begon te piepen.

Plotseling verstrakte zijn borst en hij werd kortademig. Het piepen werd bij het uitademen luider dan bij het inademen, wat er geen twijfel aan deed bestaan dat hij een astma-aanval had. Hij voelde zijn luchtwegen samentrekken.

Hij kreeg makkelijker lucht binnen dan hij het er weer uit kreeg. Maar hij moest de verbruikte lucht uitademen, wilde hij verse lucht binnen kunnen krijgen.

Met opgetrokken, naar voren gebogen schouders probeerde hij met de spieren van zijn borst en nek de gevangen lucht weer naar buiten te persen. Het lukte hem niet.

Gemeten naar vorige astma-aanvallen, was dit een hevige.

Hij greep naar de inhalator die aan zijn riem geklemd zat.

Drie keer, voor zover Fric zich kon herinneren, was hij zo buiten adem geweest dat zijn huid een blauwige tint had gekregen en hij eerste hulp nodig had gehad. Het zien van een blauwe Fric had iedereen de doodsstuipen bezorgd.

Toen hij los was van de riem, glipte de inhalator uit zijn vingers.

Hij viel op de vloer, kletterde op de stalen platen.

Piepend boog hij zich voorover om het apparaat op te pakken, werd duizelig, viel op zijn knieën.

Het inademen was nu zo moeilijk geworden dat het leek alsof een moordenaar zijn handen om Frics keel had geklemd om hem te wurgen.

Angstig, maar nog niet wanhopig, kroop hij naar voren, tastend naar de inhalator. Het apparaatje glipte tussen zijn plotseling bezwete vingers vandaan en schoot kletterend verder over de vloer.

Zijn zicht begon te drijven, werd vaag, het zicht verdonkerde aan de randen.

Niemand had ooit een foto van hem genomen in zijn blauwe fase. Hij was er lang nieuwsgierig naar geweest hoe hij eruit zou zien als hij lavendelblauw was, of indigoblauw.

Zijn luchtwegen verstrakten nog meer. Zijn gepiep werd hoger. Hij klonk alsof hij een fluitje had ingeslikt dat in zijn keel was blijven steken.

Toen hij zijn hand weer op de inhalator had, bleef hij hem vasthouden en liet zich op zijn rug rollen. Niet goed. Op zijn rug kon hij helemaal geen adem halen. Het was ook niet de juiste houding om de inhalator te gebruiken.

Boven zijn hoofd de haken, glanzend, glanzend.

Geen goede plek om een ernstige astma-aanval te krijgen. Hij had niet voldoende lucht om te roepen. Niemand zou trouwens een gil horen. Het Palazzo Rospo was goed gebouwd; geluid kwam niet door deze muren heen.

Nú was hij wanhopig.

17

In een wc-hokje van het herentoilet in het winkelcentrum schreef Corky Laputa met een viltstift weerzinwekkende, racistische teksten op de muren.

Zelf was hij geen racist. Hij koesterde geen kwaadaardigheid jegens etnische groepen, maar bezag de héle mensheid met walging. Hij kende ook niemand met racistische sentimenten.

Maar er bestonden mensen die geloofden dat er overal om hen heen heimelijke racisten waren. Ze moesten dit geloven om een doel en een betekenis in hun leven te hebben, en om iemand te hebben die ze konden haten.

Voor een beduidend deel van de mensheid was iemand om te haten net zo noodzakelijk als brood, als ademhalen.

Sommige mensen moesten ergens *woest* om kunnen zijn. Corky vond het heerlijk om die teksten te schrijven die, als ze gezien werden door bepaalde wc-gebruikers, hun sluimerende woede zouden aanwakkeren en een nieuwe hoeveelheid gal zouden toevoegen aan hun bitterheid.

Terwijl hij bezig was, neuriede Corky mee met de muziek op de geluidsinstallatie.

Hier, op 21 december, bevatte de achtergrondmuziek geen kerstliedjes. Hoogstwaarschijnlijk maakte het management zich zorgen dat bepaalde klanten die niet christelijk waren zich diep beledigd zouden voelen door 'Hark the Herald Sing' of zelfs 'Jingle Bell Rock', en ook dat ze overgevoelige atheïsten met veel geld om te besteden van zich zouden vervreemden.

Op het moment liet het geluidssysteem een oud nummer van Pearl Jam horen. Deze bepaalde versie van het lied werd uitgevoerd door een orkest met een enorme strijkersectie. Zonder de gierende stem, was het lied net zo geestdodend als het oorspronkelijke, hoewel aangenamer.

Tegen de tijd dat Corky in de wc klaar was met het opstellen van venijnige racistische leuzen, het doorspoelen van de wc en het wassen van zijn handen bij een van de wasbakken, was hij alleen in de toiletruimte. Onopgemerkt.

Hij was er trots op elke gelegenheid te baat te nemen om chaos te dienen, hoe gering de schade misschien ook was die hij toebracht aan de maatschappelijke orde.

Geen van de wasbakken in de toiletruimte had een stop. Hij trok handenvol papieren handdoeken uit een van de apparaten. Na deze natgemaakt te hebben, propte hij ze snel tot strakke ballen samen en perste die in de afvoer van drie van de zes wasbakken.

Tegenwoordig bezaten de meeste openbare wc's hendels op kranen die een bepaalde tijd een straal water gaven en daarna automatisch weer afgesloten werden. Maar hier moest je de kranen nog gewoon opendraaien.

Van elk van de drie wasbakken draaide hij de kranen zo ver mogelijk open.

Een afvoer in het midden van de vloer had hem kunnen saboteren. Hij verschoof de papierbak, halfvol gebruikte handdoeken, en blokkeerde daarmee de afvoer.

Hij pakte zijn boodschappentas op – waarin nieuwe sokken zaten, linnengoed en een leren portefeuille die hij in een kledingzaak had gekocht, evenals een mooi stukje bestek dat hij uit een huishoudwinkel had die leverde aan kijkers die regelmatig afstemden op Food Network – en zag de wasbakken snel vollopen met water.

In de muur, tien centimeter boven de vloer, zat een groot luchtrooster. Als het water die hoogte bereikte, het verwarmingssysteem in liep en tussen de muren terechtkwam, zou wat eerst alleen maar een smeerboel was, veranderen in een dure ramp. Verscheidene winkels in het centrum en het leven van hun werknemers zouden ontwricht kunnen raken.

Een, twee, drie, de wasbakken liepen over. Water stortte op de vloer.

Op de muziek van het geplas en geplons – en dunnetjes het geluid van Pearl Jam – liep Corky Laputa glimlachend de wc uit.

De gang die naar de heren- en damestoiletten leidde, was verlaten, dus hij zette zijn boodschappentas neer.

Uit een zak van het sportjasje haalde hij een rol isolatieband. Hij was altijd voorbereid op avontuur.

Hij gebruikte de tape om de kier van nauwelijks drie millimeter tussen deur en drempel af te plakken. Aan de zijkanten sloot de deur goed genoeg aan op de stijlen om het stijgende water tegen te houden, dus daar hoefde hij niets af te plakken.

Uit zijn portefeuille haalde hij een opgevouwen sticker van zeven bij vijftien centimeter. Hij vouwde hem open, haalde het beschermende papier van de plakkant af en bevestigde hem op de deur.

Rode letters op een witte achtergrond meldden BUITEN DIENST.

De sticker zou het wantrouwen wekken van elke beveiligingsman van het winkelcentrum, maar het gewone winkelende publiek zou zonder verder te kijken weglopen en een andere wc gaan zoeken.

Corky's werk hier zat erop. De uiteindelijke omvang van de waterschade lag nu in handen van het noodlot.

Beveiligingscamera's werden geweerd uit de wc's en de gangen die erheen leidden. Tot dusver was hij nooit op videoband vastgelegd in de buurt van de misdaad.

De L-vormige gang die naar de wc's leidde kwam uit op de promenade op de eerste verdieping van het winkelcentrum, die onder voortdurend beveiligingstoezicht stond. Eerder had Corky de posities van de camera's vastgesteld die de toegang tot de toilettengang overzagen.

Terwijl hij vertrok, wendde hij nonchalant zijn gezicht van die lenzen af. Hij hield zijn hoofd naar beneden en mengde zich snel onder de menigte winkelende mensen.

Als de beveiligingsagenten later de banden bekeken, zouden ze zich misschien richten op Corky die als enige de toilettengang was in- en uitgegaan in de geschatte tijd van het vandalisme. Maar ze zouden geen bruikbare opname krijgen van zijn gezicht.

Hij had opzettelijk onopvallende kleren aangetrokken om beter te kunnen opgaan in de menigte. Op videobanden die elders in het winkelcentrum waren opgenomen, zou hij niet zo gemakkelijk geïdentificeerd kunnen worden als dezelfde man die net voor de overstroming de wc had bezocht.

Een schitterende overdaad aan bespikkelde en berijpte kerstversieringen hinderde verder het nut van de camera's die beperkt waren tot vaste standpunten.

Het thema winterwonderland meed zowel direct als symbolisch verwijzingen naar Kerstmis; geen engeltjes, geen kribben, geen afbeeldingen van de kerstman, geen bedrijvige elfjes, geen rendier, geen traditionele versieringen – en geen feestelijke strengen gekleurde lichtjes, slechts kleine, witte knipperende lichtpuntjes. Overal schitterden kilometerslange slingers met ijspegels van plastic en van glanzend aluminiumfolie. Duizenden grote sneeuwvlokken van schuimplastic vol lovertjes hingen aan draden aan het plafond. In de centrale hal gleden tien levensgrote schaatsers, allemaal mechanische poppen die over rails gingen, over een nep bevroren meer in een ingewikkeld uitgewerkte herschepping van een winters landschap, compleet met sneeuwpop, sneeuwhutten, robotkinderen die elkaar dreigden met plastic sneeuwballen en bewegende ijsberen in komische houdingen.

Corky Laputa was verrukt door de pure, gezegende wezenloosheid van alles.

In de eerste lift naar de parterre en in de tweede naar de garage, broedde hij over een paar details van zijn plan om Rolf Reynerd te doden. Zowel tijdens het winkelen als toen hij genoot van zijn destructieve escapades in het winkelcentrum, had Corky nauwgezet een stoutmoedig en eenvoudig moordplan uitgewerkt.

Hij was van nature iemand die meer dingen tegelijk kon doen.

Voor hen die nooit politieke strategieën hadden bestudeerd en die tevens een gedegen ondergrond in filosofie misten, waren Corgy's capriolen in het herentoilet misschien op z'n best kinderlijke streken. Maar een maatschappij kon zelden onderuitgehaald worden door alleen maar gewelddaden, en elke aandachtige anarchist moest zich elke minuut van de dag aan zijn missie wijden, en zowel door kleine als grote acties verwoesting aanrichten.

Ongeletterde schooiers die publieke eigendommen bekladden met graffiti uit hun spuitbussen, zelfmoordenaars met bommen, bazelende popsterren die woede en nihilisme op een aanstekelijk ritme uitdroegen, advocaten gespecialiseerd in onrecht die principiële processen voerden met de nadrukkelijke bedoeling grote ondernemingen en eeuwenoude instituten om zeep te helpen, seriemoordenaars, drugshandelaars, corrupte smerissen, corrupte managers die de boeken vervalsten en van de pensioenfondsen stalen, trouweloze priesters die kinderen pakten, politici die naar hun herverkiezing gingen door de klassenaijver aan te wakkeren. Zij allemaal en nog talrijke anderen, werkend op verschillende niveaus, sommigen net zo destructief als een op hol geslagen vrachttrein die van de rails denderde, anderen die stilletjes doorknaagden als termieten aan het weefsel van de beschaving en rede, waren noodzakelijk om de huidige orde in een puinhoop te veranderen.

Als Corky op de een of andere manier de zwarte dood bij zich had kunnen dragen zonder risico voor zijn eigen leven, zou hij vol enthousiasme die ziekte hebben overdragen op iedereen die hij tegenkwam, via niezen, hoesten, aanraken en kussen. Als hij soms alleen maar een rotje kon doorspoelen in een openbare wc, vergrootte hij de chaos weliswaar slechts nauwelijks, maar hij wachtte op kansen grotere schade aan te richten.

In de garage, bij zijn BMW, deed hij zijn sportjasje uit. Voor hij achter zijn stuur ging zitten, trok hij zijn gele regenjas weer aan. Hij legde de druipende gele regenhoed op de passagiersstoel, direct voor het grijpen.

Afgezien van de voortreffelijke bescherming in zelfs een regenhoos, was de regenjas de ideale uitrusting om een moord te plegen. Bloed kon gemakkelijk van de gladde plastic buitenkant gespoeld worden zonder dat er vlekken achterbleven.

Volgens de bijbel heeft elk seizoen een bedoeling, een tijd om te doden en een tijd om te genezen.

Corky, die niet veel van een genezer had, geloofde dat er een tijd om te doden was en een tijd om niet te doden. De tijd om te doden was aangebroken.

Corky's dodenlijst bevatte meer dan één naam, en Reynerd stond niet bovenaan. Anarchie kon een veeleisend geloof zijn.

18

Fric in het stikkatorium, angstig en piepend, en ongetwijfeld blauwer dan een blauwe maandag, sleepte zich weg uit het midden van de kamer en ging met zijn rug tegen een stalen wand zitten.

De inhalator in zijn rechterhand woog net iets meer dan een Mercedes 500 m-klasse SUV.

Als hij zijn vader was geweest, zou hij door een gevolg omgeven zijn dat groot genoeg was om hem te helpen dat stomme ding op te tillen. Het zoveelste nadeel om zo'n potsierlijke eenling te zijn. Door gebrek aan zuurstof werden zijn gedachten troebel. Even dacht hij dat zijn rechterhand op de vloer vastgepind zat onder een zwaar jachtgeweer, dat hij het jachtgeweer wilde optillen en in zijn mond wilde steken.

Bijna gooide Fric in paniek het ding weg. Toen, in een ogenblik van helderheid, herkende hij de inhalator en hield hem stevig vast. Hij kon geen ademhalen, kon niet meer denken, kon alleen maar piepen en kuchen en piepen, en leek weggezogen te worden in een van die zeldzame aanvallen die zo ernstig waren dat hij behandeld moest worden op de eerste hulp van een ziekenhuis. Artsen zouden in hem prikken en porren, hem buigen en samendrukken, babbelend over hun favoriete Manheim-films. Die scène met de olifanten! Die sprong van vliegtuig naar vliegtuig hoog in de lucht zonder parachute! Het zinkende schip! De buitenaardse slangenkoning! De grappige apen! Verpleegsters zouden overdreven tegen hem doen, hem vertellen hoeveel geluk hij had en hoe opwindend het moest zijn om een vader te hebben die een ster was, een held, een kerel, een genie.

Hij kon net zo goed hier doodgaan, nu doodgaan.

Hoewel hij geen Clark Kent was of Peter Parker, bracht Fric het miljoenen kilo's wegende apparaatje bij zijn gezicht. Hij duwde het mondstuk tussen zijn lippen en diende zich een dosis medicijn toe, zoog de grootste hoeveelheid lucht op die hij kon, wat helemaal niet zoveel was.

In zijn keel liet een hardgekookt ei of een steen, of een enorme prop slijm van een orde die in het *Guinness book of world records* thuishoorde, een soort stop, slechts dunne sliertjes lucht toe, naar binnen en naar buiten.

Hij boog zich naar voren. Kneep de spieren van zijn nek, borst en buik samen en ontspande ze weer. Deed uiterst veel moeite koele, medicinale lucht in zijn longen te krijgen, en de warme verschaalde lucht die als een plas siroop in zijn borst zat weer uit te ademen.

Twee puffen. Dat was de voorgeschreven dosis.

Hij gaf zich puf nummer twee.

Hij zou hebben kunnen kokhalzen door de vage metalige smaak als zijn in brand staande en opgezwollen luchtwegen dat kokhalzen hadden toegelaten, maar het weefsel kon alleen nog maar samenknijpen, niet uitzetten, maar spannen, steeds strakker.

Een geelgrijze roet leek zijn ogen binnen te dringen, het langzame begin van een inwendige schemering.

Duizelig. Hij had het gevoel alsof hij zich, hier zittend op de vloer met zijn rug tegen de wand en zijn benen recht naar voren gestrekt, op één voet op een hoog koord wankelend in evenwicht hield, en op het punt stond een diepe val te maken.

Twee puffen. Hij had twee doses genomen.

Het werd afgeraden te veel medicijn te nemen. Gevaarlijk.

Twee puffen. Dat moest genoeg zijn. Dat was het gewoonlijk ook. Soms was één dosis al genoeg om hem uit de strop van de onzichtbare beul te laten glippen.

Niet te veel medicijn. Voorschrift van de dokter.

Niet in paniek raken. Advies van de dokter.

Geef het medicijn de kans om te werken. Instructie van de dokter.

De pot op met de dokter.

Hij nam een derde puf.

Een geluid als van tikkende botten, als van dobbelstenen op een speelbord, kwam ratelend uit zijn keel en zijn gepiep werd minder schril, minder een fluit, eerder een rauw, winderig raspen.

Hete lucht explodeerde naar buiten. Koele lucht naar binnen. Fric aan de beterende hand.

Hij liet de inhalator in zijn schoot vallen.

Vijftien minuten was de gemiddelde tijd om te herstellen van een astma-aanval. Je kon niets anders doen dan alleen maar wachten. De duisternis trok weg van de randen van zijn blikveld. Het waas ging langzaam over in helderheid.

Fric op de vloer van een lege stalen kamer, met geen andere afleiding om naar te kijken dan haken aan het plafond, keek als vanzelf naar die vreemde gebogen vormen en dacht erover na.

Toen hij de kamer net had ontdekt, had hij moeten denken aan filmscènes in vleeskamers met karkassen van koeien die aan haken aan het plafond hingen.

Hij had zich afgevraagd of een krankzinnig, crimineel genie de li-

chamen van zijn menselijke slachtoffers in déze vleeskast had opgehangen. Misschien was deze kamer ooit gekoeld geweest.

De haken hingen niet zo ver uit elkaar dat er lichamen van volwassen mannen en vrouwen aan konden hangen. Aanvankelijk
was Fric tot de grimmige conclusie gekomen dat de moordenaar
dode, ingevroren *kinderen* had verzameld.

Bij nadere inspectie had hij gezien dat de roestvrijstalen haken niet
scherp waren. Ze waren te stomp om kinderen of koeien te doorboren.

Toen had hij de kwestie van de haken van zich afgezet voor latere bestudering en was hij tot de conclusie gekomen dat de kamer
een stikkatorium was geweest. Maar het bestaan van een binnen-
grendel was het bewijs dat zijn theorie onjuist was.

Toen zijn gepiep minder werd, toen de ademhaling gemakkelijker
ging, toen de strakheid in zijn borst afnam, bestudeerde Fric de
haken, de doffe stalen wanden en probeerde tot een derde theorie
te komen over de bedoeling van de plek. Hij bleef in het onge-
wisse.

Hij had niemand verteld over het draaigedeelte van de planken in
de kast of over de verborgen kamer. Wat de schuilplaats zo prachtig maakte, was minder de geheimzinnige aard ervan dan het feit
dat hij als enige wist dat die bestond.

Deze ruimte zou kunnen dienen als de 'onbekende en speciale geheime plek' die hij volgens de Geheimzinnige Beller snel nodig zou
hebben.

Misschien moest hij er voorraden in gaan aanleggen. Twee of drie
sixpacks Pepsi. Verscheidene pakken pindakaas-crackersandwiches. Een stel zaklantaarns met reservebatterijen.

Warme cola zou nooit zijn voorkeur hebben als hij iets wilde drinken, maar het zou te verkiezen zijn boven sterven van de dorst.
En zelfs warme cola was beter dan stranden in de Mojave zonder
waterbron, gedwongen om je eigen urine te bewaren en te drinken.

Pindakaas-crackersandwiches, smakelijk onder gewone omstandigheden, zouden uitgesproken walgelijk zijn als die vergezeld gingen van je eigen urine.

Misschien moest hij hier *vier* sixpacks cola opslaan.

Ook al zou hij zijn urine niet drinken, dan zou hij iets nodig hebben om in te plassen, verondersteld dat hij zich hier langer dan
een paar uur moest schuilhouden. Een pot met een deksel. Nog
beter, een pot met een schroefdeksel.

De Geheimzinnige Beller had niet gezegd hoelang Fric kon verwachten dat hij belaagd werd. Ze zouden het daarover moeten hebben in hun volgende gesprek.

De vreemdeling had beloofd dat hij weer contact zou opnemen. Als hij een smeerlap was, zou hij zeker bellen, kwijlend over zijn telefoon. Als hij geen smeerlap was, dan was hij misschien een oprechte vriend, in welk geval hij nog steeds zou bellen, maar dan om betere redenen.

De tijd ging voorbij, de astma nam af, en Fric stond op. Hij klikte de inhalator aan zijn riem.

Een beetje duizelig hield hij zichzelf met een hand tegen de koele metalen wand in evenwicht toen hij naar de deur liep.

Een ogenblik later, in zijn slaapkamer, ging hij op de rand van het bed zitten en pakte de hoorn van de telefoon op. Een lichtje op het toetsenbord verscheen bij zijn privéverbinding.

Niemand had hem gebeld sinds hij het *oedelie-oedelie-oe* in de treinkamer had beantwoord. Hij toetste *69 in en luisterde terwijl zijn telefoon automatisch het nummer draaide van zijn laatste beller.

Als hij een intelligenterik was geweest, opgeleid in de vaardigheden die nodig waren om een enorm gevaarlijke spion te worden, en als hij over het bovennatuurlijke absolute gehoor van Beethoven vóór deze doof werd had beschikt, of als een van zijn ouders een ruimtewezen was geweest die naar de aarde was gestuurd om te paren met mensen, dan zou Fric misschien die snel klinkende telefoontonen hebben kunnen vertalen in nummers. Hij zou dan het telefoonnummer van de Geheimzinnige Beller voor toekomstig gebruik in zijn geheugen hebben kunnen opslaan.

Maar hij was alleen maar de zoon van de grootste filmster ter wereld. Die positie gaf een heleboel voordeeltjes, zoals een gratis Xbox van Microsoft en een levenslange pas voor Disneyland, maar het verschafte hem geen verbazingwekkend genie of paranormale krachten.

Nadat de telefoon twaalf keer was overgegaan, schakelde hij de speakerphone-functie in. Hij liep naar het raam terwijl het nummer gebeld bleef worden.

Het gladde biljard van het grasveld in het oosten liep af door eiken, door ceders, naar rozentuinen en verdween in de grijze en zilverkleurige mist.

Fric vroeg zich af of hij iemand over de Geheimzinnige Beller moest vertellen en over de waarschuwing van het aanstaande gevaar.

Als hij de mobiel van Geestpapa belde, zou die beantwoord worden door of een lijfwacht of door de persoonlijke grimeur van zijn vader. Of door zijn persoonlijke kapper. Of door de masseur die altijd met hem mee reisde. Of door zijn spirituele raadsman, Ming du Lac, of door een van de andere ongeveer twaalf lakeien die om de Op Drie Na Meest Bewonderde Man op Aarde heen draaiden. De telefoon zou van de een naar de ander doorgegeven worden, over onbekende verticale en horizontale afstanden, tot na tien of vijftien minuten Geestpapa aan de lijn kwam. Hij zou zeggen: 'Hé, mannetje van me, raad eens wie hier bij me zit en met je wil spreken?'

Dan, voordat Fric een woord zou kunnen zeggen, zou Geestpapa de telefoon doorgeven aan Julia Roberts of Arnold Schwarzenegger of aan Tobey Maguire of aan Kirsten Dunst, of aan Winnie het Wonderpaard, waarschijnlijk aan allemaal, en ze zouden aardig tegen Fric doen. Ze zouden hem vragen hoe het op school ging, of hij de grootste filmster ter wereld wilde worden als hij groot was, wat hij het liefst at...

Tegen de tijd dat de telefoon was doorgegeven aan Geestpapa, zou een verslaggever van *Entertainment Weekly* uit de losse pols aantekeningen maken voor een speciaal artikel over de vader-zoonbabbel. Als het verhaal gedrukt werd, zou geen enkel feit kloppen en zou Fric eruitzien als een jammerende debiel of een verwend moederskindje.

Erger nog, een giechelende jonge actrice zonder noemenswaardige verdienste maar over wie wel een beetje geroddeld werd – die ze vroeger een starlet noemden – zou de telefoon van Geestpapa kunnen beantwoorden, zoals vaak een van hen deed. Ze zou geprikkeld raken door de naam Fric omdat die meisjes altijd door alles geprikkeld raakten. Hij had er door de jaren heen met tientallen, honderden gesproken, en ze leken allemaal op elkaar als de korenaren uit hetzelfde veld, alsof een boer ergens in Iowa ze kweekte en in treinwagons naar Hollywood vervoerde.

Fric kon zijn Mam in Naam, Freddie Nielander, niet bellen, omdat die wel ergens in een ver en fabuleus schitterend oord, zoals Monte Carlo, betoverend zou zitten wezen. Hij had geen bruikbaar telefoonnummer van haar.

Mrs. McBee, en ook Mr. McBee, waren aardig tegen Fric. Ze leken altijd zijn belang in gedachten te hebben.

Toch wilde Fric zich niet graag tot hen wenden in een zaak als deze. Mr. McBee was gewoon een beetje... idioot. En Mrs. McBee was een alleswetende, alleszijende, regelgevende, fantastische vrouw wier zacht uitgesproken woorden en afkeurende blikken alleen al machtig genoeg waren om het onderwerp van haar reprimande een inwendige bloeding te bezorgen.

Mr. en Mrs. McBee traden op als *in loco parentis*. Dit was een wettige term in het Latijn die inhield dat ze de verantwoordelijkheid over Fric hadden als zijn ouders er niet waren, wat bijna altijd zo was.

Toen hij voor het eerst *in loco parentis* hoorde, dacht hij dat het betekende dat zijn ouders *loco*, getikt, waren.

Maar de McBee's waren met het huis gekomen, dat ze, allang voordat het van Geestpapa was, hadden bestierd. Voor Fric leek het dat hun diepste loyaliteit het Palazzo Rospo gold, het huis en de traditie, meer dan een personeelslid of de familie die er woonde.

Mr. Baptiste, de vrolijke kok, was een vriendelijke kennis, niet echt een vriend, en zeker niet iemand die je in vertrouwen nam.

Mr. Hachette, de angstaanjagende en mogelijk waanzinnige chefkok, was niet iemand waar een mens zich in tijden van nood toe zou wenden, behalve misschien satan. De Prins van de Hel zou de raad van de chef-kok op waarde schatten.

Fric plande nauwgezet elke strooptocht door de keuken om Mr. Hachette maar te mijden. Knoflook zou de kok niet op de vlucht jagen, want hij was dol op knoflook, maar een crucifix tegen zijn huid gedrukt zou hem zeker in vlammen doen uitbarsten en hem als een vleermuis gillend op de vlucht jagen.

De mogelijkheid bestond dat de psychotische chef-kok het eigenlijke gevaar was waarvoor de Geheimzinnige Beller Fric had gewaarschuwd.

En inderdaad zou werkelijk iedereen van de vijfentwintig personeelsleden een plannen smedende moordende mafketel kunnen zijn die zich slim verborgen hield achter een glimlachend masker. Een bijlmoordenaar. Een ijspriemmoordenaar. Een wurger met een zijden sjaal.

Misschien waren ze *alle vijfentwintig* wel bijlmoordenaars die wachtten om toe te slaan. Misschien zou de volgende volle maan getijden van krankzinnigheid in hun hoofd opwekken en zouden ze gelijktijdig ontploffen, afschuwelijke bloedige gewelddaden plegen, elkaar aanvallen met pistolen, hakbijlen en keukenmachines.

Als je de volledige waarheid niet te horen kreeg over wat je vader en je moeder van je vonden, als je niet echt wist wie zij waren en wat er in hun hoofden omging, dan kon je niet verwachten ook maar iets te weten over andere mensen die niet zo dicht bij je stonden.

Fric vertrouwde er wel op dat Mr. Truman geen psychopaat was met een obsessie voor kettingzagen. Mr. Truman was trouwens ooit politieman geweest.

Bovendien was iets aan Ethan Truman heel erg oké. Fric had de woorden niet om het te beschrijven, maar hij herkende het wel. Mr. Truman was degelijk. Als hij een kamer binnenkwam, wás hij er ook. Als hij tegen je sprak, had hij contáct met je.

Fric had nog nooit iemand ontmoet die ook maar enigszins op hem leek.

Toch zou hij zelfs Mr. Truman niet vertellen over de Geheimzinnige Beller en de noodzaak om een schuilplaats te vinden.

Om te beginnen was hij bang dat ze hem niet zouden geloven. Jongens van zijn leeftijd verzonnen vaak woeste verhalen. Fric niet. Maar andere jongens wel. Fric wilde niet dat Mr. Truman hem een leugenachtig strontjoch zou vinden.

Ook wilde hij niet dat Mr. Truman dacht dat hij een angsthaas was, een slijmerige kwal, een schijtebroek.

Niemand zou ooit geloven dat Fric de wereld wel twintig keer kon redden, zoals volgens hen zijn vader had gedaan, maar hij wilde niet dat iemand dacht dat hij een bang kind was. Vooral Mr. Truman niet.

Bovendien vond hij het best wel leuk dit geheim te hebben. Het was beter dan treinen.

Hij keek naar de natte dag en verwachtte half een korte glimp op te vangen van een schurk die zich aan de andere kant van het landgoed schuilhield, aan het oog onttrokken door regen en mist.

Nadat het nummer van de Geheimzinnige Beller misschien wel honderd keer was overgegaan zonder dat er opgenomen werd, liep Fric terug naar de telefoon en verbrak de verbinding.

Hij had dingen te doen. Voorbereidingen te treffen.

Er kwam iets slechts aan. Fric was van plan klaar te zijn als het zover was, om het op te vangen en te verslaan.

19

Ethan Truman liep onder een zwarte paraplu over de graspaden tussen de graven, terwijl zijn schoenen zuigende geluiden maakten in het verzadigde gras.

Reusachtige overhangende ceders rouwden met de huilende dag mee, en vogels, als opgestane geesten, verroerden zich tussen verborgen takken als hij zo dicht passeerde dat ze verontrust raakten.

Voor zover hij kon zien, liep hij hier als enige over de doodsakkers. Eer aan de geliefde overledenen werd meestal op zonnige dagen bewezen, met herinneringen die even opgewekt waren als het weer. Niemand verkoos het om een kerkhof in een noodweer te bezoeken.

Alleen maar een smeris, wiens drijfveer voor nieuwsgierigheid strak opgewonden was, die was geboren met een dwangmatige behoefte de waarheid te kennen. Een uurwerkmechanisme in zijn hart en ziel, ontworpen door het noodlot en hem als geboorterecht toegekend, dwong hem daarheen te gaan waar wantrouwen en logica hem konden leiden.

In dit geval wantrouwen, logica en vrees.

Intuïtie weefde in hem de vreemde overtuiging dat hij zou bewijzen niet de eerste bezoeker van de dag te zijn en dat hij in dit bastion van de dood iets storends zou ontdekken, hoewel hij geen idee had wat dat kon zijn.

Grafstenen van door de tijd aangevreten graniet, mausoleums begroeid met mos en vol vlekken door de neergeslagen mist, gedenkzuilen en obelisken schuin door grondverzakkingen: niets van die traditionele architectuur identificeerde dit als een begraafplaats. De gedenkstenen bij al die graven – een bronzen plaat op een bleke granieten voet – lagen plat op het gras. Van een afstand leek de begraafplaats een gewoon park.

Hannah, stralend en uniek toen ze nog leefde, werd hier herinnerd met hetzelfde saaie brons waarmee de duizenden anderen die voor eeuwig in deze velden sliepen werden herdacht.

Ethan bezocht haar graf zes of zeven keer per jaar, inclusief een keer met Kerstmis. En altijd op hun trouwdag.

Hij wist niet waarom hij zo vaak ging. Hannah lag hier niet, alleen haar botten. Ze woonde in zijn hart en was altijd bij hem.

Soms dacht hij dat hij hier minder naartoe ging om aan haar te denken – want ze zou nooit vergeten worden – dan om naar de lege plaats naast haar te staren, naar de blanke granieten plaat waarop op een dag een gegoten bronzen plaquette met zijn naam zou worden aangebracht.

Hij was zevenendertig en te jong om de dood te verwelkomen, en het leven bleef grotere beloftes voor hem inhouden. Maar vijf jaar na het verlies van Hannah had Ethan nog steeds het gevoel dat er ook iets van hem was gestorven.

In hun twaalfjarige huwelijk hadden ze kinderen steeds uitgesteld.

Ze waren toen nog zo jong. Ze hadden geen haast.

Niemand had verwacht dat een levendige, prachtige vrouw van tweeëndertig de diagnose van een kwaadaardige kanker zou krijgen en dat ze vier maanden daarna dood zou zijn. Toen de kwaadaardige tumor haar te pakken kreeg, kreeg hij ook de kinderen die ze hadden kunnen hebben te pakken en de kleinkinderen daarna. In zekere zin wás Ethan samen met haar gestorven: de Ethan die het heerlijk zou hebben gevonden een liefhebbende vader te zijn voor de kinderen die haar gratie zouden hebben, de Ethan die de vreugde zou hebben gekend nog tientallen komende jaren in haar nabijheid te verkeren, die de vrede en de zin van het oud worden aan haar zijde gekend zou hebben.

Misschien zou hij verrast zijn geweest als hij haar graf opgehaald en leeg zou hebben aangetroffen.

Wat hij in plaats van die grafschennis vond, hoewel onverwacht, verraste hem niet.

Aan de voet van de bronzen plaquette lagen twee dozijn verse rozen op lange stelen. De bloemist had ze strak in een kegel van cellofaan gerold die de bloemen voor een deel beschermde tegen de neerkletterende regen.

Dit waren hybride theerozen, een goudachtige rode variant die Broadway heette. Van alle rozen die Hannah heerlijk had gevonden en had gekweekt, was Broadway haar lievelingsroos geweest. Ethan draaide langzaam in een volledige cirkel rond en bestudeerde de begraafplaats. Er bewoog zich helemaal niemand op die zacht glooiende groene velden.

Hij tuurde met een speciale argwaan naar elke ceder, elke eik. Voor zover hij kon zien, hielden die stammen geen heimelijke toeschouwer verborgen.

Er reed geen verkeer over de smalle, draaiende weg die door de begraafplaats liep. Ethans Expedition – wit als de winter, glinsterend als ijs – was de enige auto die op de weg stond geparkeerd. Achter de begrenzingen van de begraafplaats doemden stedelijke vergezichten op in voiles van regen en mist, minder een echte stad dan een metropool in een droom. Geen gerommel van verkeer, geen geluid van een claxon drong hier door uit het maaswerk van straten, alsof alle burgers zich lang geleden horizontaal hadden uitgestrekt op deze stille grazige velden om Ethan heen.

Hij keek weer naar het boeket. Naast een heldere kleur geeft de Broadway-roos een heerlijke geur af. Hij groeit in elke zonovergoten tuin en heeft meer weerstand tegen meeldauw dan veel andere variëteiten.

Twee dozijn rozen op een graf zou niet toegelaten worden in een rechtbank als bewijs. Toch beschouwde Ethan deze kleurige bloemen als voldoende bewijs van een vreemde vrijage van de doden, door de doden.

20

Hazard Yancy zat, terwijl hij op een mamoul kauwde en die weg-spoelde met koffie uit een thermoskan, in een onopvallende sedan recht tegenover het flatgebouw van Rolf Reynerd in Hollywood-West.

De vroege schemering van de winter zou het eerste halfuur nog niet inzetten, maar onder het lijkkleed van het noodweer was de stad al een uur geleden in een verlengd schemerdonker gedompeld. Geactiveerd door foto-elektrische cellen gloeiden straatlantaarns die een staalkleurige glans verfden op de regennaalden die de gaas-achtige grijze lucht steeds dichter aan de aarde vastnaaiden.

Hoewel het kon lijken dat Hazard zich te goed deed aan koekjes in de tijd van zijn baas, overwoog hij hoe hij Reynerd zou aan-pakken.

Na de lunch met Ethan was hij teruggegaan naar zijn bureau bij Moordzaken. In een paar uur, op internet en erbuiten, tegelijker-tijd bezig aan zijn toetsenbord en de telefoon, was hij heel wat wijzer geworden over zijn onderwerp.

Rolf Reynerd was een acteur die slechts met tussenpozen zijn brood verdiende met zijn beroep. Tussen de incidentele bijrollen als slechterik in meerdere afleveringen van de een of andere soap, zat hij lange perioden zonder werk.

In een aflevering van *The X-Files* had hij een federaal agent ge-speeld die psychotisch was geworden door een buitenaardse her-senbloedzuiger. In een aflevering van *Law & Order* was hij een psychotische privétrainer geweest die zichzelf en zijn vrouw aan het einde van de eerste akte vermoordde. In een tv-commercial voor deodorant, was hij gecast als een psychotische bewaker in een sovjetgoelag; de spot was nooit landelijk uitgezonden en hij had er maar weinig geld mee verdiend.

Een acteur die de pech had steeds voor hetzelfde type te worden gevraagd, liep gewoonlijk pas in die carrièreval als hij enorm suc-ces had in een gedenkwaardige rol. Daarna had het publiek moeite hem in een ander soort rol te zien dan die hem beroemd had gemaakt.

Maar in Reynerds geval leek hij zelfs in zijn mislukking hetzelfde type te spelen. Dit gaf Hazard de suggestie dat bepaalde trekken in de persoonlijkheid en het gedrag van de man hem alleen toestonden mentaal onevenwichtige personages te spelen, dat hij iemand bij wie een schroefje los was goed speelde omdat een paar van zijn eigen schroefjes een aangetaste schroefdraad hadden.

Ondanks de onbetrouwbare inkomsten bewoonde Rolf Reynerd een ruime flat in een mooi gebouw, in een goede buurt. Hij kleedde zich goed, bezocht de duurste nachtclubs met jonge actrices die een voorkeur hadden voor Dom Perignon en reed in een nieuwe Jaguar.

Volgens vroegere vrienden van Reynerds moeder Mina die weduwe was, verafgoodde ze haar zoon en geloofde ze dat hij op een dag een ster zou worden, en ze onderhield hem met een vette maandelijkse cheque.

Het waren haar vroegere vrienden omdat Mina Reynerd vier maanden eerder was overleden. Ze was eerst in haar voet geschoten, daarna doodgeslagen met een marmeren lamp, ingelegd met goudbronzen versieringen.

Haar moordenaar werd nooit gevonden. Rechercheurs hadden geen sporen in haar zaak aangetroffen.

Het was niet verrassend dat de enige erfgenaam van haar bezit haar enig kind was, de arme getypecaste Rolf.

De acteur had een solide, perfect alibi voor de avond van de moord op zijn moeder.

Dit verraste Hazard niet en overtuigde hem evenmin van Reynerds onschuld. Enige erfgenamen hadden meestal luchtdichte alibi's.

Volgens de lijkschouwer was Mina tussen negen en elf uur 's avonds doodgeslagen. Ze was met zo'n wrede kracht geraakt dat patronen van het goudbrons diep in haar huid gekerfd zaten, zelfs in het bot van haar voorhoofd.

Rolf was vanaf zeven uur die avond tot twee uur 's nachts met zijn huidige vriendin en vier andere stellen gaan feesten. Ze waren een opzichtige, luidruchtige groep geweest in de twee nachtclubs waarover ze hun tijd hadden verdeeld.

Hoe dan ook, ook al bleef de moord op Mina onopgelost, en ook al zou Rolfs alibi niet meer zijn geweest dan dat hij alleen thuis met zichzelf had zitten spelen, dan nog zou Hazard geen excuus hebben de man nog eens te ondervragen. De zaak was van een andere rechercheur.

Door een gelukkig toeval kende Hazard een van Reynerds feest-vrienden van die avond – Jerry Nemo – van een andere zaak, wat een deur opende.

Twee maanden ervoor was een drugshandelaar die Carter Cook heette door het hoofd geschoten. Klaarblijkelijk was de moord het gevolg van een roof. Cook was afgeladen geweest met handel en contant geld.

Reynerds maat, Jerry Nemo, had een uur voor de moord een te-lefoontje gepleegd met de mobiel van Cook. Nemo was een klant, een cokesnuiver. Hij regelde een afspraak met Cook om wat coke te kopen.

Nemo werd niet meer als verdachte gezien. Niemand in Los An-geles of waar ook op de planeet Aarde werd nog als verdachte ge-zien. De Cook-moord was de klassieke puinbak, een zaak die waarschijnlijk nooit opgelost zou worden.

Toch, door te doen alsof Nemo een verdachte bleef, had Hazard een excuus om voor Ethan Reynerd te benaderen en hem verder te onderzoeken.

Hij had geen excuus nodig met de bedoeling Reynerd tevreden te stellen. Alleen al met penning en veel blabla kon Hazard wel hon-derd verhaaltjes opdissen om de feestvierder over te halen de deur te openen en vragen te beantwoorden.

Maar zou Reynerd direct of indirect zijn obsessie voor Channing Manhein onthullen, of in het onwaarschijnlijke geval dat Reynerd een bedoeling onthulde dat hij de filmster iets aan wilde doen, dan zou Hazard de situatie voor het onderzoek buiten Moordzaken moeten brengen. Dan zou hij een geloofwaardige uitleg binnen de afdeling moeten geven waarom hij om te beginnen al Reynerd had ondervraagd toen informatie betreffende Manheim hem in de schoot werd geworpen.

Door te doen alsof het cokesnuivende maatje Nemo van Reynerd een verdachte was gebleven in de moord op Carter Cook kon Ha-zard zichzelf indekken.

Nadat hij poedersuiker en mamoulkruimels van zijn vingers had gelikt, stapte hij uit de auto.

Hij nam niet de moeite een paraplu mee te nemen. Gezien het feit dat hij bijna twee keer de omvang van een linebacker aan de re-gen blootstelde, had hij een regenscherm nodig dat zo groot was als een strandparasol om zichzelf helemaal te beschermen.

Op weg naar het flatgebouw stapte hij stevig door, maar rende niet door de neerstortende regen. Het gebouw lag niet ver van de straat.

Bovendien paste Hazard zich zelden aan de wereld aan, aangezien de wereld gewoonlijk opzij stapte als hij eraan kwam. Hij merkte nauwelijks iets van de regen.

Binnen liet hij de lift links liggen en nam de trap.

Hij was ooit een keer neergeschoten in een lift. Hij was omhooggegaan naar de vijfde verdieping, de deuren waren opengegaan en de dader had daar staan wachten.

Als je in een lift op de korrel werd genomen, had je maar weinig ruimte om weg te duiken: als plek om neergeschoten te worden waren alleen de omstandigheden in een telefooncel en in een geparkeerde auto slechter.

Hazard was een keer neergeschoten terwijl hij in een geparkeerde auto zat, maar nooit in een telefooncel. Hij verwachtte dat het slechts een kwestie van tijd was.

De schutter die buiten de lift had staan wachten, had een 9mm-pistool bij zich. En hij was erg zenuwachtig geweest.

Als de mafkees of kalm of gewapend was geweest met een hagelgeweer, dan zou het resultaat voor Hazard heel wat naargeestiger zijn geweest dan wat er nu gebeurde.

De eerste kogel had zich in het plafond van de lift geboord. De tweede blies een gat in de achterwand. De derde had de vreemdeling neergeschoten die bij Hazard in de lift had gestaan.

Later bleek de vreemdeling, een ambtenaar van de belastingdienst, het beoogde doelwit te zijn. Hazard was gewoon op een ongelukkige tijd op de verkeerde plek geweest, en alleen als doelwit aangemerkt omdat hij getuige was.

De man van de belastingen had de schutter niet aan een onbarmhartig accountantsonderzoek onderworpen of zoiets. Hij had met de vrouw van de schutter liggen wippen.

In plaats van het vuur te beantwoorden, was Hazard onder het pistool door op hem af gegaan. Hij had het zijn aanvaller ontfutseld, hem door de gang gejaagd, hem tegen de muur geslagen en zijn testikels geplet met zijn knie. Niet per ongeluk had hij de arm van de man gebroken.

Later, een paar maanden lang tijdens de scheidingsafwikkelingen, had hij een relatie met de vrouw van de schutter gehad. Ze was geen slechte vrouw. Ze had gewoon te maken gehad met foute mannen.

Nu klom Hazard naar de eerste verdieping van het flatgebouw, niet geheel op zijn gemak door de beperkte ruimte in het trappenhuis.

Bij appartement 2B belde hij zonder aarzeling aan.

Toen Rolf Reynerd de deur opende, bleek hij perfect overeen te komen met Ethans beschrijving, tot en met de amfetamineschittering in zijn koude, blauwe ogen en de kleine vlekjes schuimig speeksel in zijn mondhoeken, die de suggestie wekten dat hij voortdurend high was, dat hij misschien op een moment van toxische psychose woest rondtolde door zijn flat in de waan dat hij Spiderman was die zijden draden uit zijn polsen schoot.

Hazard liet zijn insigne zien, spuide een karrenvracht aan flauwekul over Jerry Nemo die nog verdachte was in de zaak van de dood van Carter Cook, en kwam zo snel het appartement binnen dat de regen nog steeds van zijn oorlellen droop.

Reynerd, een product van gewichtstraining en proteïnepoeders, zag eruit alsof hij elke ochtend een dozijn rauwe eieren at, alleen al om de spiermassa van zijn rechterarm te onderhouden.

Van hen tweeën was Hazard Yancy de grotere en ongetwijfeld de slimmere, maar hij waarschuwde zichzelf op zijn hoede te blijven, en alert.

Reynerd sloot de deur van zijn flat en ging Hazard voor naar de woonkamer, terwijl hij een oprechte wens uitdrukte mee te werken, evenals een oprechte overtuiging dat zijn goede vriend Jerry Nemo nog geen vlieg kwaad kon doen.

Ongeacht hoe de vliegenliefhebber Nemo wel of niet kon zijn, pleisterde Reynerd de oprechtheid zo dik als hij misschien gedaan zou hebben als hij een paars dinosauruskostuum aan had gehad en kleine levenslessen onderwees aan kleuters in een tv-programma vroeg in de ochtend.

Als zijn acteerwerk net zo vreselijk was tijdens zijn optreden in die soapseries, dan moesten de schrijvers Reynerd dolgraag in een dodelijk auto-ongeluk hebben geschreven, of in een bliksemsnelle terminale hersentumor. Het publiek zou misschien wat hem betreft de voorkeur hebben gegeven aan een bloederig einde, door een jachtgeweer in een lift.

Meubilair, tapijt, foto's van vogels: alles in de flat was zwart-wit. Op de tv een oude zwart-witfilm, Clark Gable en Claudette Colbert lieten Reynerd zien hoe het moest.

In zwarte broek en een zwart-met-wit sportjasje had de oprechte vriend van Jerry Nemo zijn garderobe in overeenstemming gebracht met het decor.

Op uitnodiging van zijn gastheer installeerde Hazard zich in een leunstoel. Hij ging op de rand zitten om sneller overeind te komen.

Reynerd pakte de afstandsbediening van de salontafel en pauzeerde Gable midden in een zin, terwijl Colbert antwoord wilde geven. Hij ging op de bank zitten.

De enige kleur in de kamer was afkomstig van Reynerds blauwe ogen en van het kleurrijke ontwerp op de twee zakken chips naast hem op de bank.

De zak links van hem bevatte chips Hawaï. De zak rechts van hem bevatte de variëteit zure room met bieslook. Mr. Fijnproever.

Hazard was Ethans raadselachtige maar diepgemeende waarschuwing niet vergeten over de zakken chips.

Beide zakken waren open, stonden rechtop, dik genoeg om vol te zijn. Hazard bespeurde de zwakke olieachtige geur van de chips.

Als de zakken naast chips ook handwapens bevatten, kon Hazard de wapens niet ruiken. Hij kon ze ook niet zien, omdat de zakken van folie ondoorzichtig waren.

Reynerd zat met de handpalmen op zijn dijen, terwijl hij zijn lippen aflikte alsof hij elk moment zijn hand kon uitsteken naar een zoute versnapering.

Met een knikje naar het bevroren beeld op de tv, zei de acteur: 'Dat is het perfecte medium voor mij. Ik ben te laat geboren. Ik had toen moeten leven.'

'Wanneer was dat?' vroeg Hazard, want hij wist dat verdachten vaak het meest onthulden als ze leken te raaskallen.

'De jaren dertig en veertig van de vorige eeuw. Toen alle films zwart-wit waren. Ik zou in die tijd een ster zijn geweest.'

'O ja?'

'Mijn persoonlijkheid is te sterk voor kleurenfilms. Ik zou van het scherm af spatten. Ik ben te overweldigend voor het medium, het publiek.'

'Ik begrijp dat dat een probleem kan zijn.'

'In het kleurentijdperk zijn alle, meest succesvolle acteurs platte persoonlijkheden geworden, zonder diepgang. Ze zijn twee centimeter breed en een halve centimeter diep.'

'En waarom is dat?'

'De kleur, de diepte van het beeld, mogelijk gemaakt door de moderne camera's, surround-soundtechnieken – al dat spul maakt platte persoonlijkheden groter dan het leven, voorzien ze van een machtige illusie van substantie en complexiteit.'

'U, aan de andere kant...'

'Ik, aan de andere kant, ben om te beginnen al zo breed en diep en zó lévend dat de moderne filmtechnologie me zo erg uitvergroot dat ik een karikatuur van mezelf word.'

'Dat lijkt me frustrerend,' zei Hazard meevoelend.

'Het is onvoorstelbaar. In zwart-witfilms zou ik het doek vullen zonder overweldigend over te komen op de toeschouwer. Waar zijn de Bogarts en Bacalls van onze tijd, de Traceys en Hepburns, de Cary Grants en de Gary Coopers en de John Waynes?'
'Die hebben we niet,' gaf Hazard toe.
'Die zouden nu geen succes hebben,' verzekerde Reynerd hem. 'Ze zouden te sterk zijn voor de moderne film, te diep, echt te schitterend. Wat vond je van *Moonshaker*?'
Hazard fronste zijn voorhoofd. 'Van wat?'
'*Moonshaker*. Channing Manheims laatste hit. Een opbrengst van tweehonderd miljoen dollar.'
Misschien was Reynerd zo geobsedeerd door Manheim dat hij vroeg of laat élk gesprek naar de ster zou leiden.
Toch voorzichtig zei Hazard: 'Ik ga niet naar de film.'
'Iedereen gaat.'
'Niet echt. Er moeten minder dan dertig miljoen kaartjes worden verkocht om tweehonderd miljoen dollar op te brengen. Misschien net tien procent van de bevolking.'
'Oké, maar andere mensen zien hem op tv of op dvd.'
'Misschien nog eens dertig miljoen. Neem elke film die je wilt – minstens tachtig procent van het land ziet hem nooit. Ze moeten ook nog leven.'
Reynerd leek terug te schrikken door het besef dat het in de wereld niet alleen om films draaide. Hoewel hij niet naar een wapengreep in een van de zakken chips, was het ongenoegen door deze wending in het gesprek overduidelijk.
Hazard kwam weer in de gratie van de acteur door te zeggen: 'Goed, in de tijd van de zwart-witfilms waar u het over hebt, ging de helft van het land een keer per week naar de film. In die tijd waren sterren stérren. Iedereen kende de films van Clark Gable, van Jimmy Stewart.'
'Precies,' beaamde Reynerd. 'Manheim zou nog maar een schim zijn geweest in de tijd van de zwart-films. Hij zou te dun zijn geweest voor het medium, te plat. Hij zou nu vergeten zijn. Erger nog dan vergeten – hij zou onbekend zijn geweest.'
De deurbel ging.
Reynerd klonk verbaasd en lichtelijk geïrriteerd. 'Ik verwacht niemand.'
'Ik ook niet,' zei Hazard droogjes.
Reynerd wierp een blik op het raam waar de doorweekte grijze schemering achter het glas langzaam verdween.
Hij verlegde zijn aandacht naar de televisie. Gable en Colbert ble-

ven verstard in een flirtende woordenwisseling.

Ten slotte kwam Reynerd overeind van de bank, maar aarzelde toen, keek naar zijn zakken chips.

Terwijl hij naar deze vreemde handeling keek, vroeg Hazard zich af of de acteur langzaam van zijn trip terugkwam, een toestand waarin een pepfreak plotseling van de top van hyperscherp bewustzijn via een wazige desoriëntatie naar een verpletterende uitputting beneden donderde.

Toen de bel weer klonk, kruiste Reynerd ten slotte de woonkamer. 'Die gekken komen altijd langs om Jezus te verkopen,' zei hij geïrriteerd, vermoeid, en opende de deur.

Vanuit de leunstoel kon Hazard niet zien wie de schoten afvuurde. Maar de harde *boem, boem, boem* van drie snelle knallen, vertelden hem dat de moordenaar een zwaar pistool bij zich had, misschien een .357 of zwaarder.

Tenzij zevendedagsadventisten een harde verkooptechniek hadden aangenomen, had Reynerd zich vergist over de bedoeling van de beller.

Hazard kwam uit zijn leunstoel bij de tweede *boem* en greep naar het pistool in zijn holster bij de derde.

Nu even sterfelijk als Gable en Bogart bleken te zijn geweest, schoot Reynerd naar achteren, ging neer en wierp een technicolor-bloedspetter door het zwart-witappartement waarin hij zo breed en zo diep en zo levend was geweest.

Hazard hoorde, toen hij op de acteur af liep, rennende voetstappen in de gang buiten.

Reynerd had drie kogels van dichtbij in zijn brede borst gekregen, waaronder een die ingrijpende delen van zijn hart had meegenomen door het gat in zijn rug. Op het moment dat hij viel was hij al rijp voor het lijkenhuis geweest.

Het door de dood verblinde blauw van de ogen van de acteur leek minder koud dan toen hij nog leefde. Hij zag eruit alsof hij nu wel iets van Jezus kon gebruiken.

Hazard stapte over het lichaam heen en ging de flat uit. Hij zag de schutter het einde van de gang bereiken. De man sprong de trap af met twee treden tegelijk. Hazard ging achter hem aan.

21

Boven de stad, terwijl de vertrekkende dag zijn grijze baard uitschudde in rafels mist en een kleurloze druilregen, was het sombere gezicht van de nacht nog niet helemaal verschenen.

In een straat in de west-side met kunstgalerieën, kwaliteitswinkels, met restaurants waar meer aandacht werd besteed aan een elitaire houding dan aan het eten, zette Ethan de Expedition dicht tegen een rode stoeprand, met twee wielen in een overgelopen goot, erop vertrouwend dat parkeerbeheer in slecht weer veel minder enthousiast bekeuringen uitdeelde dan in mooi weer.

De zaken in deze wijk, gericht op een mondaine en exclusieve clientèle, hadden geen schreeuwende reclames aan hun gevels en vertrouwden op beschaafde verwijsborden. Geld schreeuwt; weelde fluistert.

De detailhandel was nog niet gesloten en de restaurants waren nog een uur verwijderd van het moment dat ze hun deuren openden. Vroeg lantaarnlicht verguldde de druipende bladeren van bomen aan de stoeprand en veranderde de natte trottoirs in een pad geplaveid met piratenschatten.

Ethan liep zonder paraplu onder de beschutting van winkelluifels, die allemaal bruin of bosgroen, zilverkleurig of zwart waren, behalve die van Forever Roses, die intens koraalroze was.

De bloemenwinkel kon net zo treffend Only Roses genoemd zijn, want achter de glazen deuren van de koelruimtes die voor in de winkel tegen de muren stonden, waren alleen maar rozen te zien, samen met een voorraad aan gesneden varens en ander groen dat zo vaak gebruikt werd om kleurige boeketten en bloemschikkingen te maken.

Door Hannahs tuinliefhebberij, zelfs na vijf jaar nadat zij te rusten was gelegd onder een opeenstapeling van rozen, kon Ethan veel van de variëteiten in de koelkasten nog benoemen.

Hier was een roos die zo donkerrood was dat hij bijna zwart leek, met bladen die eruitzagen als fluweel, waaraan ze haar naam te danken had: Black Magic.

En daar de John F. Kennedy-roos: witte bloembladen die zo dik en glanzend waren dat ze leken op gebeeldhouwde was.

De Charlotte Armstrong: grote, geurige, dieproze bloemen. De Jardin de Bagatelle, de Rio Samba, de Paul McCartney-roos, de Auguste Renoir, de Barbara Bush, de Voodoo en de Bride's Dream.

Achter de toonbank stond een buitengewone roos die eruitzag zoals Hannah eruit had kunnen zien als ze zestig zou zijn geworden. Dik peper-en-zoutkleurig haar, kort en verward. Grote donkere ogen vol leven en vrolijkheid. Tijd had de schoonheid van de vrouw niet aangetast, maar verrijkt met een patina van ervaring. Toen hij het naamplaatje op de blouse van de vrouw las, zei Ethan: 'Rowena, het meeste van wat ik in die koelcellen zie, zijn hybride variaties van de theerozen. Hou je ook van klimrozen?'

'O, ja, alle soorten rozen,' zei Rowena, haar stem muzikaal en hartelijk. 'Maar we gebruiken zelden klimrozen. In boeketten heb je meer aan soorten met lange stelen.'

Hij stelde zichzelf voor, zoals zijn gewoonte was in dergelijke situaties, legde uit dat hij ooit rechercheur was geweest bij Moordzaken maar kortgeleden was gaan werken als assistent van een beroemdheid.

Los Angeles en omgeving krioelden van de poseurs en oplichters die beweerden te maken te hebben met de rijke en beroemde mensen. Toch, zelfs zij, die cynisch waren geworden in deze stad vol oplichterij, geloofden wat Ethan hun vertelde of deden alsof.

Hannah had gezegd dat mensen hem gemakkelijk geloofden omdat hij in zichzelf de rustige, stalen kracht van Dirty Harry Callahan verenigde met de oprechte onschuld van Huck Finn. Dát, had hij geantwoord, was een film die hij nóóit wilde zien.

Rowena, of ze nu reageerde op de Harry-Huck in hem of op andere hoedanigheden, leek te accepteren dat Ethan was wie en wat hij beweerde te zijn.

'Als ik je favoriete soort klimroos raad,' zei hij, 'wil je dan een paar vragen beantwoorden over een klant die je eerder vandaag geholpen hebt?'

'Is dit een zaak voor de politie of voor de beroemdheid?'

'Allebei.'

'O, verrukkelijk. Ik vind het heerlijk om een rozenzaak te runnen, maar er zit meer geur dan opwinding in. Doe een gok.'

Omdat hij in Rowena Hannah zag zoals ze misschien zou zijn geweest op haar zestigste, zei hij de naam van de klimroos die zijn overleden vrouw het allerliefst was geweest: 'Saint Joseph's Coat.' Rowena leek oprecht verbaasd en verheugd. 'Dat is precies goed! Je zet Sherlock te schande.'

'Nu jouw helft van de afspraak,' zei Ethan, terwijl hij met beide armen op de toonbank steunde. 'Vanmiddag is hier een man geweest die een boeket Broadway-rozen heeft gekocht.'

De oogverblindende goudrode bloemen op Hannahs graf hadden

ingepakt gezeten in stijf cellofaan. In plaats van plakband of niet-
jes was er een reeks stikkers gebruikt om cellofaan op cellofaan te
plakken en ervoor te zorgen dat de kegel zijn vorm behield. Elke
mooie foliesticker had de naam en het adres van Forever Roses
gedragen.
'We hadden maar twee dozijn,' zei Rowena, 'en hij heeft ze allemaal genomen.'
'Je herinnert je hem dus?'
'O, ja. Hem vergeet je… niet zo makkelijk.'
'Zou je hem voor me willen beschrijven?'
'Lang, atletisch, maar een beetje aan de magere kant, met een uitzonderlijk mooi grijs pak.'
Dunny Whistler bezat talloze mooie pakken, allemaal op maat ge-
maakt tegen enorme prijzen.
'Het was een knappe man,' ging Rowena verder, 'maar ver-
schrikkelijk bleek, alsof hij in geen maanden in de zon was ge-
weest.'
Twaalf weken in coma hadden Dunny een ziekenhuisbleekheid ge-
geven die was gekruid met minstens een uur in het mortuarium.
'Hij had heel fascinerende grijze ogen,' zei Rowena, 'met spikkeltjes groen. Prachtig.'
Ze had hem een perfecte beschrijving gegeven van Dunny's ogen.
'Hij zei dat hij rozen wilde voor een bijzondere vrouw.'
Op haar begrafenis had Dunny de Broadway-rozen gezien.
Rowena glimlachte. 'Hij zei dat een oude vriend snel langs zou
komen om te vragen wat voor soort rozen hij had gekocht. Ik
neem aan dat jullie rivalen zijn in de liefde voor dezelfde vrouw.'
Noch de winterdag buiten, noch de koele lucht hier in de bloe-
menzaak was verantwoordelijk voor de kilte die Ethans tanden had
kunnen laten klapperen als hij ze niet stevig op elkaar had gezet.
Plotseling besefte hij dat Rowena's glimlach wat scheef was, alsof die getemperd werd door onzekerheid of ongemak.
Toen ze zag hoe diep haar onthulling hem geraakt had, wankel-
de haar aarzelende glimlach en verdween.
'Het was een vreemde man,' zei ze.
'Heeft hij nog iets anders gezegd?'
Rowena verbrak het oogcontact en keek naar de ramen aan de
voorkant van de winkel, alsof ze verwachtte een bekende – en on-
welkome – bezoeker bij de deur te zien.
Ethan gaf haar de gelegenheid haar woorden te kiezen en ten slot-
te zei ze: 'Hij zei dat jij zou denken dat hij dood is.'
Beelden drongen naar de voorgrond van zijn geheugen: de lege

brancard en het verfrommelde lijkkleed in het mortuarium van het ziekenhuis; de ongrijpbare geest in de badkamerspiegel; de hagedis op de uitrit, die probeerde zich naar boven te worstelen ondanks zijn gebroken rug, geconfronteerd met een gruwelijke steile helling en stromend water, even koud en aanhoudend als het vervloeien van de tijd...

'Hij zei dat je zou denken dat hij dood is,' zei Rowena weer, terwijl ze haar blik van de winkeldeur terugbracht naar Ethan. 'En hij zei dat ik je moest vertellen dat je gelijk hebt.'

22

Hazard op de gang, Hazard op de trap, terwijl hij zich er scherp van bewust was wat voor gemakkelijk doelwit een grote man in een smalle ruimte vormde; maar hij ging desondanks in de achtervolging. Als je een klus aannam, wist je dat het geen onderdeel van de afspraak was dat je de plaatsen waar je je leven op het spel zette kon uitkiezen.

Bovendien opereerde hij, zoals de meeste smerissen, in de bijgelovige overtuiging dat het grootste risico optrad bij aarzeling, op het moment dat je even de moed verloor. Overleven hing af van stoutmoedigheid, net voldoende gekleurd door angst om pure roekeloosheid te vermijden.

Of dat was in ieder geval gemakkelijk te geloven tot een beetje overmoedigheid je dood betekende.

In films schreeuwden smerissen altijd: 'Stop! Politie!' als ze wisten dat het tuig dat voor hen wegrende niet van plan was er gehoor aan te geven, maar ook als een schreeuw hun aanwezigheid kenbaar maakte voordat het absoluut noodzakelijk was en nog voordat elke boef op het spelbord besefte dat de politie meespeelde.

Hazard Yancy die net aan een kogel was ontsnapt terwijl hij in een leunstoel zat, loeide geen bevel of bedreiging naar de schutter die Rolf Reynerd had gedood. Hij dook gewoon de trap af achter de man aan.

Tegen de tijd dat Hazard de overloop halverwege de trap had bereikt had de schutter denderend de voet van de onderste trap bereikt, waar hij zijn evenwicht verloor toen hij van de laagste tree de hal in vloog. Hij gleed uit over de Mexicaanse tegelvloer, molenwiekte met zijn armen, maar wist een val te vermijden.

Onder het rennen keek de dader niet achterom, wat de suggestie wekte dat hij niet in de gaten had dat hij werd gevolgd.

Toen Hazard de achtervolging inzette, ging hij in het hoofd van de man zitten. Die snuiter van een huurmoordenaar denkt dat Reynerd alleen thuis is en gaat op hem af om hem even snel af te knallen, de sukkel gaat neer met een hartschot, het lukt hem ongezien te blijven, hij gaat er snel vandoor naar de straat en denkt nu al aan het roken van een lekkere joint met de een of andere eerstejaars met lange benen die in zijn bedje op hem ligt te wachten.

De schutter bereikte de voordeur op hetzelfde moment dat Hazard in de hal aankwam, maar de schutter maakte te veel lawaai om te horen dat zijn ondergang achter hem aan zat, en Hazard gleed niet uit zoals zijn prooi had gedaan, dus hij won terrein.

Toen Hazard de deur bereikte, was de schutter al buiten in de nacht, de trap af naar beneden, misschien denkend aan het uitgeven van iets van zijn moordgeld aan mooie verchroomde velgen voor de wielen van zijn scheurijzer en iets aan een 24-karaats flonkerdingetje voor zijn dame.

Niet veel wind, koude regen, Hazard op de trap, schutter op het voetpad. De kloof tussen hen werd net zo onverbiddelijk kleiner als die van een vrachtwagen op volle snelheid op weg naar een bakstenen muur.

Toen schetterde een autoclaxon. Eén lang gejammer, twee keer kort.

Een signaal. Van tevoren afgesproken.

Op straat, niet aan de stoeprand, stond een donkere Mercedes-Benz, de koplampen brandend, de motor draaiend, wolken rook uit de uitlaat. Het portier aan de passagierskant stond open om de schutter te verwelkomen. Dit was een vluchtwagen met stijl, misschien een G-ride, een gangsterrit, gestolen van een oprit in Beverly Hills, en achter het stuur zat de topuitkijk van de schutter, zijn maatje, klaar om de banden kaal te scheren met een ontsnapping met vol gas.

De ene lange toon met de twee korte erachteraan moest het konijn aangegeven hebben dat hij een wolf op zijn staart had, omdat hij plotseling naar links, van de stoep af schoot. De draai was zo abrupt dat hij had moeten wankelen, moeten vallen, maar hij deed het niet, en hief in plaats daarvan het wapen waarmee hij Reynerd had gemold.

Toen hij het voordeel van de verrassing was kwijtgeraakt, schreeuwde Hazard ten slotte: 'Politie! Laat vallen!' net als in films, maar natuurlijk had de schutter al levenslang gekregen zonder vervroegde vrijlating, misschien zelfs de doodstraf door Reynerd af te knallen, en hij had niets te verliezen. Hij zou net zo waarschijnlijk zijn pistool laten vallen als dat hij zijn broek liet zakken en zich voorover zou buigen.

Het wapen zag er groot uit, geen drie-acht of .357, maar een vier-vijf. Geladen met gemene ammunitie kon een vier-vijf heel gemakkelijk botten versplinteren en het vlees zachter maken voor de begrafenisondernemer, maar je had er stabiliteit voor nodig en je moest rekening houden met de terugslag.

In een slechte houding, eerder door paniek dan door rust, loste de dader een schot. Het overhalen van de trekker was meer rukken dan trekken en de kogel ging ver naast waardoor Hazard minder risico liep door deze kogel geraakt te worden dan te worden verpulverd door een asteroïde.

Maar op het moment dat hij de loop vuur zag spuwen in de regen en de kogel een raam in het flatgebouw achter zich hoorde versplinteren, werd Hazard slechts ten dele gedreven door opleiding, ten dele door plicht, en voornamelijk door instinct. De schutter zou niet twee keer zo slordig zijn. Sensitivitytraining, alle ernstige lessen in sociale opstelling en politieke consequenties, alle richtlijnen van de politie om geweld met geduld, begrip en afgemeten handelen aan te pakken, waren barrières in het overleven als je snel moest doden om zelf niet gedood te worden.

Met het geluid van het glas dat door de kogel aan scherven ging nog in zijn oren had Hazard al met twee handen zijn wapen vast, nam de schiethouding aan en beantwoordde vuur met vuur. Hij drukte twee schoten af, met weinig ontzag voor het kritische oordeel in de *Los Angeles Times* wat betreft het optreden van de politie, maar met alle ontzag voor de veiligheid van Moeder Yancy's mooiste.

Het eerste schot bracht de schutter neer en het tweede raakte hem hamerhard toen zijn knieën nog aan het dubbelklappen waren.

In een reflex vuurde de dader de .45 af, niet naar Hazard maar in het gras aan zijn voeten. De terugslag brak zijn verzwakte greep en het wapen vloog uit zijn hand.

Hij kwam met een knie op de grond neer, in een heel korte kniebuiging, daarna met twee knieën en vervolgens met zijn gezicht.

Hazard schopte de .45 weg van de moordenaar in de struiken en schaduwen, en rende naar de straat, naar de Mercedes.

De chauffeur gaf gas nog voor hij de rempedaal losliet. Gierende banden wierpen wolken verdampte regen op, en rook die stonk naar verbrand rubber.

Misschien liep Hazard het risico beschoten te worden door de chauffeur die een mogelijkheid zou krijgen op hem te mikken door het open rechterportier, maar dat risico was verantwoord. Een topchauffeur gespecialiseerd in wegkomen, niet in vechten, en hoewel de man een wapen bij zich zou hebben om te gebruiken mocht hij in een hoek gedreven zijn, was het niet waarschijnlijk dat hij het zou trekken tegen iemand als hij een open straat voor zich had, benzine in de tank en een contact.

Spetterend over het ondergelopen wegdek bereikte Hazard zijn sedan. Voor hij om de geparkeerde auto heen kon komen, naar de straat, vonden de rondspinnende banden van de vluchtwagen het asfalt en schoot hij met een knal naar voren. Door de snelheid sloeg het rechterportier dicht.

Hij had geen zicht gekregen op de chauffeur.

De gedaante achter het stuur was niet meer geweest dan een schaduw. Ineengedoken, vervormd, op de een of andere manier... *fout*. Tot Hazards verrassing krasten de gerafelde nagels van het bijgeloof aan de inwendige holtes van zijn botten, waar het gewoonlijk rustig begraven en vergeten lag. Maar hij wist niet wat zijn angst had opgewekt of waarom een gevoel van iets geheimzinnigs plotseling bezit van hem nam.

Terwijl de Mercedes brullend wegscheurde, loste Hazard geen schoten meer zoals een filmsmeris zou doen. Dit was een rustige woonwijk waar mensen die naar herhalingen van *Seinfeld* keken en andere mensen die groenten aan het snijden waren alle recht hadden niet te verwachten doodgeschoten te worden met hun tv-afstandsbediening en hun snijplanken door de verdwaalde kogels van een roekeloze rechercheur.

Maar hij rende wel achter de auto aan, omdat hij geen duidelijke blik op het kenteken had kunnen krijgen. Uitlaatgassen, straatnevel, vallende regen en de duisternis van de dag spanden samen om de nummerplaat achterop te maskeren.

Toch hield hij vol, blij dat hij regelmatig aan looptrainingen deed. Hoewel de Mercedes al snel van hem wegreed, onthulde een stel straatlantaarns en een schoonvegende zijwind het nummer in gedeeltes.

Hoogstwaarschijnlijk was de auto gestolen. De chauffeur zou hem dumpen. Toch was het beter het nummer wel te hebben dan niet.

Toen Hazard de achtervolging opgaf, ging hij terug naar het gras voor het flatgebouw. Hij hoopte dat hij de schutter had doodgeschoten in plaats van hem alleen maar te verwonden.

Over een paar minuten zou een team van het OIS – Officer Involved Shooting, agent betrokken bij schietpartij – op de plek arriveren. Afhankelijk van de persoonlijke filosofieën van de teamleden, zouden ze of energiek een verdediging van Hazards acties opbouwen en streven hem vrij te spreken zonder een echt onderzoek naar de waarheid te doen, wat hij prima vond, of ze zouden zoeken naar de allerkleinste inconsequentie en hem aan een kruis nagelen op nepbewijs, hem voor het gerecht van de publieke opinie slepen en de media aanmoedigen een vuur aan zijn voeten te bouwen en hem de behandeling van Jeanne d'Arc te geven.

De derde mogelijkheid was dat het OIS-team zonder vooropgezette mening zou arriveren, de feiten analytisch zou bestuderen en misschien tot een onpartijdige conclusie zou komen, gebaseerd op logica en rede, wat uitstekend zou zijn wat betreft Hazard, want hij had niets verkeerds gedaan.

Natuurlijk had hij nog nooit gehoord dat zoiets werkelijk was gebeurd, en hij beschouwde het heel wat minder waarschijnlijk dan over drie nachten ooggetuige te zijn van acht vliegende rendieren en een door elfen bestuurde slee.

Als de schutter nog leefde, dan zou hij kunnen verklaren dat Hazard Reynerd had doodgeschoten en daarna had geprobeerd hem ervoor op te laten draaien. Of dat hij in de buurt was om giften in ontvangst te nemen voor Speelgoed voor Kinderen toen hij in een kruisvuur terechtkwam waardoor de échte schutter de kans kreeg te ontsnappen.

Wat hij ook beweerde, politiehaters en agressieve hersenloze burgers zouden hem geloven.

En wat belangrijker was, was dat de schutter een advocaat zou vinden die een aanklacht tegen de stad zou indienen, sterk verlangend om uit de gemeenschappelijk pot te kunnen graaien. Er zou een regeling getroffen worden, ongeacht de aard van de zaak, en Hazard zou waarschijnlijk geofferd worden als onderdeel van die deal. Politici beschermden goede wetshandhavers niet beter dan ze jonge stagiaires deden die ze regelmatig misbruikten en soms doodden.

De schutter vormde dood een veel kleiner probleem dan levend.

Hazard had slenterend terug kunnen gaan naar de plaats, waardoor de dader nog een litertje bloed zou kunnen verliezen, maar hij rende.

De moordenaar lag waar hij was neergevallen, het gezicht in het natte gras gedrukt. Een slak was in zijn nek omhoog gekropen.

Er stonden mensen voor de ramen die naar beneden keken, de gezichten uitdrukkingsloos, als dode wachtposten bij de poorten van de hel. Hazard verwachtte Reynerd achter een van de ruiten te zien, in zwart-wit, te schitterend voor deze tijd.

Hij draaide de schutter met zijn gezicht naar boven. Iemands zoon, iemands liefje, begin twintig, met een geschoren hoofd, en hij droeg een klein cokelepeltje als oorring.

Hazard was blij dat hij de mond in een doodsgrijns vertrokken zag uitgerekt en de ogen vol eeuwigheid, maar tegelijkertijd werd hij ziek van het gevoel van opluchting dat door hem heen stroomde.

Staand in het noodweer, moeilijk slikkend op een stukje half verteerde mamoul dat in zijn keel brandde, gebruikte hij zijn mobiel om het bureau te bellen en de situatie te melden.

Na het telefoontje had hij naar binnen kunnen gaan om vanuit de hal de boel in de gaten te houden, maar hij wachtte in de neerstromende regen.

De lichten van de stad weerkaatsten in alle door het noodweer verglaasde oppervlakten, maar waar de nacht de schemering opslokte, zwol de duisternis op in dreigende wikkelingen, als een goed gevoede slang.

De van de palmen met het getik van rattenvoetjes neerplenzende regen suggereerde dat legioenen boomknaagdieren door de massa van het overhangende gebladerte joegen.

Hazard zag twee slakken op het gezicht van de dode man. Hij wilde ze eraf tikken, maar aarzelde dat te doen.

Sommige toeschouwers achter de ramen zouden hem ervan verdenken dat hij met het bewijs knoeide. Hun kwaadaardige veronderstellingen zouden het OIS-team weleens kunnen behagen.

Dat krabben in zijn botten weer. Dat idee van foute boel.

Een dode boven, een dode hier, sirenes in de verte.

Wat is er verdomme aan de hand? Verdomme?

23

Rowena, meesteres van de rozen, herhaalde weer de woorden van Dunny Whistler, maar blijkbaar meer voor zichzelf dan voor Ethan: 'Hij zei dat je denkt dat hij dood is, en dat je gelijk hebt.' Een geknars van scharnieren, een zwak getingel van winkelbellen deden Ethan zich omdraaien naar de voordeur. Niemand was binnengekomen.

De zwervende wind die een tijdje buiten het noodweer had rond-
gedwaald, was teruggekeerd, stormachtig bij de ingang naar Forever Roses, trillend bij de deur.

Achter de toonbank vroeg de vrouw: 'Wat kan hij in 's hemelsnaam bedoelen met zo'n opmerking?'

'Hebt je het hem gevraagd?'

'Hij zei het nadat hij voor de rozen had betaald en de winkel uit
liep. Ik kreeg de kans niet om het te vragen. Is het een grap tussen jullie tweeën?'

'Glimlachte hij toen hij het zei?'

Rowena dacht erover na en schudde haar hoofd. 'Nee.'

Vanuit zijn ooghoek zag Ethan een gedaante die stil was verschenen. Toen hij zich ernaar omdraaide, stokte de adem in zijn keel,
en ontdekte hij dat hem een loer was gedraaid door zijn eigen
weerspiegeling in het glas van een koelruimte.

In emmers water, rek boven rek, bloeiden de gekoelde rozen zo
schitterend dat je gemakkelijk kon vergeten dat ze eigenlijk al dood
waren, en over een paar dagen zouden verwelken, vol bruine vlekken kwamen te zitten en gingen rotten.

Deze koelruimtes, waar de dood zich verborg in een pracht van
bloembladen, deden Ethan denken aan de laden in het mortuarium waarin de doden bijna net zo lagen als zij er in het leven hadden uitgezien en waarin de Dood al woonde, maar zichzelf nog
niet had gemanifesteerd in al zijn protserige vertoon van verval.

Hoewel Rowena voorkomend en liefallig was, hoewel dit oord
van rozen aangenaam hoorde te zijn, wilde Ethan snel vertrekken.

'Had mijn... mijn vriend nog een andere boodschap voor me?'

'Nee. Dat was alles, dacht ik.'

'Dank je, Rowena. Je hebt me heel erg geholpen.'

'Werkelijk?' vroeg ze, terwijl ze hem vreemd aankeek, misschien
net zo in de war door deze vreemde ontmoeting als door haar gesprek met Dunny Whistler.

'Ja,' verzekerde hij haar. 'Ja, dat heb je gedaan.'

De wind rammelde weer aan de deur toen Ethan zijn hand op de
kruk legde en Rowena achter hem zei: 'Nog één ding.'

Toen hij zich naar haar omdraaide, hoewel ze nu al bijna twaalf
meter van elkaar vandaan stonden, zag hij dat zijn vragen haar
nadenkender hadden gestemd dan toen hij haar in het begin aanspraak.

'Toen je vriend vertrok,' zei ze, 'bleef hij in de open deur staan,
op de drempel daar, en zei tegen me: "God zegene je en je rozen".'

Misschien was dit iets vreemds geweest voor een man als Dunny om te zeggen, maar niets in die zes woorden leek te verklaren waarom de herinnering eraan het gezicht van Rowena verduisterde met iets van ongemak.

Ze zei: 'Toen hij dat had gezegd, knipperden de lichten en dimden ze, gingen uit – maar gingen daarna weer aan. Toen dacht ik er verder niet over na, niet met het noodweer, maar nu lijkt het op de een of andere manier... van belang. Ik weet niet waarom.'

Jaren van ervaring in ondervragingen vertelden Ethan dat Rowena nog niet klaar was en dat zijn geduldige zwijgen haar er zekerder en sneller mee voor de dag zou laten komen dan alles wat hij kon zeggen.

'Toen de lichten dimden en uitgingen, lachte je vriend. Gewoon een lach, niet lang en niet zo hard. Hij keek even naar het plafond toen de lichten knipperden en hij lachte, en toen ging hij weg.'

Ethan wachtte.

Rowena scheen verrast dat ze zoveel had gezegd over zo'n onbeduidend moment, maar toen voegde ze eraan toe: 'Er zat iets vreselijks aan die lach.'

De prachtige dode rozen achter een wand van glas.

Een windbeest snuffelend aan de deur.

Regen knagend aan de ramen.

Ethan zei: 'Vreselijks?'

'Ik heb geen woorden om dat te verklaren. Er zat geen humor in die lach, maar het had iets... vreselijks.'

Verlegen veegde ze over de smetteloze toonbank alsof ze stof zag, resten, een vlek.

Duidelijk had ze alles gezegd wat ze wilde zeggen, of kon zeggen.

'God zegene je en je rozen,' zei Ethan tegen haar, alsof hij een vloek ongedaan wilde maken.

Hij wist niet wat hij gedaan zou hebben als de lampen waren gaan flikkeren, maar ze bleven gewoon branden.

Rowena glimlachte onzeker.

Toen Ethan zich weer naar de deur omdraaide, zag hij zijn weerspiegeling en sloot zijn ogen, misschien om zich te beschermen tegen het zien van een onmogelijke geestgedaante die het glas met hem deelde. Hij deed de deur open en daarna zijn ogen.

In een grommende wind en een getingel van belletjes boven zijn hoofd, stapte hij de winkel uit de koude tanden van de decemberavond in, en trok de deur achter zich dicht.

Hij wachtte in het portiek, tussen de etalages, toen een jong stel in regenjassen en regenkappen op de stoep langsliep, geleid door een golden retriever aan een riem.

Genietend van de regen en de wind, danste de doorweekte retriever op de vliezen van zijn poten, de snuit geheven om geheimzinnige geuren op te snuiven in de kille lucht. Voor hij helemaal voorbij was, keek hij op en zijn ogen stonden net zo wijs als ze vochtig en donker waren.

De hond bleef staan, spitste zijn slappe oren zo hoog mogelijk en hield zijn kop schuin alsof hij niet helemaal begreep wat voor soort man daar in de beschutting van een koraalroze luifel stond russen de rozen en de regen. De staart kwispelde, hoewel slechts twee keer en aarzelend.

Tegengehouden door hun hondse metgezel zei het jonge stel: 'Goedenavond,' en Ethan antwoordde, en de vrouw zei tegen de hond: 'Tink, schiet op.'

Tink aarzelde, zocht Ethans ogen en liep pas verder toen de vrouw het bevel herhaalde.

Omdat het stel en de hond in de richting van zijn SUV liepen, wachtte Ethan even om niet direct achter hen aan te gaan.

De bladeren van de bomen aan de straat werden nog steeds verguld door lantaarnlicht, en van de spitse punten vlogen druppels en stofregen die oplichtten als gesmolten goud.

Op straat scheen het verkeer minder druk dan het op dit uur had moeten zijn, ging sneller dan het weer toestond.

Ethan liep van luifel na luifel naar de Expedition en viste de sleutels uit de zak van zijn jasje.

Voor hem vertraagde Tink twee keer tot een kuiergang, keek achterom naar Ethan, maar bleef niet staan.

De naar ozon geurende waterval aan regen kon de gistgeur van versgebakken brood niet wegspoelen die opsteeg uit een van de bekoorlijke restaurants die op het punt stonden de deuren te openen voor gasten.

Aan het einde van het blok bleef de hond weer even staan om zijn kop om te draaien en te kijken.

Hoewel haar stem gedempt klonk door de afstand, afgeschermd door het gesis van de regen en het zoevende geluid van het voorbijgaande verkeer, was te horen dat de vrouw zei: 'Tink, schiet op.' Ze herhaalde het commando twee keer voordat de hond weer in beweging kwam en de speling in zijn riem weer strak trok.

Het drietal verdween om de hoek.

Toen hij aankwam bij de rode zone aan het einde van het blok waar hij illegaal stond geparkeerd, aarzelde Ethan onder de laatste luifel. Hij keek naar het naderende verkeer tot hij een grote ruimte tussen de auto's zag.

Hij stapte de regen in en stak de stoep over. Hij sprong over de smerige stroom in de goot.

Achter zijn SUV drukte hij op de knop op zijn sleutelring voor de portieren. De Expedition antwoordde met getjirp.

Nadat hij gewacht had tot er geen voorbijrijdend verkeer meer was dat hem nat kon spatten, liep hij om de achterkant van de auto heen met de kans een direct bezoek aan de stomerij te vermijden.

Lopend naar het portier naast het stuur, besefte hij dat hij de SUV niet beter had bekeken vanuit de beschutting van de laatste luifel, en plotseling was hij ervan overtuigd dat hij déze keer als hij achter het stuur ging zitten, zou merken dat Dunny Whistler, dood of levend, op hem zat te wachten op de passagiersplaats.

De echte dreiging lag ergens anders.

Een Chrysler PT Cruiser kwam met te hoge snelheid uit de zijstraat en begon op de kruising te slingeren. De chauffeur probeerde het slippen tegen te gaan door tegen te sturen in plaats van mee, de wielen blokkeerden en de Cruiser draaide door.

Tijdens de draai, raakte de linkervoorbumper Ethan hard. Door de klap draaide hij om en sloeg met een dreun tegen de Expedition en verbrijzelde met zijn gezicht het raampje.

Hij was zich er niet van bewust dat hij terugstuiterde van de SUV en op het wegdek in elkaar zakte, maar toen ging hij tuimelend neer tegen het natte asfalt met de geur van uitlaatgassen, met de smaak van bloed.

Hij hoorde remmen gieren, maar niet die van de Cruiser. Luchtremmen. Luid en schril.

Iets enorms dook op, een vrachtwagen, hij dook op en was ook direct bij hem. Een geweldig gewicht op zijn benen, een afschuwelijke druk, botten die braken als droge twijgen.

24

Driehoog tegen de muur gestapeld, als treinreizigers in een slaapwagon, lagen de lijken op open ligplaatsen, de reis van dood naar graf vertraagd door deze onvoorziene halte.

Na het licht aangedaan te hebben sloot Corky Laputa stil de deur achter zich.

'Goedenavond, dames en heren,' zei hij tegen de verzamelde lijken.

Je kon erop vertrouwen dat hij zich in alle omstandigheden kon vermaken.

'De volgende halte op deze lijn is Hel, met heerlijke spijkerbedden, warm-en-koud lopende kakkerlakken, en een gratis Frans ontbijt van gesmolten zwavel.'

Links van hem lagen acht lijken en was er één lege ligplaats. Rechts zeven lichamen en twee lege plaatsen. Achter in de ruimte vijf lichamen en één lege plaats. Twintig lijken en ruimte voor nog vier. Deze droomloze slapers lagen niet op matrassen maar op roestvrijstalen bladen. De ligplaatsen waren niet meer dan een open rooster om luchtcirculatie te bevorderen.

De gekoelde ruimte voorzag in een droge omgeving die niet kouder dan vijf – en niet hoger dan acht – graden boven nul was. Corky's adem kwam in twee linten bleke damp uit zijn neusgaten naar buiten.

Een ingenieus ventilatiesysteem pompte voortdurend lucht uit de ruimte via een afzuigapparaat bij de vloer. Frisse lucht werd naar binnen gepompt via luchtroosters net onder het plafond.

Hoewel de geur niet bevorderlijk was voor een romantisch etentje bij kaarslicht, was die ook niet direct weerzinwekkend. Je kon jezelf een beetje voorhouden dat de geur niet beduidend anders in samenstelling was dan het bouqet van verschaald zweet en voetschimmel in de kastjes op de middelbare school.

Geen van de bewoners lag in zakken. De lage temperatuur en de strikt geregelde vochtigheid had de ontbinding bijna tot nul teruggebracht, maar het onvermijdelijke proces ging wel door, hoewel met een zeer gereduceerde snelheid. Een zak van vinyl zou het langzaam ontsnappende gas vasthouden, een met hitte gevulde ballon worden en daardoor de bedoeling van de koeling tenietdoen. In plaats van omhulsels van vinyl, waren de liggende doden bedekt met katoenen lappen. Buiten de koeling en de geur, zouden ze de vertroetelde gasten kunnen zijn in een exclusief kuuroord die gezamenlijk een dutje deden.

In het echte leven waren er maar weinigen van hen – als het al zo was – ooit vertroeteld. Als een van hen een kuuroord vanbinnen had gezien, was hij er zeker direct weer uit gegooid door een beveiligingsagent en gewaarschuwd nooit meer een voet over de drempel te zetten.

Dit waren de sociale minkukels. Ze waren alleen en onbekend gestorven.

Zij die door de hand van een ander waren gestorven, waren door de wet verplicht een autopsie te ondergaan. Ook zij die door een ongeluk waren omgekomen, door een ogenschijnlijke zelfmoord, door een ziekte die niet zeker was gediagnosticeerd, en door oorzaken die niet duidelijk waren en daarom verdacht.

In elke grote stad, vooral in een stad die net zo slecht functioneerde als het Los Angeles van tegenwoordig, kwamen sneller lijken in het mortuarium dan het overwerkte personeel van de lijkschouwer bij kon houden. Voorrang kregen slachtoffers van geweld, mogelijke slachtoffers van medische fouten en degenen die nog familie hadden die wachtte om de stoffelijke resten te kunnen begraven.

Zwervers zonder familie, vaak zonder identificatie, wier lichamen in stegen, in parken en onder bruggen waren gevonden, die misschien overleden waren aan een overdosis of door blootstelling aan de elementen, of gewoon door een slecht werkende lever, werden hier voor een paar dagen, een week, misschien wel langer, ondergebracht tot het personeel van de lijkschouwer de tijd had om tenminste een oppervlakkige autopsie te verrichten.

In de dood, zoals in het leven, werden deze verworpenen het laatst bediend.

Rechts van de deur hing een telefoon aan de muur, alsof eraan was gedacht de overledenen de kans te geven een pizza te bestellen.

De meeste lijnen waren alleen voor interne gesprekken en functioneerden als een intercomverbinding. De laatste van de zes lijnen was een buitenlijn.

Corky toetste het mobiele nummer van Roman Castevet in.

Roman, een patholoog in dienst van de lijkschouwer, was net begonnen in de avonddienst. Hij was waarschijnlijk elders in een autopsieruimte zich aan het voorbereiden om te gaan snijden.

Ze hadden elkaar meer dan een jaar geleden ontmoet op een informele anarchistische bijeenkomst op de universiteit waar Corky les gaf. Het verzorgde eten was slecht, de drankjes aangelengd en de boeketten zonder inspiratie in elkaar geflanst, maar het gezelschap was aangenaam geweest.

Bij de derde keer overgaan nam Roman op en maakte Corky zich bekend en zei: 'Raad eens waar ik ben?'

'Je bent in je eigen hol gekropen en kunt er niet meer uit komen,' zei Roman.

Hij had een ongewoon gevoel voor humor.

'Het is maar goed dat dit geen telefooncel is,' zei Corky. 'Ik heb geen kleingeld bij me en geen van de goedkope lijken hier zal me een kwartje lenen.'

'Dan moet het een faculteitsplechtigheid zijn. Niemand is zo vrek-
kig als een zootje antikapitalistische academici die zich wentelen
in het goede leven met dikke cheques van de belastingbetalers.'
'Sommigen zouden weleens een brede ader van slechtheid in je humor kunnen ontdekken,' zei Corky op een ernstige toon die niet
karakteristiek voor hem was.
'Dan zouden ze het niet mis hebben. Wreedheid is mijn credo, weet
je nog.'
Roman was een satanist. Gegroet Prins der Duisternis, dat soort
dingen. Niet alle anarchisten waren ook satanisten, maar veel satanisten waren wel anarchistisch.
Corky kende een boeddhist die anarchist was – een jonge vrouw
die met zichzelf in conflict lag. Verder in zijn ervaring was de grote meerderheid van de anarchisten atheïstisch.
Naar zijn weloverwogen mening geloofden pure anarchisten niet
in het bovennatuurlijke, niet in de krachten van de duisternis, noch
in die van het licht. Ze legden al hun vertrouwen in de kracht van
de destructie en in de nieuwe en betere orde die uit de puinhopen
zou kunnen ontstaan.
'Gezien jullie achterstand in je werk,' zei Corky, 'komt het me
voor dat academici niet de enigen zijn die niet altijd hun dikke
cheques van de belastingbetalers verdienen. Wat doen jullie hier
op de avonddienst – zijn jullie alleen maar aan het pokeren of grie-
zelverhalen aan het uitwisselen?'
Roman moest slechts half hebben staan luisteren. Hij ving het
woord 'hier' niet op. 'Scherts is niet je sterkste troef. Kom ter zake. Wat wil je? Jij wilt altijd iets.'
'En ik betaal er toch altijd goed voor?'
'Het vermogen om alles contant te betalen is de deugd die ik het
meest bewonder.'
'Ik zie dat jullie het rattenprobleem hebben opgelost.'
'Welk rattenprobleem?'
Twee jaar eerder hadden de media een uiterst griezelig verslag gedaan van het feit dat de hygiënische omstandigheden en de ongediertebestrijding in deze zelfde ruimte en elders in het gebouw abo-
minabel waren.
'De ruimte moet nu ratveilig zijn. Ik kijk om me heen,' zei Corky,
'en ik zie geen enkele stompzinnige neef van Mickey Mouse aan
iemands neus knagen.'
De stilte van geschokt ongeloof volgde op die opmerking. Toen
Roman Castevet weer kon praten, zei hij: 'Je kunt niet daar zijn
waar ik denk dat je bent.'

'Ik ben precies daar waar je denkt dat ik ben.'

De zelfvoldane tevredenheid en het sarcasme in Romans stem verdampten ogenblikkelijk in een gefluister vol bezorgdheid voor zichzelf. 'Wat doe je me aan door hier te komen? Je bent niet bevoegd. Je hoort nergens in het mortuarium te zijn en vooral niet dáár.'

'Ik heb de juiste papieren.'

'Om de donder niet.'

'Ik zou hier weg kunnen gaan en naar jou toe kunnen komen. Ben jij in een van de autopsieruimtes of zit je nog achter je bureau?'

Romans gefluister werd zachter, maar nog dringender: 'Ben je maf? Probeer je me te laten ontslaan?'

'Ik wil gewoon een bestelling plaatsen,' zei Corky.

Onlangs had Roman hem voorzien van een pot met conserveringsmiddel en tien voorhuiden die hij van lijken had genomen die gecremeerd zouden worden.

Corky had de pot aan Rolf Reynerd gegeven met instructies. Ondanks zijn aangeboren stompzinnigheid was het Reynerd gelukt de pot in een zwarte cadeaudoos te doen en naar Channing Manheim te sturen.

'Ik heb er weer tien nodig,' zei Corky.

'Je komt niet híér om erover te praten. Je komt hier nóóit, imbeciel. Je belt me thuis.'

'Dit leek me een giller, om jou eens lekker te laten lachen.'

Trillend zei Roman: 'Lieve heer.'

'Jij bent een satanist,' herinnerde Corky hem.

'Idioot.'

'Luister, Roman, waar zit je precies? Hoe kom ik hiervandaan bij jou? We moeten wat zaken doen.'

'Blijf waar je bent.'

'Ik weet het niet. Ik word een beetje claustrofobisch. Deze ruimte begint me te beklemmen.'

'*Blijf waar je bent!* Ik ben er over twee minuten.'

'Ik hoorde net iets vreemds. Ik denk dat een van die lijken misschien nog leeft.'

'Ze zijn allemaal dood.'

'Ik ben ervan overtuigd dat die ene man, verderop in de hoek, net iets zei.'

'Dan heeft hij gezegd dat je een idioot bent.'

'Misschien heb je hier per ongeluk een levende liggen. Ik begin het echt op mijn zenuwen te krijgen.'

'Twee minuten,' zei Roman weer. 'Jij wacht gewoon daar waar je bent. Ga er niet uit en trek geen aandacht, anders pak ik jouw voorhuid.'

Roman beëindigde het telefoontje.

In de opslag van de onbekende en behoeftige doden hing Corky de hoorn op de haak.

Terwijl hij zijn in lakens gehulde publiek overzag, zei hij: 'In alle bescheidenheid, maar ik denk dat ik Channing Manheim nog het een en ander kan leren over acteren.'

Hij verwachte geen applaus en had het niet nodig. Een perfecte voorstelling was al beloning genoeg.

25

Sneeuw viel op de stad der engelen.

Als nooit eerder dreef de herderswind witte vlokken uit de donkere weiden boven de wereld en joeg ze vriendelijk tussen de ficussen en palmbomen, over avenues die nooit eerder een witte kerst hadden gekend.

Verbijsterd staarde Ethan omhoog naar de vlokkige nacht.

Thuis, in bed, besefte hij dat het dak van het huis getild moest zijn door een heftige wind. De sneeuwjacht zou het meubilair begraven en het tapijt ruïneren.

Snel zou hij op moeten staan en door de gang naar de slaapkamer van zijn ouders lopen. Pa zou weten wat er gedaan moest worden met het ontbrekende dak.

Maar eerst wilde Ethan genieten van het spektakel: boven hem hing de sneeuwval een oneindige kroonluchter op, met de prachtige slingers van uitgesneden kralen en geslepen glas in een eeuwigdurende, glinsterende beweging.

Zijn wimpers waren berijpt.

Vlokken gaven koude kussen op zijn gezicht en smolten op zijn wangen.

Toen zijn zicht volledig scherp was, ontdekte hij dat de decembernacht eigenlijk vol regendruppels was, waaraan zijn bekommerde ogen kristalstructuren en geheimzinnige hiëroglyfe vormen hadden gegeven.

Zijn eerder zachte bed was omgetoverd in asfalt.

Hij voelde zich niet ongemakkelijk, behalve dat zijn kussen met veren als een hard wegdek tegen zijn achterhoofd drukte.

De regen op zijn gezicht voelde even koud als sneeuw, en gaf een gelijke verkilling aan zijn omhoog gedraaide linkerhand.

Zijn rechterhand lag ook open, maar daarmee kon hij de kou of het tikken en druipen van de regen niet voelen.

Als zijn kamer zonder dak volliep met regenwater en hij zich niet zou kunnen verroeren, zou hij kunnen verdrinken.

In de plas van dromerige bespiegelingen waarop Ethan voortdreef, schoot plotseling een verschrikking snel als een haai door de diepten onder hem, en kwam omhoog.

Hij sloot zijn ogen om maar geen groter en verschrikkelijker gevaar te zien dan sneeuwvlokken die eigenlijk regendruppels waren.

Stemmen kwamen naderbij. Pap en mam zouden nu wel komen om het dak terug te leggen waar het hoorde, om zijn stenen kussen weer op te schudden tot een heerlijke donzigheid, om alle verkeerde dingen weer goed te maken.

Hij gaf zich over aan hun liefdevolle zorg en dreef weg als een veer naar de duisternis, naar het land Nod, niet het Nod waarheen Kaïn was gevlucht na Abel te hebben gedood, maar het Nod waarheen dromende kinderen reisden om avonturen te beleven en van waaruit ze veilig wakker werden in de goudkleurige dageraad.

Nog steeds afdalend door de duisternis noordelijk van Nod, hoorde hij de woorden 'gebroken rug'.

Toen hij één of tien minuten daarna zijn ogen opende, ontdekte hij dat de nacht vol knipperende rode, gele en blauwe lichten was, alsof hij zich in een openluchtdiscotheek bevond, en hij wist dat hij nooit meer zou dansen of lopen.

Op het eentonige geknetter van de politieradio, geflankeerd door ambulancebroeders, gleed Ethan op een brancard door de regen naar een ambulance.

Op de witte bus, in rode letters afgezet met goud, onder de vette letters AMBULANCE, gloeiden de kleinere woorden ONZE LIEVE VROUWE VAN DE ENGELEN-ziekenhuis.

Misschien gaven ze hem een bed in Dunny's oude kamer.

Dat vooruitzicht vervulde hem met een wurgende vrees.

Hij sloot zijn ogen voor wat op een knippering leek, hoorde mensen waarschuwend zeggen 'voorzichtig' en 'rustig, rustig', en toen hij weer keek, had hij zichzelf in de ambulance geknipperd.

Hij werd zich bewust dat een naald al in zijn rechterarm zat, verbonden met een intraveneuze slang en een hangende zak bloedplasma.

Voor het eerst hoorde hij zijn ademhaling – vol gepiep en ruis en gerochel – waardoor hij wist dat niet alleen zijn benen verbrijzeld waren. Hij vermoedde dat een of allebei zijn longen protesteerden tegen de beperking van een deels verpletterde ribbenkast.

Hij wilde pijn. Alles beter dan dit vreselijke gebrek aan gevoel.

De broeder naast Ethan sprak dringend tegen zijn maat die aan de andere kant van de open deuren in de regen stond. 'We zullen ons moeten haasten.'

'Ik trap hem op zijn staart,' beloofde de door de regen gestriemde ambulancebroeder en hij sloeg de deuren dicht.

Langs beide kanten, bij het dak, glinsterden strakke slingers van rode folie. Aan de einden en in het midden van elke slinger bungelden kleine zilveren klokjes, in setjes van drie, kleurrijk. Kerstversieringen.

De klokjes van elke groep waren concentrisch aan hetzelfde snoer gehangen. De bovenste klok, ook de grootste, hing over de middelste klok heen en die weer over de derde – die ook de kleinste was.

Toen de deuren dichtsloegen tingelden de kleine klokjes tegen elkaar aan en brachten een zilveren getinkel voort, even zacht als sprookjesmuziek.

De broeders voorzagen Ethan van een zuurstofmasker.

De rijke lucht, koel als de herfst en zoet als de lente, verzachtte zijn hete keel, maar zijn gepiep werd zeker niet minder.

Nadat hij achter het stuur van de ambulance was gaan zitten, sloeg de chauffeur zijn portier dicht, waardoor de rode folie glinsterde en de klokjes tingelden.

'Klokjes,' zei Ethan, maar het zuurstofmasker dempte de woorden. Terwijl hij de twee oordoppen van een stethoscoop in zijn oren wilde brengen, hield de broeder even op. 'Wat zei je?'

Het zien van de stethoscoop bracht Ethan tot het besef dat hij zijn eigen hartslag kon horen, en dat wat hij hoorde onregelmatig klonk, ongelijk en onrustbarend.

Terwijl hij luisterde, wist hij dat hij niet alleen maar zijn hart hoorde, maar ook de hoefslag van het paard van de Dood dat in galop naderbij kwam.

'Klokjes,' herhaalde hij, alsof in zijn hele geest de deuren naar duizend angsten openvlogen.

De ambulance kwam in beweging, en terwijl hij reed kreeg de sirene zijn gierende stem.

Ethan kon de klokjes niet horen boven het geestengejammer uit, maar hij zag de dichtstbijzijnde drie trillen aan hun draad. Trillen.

Hij hief zijn linkerhand naar het bungelende setje, maar hij kon niet zover reiken. Zijn handen grepen in lege lucht.

Deze vreselijke intensieve angst veroorzaakte een verduisterende verwarring en misschien was hij volledig aan het ijlen; toch leken de klokjes meer dan alleen maar een versiering, leken mystiek in hun glanzende gladde vormen, in hun glinsterende welvingen, de belichaming van hoop, en hij moest ze wanhopig vasthouden.

Blijkbaar begreep de broeder de dringende behoefte van Ethan om de klokjes te hebben, hoewel niet de reden. Hij pakte een kleine schaar uit een verbanddoos en hij knipte, meezwaaiend met de beweging van de auto, de knoop door waaraan de dichtstbijzijnde drie klokjes aan de slinger van folie vastzaten.

Toen hij het touw met de klokjes kreeg, hield Ethan ze stevig vast in zijn linkerhand met een greep die zowel zacht als stevig was.

Hij was uitgeput, maar hij durfde zijn ogen niet meer dicht te doen, want hij vreesde dat als hij ze opendeed de duisternis zou blijven en nooit meer zou weggaan, en dat hij daarna niets meer van deze wereld zou zien.

De broeder pakte de stethoscoop weer op. Hij stak de twee doppen in zijn oren.

Met de vingers van zijn linkerhand telde Ethan de klokjes aan het touwtje, van klein naar groot, dan weer naar klein.

Hij besefte dat hij deze versieringen vasthield zoals hij de rozenkrans had vastgehouden in het stille ziekenhuis tijdens de laatste paar nachten van Hannahs leven: met een gelijke mate van hoop en wanhoop, met een onverwachte vrees die het hart schraagde en met een gelatenheid waarmee hij het wapende. Zijn hoop werd niet bewaarheid, zijn gelatenheid werd wezenlijk toen hij het noodzakelijk had gevonden haar verlies te overleven.

Tussen duim en wijsvinger had hij geprobeerd genade uit de kralen van de rozenkrans te knijpen. Nu tastte hij langs de rondingen van klokje, klokje en klokje, en zocht eerder begrip dan genade, zocht een onthulling die doof was voor het oor, maar weerklinkend in het hart.

Hoewel Ethan zijn ogen niet sloot en de duisternis niet over zich heen trok, kropen schaduwen van de grenzen van zijn blikveld naar binnen, als inkt die zich verspreidde in de vezels van een vloeiblad.

Blijkbaar ving de stethoscoop ritmes op die de broeder ongerust maakten. Hij kwam dichterbij, maar zijn stem kwam van ver weg, en hoewel zijn gezicht een masker was van kalme beroepsmatigheid, sprak hij dringend waaruit de diepte van zijn bezorgdheid voor zijn patiënt klonk. 'Ethan, laat ons hier niet in de steek. Hou je vast. Hou vast, verdomme.'

Aangetrokken door een knoop van duisternis, versmalde Ethans blikveld zich verder terwijl de koorden steeds strakker werden aangehaald.

Hij rook de scherpe geur van alcohol. Een koelte aan de binnenkant van zijn linkerelleboog ging aan de prik van een naald vooraf.

In hem maakte de slaande hoefslag van de Dood op een paard plaats voor de donder van een apocalyptische kudde in een chaotische galop.

De ambulance schoot in de richting van het Onze Lieve Vrouwe van de Engelen, maar de chauffeur gaf de sirene rust, duidelijk vertrouwend op de ronddraaiende lichten op het dak.

Nu de gillende sirene niet meer klonk, meende Ethan de klokjes weer te horen.

Dit waren niet de klokjes van het friemelkettinkje in zijn hand waar hij overheen wreef, ook niet de rijen versieringsklokjes die aan de rode schitterende folie hingen. Dit klokgelui kwam van verder weg en riep hem met een zilveren drang.

Zijn zicht beperkte zich tot een vage lichtplek, en daarna trok de dodelijke knoop nog strakker aan en verblindde hem helemaal. Terwijl hij de onvermijdelijkheid van de dood en de eindeloze duisternis accepteerde, deed hij ten slotte zijn oogleden dicht.

Hij opende de deur en opende daarna zijn ogen.

In een grommende wind en met het getingel van klokjes boven zijn hoofd, stapte hij Forever Roses uit, tussen de etalageramen in, terwijl een jong stel in regenjassen en kappen langsliep over de stoep, voorafgegaan door een golden retriever aan een riem.

De hond keek op naar Ethan, zijn ogen net zo verstandig als ze vochtig en donker waren.

'Goedenavond,' zei het stel.

Niet in staat tot spreken, knikte Ethan.

'Tink, doorlopen,' zei de vrouw en herhaalde het commando toen de hond aarzelde.

De doornatte retriever danste weg, neus omhoog om de frisse lucht op te snuiven, gevolgd door zijn metgezellen.

Ethan draaide zich om om naar de bloemiste te kijken die nog achter de toonbank stond, voorbij de glazen doodskisten vol rozen.

Rowena had hem nagestaard. Nu keek ze snel naar beneden alsof ze ergens mee bezig was.

Op benen die net zo onzeker waren als zijn verstand, liep Ethan de route terug die hij naar deze winkel had genomen onder de beschuttende luifels van winkels en restaurants, naar de Expedition in de rode zone.

Voor hem keek Tink twee keer achterom, maar bleef niet staan.

Terwijl hij langs een restaurant liep, versierd met kaarsen en glinsterend tafelzilver, en de geur vol gist van versgebakken brood inademde, dacht Ethan: *de Staf des Levens*.

Aan het einde van het blok keek de hond nogmaals om. Toen verdween het trio de hoek om.

Op straat was het verkeer minder druk dan gewoonlijk om deze tijd en reed sneller dan het weer toeliet.

Toen hij de rode zone aan het einde van het blok bereikte, bleef Ethan onder de laatste luifel staan – en dacht dat hij hier wel zou kunnen blijven staan, lekker veilig van de straat, tot de dageraad de stad weer terugeiste van de nacht.

Er verscheen een lange opening in het naderende verkeer.

Met zijn trillende rechterhand viste hij de sleutels uit een zak van zijn jasje en drukte op de slotenbediener van zijn sleutelhanger. De Expedition tjirpte naar hem, maar hij liep er niet op af.

Terwijl hij zijn aandacht naar de kruising verlegde, zag Ethan de koplampen van de PT Cruiser die met veel te hoge snelheid vanuit de zijstraat naderde.

Bij de kruising slipte de wagen van achteren weg en blokkeerden de wielen. In de draai schoot de auto vlak langs de geparkeerde Expedition, op slechts enkele centimeters van een botsing.

Als Ethan daar had gestaan, zou hij geplet zijn geweest tussen de twee auto's als de bal van een flipperkast tussen twee tegenstrijdige flippers.

Hier kwam de verpletterende vrachtwagen, het schrille geluid van luchtremmen.

Met een scherp stotterend geblaf van banden op nat asfalt draaide de Cruiser naar de overkant, naar de baan waar hij hoorde.

De regen splijtend waar de Cruiser net doorheen was geschoten kwam de vrachtwagen huiverend tot stilstand.

Toen de chauffeur van de Cruiser weer de macht over het stuur terug had, schoot hij weg, op een lagere maar nog altijd roekeloze snelheid.

De geïrriteerde vrachtwagenchauffeur claxonneerde. Daarna vervolgde hij de route die hij voor de bijna-botsing had gevolgd naar welke bestemming ook die een ongehinderd noodlot voor hem in gedachten had.

Achter de vrachtwagen had de opening in het verkeer zich gesloten.

Het verkeerslicht bij de kruising versprong. In twee richtingen kwam het verkeer tot stilstand, maar in twee andere begon het weer te rijden.

De nacht doordrenkend: de heerlijke geur van gebakken brood.

Goudkleurig lantaarnlicht dat gouden dubloenen op het wegdek gooide.

Het geruis en geritsel van de regen.

Misschien versprong het verkeerslicht nog twee keer, misschien wel drie keer voordat Ethan zich bewust werd van een pijn in zijn linkerhand. De verkrampende pijn was zich uit gaan breiden naar zijn onderarm.

Hangend tussen de stevig gesloten vingers van zijn vuist zat het koordje met drie kleine zilverkleurige klokjes die van de folieversiering in de ambulance was geknipt en aan hem was gegeven door een meevoelende ambulancebroeder.

26

Alsof ze de gedegenereerde elite waren van het oude Rome, uitgestrekt in hun bacchanaal, hun toga's aanstootgevend verward, toonden de naamloze doden hier een gladde, roomkleurige schouder, daar de bleke curve van een borst, hier de blauwe ader van een dijbeen, daar een hand met vingers gekromd in een subtiel obsceen gebaar, hier een delicate voet en slanke enkel, en daar een half profiel met één oog open, starend met een melkwitte wellust. De minst bijgelovige getuige van dit groteske vertoon zou misschien geneigd zijn te vermoeden dat bij afwezigheid van een levende toeschouwer deze zwervers en weggelopen tieners elkaar van tafel tot tafel bezochten. Zouden in de eenzaamste uren na middernacht de rusteloze doden misschien gaan paren in een koude en afschuwelijke parodie van hartstocht?

Als Corky Laputa geloofd zou hebben in een morele code of zelfs als hij geloofd zou hebben dat goede smaak bepaalde universele regels bevatte van sociale omgang, zou hij misschien zijn twee minuten wachten hebben gebruikt om die achteloze lijkkleden recht te trekken, met de nadruk op fatsoen bij zelfs de doden.

In plaats daarvan genoot hij van het tafereel, omdat in deze ruimte de uiteindelijke vrucht van de anarchie bestond. Bovendien verwachtte hij, aanzienlijk opgewonden, de aankomst van de gewoonlijk onverstoorbare Roman Castevet die bij deze gelegenheid uiterst verstoord zou zijn.

Na bijna exact twee minuten knarste de hefboomwerking van de deurkruk en draaide die naar beneden. De deur ging open, maar slechts een paar centimeter.

Alsof hij verwachtte te ontdekken dat Corky hem stond op te wachten met een cameraploeg en een stel roddeljournalisten, loerde Roman door de kier, zijn ene zichtbare oog even groot als dat van een geschrokken uil.

'Kom binnen, kom, kom,' moedigde Corky hem aan. 'Je bent hier onder vrienden, ook al ís het je bedoeling een paar van hen te ontleden.'

Roman opende de deur net wijd genoeg om zijn frêle gestalte door te laten en glipte de opslagruimte vol lijken binnen, bleef even staan om bezorgd in de gang te kijken voordat hij zichzelf met Corky, en de twintig ondeugende leden van het togafeestje, insloot.

'Wat heb je verdomme aan?' vroeg de nerveuze patholoog.

Corky draaide zich op de plaats om waarbij de onderkant van zijn gele regenjas omhoog zwierde. 'Modieuze regenkleding. Vind je de hoed mooi?'

'Hoe ben je in die belachelijke uitmonstering langs de beveiliging geglipt? Hoe ben je überhaupt langs de beveiliging gekomen?'

'Ik hoefde helemaal niet te glippen. Ik heb mijn geloofsbrieven laten zien.'

'Welke geloofsbrieven? Jij onderwijst moderne fictie zonder waarde aan een zootje opgeblazen snollen en hersendode, snotneuzerige wonderjongens.'

Zoals alle bèta's had Roman Castevet niet zo'n bijster hoge pet op van de alfavakken op de huidige universiteiten en van die studenten die ten eerste waarheid zochten via literatuur en daarna een vertraagde instap op de arbeidsmarkt.

Corky trok het zich niet aan, keurde feitelijk Romans schunnige asociale vitriool goed, en legde uit: 'De vriendelijke kerels aan jouw beveiligingsbalie denken dat ik een patholoog uit Indianapolis ben die hier op bezoek is om met jou bepaalde uiterst verwarrende entomologische details te bespreken die betrekking hebben op de slachtoffers van een seriemoordenaar die in het hele Midwesten opereert.'

'Huh? Waarom zouden ze dat denken?'

'Ik heb een bron voor schitterend vervalste documenten.'

Roman aarzelde. 'Jíj?'

'Het is voor mij vaak raadzaam om eersteklas vervalste identiteitspapieren bij me te hebben.'

'Lijd je aan wanen of ben je gewoon stompzinnig?'

'Zoals ik al eerder heb uitgelegd, ben ik niet alleen maar een uitgebluste professor die er een kick van krijgt om met anarchisten op te trekken.'

'Ja, natuurlijk,' zei Roman hatelijk.

'Ik verkondig anarchie bij elke gelegenheid die ik in mijn leven heb, vaak met het risico van arrestatie en zelfs de gevangenis.'

'Jij bent een echte Che Guevara.'

'Veel van mijn acties zijn zowel slim en schokkend als onconventioneel. Jij dacht toch niet dat ik die tien voorhuiden wilde hebben voor een of ander ziek persoonlijk gebruik, hè?'

'Ja, dat is nou precies wat ik wel dacht. Toen we elkaar ontmoetten op dat vervelende universiteitsfeestje, leek je precies de grote blaaskaak van de gedementeerde mensheid, een morele en mentale mutant van klassieke proporties.'

'Afkomstig van een satanist,' zei Corky met een glimlach, 'zie ik dat als een compliment.'

'Het is niet als zodanig bedoeld,' antwoordde Roman ongeduldig en kwaad.

Op zijn best, opgedirkt en opgedoft, met een frisse adem voor diepgaand sociaal contact, was Castevet een onaantrekkelijke man. Woede maakte hem lelijker dan gewoonlijk.

Dun als een plank, alleen maar hoekige heupen en ellebogen en scherpe schouders met een adamsappel die verder vooruitstak dan zijn neus, met een neus die scherper was dan Corky ooit eerder had gezien bij een ander lid van de menselijke soort, met ingevallen wangen en een vleesloze kin die leek op de knop van een dijbeen, scheen Roman een ernstig eetprobleem te hebben.

Maar elke keer dat hij in Castevets vogelscherpe, reptielachtige ogen keek, en elke keer dat hij de patholoog om geen enkele reden zijn lippen zag aflikken, wat de enige volle trekken waren in dat gezicht dat was gevormd als van een vogelverschrikker, vermoedde Corky dat er een angstaanjagende erotische behoefte aan de wielen van het metabolisme van de man draaide, bijna zo snel dat er rook uit verschillende lichaamsopeningen kwam. Zou er een weddenschap afgesloten worden over het gemiddelde aantal calorieën dat Roman elke dag opbrandde in obsessieve zelfbevlekking alleen al, dan zou Corky zwaar hebben ingezet op minstens drieduizend – en hij zou zich ongetwijfeld verzekerd hebben van een gerieflijk levenseinde met zijn winst.

'Nou, wat je ook van me vindt,' zei Corky, 'ik zou toch een bestelling willen plaatsen voor nog eens tien voorhuiden.'

'Hé, laat dit eens tot je bolle hoofd doordringen – ik doe geen zaken meer met jou. Jij bent roekeloos door hier zo te komen.'

Voor een deel als winstgevende bijbaan, maar ook voor een deel vanuit een gevoel van religieuze plicht en een uitdrukking van zijn eeuwige geloof in de Koning van de Hel, voorzag Roman Castevet in – alleen afkomstig van lijken – speciaal uitgekozen delen van het lichaam, inwendige organen, bloed, kwaadaardige tumors en zo nu en dan zelfs hele hersenen aan andere satanisten. Zijn klanten, buiten Corky, hadden zowel theologische als praktische belangstelling voor mysterieuze rituelen om Zijne Satanische Majesteit om speciale gunsten te vragen of om werkelijke demonen op te roepen uit de brandende hel. Want hoe dan ook, vaak konden de meeste ingrediënten voor een formule bij zwarte magie niet gekocht worden bij de eerste de beste supermarkt.

'Je overdrijft,' zei Corky.

'Ik overdrijf niet. Jij bent onvoorzichtig en onbezonnen.'

'Onbezonnen?' Corky glimlachte, lachte bijna. 'Heel plotseling leek jij afschuwelijk preuts voor een man die gelooft dat plundering, marteling, verkrachting en moord beloond zullen worden in het hiernamaals.'

'Demp je stem,' zei Roman dringend en hard fluisterend, hoewel Corky op een aangename gesprekstoon was blijven praten. 'Als iemand erachter komt dat jij hier samen met mij bent, kan het me mijn baan kosten.'

'Helemaal niet. Ik ben een patholoog uit Indianapolis op bezoek, en we bespreken je huidige gebrek aan mankracht en deze betreurenswaardige achterstand van ongeïdentificeerde lijken.'

'Je wordt mijn ondergang,' kreunde Roman.

'Het enige dat ik hier ben komen doen,' loog Corky, 'is nog eens tien voorhuiden bestellen. Ik verwacht niet dat je ze gaat verzamelen terwijl ik wacht. Ik ben alleen maar persoonlijk die bestelling komen doen omdat ik dacht dat je het wel leuk zou vinden.'

Hoewel Roman Castevet te uitgeteerd en te droog leek om tranen te kunnen voortbrengen, werden zijn koortsige zwarte ogen vochtig van frustratie.

'Hoe dan ook,' vervolgde Corky, 'er bestaat een groter gevaar voor je baan dan hier met mij betrapt worden – als iemand ontdekt dat mensen van jullie per ongeluk een levende man hebben opgeslagen met al deze dode lijken.'

'Ben je stoned of zo?'

'Ik vertelde het je een paar minuten geleden al over de telefoon. Een van deze ongelukkige zielen leeft nog.'

'Wat is dit voor een hersenspelletje?' vroeg Roman.

'Het is geen spelletje. Het is waar. Ik hoorde hem *"Help me, help me"* mompelen, heel zacht, waardoor hij bijna niet te horen was.'

'Wie hoorde je?'

'Ik heb hem opgespoord, heb het laken van zijn gezicht getrokken. Hij is verlamd. Zijn gelaatsspieren zijn verkrampt door een beroerte.'

Ineengedoken dichterbij komend, zijn stekels op als een verzameling droge twijgen in een bos aanmaakhout, stónd Roman op een oog-in-oogconversatie alsof hij geloofde dat de felheid van zijn blik de boodschap kon overbrengen die zijn woorden niet hadden kunnen doen.

Corky vervolgde monter: 'De arme kerel lag waarschijnlijk in coma toen ze hem hier brachten en is daarna weer bijgekomen. Maar hij is vreselijk zwak.'

Een barst van onzekerheid bracht een opening in Roman Castevets wapenrusting van ongeloof. Hij verbrak het oogcontact en ging met zijn blik de tafels langs.

'Verderop,' zei Corky opgewekt, wijzend naar de achterkant van de opslagruimte waar het licht van de armatuur aan het plafond nauwelijks kwam, waardoor de rustende doden in zowel duisternis als witte katoenen kleden waren gehuld. 'Het komt me voor dat ik de baan van jullie allemaal red door je hiervoor te waarschuwen, dus je hoort mijn bestelling uit dankbaarheid gratis af te handelen.'

Terwijl hij naar de achterkant van de ruimte liep, zei Roman: 'Welke?'

Dicht achter de patholoog zei Corky: 'Daar links, de voorlaatste.'

Toen Roman zich bukte om het laken van het gezicht van het lijk te trekken, hief Corky zijn rechterarm, waardoor zijn hand zichtbaar werd die hij tot dan in de mouw van zijn gele regenjas verborgen had gehouden, en de ijspriem in de hand. Nauwgezet gericht, met enorme kracht en vol zelfvertrouwen dreef hij het wapen in de rug van de patholoog.

Precies geplaatst gaat een ijspriem door boezem en hartkamer heen en kan zo'n samentrekkende schok in de hartspier veroorzaken dat het hart ogenblikkelijk en voor altijd stopt.

Met een geritsel van kleren en een zacht nok-nok van samenvouwende botten zakte Roman Castevet zonder kreet naar de vloer. Corky hoefde de pols niet te controleren. De openstaande mond, waaruit geen adem ontsnapte, en de ogen, even gefixeerd als glazen bollen in mooi opgezette dieren, bevestigde de perfectie van zijn richten.

Voorbereiding loonde. Thuis, met dezelfde priem, had Corky geoefend op een oefenpop van de EHBO die hij uit de medische faculteit van de universiteit had gestolen.

Als hij twee keer had moeten steken, drie keer, vier keer, of als Romans hart nog korte tijd was blijven pompen, zou de aanval misschien heel smerig zijn geworden. Om die reden droeg hij de regenjas die bestand was tegen vlekken.

In het onwaarschijnlijke geval dat een van de perfect gekoelde schatten in de grafkelder zou gaan lekken, had de tegelvloer een grote afvoer. Bij de deur hing aan de muur een oprolbare slang van vinyl op een spoel verbonden met een kraan.

Corky wist van deze schoonmaakvoorziening door de artikelen die hij twee jaar eerder had gelezen toen het rattenschandaal de voorpagina had gehaald. Gelukkig had hij de slang niet nodig.

Hij tilde Roman op een van de lege laden tegen de achterwand van de kelder waar hij geholpen werd door de schaduwen.

Uit een diepe binnenzak van zijn regenjas haalde hij het laken dat hij eerder had gekocht in een winkel voor huishoudelijke artikelen van het winkelcentrum. Hij drapeerde het laken over Roman heen, zorgde ervoor dat hij hem helemaal bedekte, want hij moest zowel de identiteit van het lijk verbergen als het feit dat hij anders dan de anderen hier, volledig gekleed was.

Omdat de dood ogenblikkelijk was ingetreden en de wond heel klein was, was er geen bloed dat vlekken op het laken kon geven en zo de aandacht op de versheid van dit lijk kon trekken.

Over een dag of twee, drie zou Roman hoogstwaarschijnlijk gevonden worden door een werknemer van het mortuarium die de inventaris kwam opnemen of een lijk kwam halen voor een verlate autopsie. Weer een voorpaginaverhaal voor de lijkschouwer.

Het speet Corky dat hij een man als Roman Castevet moest doden. Als goed satanist en toegewijd anarchist had de patholoog nuttig werk gedaan in de campagne om de sociale orde te destabiliseren en de ineenstorting ervan te versnellen.

Maar snel zouden verschrikkelijke gebeurtenissen op het landgoed van Channing Manheim over de hele wereld voorpaginanieuws worden. De politie zou buitengewone hulpbronnen aanboren om achter de identiteit van de man te komen die de tergende cadeaus in de zwarte dozen had gestuurd.

Logica zou hen naar privémortuaria en openbare lijkenhuizen brengen in hun zoektocht naar de tien voorhuiden. Als Roman verdacht zou worden tijdens dat onderzoek, zou hij hebben geprobeerd zijn eigen huid te redden door Corky aan te wijzen.

Anarchisten kenden geen loyaliteit jegens anderen, zoals hoorde bij de kampioenen van de disharmonie.

En Corky had inderdaad nog een paar losse eindjes aan elkaar te knopen voordat de kerstviering kon beginnen.

Aangezien zijn handen in latex handschoenen zaten, die voor het slachtoffer verborgen hadden gezeten in de ruime mouwen van zijn regenjas, zou hij de ijspriem in de ruimte achter hebben kunnen laten zonder zich zorgen te maken dat hij de politie zou voorzien van belastende vingerafdrukken. Maar hij stak hem terug in de schede en daarna in zijn zak, niet alleen omdat hij er misschien weer eens gebruik van zou kunnen maken, maar ook omdat hij nu sentimentele waarde had.

Toen hij het mortuarium verliet, zei hij vriendelijk gedag tegen de nachtbeveiliging. Zij hadden een ondankbare baan om de doden te moeten beschermen tegen de levenden. Hij bleef zelfs lang genoeg staan om hun een obscene grap over een advocaat en een kip te vertellen.

Hij was niet bang dat zij uiteindelijk de politie een bruikbare beschrijving van zijn gezicht zouden kunnen geven. Met zijn overhangende hoed en zijn tentachtige regenjas, was hij een excentrieke en amusante figuur van wie men alleen maar zijn outfit zou herinneren.

Later, thuis bij een open haard, terwijl hij genoot van een cognac, zou hij alle identiteitspapieren verbranden die hem tot patholoog uit Indianapolis hadden gemaakt. Hij bezat talloze andere setjes documenten voor andere identiteiten als en wanneer hij ze nodig had.

Nu ging hij terug de nacht en de regen in.

En zo was de tijd aangebroken om met Rolf Reynerd af te rekenen die door zijn acties had bewezen voor het leven van net zo weinig nut te zijn geweest als hij had gebleken voor het sterrendom in soapseries.

27

Als er verslag gedaan zou worden van het avondeten van Aelfric Manheim op maandagavond in *Daily Variety*, het kleurrijke blad van de filmwereld, was de kop misschien geweest FRIC KLIKT MET KIP.

Op het rooster was het plompe beest bedropen met olijfolie en besprenkeld met zeezout, peper en een verrukkelijke exotische kruidenmix die rond het Palazzo Rospo algemeen bekendstond als de McSecret van McBee. Naast de kip had hij pasta gekregen, niet met tomatensaus, maar met boter, basilicum, pijnboompitten en Parmezaanse kaas.

Mr. Hachette, de op Cordon Bleu opgeleide chef-kok, die een directe afstammeling was van Jack de Ripper, werkte niet op zondag en maandag, zodat hij dan onschuldige vrouwen kon besluipen en afslachten, dolle katten in kinderwagens kon gooien en zich kon overgeven aan welke persoonlijke belangstelling dan ook die hem op het moment aantrok.

Mr. Baptiste, de blije kok, was maandag en dinsdag vrij; en daardoor was de keuken op maandag, zoals het in filmtaal heette, obscuur. Mrs. McBee had deze delicatessen zelf klaargemaakt.

In het licht van de zacht knipperende elektrische armaturen die zo versierd waren dat ze op antieke olielampen leken, at Fric in de wijnkelder, alleen aan de lange eettafel voor acht personen in de knusse proefruimte, die van het op temperatuur gehouden gedeelte was afgescheiden door een glazen wand. Achter het glas op rijen planken lagen veertienduizend flessen die zijn vader soms identificeerde als 'cabernet sauvignon, merlot, pinot noir, rode tafelwijn, port, bourgogne – en het bloed van de critici, wat een slecht wijnjaar was.'

Ha, ha, ha.

Als Geestpapa thuis was, aten ze gewoonlijk in de eetkamer, tenzij de dinergasten – vrienden van de ouweheer, zakenpartners of verscheidene persoonlijke adviseurs vanaf zijn spirituele raadgever tot aan zijn herderziendheidsinstructeur – zich ongemakkelijk voelden door een tienjarige die zat te luisteren naar hun roddel en zijn ogen ten hemel sloeg door hun onzinnige geleuter.

Bij afwezigheid van Geestpapa, wat de meeste tijd zo was, kon Fric kiezen waar hij zijn avondeten zou nuttigen, niet alleen in zijn eigen kamers waar hij gewoonlijk at, maar werkelijk overal op het landgoed.

Bij goed weer kon hij buiten eten bij het zwembad, dankbaar dat er tijdens de afwezigheid van zijn vader hier geen hopeloze zwakzinnige, giechelende, gênante, halfnaakte sterretjes waren om hem lastig te vallen met vragen over zijn lievelingsvak op school, zijn lievelingseten, zijn lievelingskleur, zijn wereldberoemde lievelingsfilmster.

Ze probeerden Fric altijd wat Ritalin of antidepressiva af te troggelen. Ze weigerden te geloven dat zijn enige medicijn zijn astma-aanvallen betrof.

Als hij niet bij het zwembad at, kon hij gevaarlijk eten met mooi porselein en antiek bestek aan een tafel in de rozentuin, zijn inhalator op een dessertbordje bij de hand voor het geval een bries voldoende stuifmeel deed ronddwarrelen om een astma-aanval te veroorzaken.

Soms at hij met het blad met eten op schoot in een van de zestig gerieflijke leunstoelen in de projectieruimte die nog niet zo lang geleden was heringericht met de sierlijke art-decostijl van het Pantages Theater in Los Angeles als voorbeeld.

In de projectieruimte konden films, alle soorten videobanden, dvd's en reguliere televisie-uitzendingen op een scherm geprojecteerd worden dat groter was dan het gemiddelde doek in een buurtbioscoop. Om video's en dvd's te bekijken, had Fric niet de hulp nodig van een operateur. Zittend op de middelste stoel van de middelste rij, met naast zich het controlepaneel, kon hij zijn eigen voorstelling draaien.

Soms, als hij wist dat er geen schoonmaak van het theater op het programma stond, als hij er zeker van was dat niemand naar hem zou komen zoeken, sloot hij de deur af om zich van zijn privacy te verzekeren en laadde hij de dvd-speler met een van de films van zijn vader.

Om gezíén te worden terwijl hij naar een film van Geestpapa keek, was ondenkbaar.

Niet dat ze slecht waren. Sommige waren natuurlijk slecht, omdat geen enkele ster alleen maar succesfilms maakte. Maar sommige waren oké. Sommige waren cool. Enkele waren zelfs verbazingwekkend.

Maar als iemand hem onder deze omstandigheden zou zíén kijken naar de films van zijn vader, zou hij op de Nationale Academie van Sukkels uitverkozen worden tot de Grootste Sukkel van de Eeuw. Misschien wel voor altijd. De club van Zielige Verliezers zou hem een vrij lidmaatschap voor het leven geven.

Mr. Hachette, de psychopathische chef-kok die lid was van de fa-

milie Frankenstein, zou de spot met hem drijven met hatelijke op-
merkingen en door vergelijkingen te trekken tussen Frics armetie-
rige fysiek en het uiterlijk van zijn vader.

In ieder geval, soms zat Fric in de enig bezette stoel van de zestig,
met het versierde art-decoplafond op zo'n tien meter boven zich,
in het duister films van Geestpapa op het enorme scherm af te
draaien. Volledig voorzien van Dolby surround sound.

Hij keek naar bepaalde films om het verhaal, hoewel hij ze vaak
had gezien. Andere bekeek hij om de ontzagwekkende speciale effecten.

En altijd keek Fric in het optreden van zijn vader naar de kwaliteit, de charme, de gezichtsuitdrukking, en iets van zijn spel waardoor miljoenen mensen over de hele wereld van Channing Manheim hielden.

In de betere films zaten overvloedig veel van die scènes. Maar zelfs
in de slechtste van de slechte films zaten scènes waardoor je onwillekeurig wel van die man moest houden, hem moest bewonderen, en graag in zijn buurt willen vertoeven.

Als ze de mooiste momenten van zijn beste films aanhaalden, zeiden critici dat Frics vader magisch was. 'Magisch' klonk stupide,
als de slijmerige dweperij van meisjes, gênant, maar het was het
juiste woord.

Soms keek je naar hem op het grote scherm en leek hij kleurrijker, échter dan iedereen die je ooit had gekend. Of zelfs nog zou
kennen.

De meer dan echte kwaliteit kon niet uitgelegd worden door het
reusachtige formaat van het geprojecteerde beeld of door het vi-
suele genie van de cameraman. Ook niet door het talent van de
regisseur – die meestal nog minder talent hadden dan een gekookte
aardappel – en evenmin door de gelaagde details van de digitale
technologie. De meeste acteurs, onder wie sterren, hadden niet de
magie van Manheim, zelfs niet als ze met de beste regisseurs en
technici werkten.

Als je hem daar zag, leek het alsof hij overal was geweest, alles
had gezien, alles wist wat er te weten viel. Hij leek wijzer, zorg-
zamer, leuker en dapperder dan wie dan ook, waar ook, ooit –
alsof hij in zes dimensies leefde terwijl iedereen het slechts met drie
moest doen.

Fric had bepaalde scènes steeds weer bestudeerd, tientallen keren,
misschien wel honderd keer in sommige gevallen, tot ze voor hem
net zo echt leken als die momenten die hij werkelijk met zijn vader had doorgebracht.

Eens in de zoveel keer, als hij hondsmoe naar bed ging, maar net op de rand van slapen bleef hangen, of als hij niet helemaal wakker werd, midden in de nacht, maar toch bleef schaatsen op de oppervlakte van een tijdelijk bevroren droom, leken die speciale filmfragmenten met zijn vader voor hem écht. Ze speelden in zijn geheugen, niet alsof hij ze had gezien vanaf een bioscoopstoel, maar alsof het echte ervaringen uit het leven waren die hij met zijn vader had gedeeld.

Die droomachtige momenten van halfslaap waren soms de gelukkigste momenten van Frics leven.

Natuurlijk zou de club van Zielige Verliezers, als hij ooit iemand vertélde dat dat een paar van de gelukkigste momenten van zijn leven waren, een standbeeld van tien meter voor hem oprichten, met de nadruk op zijn niet te kammen haar en zijn magere nek, op dezelfde heuvel als waar het bord met HOLLYWOOD in de schijnwerpers stond.

Dus op deze maandagavond, hoewel Fric misschien de voorkeur zou hebben gegeven aan eten in de filmzaal terwijl hij keek naar zijn vader die boeven in elkaar tremde en een heel weeshuis vol zwerfkinderen redde, at hij in de wijnkelder, omdat in de drukte van de dagen voor Kerstmis nergens anders in het Palazzo Rospo een beetje privacy gevonden kon worden.

Miss Sanchez en miss Norbert, de dienstmeisjes die op het landgoed woonden, waren al tien dagen geleden vertrokken voor een vroege kerstvakantie. Ze zouden pas terugkeren op donderdagochtend 24 december.

Mrs. McBee en Mr. McBee zouden dinsdag en woensdag weg zijn voor een vroege kerst met hun zoon en zijn gezin in Santa Barbara. Zij zouden ook op donderdag 24 december terugkeren naar het Palazzo Rospo om ervoor te zorgen dat de grootste filmster ter wereld met de juiste praal zou worden ontvangen als hij later die middag uit Florida aankwam.

Daarom maakten nu op maandagavond de andere vier dienstmeisjes en de bediendes overuren onder de stevige leiding van de drukke McBee's, samen met een paar uitbestede diensten waaronder een team van zes personen dat gespecialiseerd was in de verzorging van marmer en kalksteen, een decoratieploeg van acht personen voor de kerstversiering, en een net opgetrommelde feng-shui-specialist die ervoor zou zorgen dat de verschillende kerstbomen en andere seizoensversieringen zo werden neergezet en opgetuigd dat ze niet in conflict kwamen met de juiste energiestroming van het enorme huis.

Waanzin.

Ver van het gezoem van poetsmachines en de vrolijke lach van het door Kerstmis benevelde decoratieteam, had Fric zich diep onder de grond in de wijnkelder teruggetrokken. Binnen deze bakstenen muren, onder dit lage, gewelfde bakstenen plafond, waren de enige geluiden zijn slikken en het tikken van zijn vork op het bord.

En toen: *Oedelie-oedelie-oe.*

Gedempt maar hoorbaar rinkelde de telefoon in een ton.

Omdat de temperatuur in dit proeflokaal te hoog was voor de opslag van wijn, waren de tonnen en flessen in deze kamer, aan de warmere kant van de glazen wand, puur decoratief.

Oedelie-oedelie-oe.

Opgestapeld tot aan het plafond tegen een van de bakstenen muren, hadden verscheidene enorme vaten een scharnierende onderkant die op de manier van een deur geopend kon worden. Sommige vaten hadden planken erin, waarop wijnglazen stonden, linnen servetten, kurkentrekkers en andere spullen. Vier hadden een televisie, waardoor een wijnproever meerdere kanalen tegelijkertijd kon zien.

Oedelie-oedelie-oe.

Fric maakte het telefoonvaatje open en beantwoordde zijn privélijn op speciale fricciaanse wijze, vastbesloten niet al te geïntimideerd te klinken. 'Petes ongediertebestrijding en school voor zelf inmaken. We ontdoen uw huis van ratten en leren u hoe u ze moet klaarmaken voor de komende feestdagen.'

'Hallo, Aelfric.'

'Heb je al een naam?' vroeg Fric.

'Kwijt.'

'Is dat je voornaam of je achternaam?'

'Allebei. Is je eten lekker?'

'Ik ben niet aan het eten.'

'Wat heb ik je verteld over liegen, Aelfric?'

'Dat het me alleen maar ellende zou bezorgen.'

'Eet je vaak in de wijnkelder?'

'Ik ben op zolder.'

'Zoek geen ellende, jongen. Je zult al voldoende meemaken zonder dat je het oproept.'

'In de filmwereld,' zei Fric, 'liegen mensen vierentwintig uur per dag en ze worden er alleen maar rijk van.'

'Soms komt de ellende snel,' verzekerde de Geheimzinnige Beller hem. 'Vaker kost het een heel leven, en dan krijg je uiteindelijk een enorme bulderende zee van ellende.'

Eric was stil.

De vreemdeling was net zo stil.

Ten slotte haalde Fric diep adem en zei: 'Ik moet toegeven dat je een enge klootzak bent.'

'Je gaat vooruit, Aelfric. Een beetje waarheid.'

'Ik heb een plek gevonden waar ik me kan verbergen en nooit gevonden zal worden.'

'Bedoel je de geheime kamer achter in je kast?'

Fric had nooit gedacht dat er beestjes leefden in de holtes van zijn botten, maar nu leek hij ze door zijn merg te voelen kruipen.

De Geheimzinnige Beller zei: 'Die plek met stalen wanden en alle haken in het plafond – denk je dat je je daar kunt verstoppen?'

28

Met moord in gedachten maar niet op zijn geweten, doorkruiste Corky Laputa, net terug uit de spelonken van de naamloze doden, in de nachttrein de stad.

Tijdens de rit dacht hij aan zijn vader, misschien omdat Henry James Laputa net zo zeker zijn leven had verspild als de zwervers en weggelopen tieners die in het mortuarium lagen.

Corky's moeder, de econome, had geloofd in de rechtvaardigheid van naijver, in de kracht van haat. Haar leven was verteerd geweest door beide, en ze had bitterheid gedragen als ware het een kroon.

Zijn vader geloofde in de *noodzakelijkheid* van naijver als stimulans. Zijn voortdurende naijver leidde onvermijdelijk naar een chronische haat of hij nu in haat geloofde of niet.

Henry James Laputa was professor in de Amerikaanse literatuur geweest. Hij had ook boeken geschreven met dromen over aanzienlijke roem.

Hij had de meest gevierde schrijvers uit zijn tijd gekozen om jaloers op te zijn. Met een woeste ijver benijdde hij hun elke goede recensie, elk woord van waardering, elk eerbewijs en elke prijs. Hij kookte door nieuws over hun succes.

En zo gemotiveerd schreef hij romans met een withete passie, boeken die bedoeld waren om het schrijven van zijn tijdgenoten in vergelijking oppervlakkig, kleurloos en kinderlijk te maken. Hij wilde andere schrijvers vernederen, hen vernederen door een voorbeeld te stellen, in hen een naijver opwekken die groter was dan elk gevoel van naijver dat hij jegens hen had gevoeld, omdat hij alleen dan zijn eigen jaloezie zou kunnen laten varen en eindelijk kon genieten van zijn prestaties.

Hij geloofde dat op een dag die literaire intelligentsia zo jaloers op hem zouden zijn dat ze geen enkel plezier meer zouden kunnen putten uit hun eigen carrières. Als ze zo intens en hebzuchtig naar zijn literaire reputatie zouden hunkeren, zouden ze branden van schaamte dat hun beste inspanningen te vergelijken waren met dovend houtskool tegenover het vreugdevuur van zijn talent, en dan zou Henry Laputa gelukkig, en bevredigd zijn.

Maar jaar in jaar uit hadden zijn romans slechts een lauwe ontvangst gekregen, en veel ervan was afkomstig uit de pennen van niet de allerbeste critici. De verwachte prijzennominaties bleven uit. De verdiende eerbewijzen werden niet toegekend. Zijn genie bleef onbekend.

En hij bespeurde ook nog dat veel van zijn literaire tijdgenoten hem vanuit de hoogte behandelden, waardoor hij ten langen leste begon in te zien dat zij allemaal lid waren van een club die hem had afgewezen. Ze herkenden wél de superioriteit van zijn talent, maar ze zwoeren samen om hem de lauweren te onthouden die hij had verdiend, want ze waren erop gericht de stukjes taart die ze voor zichzelf hadden gesneden te houden.

Taart. Henry besefte dat zelfs in de literaire gemeenschap geld de god der goden was. Hun smerige kleine geheim. Ze deelden over en weer prijzen uit, wauwelden over kunst, maar ze waren er alleen maar in geïnteresseerd die eerbewijzen te gebruiken om hun carrières op te pompen en rijk te worden.

Dit inzicht in de samenzweerderige hebzucht van de literaire wereld was mest, water en zon voor de tuin van Henry's haat. De zwarte bloemen van afkeer bloeiden als nooit tevoren.

Gefrustreerd door hun weigering hem de eer te bewijzen die hij wenste, begon Henry om hun jaloezie te krijgen een roman te schrijven die een enorm commercieel succes zou worden. Hij geloofde dat hij alle trucs voor plots kende en het veelvuldige gebruik van zoete sentimentaliteit waarmee zulke broodschrijvers als Dickens het plebs manipuleerden. Hij zou een onweerstaanbaar verhaal schrijven, miljoenen verdienen waardoor die nepliteratoren opgevreten zouden worden door jaloezie.

Dit commerciële epos vond een uitgever maar geen publiek. De royalty's waren magertjes. In plaats van te verdrinken in het geld, liet de god van het geld hem verzuipen in een regen van mest, wat pre-

cies datgene was wat een belangrijk criticus zijn roman noemde.
Naarmate meer jaren verstreken verdikte Henry's haat zich tot iets
dat puur kwaadaardig, heel aanhoudend en bijzonder giftig was.
Hij koesterde zijn haat en met de tijd verzuurde en veretterde die
tot een wrok die even dodelijk en onverbiddelijk was als kanker
van de alvleesklier.

Op zijn drieënvijftigste, terwijl hij vol vuur en woede een bijtende toespraak hield voor een onverschillig publiek van academici
op de jaarlijkse conventie van de Modern Language Association,
kreeg Henry James Laputa een ernstige hartaanval. Hij viel ogenblikkelijk dood neer, met zo'n gezag dat een paar mensen in het
publiek dachten dat hij moedig zijn punt benadrukte met een val
in het publiek, en ze applaudisseerden even voordat ze beseften
dat hier sprake was van dood, en niet van een act.

Dit had Corky allemaal van zijn ouders geleerd. Hij had geleerd
dat naijver alleen geen filosofie ondersteunt. Hij had geleerd dat
een vrolijke levensstijl en opgewekt optimisme niet kunnen bestaan tegenover een alles verterende, allesomvattende, eeuwigdurende haat.

Hij had ook geleerd niet te geloven in wetten, idealisme of kunst.
Zijn moeder had geloofd in de wetten van de economie, in de
idealen van het marxisme. Ze was geëindigd als een bittere vrouw,
zonder hoop of doel, die bijna opgelucht leek toen haar eigen zoon
haar doodsloeg met een pook.

Corky's vader had geloofd dat hij kunst als een moker kon gebruiken om de wereld aan zijn voeten te meppen. De wereld draaide nog, maar pa was tot stof wedergekeerd, uitgestrooid over de
zee, en verdwenen, alsof hij nooit had bestaan.

Chaos.

Chaos was de enige betrouwbare kracht in het universum en Corky diende die met het vertrouwen dat chaos op zijn beurt hem altijd zou dienen.

Hij reed door de glinsterende stad, door de avond en de onophoudelijke regen, naar Hollywood-West, waar de onbetrouwbare
Rolf Reynerd dood moest.

Beide einden van het blok waar Reynerd woonde, waren afgezet
door de politie. Agenten in zwarte regenjassen met lichtgevende
gele banden gebruikten chemische lichtstokken om het verkeer om
te leiden.

In de basiskleuren van rampen rafelden strengen regen door de
knipperende ambulancelichten heen en breiden dwingende patronen in de plassen op het wegdek.

Corky reed langs de afzetting. Nog geen twee straten verderop vond hij een parkeerplaats.

Misschien had die drukte van de politie in de straat van Rolf Reynerd niets te maken met de acteur, maar Corky's intuïtie gaf anders aan.

Hij maakte zich geen zorgen. Ongeacht de narigheid waarin Rolf Reynerd zich nu weer eens had begeven, zou Corky wel een manier bedenken om de situatie zo te gebruiken dat zijn eigen bedoeling gediend werd. Wanorde en beroering waren zijn vrienden, en hij vertrouwde erop dat hij in de kerk van de chaos een gunsteling was.

29

Fric kreeg het gevoel dat hij door een of andere magische invloed van de bakstenen vloer onder zijn voeten, de bakstenen muren om hem heen en de lage bakstenen gewelven boven zijn hoofd zelf in een baksteen was veranderd terwijl hij luisterde naar de zachte stem van deze vreemdeling.

'De geheime kamer achter je kast is niet zo geheim als je denkt, Aelfric. Daar zul je niet veilig zijn als Robin Goodfellow op bezoek komt.'

'Wie?'

'Eerder noemde ik hem het Beest in Geel. Hij noemt zichzelf Robin Goodfellow, maar hij is duivelser dan dat. In werkelijkheid is hij Moloch met de versplinterde botten van baby's tussen zijn tanden.'

'Daar zal hij wel stevige floss voor nodig hebben,' zei Fric, hoewel een trilling in zijn stem de luchthartigheid van zijn woorden tenietdeed. Snel ging hij verder, hopend dat de Geheimzinnige Beller zijn angst niet had opgemerkt. 'Robin Goodfellow, Moloch, babybotjes – dat slaat allemaal nergens op.'

'Jullie hebben een grote bibliotheek in huis, hè, Aelfric?'

'Ja.'

'En jullie zullen wel een goed woordenboek in die bibliotheek hebben.'

'We hebben een hele plank met woordenboeken,' zei Fric, 'alleen maar om te laten zien hoe erudiet we zijn.'

'Zoek het dan allemaal op. Ken je vijand, bereid jezelf voor op wat er komt, Aelfric.'

'Waarom vertél jij me niet wat er komt? Ik bedoel gewoon, een-voudig, en gemakkelijk te begrijpen.'

'Dat ligt buiten mijn macht. Ik ben niet bevoegd om directe actie te ondernemen.'

'Dus je bent niet James Bond?'

'Ik mag alleen maar indirect werken. Aanmoedigen, inspireren, angst aanjagen, overhalen en raad geven. Ik beïnvloed gebeurte-nissen met middelen die sluw, vals en verleidelijk zijn.'

'Wat ben je – een advocaat of zoiets?'

'Jij bent een interessante jongeman, Aelfric. Het zal me oprecht spijten als jij met opengesneden buik aan de voordeur van het Pa-lazzo Rospo gespijkerd wordt.'

Bijna hing Fric op.

De hand die de hoorn vasthield werd vet van het zweet.

Het zou hem niet verrast hebben als de man aan de andere kant van de lijn zijn zweet had geroken en commentaar had gegeven over de zoutige geur.

Terugkerend naar het onderwerp van een onbekende en speciale geheime plek, wist Fric de trilling uit zijn stem te houden. 'We hebben een paniekkamer in het huis,' zei hij, doelend op een ver-borgen, superveilig toevluchtsoord, gepantserd om zelfs de meest vastbesloten ontvoerders of terroristen buiten te houden.

'Omdat het huis zo groot is, hebben jullie eigenlijk twee paniek-kamers,' zei de Geheimzinnige Beller, wat waar was. 'Allebei zijn ze bekend en geen van beide zal je veiligheid bieden op die nacht.'

'En wanneer is die nacht?'

Raadselachtig zei de man: 'Het is een bontkluis, weet je.'

'Een wat?'

'Lang geleden woonde de moeder van de oorspronkelijke eigenaar in je mooie kamers.'

'Hoe weet je welke kamers van mij zijn?'

'Ze had een verzameling dure bontmantels. Een aantal nertsen, marters, witte vossen, zwarte vossen, chinchilla's.'

'Heb je haar gekend?"

'Die met staal beklede kamer was bedoeld om haar bontmantels veilig op te bergen voor inbrekers, motten en knaagdieren.'

'Ben jij in ons huis geweest?'

'De bontkluis is een slechte plek om een astma-aanval te krijgen...'

Stomverbaasd zei Fric: 'Hoe weet je dat allemaal?'

'... maar het is daar zelfs nog erger om in de val van Moloch te zitten als hij komt. Je tijd raakt op, Aelfric.'

De verbinding viel dood en Fric stond alleen in de wijnkelder, beslist alleen, maar hij voelde zich in de gaten gehouden.

30

Als de hemel zich zou openen om een waterval aan padden met giftanden uit te storten, als de wind hard genoeg zou blazen om de huid tot bloedens toe te geselen en het onbeschermde oog blind te maken, zelfs zulk onaards weer zou de lijkenpikkers en roddelaars er niet van hebben weerhouden zich te verzamelen op de plaats van spectaculaire ongelukken en schokkende misdaden. In vergelijking was de gestage druilregen op de koele decemberavond weer om te picknicken voor deze meute die naar ellende keek zoals anderen naar honkbal keken.

Op het gras voor het flatgebouw, schuin tegenover de politiebarrière op de kruising, hadden zich twintig tot dertig bewoners van de buurt verzameld om foute informatie en bloederige details uit te wisselen. De meesten waren volwassenen, maar er renden ook een stuk of zes opgewonden kinderen rond.

De meeste van deze gezellige aasgieren waren gehuld in een regenjas of hadden een paraplu bij zich. Maar twee jongemannen met ontbloot bovenlichaam en op blote voeten, alleen gekleed in een spijkerbroek, leken zo doortrokken van de illegale middelen dat de avond hen niet kon verkillen, alsof ze zonder vuur waren gegaard als visfilet in citroensap.

Er hing een kermisachtige sfeer boven deze verzameling mensen, met verwachtingen voor vuurwerk en freaks.

In al zijn glinsterende geelheid bewoog Corky Laputa zich door de toeschouwers, als een niet-zoemende hommel die dan weer hier, dan weer daar een beetje honing verzamelde. Van tijd tot tijd, om beter op te gaan in de zwerm en om vrienden te winnen, bood hij een vleugje namaakhoning door bloemrijke details van de gemene misdaad te verzinnen die hij beweerde gehoord te hebben van de politieagenten die de tweede barricade aan het einde van het blok bemanden.

Snel kreeg hij te horen dat Rolf Reynerd vermoord was.

De roddelaars en lijkenpikkers wisten niet of de voornaam van het slachtoffer nu Ralph of Rafe, Dolph of Randolph was. Of Bob. Ze wisten bijna zeker dat de achternaam van die ongelukkige man of Reinhardt of Kleinhart was, of Reiner zoals de filmregisseur, of misschien wel Spielberg, zoals die andere beroemde regisseur, of Nerdoff, of misschien wel Nordoff.

Een van de jongemannen met ontbloot bovenlijf wist stellig dat iedereen de voornaam, achternaam en roepnaam van het slacht-offer mis had. Volgens dit genie op het gebied van de deductieve redenering, heette de dode man Ray 'de Lul' Rolf.

Allemaal waren ze het erover eens dat de vermoorde man een ac-teur was wiens carrière kortgeleden enorm omhooggeschoten was. Hij had net een film gedaan waarin hij de beste vriend of jongere broer van Tom Cruise speelde. Paramount of DreamWorks had-den hem ingehuurd om samen met Reese Witherspoon de hoofd-rol te vertolken. Warner Brothers had hem de titelrol aangeboden in een nieuwe reeks Batman-films. Miramax wilde dat hij een she-riff die een travestiet was speelde in een gevoelig drama over het anti-homofanatisme in het Texas van ongeveer 1890, en Univer-sal had gehoopt dat hij een contract van tien miljoen dollar zou tekenen voor twee films die hij ook zou schrijven en regisseren.

Het was duidelijk dat in dit nieuwe millennium en in de algehele verbeelding van de bewoners van de aantrekkelijke westkant van L.A., geen enkele mislukkeling jong overleed, en dat de Dood al-leen maar kwam voor hen die beroemd, rijk en aanbeden waren. Noem het het prinses Di-principe.

Of de man die Ray 'de Lul' Rolf had vermoord ook een acteur op de rand van het superersterrendom was, wist niemand. De naam van de moordenaar bleef onbekend en onverbasterd.

In ieder geval stond vast dat de moordenaar zelf was neergescho-ten. Zijn lichaam lag op het gras voor Rolfs flatgebouw.

Er circuleerden twee verrekijkers onder de toeschouwers. Corky leende er een om de ogenschijnlijke beul van Rolf te bestuderen. Door de duisternis en de regen, zelfs met de verrekijker, lukte het hem niet enige herkenbare details te vinden in het lijk dat uitge-strekt op het gras lag.

Forensische rechercheurs, druk in de weer met wetenschappelijke instrumenten en camera's, zaten gehurkt naast het lijk. In zwarte regenjassen om hen heen hangend als gevouwen vleugels, hadden ze de houding en de gerichtheid van kraaien die in een kadaver pikten.

In elke versie van het verhaal waar de sensatiezoekers allemaal ge-loof aan hechtten, was de moordenaar doodgeschoten door een agent. De smeris was op het juiste moment op straat langsgeko-men, puur bij toeval, of hij woonde in hetzelfde gebouw als Rolf,

of hij was hierheen gekomen om zijn vriendin of moeder te bezoeken.

Wat er hier vanavond ook had plaatsgevonden, Corky was er re-
delijk zeker van dat het zijn plannen niet in gevaar zou brengen
of dat de politie een borend oog op hem zou richten. Hij had zijn
relatie met Reynerd voor iedereen die hij kende geheimgehouden.
Hij geloofde dat Reynerd net zo discreet was geweest. Ze hadden
samen misdaden gepleegd en plannen gemaakt om andere te plegen. Ze hadden geen van beiden iets te winnen – en veel te verliezen – door hun relatie aan iemand bekend te maken.

Rolf, hoewel in talloze opzichten stompzinnig, was niet volledig
roekeloos geweest. Om indruk te maken op een vrouw of zijn leeg-
hoofdige vrienden, zou hij misschien graag hebben willen vertellen dat hij zijn moeder door iemand had laten vermoorden of dat
hij medeplichtige was in een moorddadige samenzwering tegen de
grootste filmster ter wereld, maar hij zou nooit zover gaan. Hij
zou gewoon een kleurrijke leugen verzinnen.

Hoewel Ethan Truman eerder deze dag incognito hier was geweest,
bleef het onwaarschijnlijk dat Reynerds dood op de een of andere manier te maken had met Channing Manheim en de zes zwarte cadeaudozen.

Corky, als apostel van de anarchie, begreep dat de wereld werd
geregeerd door chaos en dat in de grove en wanordelijke warboel
van het leven van alledag toevalligheden zonder enige betekenis
zoals nu veelvuldig optraden. Een dergelijke schijnbare synchro-
niciteit moedigden mindere geesten dan hij aan om in het leven
patronen, een ontwerp en een betekenis te zien.

Hij had zijn toekomst en eigenlijk zijn hele leven ingezet op het
geloof dat leven geen betekenis had. Hij had veel aandelen chaos
in zijn bezit, en nu, zoveel later, zou hij zijn investering niet be-
kritiseren door chaos uit te verkopen.

Reynerd had zichzelf niet alleen gezien als een aankomende filmster van astronomische proporties, maar ook als een slechterik, en
slechteriken maken vijanden. Om te beginnen had hij, eerder om
de kick dan om de winst, drugs verkocht aan een verfijnde cliènte-
le binnen de amusementsindustrie, voornamelijk coke, pep en ecstasy.

En heel waarschijnlijk hadden zwaardere jongens dan de mooie
jongen Reynerd besloten dat hij op hun terrein aan het stropen
was. Met een kogel in het hoofd hadden ze hem van verdere con-
currentie afgehouden.

Voor Corky had Reynerd dood gemoeten.

Chaos had er gevolg aan gegeven.

Niet meer, niet minder.

Tijd om verder te gaan.

Tijd eigenlijk om te gaan eten. Buiten een reep in de auto en een dubbele koffie verkeerd in het winkelcentrum had hij sinds het ontbijt niets meer binnengekregen.

Op goede dagen vol lonende inspanningen verschafte zijn werk hem voldoende voedingsstoffen en sloeg hij vaak de lunch over. Nu, na drukke uren vol nuttig werk, was hij uitgehongerd.

Toch bleef hij nog een tijdje hangen om chaos te dienen. De zes kinderen vormden een verleiding waar hij zich niet tegen kon verzetten.

Ze varieerden van zes tot acht jaar. Een paar waren beter gekleed tegen de regen en de kou dan anderen, maar allemaal bleven ze onvermoeibaar en uitbundig dansen, spelen en achter elkaar aan jagen in de smerige nacht, als stormvogels, geboren voor de natte wind en woelige luchten.

De volwassenen, geconcentreerd op de geluiden van de politie en de ambulances, besteedden geen aandacht aan hun kroost. De kinderen waren wel zo verstandig dat ze begrepen dat zij, zolang zij op het gras achter hun ouders speelden en hun stemmen gedempt hielden, hun nachtelijke avontuur tot in het oneindige konden voortzetten.

In deze paranoïde tijd durfde een vreemdeling geen enkel kind snoep aan te bieden. Zelfs het onnozelste kind zou om politie gaan gillen als het een lolly aangeboden kreeg.

Corky had geen lolly's, maar hij had een zak goddelijke toffees bij zich.

Hij wachtte tot de kinderen hun aandacht ergens anders op gericht hadden en haalde toen de zak uit een diepe binnenzak van zijn regenjas. Hij liet hem op het gras vallen waar de kinderen hem zeker zouden vinden als ze met hun spel weer deze richting op kwamen.

Hij had het snoep niet met vergif bewerkt, maar slechts met een sterk hallucinogeen middel. Angst en wanorde konden in de maatschappij verspreid worden met subtielere middelen dan extreem geweld.

De hoeveelheid drugs in elke zoete lekkernij was zo klein dat een kind, zelfs als hij gretig zijn mond volpropte met zes of acht toffees, geen overdosis zou krijgen. Met het derde snoepje zouden de nachtmerries beginnen.

Corky bleef nog een tijdje bij de volwassenen, terwijl hij heimelijk de kinderen in de gaten hield, tot twee meisjes de zak vonden. Als meisjes deelden ze direct de inhoud met de vier jongens.

Juist deze drug, tenzij met zorg ingenomen samen met een ontspannend antidepressivum zoals Prozac, zou hallucinaties veroorzaken die zo afschuwelijk waren dat die de geestelijke gezondheid van de gebruiker op de proef zouden stellen. Gauw zouden de kinderen geloven dat er in de aarde monden waren opengegaan vol scherpe tanden en slangentongen om hen te verzwelgen, dat buitenaardse parasieten uit hun borst losbraken en dat iedereen die ze kenden en liefhadden nu van plan was hen ledemaat voor ledemaat uit elkaar te scheuren. Zelfs na hun herstel zouden ze nog maanden, mogelijk jaren, last hebben van flashbacks.

Na deze zaden van chaos te hebben gezaaid, liep hij terug naar zijn auto door de verfrissend koele nacht en reinigende regen.

Als hij in vroeger eeuwen geboren zou zijn geweest, zou Corky Laputa het oorspronkelijke spoor van Johnny Appleseed hebben gevolgd door een voor een alle bomen te doden die door de legendarische fruitteler op dit continent waren geplant.

31

Als Fric had vermoed dat het spookte in de kelder, of dat er iets onmenselijks door de gangen en ruimtes zwierf, zou hij in zijn slaapkamer gegeten hebben.

Hij vervolgde zonder nadenken zijn weg.

Het geluid dat de rubberen afdichting maakte toen Fric de dikke glazen deur in de geïsoleerde glazen wand opende, was te vergelijken met het zuigende geluid dat het deksel maakte van een blik vacuüm verpakte pinda's als je het opentrok.

Hij stapte uit de wijnproeverij de eigenlijke wijnkelder in. Hier werd de temperatuur voortdurend op twaalf graden gehouden.

Er waren een heleboel rekken nodig voor veertienduizend flessen – een heel netwerk aan rekken. Ze waren niet zo simpel opgesteld als de paden in een supermarkt. Maar ze vormden een knus bakstenen labyrint van gewelfde doorgangen die elkaar kruisten in ronde grotten die waren afgezet met nog meer rekken.

Vier keer per jaar werd elke fles in de verzameling voorzichtig een kwartslag – negentig graden – gedraaid op zijn ligplaats. Dit zorgde ervoor dat geen enkele kurk uit zou drogen en dat het sediment keurig zou neerslaan op de bodem van de fles.

De twee bediendes, Mr. Worthy en Mr. Pahn, konden zich slechts vier uur per dag bezighouden met het draaien van de wijnflessen door de saaiheid van het werk, de nauwgezetheid waarmee het gedaan moest worden en de aanslag die het pleegde op de spieren van hals en schouder. Elke man kon per sessie van vier uur tussen de twaalfhonderd en dertienhonderd flessen op de juiste manier keren.

Door de stroom droge lucht die onophoudelijk naar binnen werd gepompt door openingen bij het plafond, volgde Fric een smalle gewelfde doorgang van pinot noir naar een bredere doorgang met een kruisgewelf vol cabernet; hij liep door een vreemd holle grot met Lafitte Rothschild van verscheidene jaren, ging verder door een tunnel merlot, op zoek naar een plek waar hij zich zou kunnen verbergen zonder angst ontdekt te worden.

Toen hij een verlengde ovale zaal bereikte vol Franse bourgognes meende hij andere voetstappen te horen dan die van zichzelf, ergens anders in het maaswerk. Hij verstarde en luisterde.

Niets. Alleen de fluisterende stem van de onophoudelijk wijn verkoelende lucht die langzaam uit een gang de zaal binnenkwam en verdween in een volgende.

De flakkerende valse vlammen van de nepgaslampen, die op sommige plaatsen aan de muur waren bevestigd maar ook in grotten aan het plafond hingen als de hoogte het toeliet, veroorzaakten lichtflikkeringen die flarden schaduw langs de rekken en het baksteen najoegen. Deze onbeduidende maar spookachtige beweging liet de geest voetstappen horen die er waarschijnlijk niet waren. Waarschijnlijk.

Hij liep verder met de zachte luchtstroom mee, minder stoutmoedig dan voorheen, en wierp zo nu en dan een blik over zijn schouder.

Andere wijnkelders waren misschien muffe ruimtes waar de tijd de ene stoflaag na de andere deed neerdalen, zodat een verslag werd geschreven van het eindeloze proces. Feitelijk werd een stoflaag vaak gezien als een goede ambiance.

Maar Frics vader had een bijna obsessieve afkeer van stof, en hier was dan ook absoluut geen stof te zien. Een keer per maand stofzuigde het personeel de rekken – evenals het plafond, de wanden en de vloer – waarbij ze er speciaal op letten de flessen niet te verstoren.

Zo hier en daar in de hoeken van de gangen en vaker in de beschaduwde rondingen van de gemetselde plafondgewelven zaten tere spinnenwebben. Sommige waren simpel, andere ingewikkeld. In deze constructies waren geen achtpotige architecten te zien. Spinnen werden niet getolereerd.

Terwijl ze bezig waren, hielden de huisbewaarders de stofzuiger uit de buurt van die ragfijne constructies, die niet door spinnen waren gemaakt maar door een specialist bij de set-dressers van de favoriete filmstudio van Geestpapa. Toch vergingen de webben. Twee keer per jaar veegde Mr. Knute, de set-dresser, ze van de bakstenen en herbouwde ze weer zo goed als nieuw.

De wijn zelf was echt.

Terwijl hij de ene hoek na de andere nam, berekende Fric hoelang zijn vader stomdronken kon blijven van wijn voordat deze kelder leeg was.

Je moest van een paar dingen uitgaan, zoals dat Geestpapa acht uur per nacht zou slapen. Voortdurend bezopen zou hij misschien langer slapen; maar in het belang van het simpel houden van deze berekeningen, moest er een willekeurig getal worden uitgekozen. Acht uur.

Ook moest aangenomen worden dat een volwassen man beschonken kon blijven door één fles wijn per drie uur te drinken. Om een staat van bedwelming te bereiken, moest de eerste fles misschien wel in twee uur achterovergeslagen worden, maar daarna één per drie uur.

Dit was eigenlijk geen aanname, maar een harde feitenkennis. Fric was op talloze momenten in de gelegenheid geweest acteurs, schrijvers, rocksterren, regisseurs en andere fameuze drinkers met een voorkeur voor goede wijn te observeren, en hoewel sommigen wel sneller konden drinken dan één fles per drie uur, gingen die agressieve drinkers altijd onder zeil.

Goed. Vijf flessen uitgesmeerd over zestien uur. Deel veertienduizend door vijf. Achtentwintighonderd.

De inhoud van deze kelder kon Geestpapa achtentwintighonderd dagen straalbezopen houden. Dus deel vervolgens 2800 door 365...

Meer dan zeveneneenhalf jaar. De ouweheer kon zwaar beschonken blijven tot nadat Fric eindexamen had gedaan op de middelbare school en was weggelopen om zich aan te melden bij het marinierskorps van de Verenigde Staten.

Natuurlijk dronk de grootste filmster ter wereld nooit meer dan één glas wijn bij het avondeten. Hij gebruikte helemaal geen drugs – zelfs geen wiet die verder door iedereen in Hollywood als een geneeskrachtig kruid beschouwd leek te worden. 'Ik ben verre van perfect,' had hij een keer tegen een verslaggever van het tijdschrift *Premiere* gezegd, 'maar al mijn fouten, mislukkingen en zwakheden zijn eerder spiritueel van aard.'

Fric had geen idee wat dát betekende, ook al had hij er behoorlijk wat tijd aan besteed om erachter te komen.

Misschien had Ming du Lac, de fulltime spirituele raadsman van zijn vader, de stelling kunnen uitleggen. Fric had hem nooit om een uitleg durven vragen, want hij vond Ming bijna net zo beangstigend als Mr. Hachette, de buitenaardse rover vermomd als de chef-kok van het huis.

Toen hij de laatste grot bereikte, het verste punt vanaf de ingang van de wijnkelder, hoorde hij weer voetstappen. En net als eerder hoorde hij, toen hij zijn hoofd scheef hield en gespannen luisterde, niets verdachts.

Soms raakte zijn verbeelding overspannen.

Drie jaar ervoor, toen hij nog zeven was, was hij ervan overtuigd geweest dat er elke avond iets vreemds, groens en schubbigs uit de toiletpot van zijn badkamer kroop en wachtte om hem te verslinden als hij nog eens voor middernacht ging plassen. Maandenlang had Fric, als hij midden in de nacht wakker werd met een opgezette blaas, gebruik gemaakt van veilige wc's elders in het huis.

In zijn eigen badkamer waar een monster huisde, had hij een koekje op een bord neergelegd. Elke nacht bleef het koekje onaangeroerd. Uiteindelijk had hij het koekje vervangen door een stuk kaas, en weer daarna door worst in plaats van kaas. Een monster kon dan geen belangstelling hebben voor koekjes, kon zelfs zijn neus ophalen voor kaas, maar geen enkel vleesetend dier zou Bolognese worst kunnen weerstaan.

Toen de worst een week onaangeroerd bleef, ging Fric zijn eigen wc weer gebruiken. Hij werd niet opgegeten.

Nu werd hij door niets de laatste grot in gevolgd. Alleen maar de koele luchtstroming en het flakkeren van licht en schaduw van de nepgaslampen.

De in- en uitgangen verdeelden de grot min of meer in tweeën. Rechts van Fric waren nog meer rekken met flessen. Links gestapeld van vloer tot aan plafond langs de hele muur verzegelde houten kisten met wijn.

Volgens de namen erop bevatten de kisten een mooie Franse bordeaux. In werkelijkheid waren ze gevuld met goedkope vino die alleen gedronken werd door zwervers die in de goot leefden, en de inhoud ervan was ongetwijfeld tientallen jaren voor Frics geboorte al in wijnazijn veranderd.

De houten kisten waren hier voor een deel als versiering neergezet en voor een deel om de ingang naar de portkast te verhullen.
Fric drukte op een verborgen knop. Een stapel houten kisten
zwaaide naar binnen toe open.

Erachter lag een ruimte ter grootte van een inloopkast. Achterin
was een rek met portwijnen van vijftig, zestig en zeventig jaar
oud.

Port was een dessertwijn. Fric gaf de voorkeur aan chocoladecake.
Hij nam aan dat zelfs aan het einde van de jaren dertig, toen dit
huis werd gebouwd, het land niet werd geplaagd door bendes port-
dieven. De kast was hoogstwaarschijnlijk alleen maar verborgen
voor de leut.

De geheime kamer, kleiner dan de bontkluis, zou misschien wel
een goede schuilplaats bieden – het hing ervan af hoelang je je verborgen moest houden. De ruimte zou voldoende comfort geven
voor een paar uur.

Maar als hij hier twee of drie dagen moest blijven zitten, zou hij
het gevoel gaan krijgen levend begraven te zijn. Hij zou instorten
tot een gillende claustrofobische hoop en zou uiteindelijk, na in
waanzin weggezakt te zijn, zichzelf levend opeten, te beginnen bij
zijn tenen en daarvandaan verder naar boven.

Van zijn stuk gebracht door de richting die hun tweede gesprek
had genomen, was hij vergeten de Geheimzinnige Beller te vragen
hoelang hij kon verwachten belaagd te worden.

Hij liep de portkast uit en trok de ingenieuze deur met wijnkisten
dicht.

Toen hij zich omdraaide, zag Fric beweging in de doorgang die
hem naar de laatste grot had gebracht. Niet zomaar een beweging
van de nepgasvlammen.

Een groot, vreemd, spiraalvormig silhouet draaide over de rekken
en langs de bakstenen zoldering, legde zich over het vertrouwde
flakkeren van de kleine lichtwimpels en kleine schaduwvlaggen
heen. Het kwam op de grot af.

Heel anders dan zijn vader in de spanning van het grote beeld-
scherm, werd Fric gegrepen door angst en kon noch aanvallen
noch vluchten.

De schaduw, spookachtig vormloos, bewegend, langzaam tuimelend, golfde steeds dichterbij, en toen verscheen de angstige bron
in de ingang van de gang: een geest, een spook, een verschijning,
gerafeld en melkkleurig, half doorschijnend en vaag lichtgevend,
die langzaam op hem af dreef op een bovennatuurlijke krachtbron.
Fric stapte als een dolzinnige achteruit, struikelde en viel hard ge-

noeg om weer te weten dat zijn kont net zo schraal was als zijn armspieren.

De verschijning kwam uit de gang de grot binnen, zwevend als een pijlstaartrog in de diepten van de oceaan. Glanzend licht en een bewegende schaduw speelden over de geestgedaante en verleenden er een groter geheim aan, een aura van kwaad achter een sluier of een baard.

Fric bracht zijn handen ter bescherming omhoog voor zijn gezicht en tuurde door zijn gespreide vingers toen de geest boven hem verscheen. De verschijning, een ogenblik gewichtloos, langzaam draaiend, deed hem denken aan de Melkweg met de ragdunne, spiraalvormige uitsteeksels – en hij zag wat het was.

Loom drijvend op de koele lucht, een door Mr. Knute gemaakt namaakweb dat losgeraakt was. Zwevend met alle doorzichtige gratie van een kwal, volgde het de luchtstroom naar de volgende gang.

Vernederd krabbelde Fric overeind.

Toen het de grot uit wilde gaan, bleef het opgestegen web hangen aan een van de aan de wand gemonteerde lampen, raakte verward en bleef daar ragdun en verfrommeld achter, als iets uit de lingerielade van Tinkerbell.

Boos op zichzelf ontvluchtte Fric de wijnkelder.

Pas in de proefruimte, nadat hij de glazen deur achter zich had gesloten, besefte hij dat het spinnenweb niet uit zichzelf los had kunnen komen. Alleen een luchtstroming zou het niet losgedraaid, omhoog gebracht en weggevoerd hebben.

Iemand moest er minstens tegenaan gelopen zijn en Fric geloofde niet dat hij dat zelf had gedaan.

Hij vermoedde dat iemand die dicht achter hem had gezeten in het maaswerk van de wijnkelder, geduldig het web uit een hoek had losgepeuterd zonder het te verfrommelen of te proppen en het daarna om hem te pesten weg had laten drijven op de luchtstroom. Aan de andere kant herinnerde hij zich nog maar al te goed het door de wc voortgebrachte geschubde, groene monster dat zelfs zo weinig echt was dat het niet eens aan de Bolognese worst had kunnen knabbelen.

Hij bleef een ogenblik staan, keek fronsend naar de reftertafel. Terwijl hij door de wijnkelder had gelopen, was zijn avondeten weggenomen.

Een van de dienstmeisjes had het misschien opgeruimd. Of Mrs. McBee, hoewel ze, zo druk als ze vanavond was, waarschijnlijk haar man zou hebben gestuurd.

Maar hij begreep niet dat iemand hem de wijnkelder in was gevolgd zonder hem te roepen, dat ze een door Knute gesponnen
web hadden losgemaakt en weg hadden laten drijven.
Fric had het gevoel dat hij midden in een web zat dat niet was gemaakt door Mr. Knute, een onzichtbaar web van samenzwering.

32

Dunny Whistler reageert direct op het telefoontje en rijdt linea rec-
ta naar Beverly Hills.
Hij heeft geen auto meer nodig. Maar hij geniet ervan achter het
stuur van een goede auto te zitten, en zelfs het eenvoudige plezier
van rijden geeft een nieuwe prikkeling in het licht van de recente
gebeurtenissen.
Onderweg springen verkeerslichten op groen als hij dat nodig
heeft, vallen er voortdurend gaten voor hem in het verkeer, en hij
maakt zo'n snelheid dat het grootste deel van de weg donkere watervleugels opspuiten van zijn banden. Hij hoort zich vrolijk te
voelen, maar er drukken veel zorgen op zijn geest.
Bij het hotel, waar de aankomende en wegrijdende auto's van het
type lijken te zijn dat zes cijfers kost, laat hij zijn auto achter op
een beheerd parkeerterrein. Hij geeft de bewaker twintig dollar
fooi bij het binnenkomen, omdat hij waarschijnlijk niet lang genoeg zal blijven om al zijn geld uit te geven aan pleziertjes voor
zichzelf.
De weelderige luxe van de hal omhelst hem met zo'n warmte in
kleur, compositie en vorm dat Dunny gemakkelijk zou kunnen
vergeten dat de avond buiten koud en regenachtig is.
De bar van het hotel, rijkelijk voorzien van panelen, duur ingericht, verlicht voor romantiek, een voorbeeld van een schitterend
decor, is enorm, maar vol mensen ondanks de afmeting.
Elke vrouw die hij ziet, ongeacht haar leeftijd, is beeldschoon, of
door de genade van God of door het mes van een kundig chirurg.
De helft van de mannen is knap als een filmster en de andere helft
dénkt dat hij het is.
De meeste mensen werken in de amusementsindustrie. Geen acteurs, maar managers en studiobazen, publiciteitsagenten en pro-
ducenten.
In een ander hotel, elders in de stad, zou je verschillende talen kun-

nen horen, maar hier wordt alleen Engels gesproken, en alleen die beperkte, maar kleurrijke versie van het Engels dat het jargon van de incrowd wordt genoemd. Relaties worden hier bevestigd, geld wordt hier verdiend; seksuele uitspattingen worden hier opgezet. Deze mensen zijn energiek, optimistisch, flirtend, luid en overtuigd van hun onsterfelijkheid.

Op de manier zoals Cary Grant ooit in films door drukke feestjes laveerde, alsof hij schaatste terwijl iedereen om hem heen liep met gewichten aan zijn benen, glijdt Dunny langs de bar, tussen de bezette tafeltjes door, recht op een gewild hoektafeltje voor vier waar slechts één man zit.

Deze man heet Typhon, of dat wil hij je laten geloven. Hij spreekt het uit als *taai-fon* en hij vertelt je bij de eerste ontmoeting dat hij de naam draagt van een monster uit de Griekse mythologie, een beest dat op de storm reisde en overal verschrikking zaaide waar de regen hem bracht. Dan lacht hij, misschien uit waardering dat zijn naam dramatisch in tegenspraak is met zijn voorkomen, zijn verfijnde zakelijkheid en zijn beschaafde manieren.

Niets aan Typhon blijkt ook maar een beetje monsterlijk of stormachtig te zijn. Hij is gezet, heeft wit haar, en een lief androgyn gezicht dat het in een film goed zou doen als een zalig verklaarde non of een heilige broeder. Hij glimlacht gemakkelijk en vaak, en hij lijkt oprecht. De man, die zacht praat, goed luistert, maakt makkelijk vrienden.

Hij is onberispelijk gekleed in een donkerblauw pak, wit zijden hemd, een blauw-met-rode verenigingsdas en een rode pochet. Zijn dikke witte haar is geknipt door een kapper die sterren en leden van het koninklijk huis bedient. Een smetteloze huid behandeld met dure crèmes, helwitte tanden en gemanicuurde handen geven aan dat hij trots is op zijn uiterlijk.

Typhon zit met zijn gezicht naar de ruimte, aangenaam regaal in houding, als een vriendelijke koning die hof houdt. Hoewel de mensen hier hem moeten kennen, wordt hij niet lastig gevallen, alsof iedereen begrijpt dat hij liever kijkt en gezien wordt dan dat hij met iemand praat.

Van de vier stoelen aan het tafeltje bieden twee uitzicht op de ruimte. Dunny neemt de tweede.

Typhon eet oesters en drinkt een voortreffelijke pinot grigio. Hij zegt: 'Schuif aan, beste jongen. Neem alles wat je wenst.'

Alsof hij door een tovenaar is opgewekt, verschijnt direct een ober. Dunny bestelt een dubbele hoeveelheid oesters en een fles pinot grigio voor zichzelf. Hij was altijd een man van grote trek geweest.

'Jij bent altijd een man van grote trek geweest,' merkt Typhon op en lacht schalks.

'Dat zal snel genoeg afgelopen zijn,' zegt Dunny. 'Zolang ik nog een feestmaaltijd voor mijn neus krijg, zal ik me blijven volproppen.'

'Zo mag ik het horen,' verklaart Typhon. 'Jij bent een man naar mijn hart, Dunny. Tussen haakjes, dat is een mooi pak.'

'Jij hebt ook een uitstekende kleermaker.'

'Het is vervelend dat we zaken moeten doen,' zegt Typhon, 'dus laten we dat eerst uit de weg ruimen.'

Dunny zegt niets, maar hardt zichzelf voor een reprimande.

Typhon nipt van zijn wijn en zucht van genot. 'Moet ik begrijpen dat jij er een huurmoordenaar bij hebt gehaald om Mr. Reynerd op te ruimen?'

'Ja. Dat heb ik gedaan. Een man die zichzelf Hector X noemt.'

'Een huurmoordenaar,' herhaalt Typhon met een hoorbare verbazing.

'Hij was lid van een bende die ik nog kende van vroeger, een grote naam bij de Crips. We hebben destijds samen "angel's dust" gefabriceerd en gedistribueerd.'

'Angel's dust?'

'PCP, een verdovingsmiddel voor dieren. Hadden ook een wietoperatie lopen. Marihuanajoints met cocaïne, gedoopt in PCP.'

'Hebben al je compagnons van die charmante cv's?'

Dunny haalt zijn schouders op. 'Hij was wie hij was.'

'Ja, wás. Beide mannen zijn nu dood.'

'Ik zie het zo: Hector had eerder gedood en Reynerd had samengezworen om zijn eigen moeder te laten vermoorden. De dader was niet onschuldig en de vermoorde ook niet.'

'Daar maak ik me ook geen zorgen over, Dunny. Ik maak me zorgen dat jij de begrenzingen van je bevoegdheid niet lijkt te begrijpen.'

'Ik weet dat het gebruiken van een moordenaar om een andere om te brengen min of meer ongewoon is...'

'Ongewoon!' Typhon schudt zijn hoofd. 'Nee, jongen, het is puur onacceptabel.'

Dunny's oesters en wijn arriveren. De ober ontkurkt de pinot grigio, schenkt een beetje in en Dunny keurt.

Erop vertrouwend dat het aangename geroezemoes van de drinkende, bekoorlijke gasten hun gevoelige gesprek afschermt, komt Typhon weer ter zake. 'Dunny, je moet jezelf wat discreter opstellen. Oké, het grootste deel van je leven ben je een schurk geweest, dat is waar, maar dat heb je de laatste paar jaar toch achter je gelaten, hè?'

'Geprobeerd. Ik ben er voor een groot deel in geslaagd. Luister, Mr. Typhon, ik heb niet zelf de trekker overgehaald wat betreft Reynerd. Ik heb indirect gewerkt, zoals afgesproken.'

'Een huurmoordenaar erbij halen is niet indirect werken.'

Dunny slikt een oester door. 'Dan heb ik het verkeerd begrepen.'

'Dat betwijfel ik,' zegt Typhon. 'Volgens mij heb je bewust je bevoegdheid opgerekt om te kijken wanneer die zou knappen.'

Een gulzige belangstelling voor de oesters pretenderend, durft Dunny de voor de hand liggende vraag niet te stellen.

Aan de andere kant van het vertrek komt de machtigste studiobaas van de filmindustrie binnen met de houding en zelfverzekerdheid van een caesar. Hij is in gezelschap van een entourage jonge mannelijke en vrouwelijke werknemers die even glad en kil zijn als vampiers, maar toch bij nadere inspectie tegelijk net zo zenuwachtig lijken als chihuahua's.

Deze koning van Hollywood ziet Typhon meteen en wuift met een afgemeten maar onthullende gretigheid.

Typhon beantwoordt de groet met een opmerkelijk meer ingehouden gebaar, waarmee hij zich direct neerzet als de hoogste van de twee in de pikorde, tot de beheerste maar toch zichtbare gêne van de caesar.

Typhon stelt nu de vraag die Dunny niet had willen verwoorden: 'Heb je door Hector X in te huren je bevoegdheid tot voorbij het breekpunt gebruikt?' Dan antwoordt hij zelf: 'Ja. Maar ik ben geneigd je nog één kans te geven.'

Dunny slikt een volgende oester weg die gemakkelijker door zijn keel glijdt als de vorige.

'Veel mannen en vrouwen in deze bar,' zegt Typhon, 'sluiten dagelijks contracten af, met de bedoeling die te verbreken. De mensen met wie zij onderhandelen, verwachten niet anders dan dat zij geslachtofferd worden of zullen zelf bepaalde voorwaarden niet nakomen. Uiteindelijk worden er kwade beschuldigingen uitgewisseld, er wordt met advocaten gedreigd, wettelijke stappen worden ondernomen, tot aan de rechtbank toe, en te midden van bittere aanvallen en felle tegenaanvallen, wordt er buiten de rechtbank om een regeling getroffen. Daarna, en zelfs al tijdens dit alles, zijn dezelfde partijen weer aan het onderhandelen over andere contracten met elkaar, contracten die ze ook weer van plan zijn te verbreken.'

'De filmwereld is een krankzinnigengesticht,' merkt Dunny op.

'Ja, dat is zo. Maar, beste jongen, daar gaat het mij niet om.'
'Sorry.'

'Waar het mij om gaat, is dat het verbreken van een contract – verraad in het algemeen – onderdeel uitmaakt van hun persoonlijke en zakelijke cultuur, net zoals het brengen van mensenoffers een geaccepteerde praktijk was in de wereld van de Azteken. Maar verraad accepteer ík niet. Zo cynisch ben ik niet. Woorden, beloften en integriteit maken me wel degelijk uit. Ze maken me heel wat uit. Ik kan geen zaken doen – ik doe het gewoon niet – met mensen die zich niet aan hun woord houden.'

'Ik begrijp het,' zegt Dunny. 'Ik ben terecht gestraft.'

Typhon schijnt oprecht gekwetst door Dunny's reactie. Zijn mollige gezicht knijpt samen van wanhoop. Zijn ogen, gewoonlijk net zo gekenmerkt door de sprankeling van vrolijkheid als door de bijzondere blauwe kleur ervan, zijn nu door triestheid overschaduwd.

Deze man is opmerkelijk gemakkelijk te lezen, open met zijn gevoelens, absoluut niet raadselachtig, wat een van de redenen is waarom iedereen hem zo aardig vindt.

'Dunny, het spijt me echt als je het gevoel hebt gestraft te zijn. Dat was niet mijn bedoeling. Ik wilde alleen maar de lucht ophelderen. Waar het om gaat, is dat ik wil dat je slaagt, echt waar, jongen. Maar als je wilt slagen, moet je opereren via de hoge normen waar we het in het begin over hebben gehad.'

'Oké. U bent meer dan eerlijk. En ik ben dankbaar dat ik nog een kans krijg.'

'Ach, wel, er is geen reden voor dankbaarheid, Dunny.' Typhon glimlacht breed, zijn vrolijkheid weer terug. 'Als jíj slaagt, slaag ík. Jouw belang is mijn belang.'

Om zijn weldoener te verzekeren dat ze elkaar volledig begrijpen, zegt Dunny: 'Ik zal al het mogelijke doen voor Ethan Truman – terwijl ik me natuurlijk volledig op de achtergrond hou. Maar ik zal niets ondernemen tegen Corky Laputa.'

'Wat is dát een afschuwelijk gedrocht.' Typhon klakt met zijn tong, maar zijn ogen schitteren. 'De wereld heeft Gods genade wanhopig nodig zolang er mensen als Corky rondlopen.'

'Amen.'

'Je weet dat Corky hoogstwaarschijnlijk Reynerd zou hebben vermoord als jij niet tussenbeide was gekomen.'

'Ik weet het,' zegt Dunny.

'Waarom ben je dan met Hector X op de proppen gekomen?'

'Laputa zou hem niet hebben vermoord met getuigen erbij, zeker niet met Hazard Yancy in de buurt. Toen Reynerd stierf in aanwezigheid van Yancy, raakte Yancy erbij betrokken, en veel meer dan hij op een andere manier zou hebben gedaan. Omwille van Ethan wil ik hem erbij hebben.'

'Jouw vriend heeft alle hulp nodig die hij kan krijgen,' gaf Typhon toe.

Een paar minuten genoten ze van de oesters en de heerlijke wijn in een gezamenlijk, gerieflijk stilzwijgen.

Dan zegt Dunny: 'Dat incident met de PT Cruiser kwam als een verrassing.'

Typhon trekt zijn wenkbrauwen op en zegt: 'Je denkt toch niet dat onze mensen daarbij betrokken waren, hè?'

'Nee,' zegt Dunny. 'Ik begrijp hoe deze dingen werken. Het kwam als een verrassing. Maar het lukte me het in mijn voordeel om te buigen.'

'Hem die drie klokjes te geven was een handige zet,' beaamt Typhon. 'Maar je hebt hem aan de drank gebracht.'

Glimlachend en knikkend geeft Dunny toe: 'Waarschijnlijk wel.'

'Het is niet "waarschijnlijk",' zegt Typhon. Wijzend voegt hij eraan toe: 'Die arme Ethan zit nu aan de bar.'

Hoewel de stoel van Dunny uitziet op het grootste deel van de ruimte, bevindt ongeveer een derde van de lange bar zich achter hem. Hij draait zich om en kijkt naar waar Typhon wijst.

Achter tafeltjes waaraan contractbrekers als vrienden met elkaar omgaan, zit Ethan Truman op een kruk aan de bar, met zijn zijkant naar Dunny, in een glas te staren met misschien heel goede whisky.

'Straks ziet hij me,' zegt Dunny zorgelijk.

'Hoogstwaarschijnlijk niet. Hij is te afgeleid. In zekere zin ziet hij op dit moment niemand. Hij zou hier net zo goed alleen kunnen zijn.'

'Maar als hij het wel doet...'

'Als hij het wel doet,' zegt Typhon geruststellend, 'zul jij de situatie op de een of andere manier wel kunnen regelen. Ik ben hier voor hulp als je die nodig hebt.'

Dunny staart een ogenblik naar Ethan, draait hem dan zijn rug toe. 'U koos deze plek uit omdat u wist dat hij hier was?'

De enige reactie van Typhon is een innemende glimlach met een sluwe trek eraan, die lijkt te zeggen dat hij weet dat hij stout is geweest maar zich er niet tegen heeft kunnen verzetten.

'U hebt deze plek uitgekozen juist omdát hij hier was.'

Typhon zegt: 'Wist je dat Sint-Duncan, naar wie jij bent vernoemd,

de beschermheilige is van bewakers en beschermers in allerlei op-
zichten, en dat hij je zal helpen standvastig en vindingrijk te zijn
in je werk als je je tot hem wendt?'
Glimlachend zegt Dunny: 'Nee maar. Ironisch, hè?'
Typhon geeft hem een klopje op zijn arm en zegt geruststellend:
'Van alles wat ik gezien heb, ben jij zonder meer al een verbazend
vindingrijk man.'
Dunny verdiept zich een tijdje in de pinot grigio, maar zegt dan:
'Denkt u dat hij hier levend uit komt?'
Na zijn laatste oester gegeten te hebben, zegt Typhon: 'Ethan? Tot
op zekere hoogte is dat aan jou.'
'Maar alleen tot op zekere hoogte.'
'Nou, je weet hoe die dingen werken, Dunny. Hij is eerder wel
dan niet dood voor de kerst. Maar zijn situatie is niet hopeloos.
Dat is die voor niemand.'
'En de mensen in het Palazzo Rospo?'
Met zijn witte haar, ronde gelaatstrekken en sprankelende blau-
we ogen mist Typhon alleen maar een baard om de kerstman te
zijn. Zijn vriendelijke gezicht is niet uitgerust voor grimmige uitdrukkingen. Hij lijkt verontrustend vrolijk als hij zegt: 'Ik denk
niet dat welke ervaren gokker ook hun enige kans geeft, hè? Niet
tegen mensen als Mr. Laputa. Die heeft dat gewelddadige temperament en de roekeloze vastbeslotenheid om te krijgen wat hij wil.'
'Ook de jongen?'
'Vooral de jongen,' zegt Typhon. 'Vooral hij.'

33

Vol eten, vol angst en vol frustratie liep Fric van de wijnkelder
meteen naar de bibliotheek via een indirecte route waardoor hij
de minste kans had een lid van de huishouding tegen het lijf te lopen.
Als een geest, als een spook, als een jongen in een mantel die on-
zichtbaarheid geeft, liep hij van kamer naar gang naar trap naar
kamer, en niemand in het enorme huis merkte hem op, voor een
deel door een zeldzaam gen van katachtige steelsheid dat hij bezat, maar voor een ander deel ook omdat niemand, met de mogelijke uitzondering van Mrs. McBee, het ook maar ene moer kon
schelen waar hij was of waar hij mee bezig was.

Het was niet altijd een vloek om klein, iel en genegeerd te zijn. Als de krachten van het kwaad in enorme duistere bataljons tegen je in opmars kwamen, had je met onopvallendheid minder kans opengesneden en onthoofd te worden om je te voegen bij de zielloze legioenen van de wandelende doden, of welk ander afschuwelijk lot ze ook voor je in gedachten mochten hebben.

De laatste keer dat Mam in Naam op bezoek was geweest, wat nog niet zo lang terug was als de tijden van mastodonten en sabeltandtijgers, had ze Fric verteld dat hij een muis was: 'Een lieve kleine muis die niemand ooit ziet, omdat hij zo stil, zo snel, zo snel en zo grauw is, snel als de grijze schaduw van een wegschietende vogel. Je bent een kleine muis, Aelfric, een bijna onzichtbare perfecte kleine muis.'

Freddie Nielander zei vaak stomme dingen.

Fric had het haar nooit kwalijk genomen.

Ze was al zo lang zo mooi dat niemand echt naar haar luisterde. Iedereen raakte in vervoering door haar uiterlijk.

Als niemand ooit naar je luisterde, echt luisterde, kon je het vermogen kwijtraken te weten of wat je zei al of niet ergens op sloeg. Fric begreep dit gevaar, omdat ook niemand echt naar hem luisterde. Bij hem raakten ze niet in vervoering door zijn uiterlijk. Dat liet hen koud.

Zonder uitzondering hielden mensen al van Freddie Nielander zodra ze haar zagen en ze wilden dat zij van hen hield. Zelfs als ze naar haar hádden geluisterd zouden ze het daardoor nog met haar eens zijn geweest, en zelfs als ze alleen maar onzin uitkraamde, prezen de mensen haar intelligentie.

De arme Freddie kreeg alleen maar een gemeende respons van een spiegel. Het viel alleen maar door een mirakel te verklaren dat ze niet al lang geleden zo knetter was geworden als een door radioactief afval aangetaste rat.

Toen hij de bibliotheek bereikte, ontdekte Fric dat de meubels in de leeshoek naast de ingang iets waren verschoven om plaats te maken voor een kerstboom van bijna vier meter hoog. De frisse lucht van een naaldbos was zo sterk, dat hij verwachtte eekhoorns in de leunstoelen te zien die druk bezig waren eikels te verzamelen in antieke Chinese vazen.

Dit was een van de negen enorme sparren die nog deze avond waren opgezet in de belangrijkste kamers van het hele huis. Smetteloos gevormde, perfect symmetrische, groener dan groen gekloonde bomen.

Elk van de negen bomen zou volgens een verschillend thema opgetuigd worden. Hier was het onderwerp engelen.

Elke versiering in de boom was een engeltje of een engeltje in ontwerp. Babyengeltjes, kinderengeltjes, volwassen engeltjes, blonde engeltjes met blauwe ogen, Afro-Amerikaanse engeltjes, Aziatische engeltjes, nobele Amerikaans-indiaanse engeltjes met zowel verentooien als halo's. Glimlachende engeltjes, lachende engeltjes die hun halo's als een hoelahoep gebruikten, vliegende, dansende, dartelende, biddende en touwspringende engeltjes. Lieve hondjes met engelenvleugeltjes. Katten, kikkers en varkens als engeltjes.

Fric onderdrukte de aandrang te kotsen.

Hij liet de glinsterende, glitterende, bungelende en grijnzende engeltjes achter, ging de rijen boekenstellingen in en liep direct op de plank af waarop de woordenboeken stonden. Hij ging met het grootste boek op de grond zitten – *The Random House Dictionary of the English Language* – en bladerde naar Robin Goodfellow, omdat de Geheimzinnige Beller had gezegd dat de man voor wie Fric zich snel zou moeten verstoppen 'zichzelf Robin Goodfellow noemde'.

De definitie bestond uit een enkel woord: *Puck.*

Voor Fric leek dit een obsceniteit, hoewel hij niet wist wat het betekende.

Woordenboeken stonden vol obsceniteiten. Het hinderde Fric niet. Hij nam aan dat de mensen die woordenboeken samenstelden niet zomaar een zootje vuilbekkende achterbuurtschooiers waren, maar dat ze wetenschappelijke redenen hadden om ook gore praat toe te voegen.

Maar als ze obscene omschrijvingen van één woord begonnen te geven die nergens op sloegen, werd het misschien tijd dat de uitgever eens aan hun koffie ging ruiken om te kijken of die niet aangelengd was met drank.

Veel medewerkers van zijn vader gebruikten zoveel obsceniteiten per zin dat ze waarschijnlijk woordenboeken hadden die alleen maar gore taal bevatten. Toch was *Puck* zo vaag dat niemand van hen dat ooit in aanwezigheid van Fric had gebruikt.

Fric bladerde verder door het boek, er behoorlijk zeker van dat hij zou bemerken dat Puck betekende: 'Krijg het, we hebben er geen zin meer in omschrijvingen te geven, zoek zelf maar uit wat het betekent.'

Maar hij merkte dat Puck een 'boze geest' was in de Engelse volksverhalen, en een karakter in *A Midsummer Night's Dream* van Shakespeare.

De meeste woorden hadden meer dan één betekenis, en Puck ook. De tweede betekenis klonk heel wat minder opgewekt dat de eerste: 'een kwaadaardige of boosaardige geest of demon; een kobold'.

De Geheimzinnige Beller had gezegd dat de man over wie Fric zich zorgen moest maken een gevaarlijker kant had dan Robin Goodfellow, alias Puck. Een gevaarlijker kant dan een kwaadaardige demon of kobold.

Donkere wolken trokken samen boven Friclandia.

Fric bladerde verder door het woordenboek, op zoek naar een man die M-o-e L-o-c-k heette. Maar na enig zoekwerk vond hij alleen maar Moloch. Hij las de betekenis twee keer door.

Narigheid.

Moloch was een god geweest, voorkomend in twee bijbelboeken, en zijn aanbidders dienden kinderoffers te brengen. Hij was duidelijk geen godheid die de zegen van de bijbel verdiende.

Vooral de laatste vier woorden van de omschrijving bezorgden Fric kippenvel: '... het offeren van kinderen *door hun eigen ouders*'.

Dat leek kinderoffers net een graadje erger te maken.

Hij geloofde geen moment dat Geestpapa en Mam in Naam hem op een altaar zouden vastbinden en in stukjes zouden hakken voor Moloch.

Om te beginnen zouden zij, met hun agenda van superster, waarschijnlijk nooit meer op dezelfde tijd op dezelfde plaats zijn.

Bovendien waren ze, hoewel ze misschien niet het soort ouders waren dat je 's avonds in bed stopte en je leerde honkballen, ook geen monsters. Het waren gewoon mensen. In de war. Die probeerden binnen hun vermogens hun best te doen.

Fric twijfelde er niet aan dat ze om hem gaven. Dat moest wel. Ze hadden hem gemaakt.

Ze konden alleen hun gevoelens niet zo goed uiten. Bij het gemiddelde supermodel ging het om beelden, niet om woorden. Natuurlijk was de grootste filmster ter wereld als acteur beter met woorden dan Freddie, maar alleen als iemand die voor hem opschreef.

Een tijdje, gewoon om wat te doen te hebben zodat hij niet hoefde te denken aan dat hij op wrede wijze vermoord zou worden, zocht Fric smerige woorden op in de dictionaire. Het was een verbazend smerig boek.

Uiteindelijk begon hij zich te schamen dat hij al die smerige betekenissen opzocht in dezelfde ruimte met een boom vol engeltjes.

Hij zette het woordenboek terug op de plank en liep naar de dichtstbijzijnde telefoon. Omdat de bibliotheek zo reusachtig was, waren er drie telefoons verdeeld over de verschillende leeshoeken. Op die zeldzame momenten dat Geestpapa een journalist van een tijdschrift uitnodigde hem thuis te interviewen in plaats van op de set of op ander neutraal terrein, merkte hij meestal op dat de bibliotheek twee keer zoveel boeken bevatte als er flessen wijn in de wijnkelder stonden. Daarna zei hij dan: 'Als ik afgedankt word, zal ik in ieder geval een aangenaam verwend, goed opgeleid afdankertje zijn.'

Ha, ha, ha.

Fric ging op de rand van een stoel zitten, pakte de hoorn van de telefoon ernaast op, drukte op de toets voor zijn privélijn en draaide *69. Hij was vergeten dit te doen in de wijnproeverij nadat de Geheimzinnige Beller had opgehangen.

Eerder, toen hij deze truc had geprobeerd, was het terugbelnummer steeds overgegaan en overgegaan en had er niemand opgenomen.

Ditmaal nam wel iemand op. Iemand pakte de hoorn op bij de vierde keer overgaan, maar zei niets.

'Ik ben het,' zei Fric.

Hoewel hij geen antwoord kreeg, wist Fric dat hij niet naar een dode verbinding luisterde. Hij kon de aanwezigheid van iemand aan de andere kant voelen.

'Ben je verrast?' vroeg Fric.

Hij kon horen ademen.

'Ik heb sterretje negenenzestig gedraaid.'

De ademhaling werd vreemd, een beetje onregelmatig, alsof het idee met *69 opgespoord te zijn de man opwond.

'Ik bel je vanuit de plee van mijn vaders badkamer,' loog hij, en wachtte om te zien of zijn vreemde telefoonmaatje hem zou waarschuwen voor de ellende die hem lag te wachten voor het liegen. Maar hij kreeg alleen nog maar meer ademhaling te horen.

De man probeerde hem duidelijk de stuipen op het lijf te jagen. Fric weigerde de smeerlap de bevrediging te geven van de wetenschap dat het hem gelukt was.

'Wat ik had vergeten te vragen, was hoelang ik me voor die Puck zal moeten verbergen als die verschijnt.'

Hoe langer Fric naar de ademhaling luisterde, hoe meer hij besefte dat deze een vreemde en storende intensiteit had die heel erg verschilde van die van de gewone telefoonhijger die hij in films had gehoord.

'Ik heb Moloch ook opgezocht.'

Deze naam leek de idioot op te winden. De ademhaling werd luider en gejaagder.

Ineens raakte Fric ervan overtuigd dat de hijger geen man was, maar een dier. Zoals een beer misschien, maar erger dan een beer. Zoals een stier, maar geen gewone stier.

De adem kronkelde als een slang van geluid door de gekrulde draad heen, de hoorn in naar Frics rechteroor om zich in zijn schedel op te rollen en zijn giftanden in zijn hersenen te zetten.

Dit leek helemaal niet op de Geheimzinnig Beller. Hij hing op.

Ogenblikkelijk klonk zijn telefoonverbinding: *Oedelie-oedelie-oe.* Hij nam niet op.

Fric stond op uit zijn leunstoel. Hij liep weg.

Hij liep snel langs de rijen boekenplanken naar de deur van de bibliotheek.

Het geluid van zijn privélijn bleef de spot met hem drijven. Hij bleef even staan om naar de telefoon in deze grootste leeshoek te kijken, en hij zag de verklikker rood opgloeien bij elke keer dat hij overging.

Zoals alle leden van de huishouding en stafleden die een eigen telefoonverbinding hadden, had Fric ook voicemail. Als hij bij de vijfde keer niet opnam, zou het telefoontje doorgeschakeld worden.

Hoewel zijn voicemail op het moment aanstond, was de telefoon veertien keer overgegaan, misschien wel vaker.

Hij liep om de kerstboom heen, deed een van de twee hoge deuren open en stapte de bibliotheek uit naar de gang.

Ten slotte hield de telefoon ermee op hem te kwellen.

Fric wierp een blik naar links, daarna naar rechts. Hij stond alleen op de gang, maar toch kreeg hij weer het gevoel in de gaten gehouden te worden.

In de bibliotheek, te midden van de honderden kleine witte lampjes die als sterren in de takken van de spar waren opgehangen, zongen de engeltjes stilletjes, lachten stilletjes, bliezen stilletjes op hun klaroenen, glinsterden, glitterden, opgehangen aan hun halo's of harpen, bungelend aan hun doorboorde vleugels, aan hun in gebed geheven handen, aan hun hals, alsof ze alle hemelse wetten hadden overtreden en nu massaal geëxecuteerd waren, voor eeuwig veroordeeld tot deze galgenboom.

34

Ethan dronk whisky zonder dat het enig effect op hem had, alsof de dubbele ervaring van zijn eigen dood op één dag zijn metabolisme dramatisch versneld leek te hebben.

Deze hotelbar, met zijn menigte aan opgepoetste beau monde, was een favoriete plek van Channing Manheim, een trefpunt in de eerste dagen van zijn carrière. Maar onder gewone omstandigheden zou Ethan een tent hebben uitgezocht zonder dit soort opsmuk en met een grieflijk ingetrokken bierlucht.

De paar andere bars die hij kende, werden na diensttijd door smerissen bezocht. Het vooruitzicht een oude vriend uit het korps tegen het lijf te lopen, juist op deze avond, schrok hem af.

Al binnen de minuut zou Ethan in een gesprek met welke andere maat bij de politie ook, hoezeer hij ook probeerde een vrolijk gezicht te trekken, verraden hebben dat hem iets vreselijk dwarszat. En elke zichzelf respecterende diender zou zich niet in kunnen houden hem net zolang door te zagen, subtiel of overduidelijk, over de oorsprong van zijn bezorgdheid.

Op dit moment wilde hij niet praten over wat er met hem was gebeurd. Hij wilde erover nádenken.

Nou, dat was niet helemaal waar. Hij zou liever het denken hebben nagelaten. Gewoon vergeten dat het was gebeurd. Zich ervan afkeren. Het afgrendelen in zijn geheugen en dronken worden.

Maar afwijzen was geen optie, niet met de drie zilveren klokjes uit de ambulance die glinsterend naast zijn glas whisky op de bar lagen. Hij zou net zo goed kunnen proberen het bestaan van Bigfoot te ontkennen als die op zijn gezicht zat.

Dus er bleef hem geen andere keuze over dan te speculeren over wat er was gebeurd, wat hem direct intellectueel op een doodlopende weg bracht. Hij wist niet alleen niet wat hij moest vinden van deze vreemde gebeurtenissen, hij wist ook niet hoe hij er iets van moest vinden.

Hij was duidelijk niet neergeschoten door Rolf Reynerd. Toch wist hij instinctief dat het laboratoriumonderzoek zou bevestigen dat het bloed onder zijn nagels van hem was.

De ervaring zo zwaargewond te raken door een aanrijding in het verkeer, de herinnering aan zijn verlamming zo afschuwelijk gedetailleerd, maakte het voor hem onmogelijk te geloven dat hij zich dit allemaal alleen maar verbeeld had onder invloed van een drug die hem zonder zijn weten was toegediend.

Ethan vroeg de barkeeper een volgend drankje, en toen de whisky over nieuw ijs in een schoon glas klaterde, wees hij op de klokjes en zei: 'Zie je deze?'

'Ik houd van dat oude liedje,' zei de barkeeper.

'Welk liedje?'

'Silver Bells.'

'Zie je ze?'

De barkeeper trok een wenkbrauw op. 'Ja. Een setje van drie kerstklokjes. Hoeveel setjes zie jij?'

Ethan vertrok zijn mond tot een grimas waarvan hij hoopte dat die er minder idioot uit zou zien dan die aanvoelde. 'Eentje. Maak je geen zorgen. Ik zal geen gevaar op de weg worden.'

'O nee? Dan ben je wel heel bijzonder.'

Ja, dacht Ethan, *ik ben wel heel bijzonder. Ik ben vandaag twee keer doodgegaan, maar het lukt me nog steeds mijn glas vast te houden*, en hij vroeg zich af hoe snel de barkeeper zijn drankje bij hem weg zou grissen als hij die woorden hardop zei.

Hij nipte van de whisky, zocht verklaring in de bedwelming aangezien hij geen verklaring in nuchterheid kon vinden.

Tien of vijftien minuten later, nog steeds broodnuchter, kreeg hij in de spiegel achter de bar Dunny Whistler in het oog.

Ethan draaide zich met een ruk op zijn kruk om waardoor whisky uit zijn glas klotste.

Zigzaggend tussen de tafeltjes door had Dunny bijna de deur bereikt. Hij was geen geest: een serveerster bleef even staan om hem langs te laten.

Ethan kwam van de kruk, herinnerde zich de klokjes, griste die van de bar en haastte zich naar de uitgang.

Enkele klanten liepen van het ene tafeltje naar het andere en stonden in de doorgangen. Ethan moest zich beheersen ze niet opzij te duwen. Zijn 'neem me niet kwalijk' had zo'n scherpe klank dat mensen begonnen te steigeren, maar de uitdrukking op zijn gezicht deed hen ogenblikkelijk hun ongeuite berisping inslikken.

Tegen de tijd dat Ethan uit de bar stapte was Dunny verdwenen. Ethan haastte zich naar de aangrenzende hal en zag gasten bij de registratiebalie staan, anderen bij de balie van de portier, zag mensen naar de lift lopen, maar Dunny was er niet bij.

Links van Ethan kwam de marmeren hal uit op een enorme zitruimte met banken en leunstoelen. Daar konden de gasten elke middag souperen; en op dit latere tijdstip werden drankjes geserveerd aan mensen die de voorkeur gaven aan een rustiger atmosfeer dan die van de bar.

Toen hij snel rondkeek, zag hij Dunny Whistler niet onder de gasten in de zitruimte.

Dichterbij, rechts van Ethan, kwam de draaideur van de hotelingang langzaam tot stilstand, alsof iemand er zojuist doorheen naar binnen of naar buiten was gegaan, maar de vier vakken waren leeg.

Hij ging door de draaideur naar buiten, naar de kille avond onder het dak van de luifel.

De portier en een druk team parkeerbediendes begeleidden gasten van en naar aankomende en vertrekkende auto's. Sedans, SUV's en limousines stonden dicht achter elkaar in de drukke aanvoerroutes naar het hotel.

Dunny bevond zich niet onder de mensen die op hun auto stonden te wachten. En ook scheen hij zich niet door de neerstromende regen te haasten in gezelschap van een parkeerbediende.

Er stonden verscheidene Mercedessen in diverse donkere kleuren tussen de andere auto's, maar Ethan wist bijna zeker dat de auto van Dunny er niet bij was.

De beltoon van zijn mobiel zou hij misschien niet gehoord hebben boven het gebabbel van mensen onder de hotelluifel, het geluid van de auto's en het sissen en kletteren van de druilende regen uit. Maar hij was geschakeld op een stil signaal en trilde in de zak van zijn jasje.

Nog steeds in het donker zoekend naar Dunny beantwoordde Ethan de telefoon.

Hazard Yancy zei: 'Ik moet je meteen spreken, makker, en dat doen we ergens waar we een beetje uit het zicht zijn.'

35

Dunny neemt de lift van het hotel naar de derde verdieping in gezelschap van een ouder koppel. Ze staan hand in hand alsof het jonge gelieven zijn.

Dunny hoort het woord 'trouwdag' en vraagt hoelang ze getrouwd zijn.

'Vijftig jaar,' zegt de man, gloeiend van trots dat zijn vrouw het grootste deel van haar leven met hem heeft doorgebracht.

Ze komen uit Scranton, in Pennsylvania, en zijn hier in Los Angeles om hun trouwdag te vieren met hun dochter en haar gezin.

De dochter heeft voor de trouwsuite van het hotel betaald die, volgens de vrouw 'zo mooi is, dat we bang zijn de meubels te gebruiken'.

Van L.A. zullen ze naar Hawaï vliegen, alleen met z'n tweetjes, voor een romantische idylle van een week in de zon.

Ze zijn heel gewoon, lief, duidelijk dol op elkaar. Ze hebben een leven achter zich dat Dunny zo lang verachtte, zelfs de draak mee stak.

De afgelopen jaren was hij hun soort geluk meer dan iets anders gaan begeren. Hun toewijding en liefde voor elkaar, het gezin dat ze hebben gesticht, het leven van samen strijden, de herinneringen aan gedeelde problemen en moeizaam verworven overwinningen. Uiteindelijk gaat het allemaal hierom, niet de dingen die hij met doelbewuste strategie en meedogenloze tactieken heeft nagejaagd. Niet de macht, niet het geld, niet de opwinding, niet alles in de hand hebben.

Hij heeft geprobeerd te veranderen, maar is zo lang in zijn eentje bezig geweest dat hij het niet kan omkeren en het maatje vinden naar wie hij zo smacht. Hannah is al vijf jaar dood. Pas op haar sterfbed besefte hij dat zij de beste kans was geweest die hij ooit had gehad om van het verkeerde pad op het goede te komen. Als heethoofdige jongeman had hij haar raadgevingen in de wind geslagen, had hij gedacht dat macht en geld belangrijker voor hem waren dan zij. De schok van haar vroegtijdige overlijden dwong hem de harde waarheid onder ogen te zien dat hij het verkeerd had gehad.

Pas op deze vreemde, regenachtige dag is hij gaan begrijpen dat zij ook zijn laatste kans was geweest.

Voor een man die ooit geloofde dat de wereld klei was die hij kon vormen naar wat hij wilde, heeft Dunny een moeilijk punt bereikt. Hij is al zijn macht kwijt, want niets van wat hij nu doet kan zijn leven nog veranderen.

Van het geld dat hij uit de muurkluis in zijn werkkamer heeft gepakt, heeft hij nog twintigduizend dollar over. Hij zou tien ervan kunnen geven aan dit echtpaar uit Scranton, hun vertellen een hele maand in het blauwe Hawaï te blijven zitten, lekker te eten en te drinken met zijn zegen.

Of hij zou de lift kunnen stoppen en hen vermoorden.

Geen van beide dingen zou zijn toekomst op enigerlei zinvolle wijze veranderen.

Bitter benijdt hij hun geluk. Er zou een zekere woeste bevrediging in zitten om hen van hun resterende jaren te beroven.

Wat er verder ook mis met hem mag zijn – de lijst van zijn mis-stappen en verloedering is lang – hij kan niet alleen maar uit ja-loezie doden. Hij wordt eerder tegengehouden door trots dan door medelijden.

Hun suite op de derde verdieping is aan het andere einde van de gang als die van hem. Hij wenst hun het allerbeste en ziet ze hand in hand weglopen.

Dunny logeert in de presidentiële suite. Deze enorme ruimte wordt op jaarbasis gehuurd door Typhon die er de komende paar dagen geen gebruik van zal maken omdat hij voor zaken elders is.

Presidentieel geeft een te zwak uitgedrukte democratische groots-heid aan. Maar deze enorme vertrekken zijn zo weelderig en zo zinnenprikkelend, dat ze minder geschikt zijn voor een democra-tisch leider dan voor leden van een koningshuis of halfgoden.

Ingelegde marmeren vloeren, Turkse tapijten in goud en rood, in abrikoos en indigo, hardhouten betimmering tot de plafondlijsten vijf meter hoog...

Dunny loopt van kamer naar kamer, ontroerd door de menselijke begeerte om zijn leefruimte mooi te maken en daarmee dapper te ontkennen dat de grofheid van de wereld ondergaan moet worden. Elk paleis en elk kunstwerk tot nu toe is slechts stof zolang het niet voltooid is, en tijd is de geduldige wind die het zal slopen. Toch hebben mannen en vrouwen zich enorme gedachten, inspanningen en zorg getroost om deze ruimtes aantrekkelijk te maken, omdat ze hopen, tegen alle bewijzen in, dat hun leven betekenis heeft en hun talenten bij een doel liggen dat groter is dan zijzelf.

Tot twee jaar geleden kende Dunny die hoop niet. Drie jaar ver-driet over haar verlies deed hem ironisch genoeg willen geloven in God.

Langzamerhand, in de jaren die volgden op haar begrafenis, was er een onverwachte hoop in hem gegroeid, wanhopig en kwets-baar, maar duurzaam. Toch blijft hij te veel de oude Dunny, vast-geroest in oude manieren van denken en doen.

Hoop is een ondoorzichtige straling. Hij is er nog niet achter hoe hij er iets puurs, helders, iets machtigers uit kan distilleren.

En nu zal het nooit meer gebeuren.

In de grote slaapkamer gaat hij bij het beregende raam staan en kijkt naar het noordwesten. Achter de door de storm vervaagde lichten van de stad, achter de weelderige aangelegde en luxe be-bouwde heuvels van Beverly Hills, ligt Bel Air en het Palazzo Ros-po, dat dwaze maar toch dappere monument van de hoop. Alle bezitters ervan zijn dood – of gaan dood.

Hij wendt zich af van het raam en staart naar het bed. Het kamermeisje heeft de sprei weggehaald, het dek teruggeslagen en op een van de kussens een klein goudkleurig doosje achtergelaten.

In het doosje zitten vier bonbons. Elegant gevormd en versierd, ze lijken heerlijk, maar hij proeft er niet van.

Hij zou willekeurig welke van diverse mooie vrouwen kunnen bellen om het bed met hem te delen. Sommigen zouden geld verwachten, anderen niet. Onder hen zijn vrouwen voor wie seks een daad van liefde en genade is, maar ook vrouwen die opgaan in hun eigen ontwaarding. De keuze is aan hem, elke tederheid of opwinding die hij maar wil.

Hij kan zich niet de smaak van de oesters of het bouqet van de pinot grigio herinneren. De herinnering heeft geen smaak, biedt weinig meer stimulatie aan zijn zintuigen dan misschien een foto van oesters en wijn.

Geen van de vrouwen die hij zou kunnen bellen zou een grotere indruk op hem achterlaten dan het eten en drinken dat, nog steeds verterend in hem, een denkbeeldig maal lijkt. De zijdezachte aanraking van hun huid, de geur van hun haar zouden niet bij hem blijven nadat ze, als ze vertrokken, de deur achter zich dichttrokken.

Hij is als een man die de laatste nacht voor de dag des oordeels beleeft, met het volledige bewustzijn dat de zon de volgende ochtend in een nova zal veranderen, en toch niet in staat is om te genieten van de kostbare pleziertjes van deze wereld, omdat al zijn energie is gericht op de wanhopige wens dat het voorziene einde toch niet zal komen.

36

Ethan en Hazard troffen elkaar in een kerk, omdat rond deze tijd op een maandagavond de kerkbanken leeg waren en er absoluut geen kans bestond dat ze hier samen gezien zouden worden door politici, door leden van het OIS-team, of door andere autoriteiten. Ze zaten in het voor de rest verlaten schip naast elkaar op een bank bij een zijpad, waar de zij- en bovenlichten niet brandden, in de schaduw. De verschaalde maar aangename zweem van allang uitgebrand wierook geurde in de lucht die stil was als die in een afgesloten potje.

Ze spraken niet zozeer fluisterend als samenzweerders, maar eerder op die gedempte toon van mannen die deemoedig een ontzagwekkende ervaring hebben ondergaan.

'Dus ik vertelde het OIS-team dat ik Reynerd ben gaan opzoeken om hem een paar vragen te stellen over zijn vriend Jerry Nemo, die toevallig een verdachte is in de moord op die cokehandelaar Carter Cook.'

'Geloofden ze je?' vroeg Ethan.

'Ze leken het te willen. Maar stel dat ik morgen een verslag van het laboratorium krijg dat Blondie in de Put vastpint aan dat gemeenteraadslid over wie ik je heb verteld.'

'Dat meisje dat in de rioolzuivering is gedumpt.'

'Ja. Dus dat schofterige gemeenteraadslid zal naar een manier gaan zoeken om mij te pakken. Als iemand van het OIS-team gekocht of gechanteerd kan worden, zullen ze die moordenaar met het cokelepeltje in zijn oor veranderen in een manke koorknaap die in zijn rug is geschoten en zal mijn smoel op de voorpagina's verschijnen onder de negenletterige kop.'

Ethan wist wat de negenletterige kop zou zijn – KILLER COP – omdat ze het hadden gehad over de macht van de vooroordelen jegens de politie door de jaren heen. Als een corrupte politicus en de op sensatie beluste media in een zaak een gemeenschappelijk belang ontdekten, werd de waarheid verder opgerekt dan de huid van een Hollywood-diva met vier facelifts, en de blinddoek van Vrouwe Justitia werd van haar ogen gerukt en in haar mond gepropt om haar het zwijgen op te leggen.

Hazard leunde naar voren, zijn onderarmen op zijn dijen, de handen gevouwen als in gebed en hij staarde naar het altaar. 'De media zijn gek op dit raadslid. Zijn reputatie is die van een hervormer en hij heeft alle juiste sympathieën en posities voor waar het om gaat. Ze horen ook van mij te houden, omdat ik zo lief ben, maar dat zootje snijdt zich nog liever de lippen af dan dat ze een smeris kussen. Als ze een kans zien hem te redden door mij aan het kruis te nagelen, zal elke ijzerzaak in de stad zonder spijkers komen te zitten.'

'Het spijt me dat ik je erbij heb gehaald.'

'Jij kon niet weten dat de een of andere gek Reynerd zou mollen.'

Hazard haalde zijn blik weg van het altaar en zijn ogen vonden die van Ethan alsof hij zocht naar de hoon van Judas. 'Of wel?'

'Op de een of andere manier ziet dit er slecht voor me uit.'

'Op de een of andere manier,' beaamde Hazard. 'Maar zelfs jij bent niet zo dom om voor de een of andere filmkloot te werken die zijn zaakjes regelt alsof hij een grote in de rapmuziek is.'

'Manheim is niet op de hoogte van Reynerd of de zwarte dozen. En als het wel zo was, zou hij vinden dat Reynerd zijn psychologie alleen maar moest verbeteren met wat aromatherapie.'

'Maar iets hou je achter,' benadrukte Hazard.

Ethan schudde zijn hoofd, maar niet ontkennend. 'O, man, dit is een lange dag in een draaimolen geweest.'

'Om te beginnen zat Reynerd op zijn bank tussen twee zakken chips in. Er bleek in elke zak een geladen wapen te zitten.'

'Toch, toen de schutter aanbelde, deed Reynerd ongewapend de deur open.'

'Misschien omdat hij dacht dat ik de werkelijke bedreiging vormde en al binnen was. Waar het om gaat, is dat je gelijk had met de chips.'

'Zoals ik je al heb gezegd, heeft een buurman me verteld dat hij paranoïde was en een pistool bij de hand hield, weggestopt op dat soort vreemde plaatsen.'

'De praatgrage buurman – dat is gelul,' zei Hazard. 'Er was geen praatzieke buurman. Op de een of andere manier wist je het.'

Ze zaten op een kruising tussen vertrouwen en argwaan. Tenzij Ethan meer zou zeggen dan hij tot dusver had losgelaten, zou Hazard hem geen stap meer volgen. Hun vriendschap zou er niet door eindigen, maar zonder verdere onthullingen zou die nooit meer dezelfde zijn.

'Straks denk je dat ik gestoord ben,' zei Ethan.

'Doe ik al.'

Ethan ademde nog meer wierook in en ademde geremdheid uit, en hij vertelde Hazard dat hij door Reynerd in de buik was geschoten en dat hij, toen hij zijn ogen opende, ontdekte dat hij helemaal niet neergeschoten was en ondanks de afwezigheid van bloed toch bloed onder zijn nagels had gevonden.

Tijdens dit alles werden Hazards ogen niet vaag of zwierven naar een ver punt ergens in de kerk, zoals hij gedaan zou hebben als hij had besloten dat Ethan onzin verkocht of psychotisch was. Pas toen Ethan klaar was met zijn verhaal keek Hazard weer naar zijn gevouwen handen.

Uiteindelijk zei de grote man: 'Nou, ik zit zeker niet naast een geest.'

'Als je een inrichting voor me wilt reserveren,' zei Ethan, 'zou ik er graag een hebben met een goed handenarbeidprogramma.'

'Heb je naast dat je je bloed hebt laten testen op drugs nog theorieën bedacht?'

'Je bedoelt behalve dat ik in de Twilight Zone zit? Of ben ik echt doodgeschoten en is dit de hel?'

Hazard begreep de wenk. 'Maar er moeten toch een heleboel theorieën in je opkomen, niet?'

'Maar andere dan die je kunt onderzoeken met wat ze op de politieacademie "conventionele onderzoekstechnieken" noemen.'

'Voor mij ben je niet gek,' zei Hazard.

'Voor mezelf ook niet. Maar de gek is natuurlijk altijd de laatste die het weet.'

'Bovendien had je gelijk over het pistool in de zak chips. Dus het was minstens zoiets als een... paranormale ervaring.'

'Helderziendheid, ja. Behalve dat het geen verklaring geeft voor het bloed onder mijn nagels.'

Hazard had deze bizarre onthulling met een rustig vertrouwen en een opmerkelijke gelijkmoedigheid aangehoord.

Toch was Ethan niet van plan hem te vertellen dat hij was aangereden door de PT Cruiser en de vrachtwagen. En dat hij was gestorven in de ambulance.

Als je vertelde dat je een geest had gezien, was je een gewone man die een geheimzinnige ervaring had gehad. Als je vertelde dat je weer een geest had gezien op een andere plek en tijd, was je op z'n best een excentriekeling wiens beweringen daarna met zoveel zout zouden worden genomen om de rand van een miljoen margaritaglazen te versieren.

'De schutter die Reynerd heeft doodgeschoten,' zei Hazard, 'was een bendelid die zichzelf Hector X noemde. Hij heette eigenlijk Calvin Roosevelt. Hij is een grote naam bij de Crips, dus je neemt aan dat zijn medeplichtige een auto moet hebben gereden die ze net voor de aanslag hebben gejat.'

'Standaard,' beaamde Ethan.

'Maar er is geen aangifte gedaan van een gestolen Benz die zij gebruikten. Ik kreeg het nummer op de platen te pakken en je gelooft niet van wie hij is.'

Hazard keek op van zijn gevouwen handen. Hij vond Ethans ogen. Hoewel Ethan niet wist wat er kwam, wist hij wel dat het niet goed kon zijn. 'Wie?'

'Jouw jeugdvriend. De beruchte Dunny Whistler.'

Ethan wendde zijn blik niet af. Hij durfde het niet. 'Je weet wat er een paar maanden geleden met hem is gebeurd.'

'Een paar mannen hebben hem verdronken in een wc, maar hij was niet echt dood.'

'Een paar dagen daarna nam zijn advocaat contact met me op,

vertelde me dat ik in Dunny's testament als zijn executeur was aangewezen, en dat geeft mij het recht medische beslissingen voor hem te nemen.'

'Dat heb je me nooit verteld.'

'Ik zag geen enkele reden. Je weet wat hij was. Je begrijpt dat ik hem niet in mijn leven wilde hebben. Maar ik accepteerde de situatie door... ik weet het niet... misschien door wat hij voor me betekende toen we jong waren.'

Hazard knikte. Hij haalde een rol karamelsnoepjes uit een jaszak, maakte de wikkel open en bood Ethan er een aan.

Ethan schudde zijn hoofd. 'Dunny is vanmorgen overleden in het Onze Lieve Vrouwe van de Engelen.'

Hazard haalde een snoepje uit het rolletje en stak die in zijn mond.

'Ze kunnen zijn lijk niet vinden,' zei Ethan, omdat hij plotseling het gevoel had dat Hazard dit allemaal al wist.

Terwijl hij nauwgezet het losse papier weer terugvouwde over de snoepjes, zei Hazard niets.

'Ze zwoeren dat hij dood was,' vervolgde Ethan, 'maar gezien hoe het er in het mortuarium van een ziekenhuis aan toe gaat, kan hij daar alleen maar op zijn eigen twee benen zijn vertrokken.'

Hazard stak het rolletje terug in zijn jaszak. Hij zoog op de karamel en bewoog die rond in zijn mond.

'Ik weet zeker dat hij leeft,' zei Ethan.

Ten slotte keek Hazard hem weer aan. 'Is dit allemaal gebeurd voordat we gingen lunchen?'

'Ja. Luister, ik heb het niet genoemd omdat ik niet inzag op welke manier Dunny verbonden kon worden met Reynerd. Ik zie het nog steeds niet. Jij wel?'

'Jij was behoorlijk beheerst tijdens de lunch, gezien wat er allemaal door je hoofd spookte.'

'Ik dacht dat ik gek werd, maar het leek me niet waarschijnlijk dat je me nog zou helpen als ik je werkelijk vertelde dat ik gek werd.'

'Dus wat gebeurde er na de lunch?'

Ethan vertelde over zijn bezoek aan Dunny's flat zonder iets weg te laten, behalve de vreemde ongrijpbare gedaante in de door stoom beslagen spiegel.

'Waarom zou hij een foto van Hannah op zijn bureau hebben gehad?' vroeg Hazard.

'Hij heeft haar nooit kunnen vergeten. Nog steeds niet. Ik denk dat hij daarom vandaag haar foto uit het lijstje heeft gehaald en heeft meegenomen.'

'Dus hij rijdt de garage uit in zijn Mercedes…'
'Ik nam aan dat hij het was. Ik kon de chauffeur niet zien.'
'En toen wat?'
'Ik moest erover nadenken. Daarna heb ik een bezoek gebracht aan Hannahs graf.'
'Waarom?'
'Een gevoel. Ik dacht dat ik daar misschien iets zou vinden.'
'En wat heb je gevonden?'
'Rozen.' Hij vertelde Hazard over de twee dozijn Broadways en zijn bezoek daarna aan Forever Roses. 'De bloemiste beschreef Dunny net zo goed als ik zou hebben gekund. Toen wist ik zeker dat hij nog leefde.'
'Wat bedoelde hij ermee toen hij haar vertelde dat jij dacht dat hij dood was – en dat jij gelijk had?'
'Ik weet het niet.'
Hazard beet de karamel door.
'Zo breek je nog een tand,' waarschuwde Ethan.
'Alsof dat mijn grootste probleem is.'
'Gewoon een vriendschappelijke raad.'
'Whistler wordt wakker in een lijkenhuis, beseft dat hij abusievelijk dood is verklaard, dus hij trekt zijn kleren aan, gaat naar huis zonder iemand te laten schrikken, neemt een douche. Vind jij dat logisch?'
'Nee. Maar ik dacht dat hij misschien een hersenbeschadiging had.'
'Hij rijdt naar een bloemenzaak, koopt rozen, bezoekt een graf, huurt een moordenaar… Voor een man met een hersenbeschadiging die uit een coma komt, lijkt hij nog behoorlijk normaal te functioneren.'
'Ik heb die theorie van hersenbeschadiging losgelaten.'
'Dat is maar goed ook. Dus wat gebeurde er na jouw bezoek aan de bloemenwinkel?'
Uitgaande van de theorie van geloofwaardigheid van twee geesten, vertelde Ethan hem niet over de PT Cruiser, maar zei: 'Ik ben naar een bar gegaan.'
'Jij bent geen man om naar antwoorden te zoeken in een glas gin.'
'Dit was whisky. Vond daar ook geen antwoorden. Moet misschien straks eens wodka proberen.'
'Dus dat is alles? Je hebt me nu alles verteld?'
Met alle overtuiging die hij kon opbrengen, zei Ethan: 'Wat – is deze narigheid niet al voldoende *X-Files*? Zou je er buitenaardse wezens in willen hebben, vampiers, weerwolven?'
'Waar ben je mee bezig – ben je de vraag aan het ontwijken?'

'Ik ontwijk niets,' zei Ethan, die het speet dat hij gedwongen werd ronduit te liegen in plaats van vaagheden te debiteren. 'Ja, dat was alles sinds de bloemisterij. Ik heb whisky zitten drinken tot je me belde.'

'Eerlijk?'

'Ja. Ik zat whisky te drinken, ik kreeg je telefoontje.'

'Denk eraan dat we hier in een kerk zitten.'

'De hele wereld is een kerk als je gelooft.'

'Geloof jij?'

'Vroeger.'

'Niet meer sinds de dood van Hannah, hè?'

Ethan trok zijn schouders op. 'Misschien wel, misschien niet. Ik bekijk het van dag tot dag.'

Na hem een blik te hebben geschonken die een ui rok voor rok gepeld kon hebben tot aan de kern, zei Hazard: 'Goed. Ik geloof je.'

Terwijl hij zich nog minder dan een slang voelde, zei Ethan: 'Bedankt.'

Hazard draaide zich om op de bank om door het schip te kijken en er zeker van te zijn dat niemand was binnengekomen om de hulp van God in te roepen. 'Jij bent over de brug gekomen, dus ik zal je iets vertellen, maar je moet vergeten dat je het hebt gehoord.'

'Ik weet nu al niet meer dat ik hier ben.'

'Niet veel van belang in de flat van Reynerd. Weinig meubilair, alles in zwart en wit.'

'Hij leek als een monnik te leven, maar een monnik met stijl.'

'En drugs. Hij had een grote voorraad coke voor de verkoop en een aantekenboekje met namen en telefoonnummers, waarschijnlijk zijn klantenlijst.'

'Bekende namen?'

'Niet echt. Een paar acteurs. Geen grote. Maar wat je wel moet weten, is dat hij een scenario aan het schrijven was.'

'In deze stad,' zei Ethan, 'zijn er meer mannen die scenario's schrijven dan die vreemd gaan.'

'Hij had zesentwintig velletjes naast zijn computer liggen.'

'Dat is nog niet genoeg voor de eerste scène.'

'Je weet dus iets van scenario's, hè? Ben jij er een aan het schrijven?'

'Nee. Ik heb nog enig gevoel van eigenwaarde.'

Hazard zei: 'Reynerd schreef over een jonge acteur die speciale acteerlessen volgt en die een wat hij zegt "diepe intellectuele verbinding" heeft met zijn leraar. Allebei hebben ze een hekel aan een personage dat Cameron Mansfield heet, die toevallig de grootste filmster van de wereld is, dus ze besluiten hem te doden.'

Onder een gewicht van vermoeidheid was Ethan onderuitgezakt in de hoek van de kerkbank. Nu ging hij rechtop zitten. 'Wat is hun motief?'

'Dat is niet duidelijk. Reynerd heeft een heleboel handgeschreven aantekeningen in de kantlijn in een poging daarachter te komen. Hoe dan ook, om elkaar min of meer te bewijzen dat ze het lef hebben om dit te doen, komen ze overeen elkaar een naam te geven van iemand die ze moeten vermoorden, voordat ze samen de filmster vermoorden. De acteur wil dat de leraar zijn moeder vermoordt.'

'Waarom klinkt dit zo hitchcockiaans?' vroeg Ethan.

'Het lijkt een beetje op zijn vroegere film *Strangers on a Train*. Het idee is dat beide mannen, door moorden uit te wisselen, allebei een perfect alibi hebben voor de moord waarvoor ze anders veroordeeld zouden worden.'

'Laat me eens raden. Reynerds moeders is echt vermoord.'

'Vier maanden geleden,' bevestigde Hazard. 'Op een avond dat haar zoon een alibi had dat luchtdichter was dan het raam van een spaceshuttle.'

De kerk leek te draaien in een laag tempo van zes of acht omwentelingen per minuut, alsof de whisky een verlaat effect had op Ethan, maar hij wist dat deze duizeligheid minder werd veroorzaakt door de whisky dan door deze laatste vreemde onthullingen. 'Wat is dit voor een idioot die dit soort dingen doet en dan tot een scenario verwerkt?'

'Een arrogante, idiote acteur. Vertel me niet dat hij de enige is.'

'En wie wilde de leraar dat Reynerd vermoordde?'

'Een collega op de universiteit. Maar Reynerd had dat deel nog niet geschreven. Hij was net klaar met de scène waarin de moord op zijn moeder voorkwam. In het echt heette ze Mina, en ze werd een keer in haar rechtervoet geschoten en daarna doodgeslagen met een met brons versierde marmeren lamp. In het script heet ze Rena en wordt ze herhaalde malen gestoken, onthoofd, aan stukken gesneden en verbrand in een oven.'

Ethan huiverde. 'Het klinkt alsof de dagen van zijn moeder al waren geteld of Reynerd al of niet de leraar was tegengekomen.'

Ze zwegen. Het goed geïsoleerde kerkdak lag zo ver boven hun hoofd dat de stem van de storm nauwelijks te horen was, minder het geroffel van de regen dan wel de gefluisterde vleugelslagen van een vlucht vogels.

'Dus,' zei Hazard ten slotte, 'zelfs nu Reynerd dood is, lijkt het me beter dat Chan de Man over zijn schouder blijft kijken. De leraar – of wie het ook moge zijn in het echte leven – bestaat nog steeds.'

'Wie zit er op de moord op Mina Reynerd?' vroeg Ethan. 'Iemand die ik ken?'

'Sam Kesselman.'

Sam was rechercheur bij Roof/Moord toen Ethan nog een insigne droeg.

'Wat vindt hij van het scenario?'

Hazard haalde zijn schouders op. 'Hij weet er nog niets van. Ze zullen hem waarschijnlijk pas morgen een kopie bezorgen.'

'Hij is een goeie. Hij zal het goed aanpakken.'

'Misschien niet snel genoeg voor jou,' voorspelde Hazard.

Voor in de kerk, geplaagd door een tochtvlaag, kronkelden de vlammen van votiefkaarsen in robijnrode glazen. Kameleons van licht wriemelden over een muur van het altaar.

'Wat ga je doen?' vroeg Hazard.

'Dat Reynerd is neergeschoten zal morgenochtend in de krant staan. Ze zullen zeker de moord op zijn moeder noemen. Dat geeft me een excuus om naar Kesselman te gaan, en hem op de hoogte te brengen van de pakjes die Reynerd naar Manheim heeft gestuurd. Hij zal het gedeeltelijke script gelezen hebben...'

'Waar jij geen zak van weet,' herinnerde Hazard hem.

'... en hij zal beseffen dat de bedreiging aan Manheim blijft bestaan tot de leraar is geïdentificeerd. Dat zal het onderzoek versnellen, en ik krijg ondertussen misschien politiebescherming voor mijn baas.'

'In een perfecte wereld,' zei Hazard zuur.

'Soms werkt het systeem.'

'Alleen wanneer je het niet verwacht.'

'Ja. Maar ik heb niet de mogelijkheid om Reynerds vrienden en medeplichtigen zo snel te onderzoeken dat ik er wat aan heb, en ik heb niet de bevoegdheid om in zijn persoonlijke dossiers en zaken te graven. Ik zal op het systeem moeten vertrouwen, of ik wil of niet.'

'Wat dacht je van onze lunch vandaag?' vroeg Hazard.

'Dat is nooit gebeurd.'

'Misschien heeft iemand ons gezien. En er is een creditcardspoor.'

'Goed, we hebben geluncht. Maar ik heb Reynerd tegenover jou nooit genoemd.'

'Wie gelooft dat?'

Ethan kon niemand bedenken die zo lichtgelovig was.

'Jij en ik lunchen samen,' zei Hazard, 'ik verzin een reden om dezelfde dag Reynerd een bezoekje te brengen en heel toevallig wordt hij vermoord terwijl ik daar ben. Daarna blijkt ook heel toevallig dat de vluchtauto van de moordenaar van Dunny Whistler is, jouw oude makker.'

'Ik heb pijn in mijn kop,' zei Ethan.

'En ik heb je nog niet eens een knal gegeven. Man, ze verwachten dat we weten wat er gaande is, en als we beweren dat het niet zo is...'

'Wat zo is.'

'... zullen ze zeker weten dat we liegen. Als ik hen was, zou ík denken dat we logen.'

'Ik ook,' gaf Ethan toe.

'Dus zij bedenken een verrekt scenario dat zo'n beetje min of meer de zaak verklaart en uiteindelijk worden we ervan beschuldigd Reynerds moeder te mollen, Reynerd af te knallen, het aan Hector X vast te knopen om hem daarna ook neer te schieten. Voor het allemaal voorbij is zal die schoft van een openbaar aanklager proberen ons de schuld te geven van de verdwijning van de dinosaurussen.'

De kerk leek niet langer een toevluchtsoord. Ethan wenste dat hij in een andere bar zat, waar hij misschien de kans kreeg soelaas te vinden, maar geen bar die Dunny, dood of levend, mogelijk zou bezoeken.

'Ik kan niet naar Kesselman,' besloot hij.

Hazard zou nooit een zucht van opluchting slaken om zijn bezorgdheid kenbaar te maken. Een spiegel onder zijn neus zou misschien een plotselinge condensatie geven, maar verder werd zijn ontspanning alleen maar aangegeven door een licht inzakken van zijn enorme schouders.

Ethan zei: 'Ik zal extra maatregelen moeten treffen om Manheim te beschermen, en gewoon hopen dat Kesselman de moordenaar van Mina snel vindt.'

'Als de voorlopige mening van het ois me niet van de Reynerd-zaak haalt,' zei Hazard, 'haal ik deze stad binnenstebuiten om Dunny Whistler te vinden. Ik moet geloven dat hij de sleutel tot dit alles is.'

'Ik denk dat Dunny mij als eerste vindt.'

'Wat bedoel je?'

'Ik weet het niet.' Ethan aarzelde, zuchtte. 'Dunny was daar.'

Hazard fronste zijn voorhoofd. 'Waar daar?'

'In de bar van het hotel. Ik zag hem pas toen hij vertrok. Ik ging achter hem aan en raakte hem kwijt in de meute buiten.'

'Wat deed hij daar?'

'Drinken. Misschien mij in de gaten houden. Misschien volgde hij me daarheen met de bedoeling mij aan te spreken en besloot toen het niet te doen. Ik weet het niet.'

'Waarom zei je me dat niet meteen?'

'Ik weet het niet. Het leek me... een geest te veel.'

'Denk je dat als het allemaal te uitgebreid wordt, ik het niet meer geloof? Heb vertrouwen, man. We kennen elkaar toch heel lang? We zijn samen beschoten.'

Ze besloten gescheiden de kerk te verlaten.

Hazard stond als eerste op en liep weg. Aan het einde van de kerkbank, in het middenpad, zei hij: 'Zoals vroeger, hè?'

Ethan wist wat hij bedoelde. 'Elkaar weer dekken.'

Voor zo'n grote man maakte Hazard weinig geluid toen hij van het schip naar de voorhal liep en daarna de kerk uit wandelde.

Een betrouwbare vriend die je in de rug dekt is een hele troost, maar de rust en de steun zelfs door de beste vrienden gegeven kunnen niet op tegen wat een liefhebbende vrouw voor een man kan doen, of een liefhebbende man voor een vrouw. In de architectuur van het hart zijn de kamers van vriendschap diep geplaatst en stevig gebouwd, maar de warmste en veiligste plek in Ethans hart was die hij met Hannah had gedeeld, waar ze tegenwoordig alleen nog maar leefde als een dierbare geest, een lieve blijvende herinnering.

Hij zou haar alles verteld kunnen hebben – de geestverschijning in de spiegel, zijn tweede dood buiten Forever Roses – en ze zou hem hebben geloofd. Samen zouden ze naar enig begrip hebben gezocht.

In de vijf jaar dat ze er niet meer was, had hij haar nooit zo erg gemist als op dit moment. Alleen in een stille kerk, zich scherp bewust van het zachte tikken van de regen op het dak, van de hangende geur van wierook, van het robijnrode licht van de votiefkaarsen, maar niet in staat ook maar de minste fluistering, of geur of glinstering van God te ontdekken, verlangde Ethan niet naar een bewijs van zijn Maker, maar naar Hannah, naar de muziek van haar stem en de prachtige geometrie van haar glimlach.

Hij voelde zich thuisloos, zonder haard of anker. Zijn flat in Huize Manheim wachtte op zijn terugkeer, bood veel gemakken, maar het was voornamelijk een woning, geen plek die hem aan het hart ging. Hij had het gevoel van thuis deze lange vreemde dag maar één keer gevoeld: toen hij bij het graf van Hannah stond, waar ze naast een lege plek lag waar hij de eigendomsrechten van had.

37

Zwarte en zilverkleurige regendruppels dropen en miezerden langs het hek van Manheim naar beneden, afwisselend langs bronzen bollen en bronzen vlammenpunten, over gegoten panelen vol arabesken, langs pijlen en krommingen, langs traliewerk, krullen en bladeren, over griffioenen en heraldische emblemen.
Ethan remde en kwam tot stilstand voor de veiligheidszuil: een vierkante met kalksteen beklede zuil van anderhalve meter hoogte waarin een videocamera zat die was verbonden met een gesloten circuit, een intercomspeaker en een toetsenbord. Hij deed zijn raampje naar beneden en toetste zijn persoonlijke code van zes cijfers in.
Langzaam, terwijl de lichten van de Expedition kabbelend over de versieringen gingen, begon het massieve hek opzij te glijden.
Elke werknemer van het landgoed had een eigen code. Het veiligheidsteam bewaarde gegevens van elk bezoek in de computer.
Afstandsbedieningen zoals vooral garagedeuropeners of gecodeerde transponders in de auto's zouden veel gemakkelijker zijn geweest dan een toegang met een toetsenbord, vooral in slecht weer; maar die apparaten waren toegankelijk voor garagemecaniciens, parkeerwachters en verder iedereen die tijdelijk van de wagen gebruik maakte. Eén oneerlijk mens zou dan heel gemakkelijk de beveiliging van het landgoed kunnen doorbreken.
Als Ethan een bezoeker was geweest zonder een persoonlijke toegangscode, zou hij op de knop van de intercom in de paal hebben gedrukt en zichzelf bekend hebben gemaakt aan de bewaker in het beveiligingskantoor achter op het landgoed. Als de bezoeker verwacht werd of een vriend van de familie was die op de permanente toegangslijst voorkwam, zou de bewaker het hek hebben geopend vanaf zijn toetsenbord.
Terwijl hij wachtte tot de massieve bronzen barrière uit de weg was geschoven, werd Ethan onder toezicht gehouden door de camera op de veiligheidszuil. Als hij het landgoed op reed zou hij gescreend worden door een reeks camera's die in de bomen waren opgehangen, onder zo'n hoek dat iedereen die op de vloer van

de SUV mocht liggen om ontdekking te vermijden gezien werd.

Alle videocamera's waren voorzien van nachtzichttechnologie die het zwakste maanlicht omzette in een onthullende gloed. Een modern stukje software filterde het meeste van de versluierende en misvormende effecten van de vallende regen uit, en zorgde voor een helder direct beeld op de beeldschermen in het beveiligingskantoor. Zou hij een reparateur zijn geweest of een besteller die arriveerde in een gesloten bus of vrachtwagen, dan zou Ethan gevraagd worden buiten het hek te wachten tot een beveiligingsman arriveerde. De bewaker zou dan in de auto kijken om er zeker van te zijn dat de chauffeur niet onder bedreiging kwaadwillige mensen meevoerde.

Het Palazzo Rospo was ook geen fort in de moderne of ouderwetse betekenis van het woord, zoals in de Middeleeuwen met gracht en ophaalbrug. Evenmin was het landgoed een gebakje dat op een platte schaal werd opgediend om gemakkelijk gepakt te worden door een hongerige dief.

Het hek was neer te halen met explosieven. Je kon tegen de muur op klimmen. Maar het terrein was niet zo gemakkelijk heimelijk te betreden. Indringers zouden bijna onmiddellijk worden geïdentificeerd en gevolgd door camera's, bewegingsdetectors, warmtesensors en andere apparatuur.

Het negen meter brede, eerder solide dan opengewerkte hek woog meer dan vierduizend kilo. Maar de motor die hem voortbewoog was krachtig en de barrière gleed met een ogenschijnlijk gemak weg en sneller dan men misschien verwachtte.

In de meeste woongemeenschappen gold een bezit van twee hectare als een groot stuk land. In déze buurt, waar een vierkante meter al gauw tweeëneenhalf duizend dollar moest opbrengen, waren twee hectare ongeveer het equivalent van een Engels landgoed zoals van een baron.

De lange oprit draaide om een reflecterende vijver naar de voorkant van het enorme huis, dat niet barok was als het bronzen hek, maar een wit gestuukt Palladiaans bouwsel van drie verdiepingen met eenvoudige klassieke versieringen, reusachtig maar toch elegant in zijn verhoudingen.

Net voor de vijver kreeg de oprit een splitsing en Ethan nam die aftakking die om de zijkant van het huis heen leidde. Toen die weer vertakte, leidde één weg naar het huis van de terreinbeheerder en het kantoor van de beveiliging, en de andere leidde langs een helling naar beneden naar de ondergrondse garage.

De garage had twee niveaus. In het bovenste bewaarde het Gezicht tweeëndertig auto's van zijn persoonlijke verzameling, variërend van een nieuwe Porsche via een reeks Rolls-Royces uit de jaren dertig, een Mercedes-Benz 500k uit 1936, een Duesenberg Model J uit 1931 naar een Cadillac Sixteen van 1933.

De onderste garage gaf onderdak aan de vloot auto's voor dagelijks gebruik van het landgoed en had ruimte voor de auto's van de werknemers.

Net als de bovenste bezat de onderste garage een matbeige keramische tegelvloer en wanden van glanzende tegels in dezelfde kleur. Pilaren waren versierd met vrije mozaïekvormen in verscheidene tinten geel.

Slechts een paar automobielshowrooms waar de zeer rijken kochten, konden bogen op zo'n mooie inrichting als deze onderste garage.

Het bord voor autosleutels hing aan de wand naast de lift, en onder het bord zat Fric met dezelfde fantasypaperback die hij deze ochtend in de bibliotheek had zitten lezen. Hij kwam overeind toen Ethan naderde.

In zekere mate verraste dit Ethan en het zien van de jongen maakte hem blij. Niets anders had dat gedaan in deze lange, grauwe, deprimerende dag.

Hij wist niet helemaal waarom de jongen zijn stemming verbeterde. Misschien omdat je verwachtte dat de zoon van het Gezicht, in zo'n weelde en met zo'n onverschilligheid opgegroeid, tot op het bot verwend zou zijn of onbeheersbaar neurotisch, of allebei, en omdat Fric in plaats daarvan in wezen netjes en verlegen was, en probeerde zijn verlegenheid te bedekken met een air van ik-ken-het-wel, kon hij toch niet een fundamentele bescheidenheid verhullen die even zeldzaam was in zijn wereld van de glamour als medelijden zeldzaam was bij de geschubde bewoners van een krokodillenmoeras.

Wijzend op de paperback zei Ethan: 'Heeft de slechte tovenaar voor zijn brouwsel al de tong van een eerlijk man gevonden?'

'Nog niet. Maar hij heeft net zijn wrede hulpje, Cragmore, naar een leugenachtige politicus gestuurd om diens testikels te pakken te krijgen.'

Ethan huiverde. 'Hij ís echt een slechte tovenaar.'

'Nou, het is een gewone politicus. Zo nu en dan komen ze hier op bezoek, weet u. Als ze weg zijn controleert Mrs. McBee de kostbare stukken in de kamers waar ze zijn geweest.'

'En... waarom zit je hier beneden? Was je van plan een eindje te gaan rijden?'

Fric schudde zijn hoofd. 'Het heeft pas zin het te proberen als ik zestien ben. Eerst moet ik mijn rijbewijs hebben, voldoende tijd om een stapel geld bij elkaar te halen om opnieuw te beginnen, uitzoeken wat het perfecte stadje is om me te verbergen en een paar echt goede, ondoordringbare vermommingen ontwerpen.'

Ethan glimlachte. 'Dat is de bedoeling, hè?'

Het lukte Fric niet de glimlach van Ethan te evenaren, maar hij zei bloedserieus: 'Dat is de bedoeling.'

De jongen drukte op de knop voor de lift. De machinerie kwam zoemend tot leven, het geluid slechts voor een deel gedempt door de wanden van de schacht.

'Ik heb me verstopt voor de versierclub,' onthulde Fric. 'Ze zijn nog steeds bezig overal in het huis bomen en dingen op te zetten. Dit is uw eerste kerst hier, dus u weet het niet, maar ze hebben allemaal van die stomme kerstmanmutsen op en elke keer als je ze tegenkomt, schreeuwen ze: "Zalig Kerstmis", en grijnzen ze als gekken, en ze willen je dan van die kleverige kaneelstokken geven. Ze versieren niet alleen, maar ze maken er een hele vertoning van, wat waarschijnlijk de meeste mensen ook willen omdat ze anders niets te doen hebben, maar het is voldoende om van jou een atheïst te maken.'

'Het klinkt als een gedenkwaardige kersttraditie.'

'Het is beter dan de betaalde zangers op kerstavond. Ze kleden zich als personages van Dickens en tussen de liedjes door vertellen ze je over koningin Victoria en Mr. Scrooge en of je gans en nierpasteitjes tijdens het kerstmaal krijgt en ze noemen je "mijn heer" en "jonge meester" en je moet erbij zijn omdat Geest... omdat mijn vader het allemaal zo prachtig vindt. Na ongeveer een halfuur moet je of naar de plee of je denkt dat je blind wordt en dan moet je nog eens een halfuur uitzitten. Maar daarna is het goed, omdat na de zangers de goochelaar komt die zijn act met dwergen doet die zijn verkleed als de hulpjes van de kerstman, en hij is uiterst lachwekkend.'

Aelfric leek een nerveuze en dwingende bezorgdheid te verbergen die hij onbedoeld in een stortvloed van woorden, wat moest lijken op gewoon gebabbel, kenbaar maakt. Hij was niet zwijgzaam van aard, maar hij was ook geen non-stopprater.

De lift kwam en de deuren gingen open.

Ethan volgde de jongen de met hout afgetimmerde cabine in.

Na op de knop voor begane grond gedrukt te hebben, zei Fric: 'Zijn telefoonviezeriken in jouw ervaring echt gevaarlijk, of praten ze alleen maar?'

'Telefoonviezeriken?'

Tot dit moment had de jongen oogcontact gehouden. Nu keek hij naar de lichten die de verdiepingen aangaven en hij keek zelfs niet even naar Ethan. 'Mannen die opbellen en gaan hijgen. Kicken die daar alleen maar op of komen ze soms langs en willen ze je grijpen en zo?'

'Heeft iemand je gebeld, Fric?'

'Ja. Die gek.' De jongen maakte zware, onregelmatige zuchtgeluiden alsof Ethan misschien in staat was de smeerlap te identificeren aan het unieke kenmerk van zijn ademhalingspatroon.

'Wanneer is dit begonnen?'

'Pas vandaag. Eerst toen ik in de treinkamer was. Daarna belde hij me weer toen ik in de wijnkelder aan mijn avondeten zat.'

'Belde hij je over je privélijn?'

'Ja.'

Op het bord sprong het licht van de lagere garage naar de hogere. De lift ging langzaam naar boven.

'Wat heeft die man tegen je gezegd?'

Fric aarzelde, schuifelde iets met zijn voeten over de ingelegde marmeren vloer. Toen: 'Hij ademde alleen maar. En maakte een paar van die... bijna dierlijke geluiden.'

'Is dat alles?'

'Ja. Dierlijke geluiden, maar ik weet niet wat die moesten betekenen, omdat hij het eigenlijk niet zo goed kon of zoiets.'

'Weet je zeker dat hij niets tegen je heeft gezegd? Gebruikte hij zelfs je naam niet?'

Fric bleef gericht op het indicatiebord en zei: 'Alleen dat stompzinnige ademen. Ik heb sterretje negenenzestig ingetoetst omdat ik dacht dat de smeerlap misschien nog bij zijn moeder woonde, weet u, en dat zij zou opnemen en dan kon ik haar vertellen waar haar lieve zieke zoontje mee bezig was, maar toen kreeg ik hem en hij hijgde alleen maar tegen me.'

Ze bereikten de benedenverdieping. De deuren gingen open.

Ethan stapte de gang in, maar Fric bleef in de lift.

Terwijl hij de deuren met een arm tegenhield, zei Ethan: 'Het was geen goed idee, Fric... om hem terug te bellen. Als iemand je probeert lastig te vallen, krijgt hij er een kick van als hij weet dat je met hem bezig blijft. Het beste is meteen op te hangen zodra je beseft wie het is, en als de telefoon direct daarna weer begint te bellen, neem je niet op.'

Terwijl hij op zijn polshorloge keek en de tijd bijstelde om maar bezig te zijn, zei Fric: 'Ik dacht dat u wel een manier zou hebben om erachter te komen wie hij is.'

'Ik zal het proberen. En, Fric?'

De jongen bleef met het horloge frummelen. 'Ja?'

'Het is belangrijk dat jij me alles hierover vertelt.'

'Natuurlijk.'

'Je vertélt me toch alles, hè?'

Terwijl hij het horloge tegen één oor hield alsof hij luisterde naar het tikken, zei Fric: 'Natuurlijk. Het ging om deze hijger.'

De jongen hield informatie achter, maar als hij nu onder druk werd gezet, zou dat er alleen maar voor zorgen dat hij zijn geheim des te heftiger bewaarde.

Terugdenkend aan hoe hij zelf in de kerk had gereageerd op de ondervraging van Hazard, bond Ethan in. 'Als jij het goed vindt, zou ik, als jouw lijn vanavond of morgen overdag weer overgaat, graag willen opnemen.'

'Goed.'

'Jouw lijn gaat niet over in mijn flat, maar ik zal dat met de huiscomputer veranderen.

'Wanneer?'

'Nu meteen. Ik neem hem op bij de eerste paar keer overgaan, maar als er morgen wordt gebeld, terwijl ik niet hier ben, laat hem dan doorschakelen naar je voicemail.'

De jongen maakte ten slotte oogcontact. 'Goed. U weet hoe mijn belletje klinkt?'

Ethan glimlachte. 'Ik herken het wel.'

Met een blik vol ontzetting zei Fric: 'Ja, het is stom.'

'En denk jij dat de eerste tonen van "Dragnet" mij het gevoel geven dat ik een belangrijk telefoontje krijg?'

Fric lachte.

'Als je me ooit wilt bellen, dag of nacht,' zei Ethan, 'op een van mijn huislijnen of mijn mobiel, aarzel niet, Fric. Ik slaap trouwens toch niet zoveel. Begrijp je?'

De jongen knikte. 'Bedankt, Mr. Truman.'

Ethan stapte weer achteruit de gang op.

Ongemakkelijk kauwde Fric ernstig op zijn onderlip terwijl hij een knop op het toetsenbord indrukte, waarschijnlijk voor de tweede verdieping waar hij zijn kamers had.

Door de kleine gestalte van de jongen leek de lift, zo groot als die in een torenflat, nu nog groter dan gewoonlijk.

Hoewel hij klein en slank was voor zijn leeftijd, bezat Fric een rustige vastbeslotenheid en een moed, zichtbaar in zijn houding en dagelijkse gedrag, die verrassend waren voor zijn jaren en groter dan zijn kleine lichaam. De vreemde en eenzame jeugd van de jongen was hem al aan het harden voor tegenspoed.

Ondanks zijn weelde, intelligentie en groeiende wijsheid, zou hij vroeg of laat met tegenslag te maken krijgen. Hij bleef een mens en daardoor erfgenaam voor zijn aandeel aan ellende en ongeluk. De deuren van de lift schoven dicht.

Terwijl Fric uit het gezicht verdween en de machinerie snorde keek Ethan naar de cijfers boven de deur. Hij bleef kijken tot hij het licht zag veranderen van de begane grond naar de eerste verdieping, luisterde terwijl het mechanisme bleef knarsen.

In zijn geestesoog zag Ethan de liftdeuren op de tweede verdieping opengaan en een lege liftcabine tonen, Fric voor eeuwig verdwenen tussen de verdiepingen.

Dergelijke bijzonder sombere beelden waren ongewoon voor hem. Op elke andere dag dan vandaag zou hij zich afgevraagd hebben waar die storende gedachtekronkeling vandaan was gekomen en hij zou het meteen uit zijn geest gestreken hebben, net zo gemakkelijk als het wegstrijken van een plooi in een hemd.

Maar deze dag was zoals die was, zo volslagen anders dan welke andere dag ook, dat Ethan geneigd was zelfs de meest onwaarschijnlijke voorstellingen en mogelijkheden ernstig te nemen.

Het trappenhuis achter draaide om de liftschacht heen. Hij voelde de aandrang de vier trappen naar boven te rennen. De lift ging zo langzaam omhoog, dat hij hem op de tweede verdieping wellicht ingehaald zou hebben.

Als de deuren open gleden en een ongedeerde Fric lieten zien, zou de jongen schrikken om zo ongerust begroet te worden. Hijgend door zijn dolle klim zou het Ethan niet lukken zijn bezorgdheid voor Fric te verbergen – en ook zou hij die niet kunnen verklaren.

Het moment ging voorbij.

Zijn samengeknepen keel ontspande. Hij slikte, haalde adem.

Het aanwijslichtje sprong over van de eerste naar de tweede verdieping. De motor van de lift viel stil.

Natuurlijk was Fric veilig boven aangekomen. Hij was niet opgegeten en verteerd door een demonisch bezeten machinerie.

Zo goed hij kon veegde Ethan dat bizarre idee uit zijn geest terwijl hij naar zijn appartement in de westelijke vleugel liep.

38

Zich haastend door de lange noordelijke gang keek Fric meer dan eens bezorgd over zijn schouder, want hij had altijd half geloofd dat er geesten rondwaarden in de eenzamere hoeken van het enorme huis. Déze avond was hij nagenoeg zeker van hun aanwezigheid.

Toen hij langs een vergulde spiegel boven een antieke penanttafel kwam, meende hij een glimp van twee gedaanten in het door de jaren verkleurde glas te zien: hijzelf, maar ook iemand die langer en donkerder was en zich net achter hem bevond.

In een wandkleed dat waarschijnlijk nog van voor de laatste ijstijd was, leken dreigend uitziende ruiters op donkere rossen hun hoofden te draaien om hem te volgen. Vanuit zijn ooghoeken dacht hij de paarden – woeste ogen, neusvleugels gesperd – te zien galopperen door het veld en het bos in het weefsel, alsof ze de bedoeling hadden uit hun geweven wereld te springen naar de gang op de tweede verdieping.

Gezien zijn huidige gemoedstoestand was Fric niet geschikt voor werk op een kerkhof, in een mortuarium, een lijkenhuis, of in een cryogene omgeving waar groepen dode mensen waren ingevroren in de verwachting op een dag weer ontdooid te worden en terug te keren naar het leven.

Geestpapa had in een film Sherlock Holmes gespeeld die de allereerste man bleek te zijn die zijn lichaam na zijn dood wetenschappelijk had laten invriezen. Holmes werd weer tot leven gewekt in het jaar 2225, waar een utopische maatschappij zijn hulp nodig had om de eerste moord sinds honderd jaar op te lossen.

Het weglaten van de kwaadaardige robots of de kwaadaardige buitenaardse wezens, of de kwaadaardige mummies zou een betere film hebben opgeleverd. Soms kon een film té fantastisch zijn. Maar op dit moment had Fric er geen moeite mee te geloven dat het Palazzo Rospo boordevol kon zitten met geesten, robots, buitenaardse wezens, mummies en nog een ander onnoembaar wezen dat veel erger was dan al die andere, vooral hier op de tweede verdieping waar hij alleen was. Misschien niet *veilig* alleen, maar alleen in de betekenis dat hij het enige nog levende menselijke wezen was.

De slaapkamer van zijn vader en de suite die ermee verbonden was bevonden zich ook op deze verdieping, in de westelijke vleugel en langs een deel van de noordelijke gang. Als Geestpapa hier was, had Fric gezelschap op deze hoge wijkplaats, maar de meeste nachten woonde hij alleen op de tweede verdieping.

Zoals nu.

Bij de kruising van de noordelijke met de oostelijke gang bleef hij staan als een lijkpegel in een cryogeen vat en luisterde naar het huis.

Meer dan hij het hoorde, verbeeldde Fric zich het geroffel van de regen. Het dak was van leiplaten, goed geïsoleerd en lag ver boven zelfs deze hoge gang.

Het zwakke en onregelmatige zuchten van de wind was slechts een herinnering uit een andere tijd, want vanavond was het voornamelijk windstil.

Naast Frics suite, langs de oostelijke gang, waren nog meer vertrekken. Zelden gebruikte logeerkamers. Een inlooplinnenkast. Een kamer barstensvol elektrische apparaten die voor Fric geheimzinnig waren maar deden denken aan het laboratorium van Frankenstein. Er was een kleine salon, weelderig gemeubileerd en goed onderhouden, waar nooit iemand zat.

Aan het einde van de gang was de deur naar het trappenhuis achter dat vijf verdiepingen naar beneden leidde, helemaal tot aan de onderste garage. Aan het einde van de westelijke gang was ook een trappenhuis dat helemaal afdaalde naar de bodem van het Palazzo Rospo. Natuurlijk waren ze geen van beide zo breed en mooi als het grote trappenhuis dat op elke overloop een kristallen kroonluchter had.

De actrice Cassandra Limone – geboren als Sandy Leaky – die vijf maanden met Frics vader had samengewoond en ook in het huis verbleef als hij afwezig was, had alle trappen vijftien keer per dag genomen als onderdeel van haar trainingsprogramma. Een goed uitgeruste gymzaal op de eerste verdieping bood behalve talloze machines een StairMaster, maar Cassandra had gezegd dat de 'echte' trappen minder saai waren dan de namaaktrap en een natuurlijker effect hadden op de spieren van benen en achterwerk.

Bezweet, grommend, loensend, grimassend, vloekend als het bezeten meisje in *The Exorcist*, gillend tegen Fric als hij toevallig op de trap was wanneer zij die gebruikte, zou de klimmende Cassandra niet herkend zijn door de uitgevers van het tijdschrift *People*. Ze hadden haar twee keer uitgekozen tot een van de mooiste mensen ter wereld.

Maar blijkbaar waren alle inspanningen de moeite waard geweest. Geestpapa had Cassandra meer dan eens verteld dat ze een dodelijk wapen was, omdat haar kuitspieren het hoofd van een man konden kraken, haar dijspieren elk hart konden breken en haar achterwerk een man krankzinnig kon maken.

Ha, ha, ha. In plaats van je lachspieren te testen, testten sommige grappen je kotsreflex.

Op een dag, tegen het einde van haar verblijf, was Cassandra van de westelijke trap gevallen en had een enkel gebroken.

Echt grappig.

Nu volgde Fric de oostelijke gang niet naar zijn suite, maar naar de laatste kamer rechts voor de trap.

Deze onelegante ruimte, ongeveer drieëneenhalf bij vier meter, had een stevige plankenvloer en kale witte muren. Op het moment was die leeg, maar de kamer diende als tussenstation voor goederen die van en naar de zolder gingen.

Een ruime etenslift, voortgedreven door een elektrische motor, kon tot tweehonderd kilo dragen, waardoor hij zware dozen en grote objecten kon bevatten die in de uitgestrektheid boven opgeslagen waren. Een deur gaf toegang tot een draaitrap die ook naar de zolder leidde.

Fric nam de trap. Hij klom voorzichtig met een hand altijd op de leuning, bezorgd dat zijn geamuseerdheid over Cassandra's gebroken enkel hem een gebroken been kon opleveren.

De zolder strekte zich uit over de volle lengte en breedte van het grote huis. De ruimte was afgewerkt, niet grof: gepleisterde muren, een solide plankenvloer met eroverheen linoleum voor het gemakkelijke schoonmaken.

Zuilenrijen van massieve verticale balken steunden een ingewikkeld rasterwerk van daksparren waarop het dak steunde. Er waren geen vakken geconstrueerd tussen deze balken, dus de zolder bleef één grote open ruimte.

In werkelijkheid kon je niet gemakkelijk van het ene einde van de hoge ruimte tot aan het andere einde kijken, want aan draden waren honderden enorme, ingelijste filmposters opgehangen aan de daksparren. Elk ervan droeg de naam en een reusachtige foto van Channing Manheim.

Frics vader had slechts tweeëntwintig films gemaakt, maar hij verzamelde alle dingen over zijn beroep in alle talen. Zijn films waren wereldwijd enorme successen en elke film bracht tientallen posters voort.

De hangende posters vormden een soort wand, en gangen, evenals honderden opgestapelde dozen volgepakt met memorabilia van Channing Manheim waaronder T-shirts met zijn portret erop en/of teksten uit zijn films, polshorloges met zijn beroemde gezicht waarover de tijd wegtikte, koffiemokken met zijn portret, hoeden, pet-jes, jasjes, drinkglazen, poppen, honderden verschillende stukken speelgoed, lingerie, medaillons, lunchdoosjes en nog meer koop-waar dan Fric zich kon herinneren of voorstellen.

Bij elke hoek stonden losse, levensgrote en nog grotere kartonnen figuren van Geestpapa. Hier was hij een cowboy uit het zuiden, daar de commandant van een ruimteschip, hier een marineofficier, daar een straaljagerpiloot, een ontdekkingsreiziger, een cavalerie-officier uit de negentiende eeuw, een arts, een bokser, een politie-agent, een brandweerman...

Nog ingewikkelder kartonnen maquettes toonden de grootste ster ter wereld in hele decors van zijn films. Die werden opgesteld in de hallen van bioscopen en veel ervan, als er batterijen in hadden gezeten, zouden laten zien dat er ook bewegende delen in zaten en knipperende lichten.

Mooie rekwisieten uit zijn films lagen op open planken of ston-den tegen de muren. Futuristische wapens, brandweerhelmen, sol-datenhelmen, een wapenrusting, een robotspin zo groot als een leunstoel...

Nog grotere rekwisieten, zoals de tijdmachine uit *Future Imper-fect*, lagen opgeslagen in een pakhuis in Santa Monica. Daar en hier zorgden verwarmings- en vochtigheidssystemen ervoor dat de items in de verzameling aan zo min mogelijk verval onderhevig waren.

Geestpapa had nog niet zo lang geleden het landhuis naast het Pa-lazzo Rospo gekocht. Hij was van plan het huis op het aangren-zende land af te laten breken, de twee stukken land met elkaar te verbinden en een museum te bouwen in de stijl van het Palazzo Rospo om zijn memorabilia tentoon te stellen.

Hoewel zijn vader het nooit met zoveel woorden had gezegd, ver-moedde Fric dat het de bedoeling was het landgoed ooit voor het publiek open te stellen, zoals Graceland, en dat van hem, Fric, ver-wacht werd de onderneming te leiden.

Als die dag ooit kwam, zou hij natuurlijk zichzelf voor zijn kop moeten schieten of zich van een hoog gebouw moeten storten, of allebei, als het hem inmiddels nog niet was gelukt een nieuw, ge-heim leven te beginnen onder een aangenomen naam in Goose Crotch, in Montana, of in een ander stadje dat zo afgelegen was dat de plaatselijke bevolking films alleen nog kende als de 'later-ne magica'.

Zo nu en dan, als hij naar de zolder klom om door het maaswerk van Manheim te lopen, was Fric opgetogen. Soms was hij zelfs enthousiast deel uit te maken van deze bijna legendarische, bijna magische onderneming.

Op andere momenten voelde hij zich hoogstens twee centimeter groot en krimpend, een onbeduidende tor van een jongen, die gevaar liep vertrapt te worden, platgedrukt en vergeten.

Vanavond voelde hij zich noch geïnspireerd noch ontmoedigd door de verzameling, want hij liep er alleen om een schuilplaats te zoeken. In dit labyrint zou hij zeker een wijkplaats ontdekken tussen de memorabilia, waar hij zichzelf kon verbergen en beschermd zou worden door het alomtegenwoordige gezicht en de naam van zijn vader, die misschien het kwaad net zo zouden afweren als knoflook en een crucifix dat met vampiers deden.

Hij kwam bij een twee meter hoge spiegel in een lijst van uitgesneden, handgeschilderde slangen die in een juweelkleurige kluwen om elkaar heen kronkelden. In *Black Snow* had Frics vader glimpen van zijn toekomst in deze spiegel opgevangen.

Fric zag Fric, en alleen maar Fric, die naar zijn spiegelbeeld tuurde zoals hij soms deed, terwijl hij probeerde zijn beeld in iets groters en langers te veranderen dan hij in werkelijkheid was. Zoals gewoonlijk lukte het hem niet het gevoel te krijgen een held te zijn, maar hij was blij dat de spiegel geen scènes liet zien van zíjn toekomst en zo bevestigde wat voor een hopeloze minkukel hij nog altijd zou zijn op zijn dertigste, veertigste, vijftigste.

Toen Fric achteruit stapte van de spiegel en zich begon om te draaien, leek het glas te rimpelen, en een man stapte erdoorheen, een grote man, die er al stoer genoeg uitzag zonder kwaad te hoeven kijken. De grijnzende bruut stak zijn hand uit naar Fric, en Fric vluchtte voor zijn leven.

39

Erger verontrust dan ooit door de duisternis aan de andere kant van de ramen liep Ethan door zijn appartement en trok alle gordijnen dicht om de regenachtige nacht buiten te sluiten alsof die in werkelijkheid duizend ogen had.

In zijn werkkamer, aan zijn bureau, zette hij de computer aan en ging het beveiligingsprogramma van het huis binnen. Op het scherm verschenen iconen voor het regelen van de warmte en de koeling, de verwarming van het zwembad en de minerale baden, het sproeisysteem van het landgoed, de binnenverlichting, de gekoppelde audio-video-uitrusting, de elektronische beveiligingsapparatuur, de telefoons en andere systemen.

Met zijn muis klikte hij op het telefoonicon. Er verscheen een verzoek om een wachtwoord en hij typte dat in.

Van alle leden van de huishouding was Ethan de enige die het beveiligingsprogramma en de telefoonsystemen kon binnengaan én kon herprogrammeren.

Het scherm veranderde en bood hem een nieuwe reeks opties.

De telefoons in zijn appartement dienden voor alle vierentwintig lijnen, maar hij had slechts de beschikking over twee. Hij kon iemands telefoontje niet afluisteren en anderen konden op dezelfde wijze niet die van hem afluisteren.

Daarbij hoorde Ethan, als er telefoontjes binnenkwamen over de andere lijnen in het huis, ze niet in zijn vertrekken rinkelen. Het indicatielichtje boven het nummer van elke lijn knipperde wel als er een telefoontje binnenkwam en bleef branden als er een gesprek werd gevoerd.

Nadat hij het telefoonprogramma binnen was gegaan, bewerkte Ethan de setting waardoor Lijn 23, Frics lijn, toegankelijk werd in zijn appartement. Hij zou ook hier overgaan met de persoonlijke beltoon van Fric.

Nu deze taak erop zat nam hij het telefoonlogboek door van de dag.

Elk binnenkomend gesprek in het Palazzo Rospo en ook alle uitgaande gesprekken werden automatisch vastgelegd – hoewel er geen stem werd opgenomen. Wel werd de tijd aangegeven dat elke verbinding tot stand was gekomen en de lengte van elk gesprek.

Van elk uitgaand telefoontje werd ook het telefoonnummer bewaard in het logboek van de computer. Inkomende telefoontjes werden ook vastgelegd, behalve als ze *Caller ID* hadden ingeschakeld om hun privacy te bewaren.

Hij vulde zijn naam in en zag dat hij slechts één telefoontje had gekregen terwijl hij niet in het huis was. De telefoontjes die hij had gepleegd en ontvangen op zijn mobiel kwamen niet in deze files terecht.

Hij greep de hoorn om zijn voicemail af te luisteren. Het telefoontje was van het ziekenhuis om hem te informeren dat Dunny dood was.

Toen Ethan zijn naam weghaalde en die van Aelfric intypte, meldde de computer dat de jongen op deze datum, maandag 21 december, op geen enkel moment een telefoontje had ontvangen.

Volgens Fric had de hijger twee keer gebeld. En in ieder geval één keer had de jongen hem teruggespoord met *69. Alle drie momenten hadden vastgelegd moeten zijn.

Ethan ging van Frics file naar het hoofdlogboek, waarin alle telefoonactiviteiten sinds afgelopen middernacht stonden geregistreerd in de volgorde dat ze waren gepleegd en ontvangen. De lijst was lang omdat het personeel het druk had gehad met de voorbereidingen van Kerstmis.

Ethan keek de lijst aandachtig door en vond geen telefoontjes naar of van Frics aansluiting.

Tenzij het systeem een fout had gemaakt, wat in Ethans ervaring nooit eerder was gebeurd, moest de onvermijdelijke conclusie getrokken worden dat Fric had gelogen over de obscene telefoontjes die hij had gekregen.

Zijn respect voor de jongen noopte Ethan de telefoonlijst nogmaals door te nemen, ditmaal van onder naar boven. Het resultaat bleef hetzelfde.

Hoe moeilijk het misschien ook te geloven was dat het systeem de telefoontjes die Fric zei te hebben gekregen niet had opgeslagen, vond Ethan het bijna net zo moeilijk te accepteren dat de jongen het verhaal van de hijger had bedacht. Fric blies zaken nooit op en was zeker niet iemand die om aandacht vroeg.

Bovendien had hij er echt verontrust uitgezien toen hij over die telefoontjes vertelde. *Hij hijgde alleen maar. En maakte... bijna dierlijke geluiden.*

Toen hij zich bewust werd van een licht in de marge van zijn blikveld draaide Ethan zich van de computer af en zag het indicatielichtje van Lijn 24 aan- en uitgaan. Terwijl hij keek, werd het telefoontje beantwoord, kwam er een verbinding tot stand en bleef het lichtje gestaag branden.

Lijn 24, de laatste lijn op het bord, was gereserveerd voor telefoontjes van de doden.

40

Als er een woest uitziende man uit een spiegel komt alsof het een deur is, en als hij zijn handen naar je uitsteekt en je hemd grijpt met zijn vingertoppen, heb je een excuus om in je broek te piesen of om de totale controle over je sluitspier te verliezen, dus Fric was verbaasd dat hij niet direct vanuit elke lichaamsopening leegliep, dat hij snel genoeg reageerde om zich los te rukken van de graaiende vingers en dat hij wegrende door het maaswerk van memorabilia en volledig droog en stankvrij bleef.

Hij ging naar links, naar rechts, naar rechts, naar links, sprong over een lage stapel dozen van het ene looppad naar het andere, dook tussen twee enorme posters door, rende langs een levensgrote Geestpapa-als-detective-in-de-jaren-dertig, schoot weer tussen twee posters door, dook langs een realistisch uitziende eenhoorn van piepschuim uit een film van Manheim waarover niemand durfde te praten in aanwezigheid van zijn vader, naar links, naar links, naar rechts en bleef staan toen hij besefte dat hij het spoor bijster was geraakt en misschien nu terugging naar de door slangen omarmde spiegel.

In zijn kielzog, over een aanzienlijk deel van de brede zolder, zwaaiden de ingelijste posters als enorme pendels. Hij had er een paar beroerd in zijn vlucht, maar de wind van die tien brachten andere in een zachtere beweging, wat weer een verdere beroering veroorzaakte.

In al die beweging was de nadering van de spiegelman moeilijker te ontwaren dan op een zolder die in stilte was gehuld. Fric kon geen glimp van hem opvangen.

Tenzij je een schuilende duivel was met een voorliefde voor schaduwen, was het licht hier problematisch. Wandlampen brandden aan de zijkanten van de zolder, terwijl andere waren bevestigd aan een paar zuilen die het dak ondersteunden, hoewel het aantal en de helderheid ervan veel te wensen overlieten. De hangende palissade van posters, gearrangeerd als de vlaggen van de vele landen van Manheim, verhinderde de vrije doorgang van licht van gangpad naar gangpad.

Behoedzaam ineengedoken in het halfduister haalde Fric diep adem, hield die binnen, luisterde.

Eerst hoorde hij alleen maar het didop-da-bidda-boem van zijn overslaande, trommelende hart, maar toen hij bijna zijn adem niet meer kon inhouden, hoorde hij ook het gekletter van regen op leisteen.

Fric was zich bewust dat elk geluid van hem zijn plaats bekend zou maken aan de sluipende rover en liet heel langzaam zijn adem naar buiten gaan, haalde weer adem en hield die binnen.

Hoger in het huis was hij ook hoger in de storm. Hier zwol het eenzame gefluister van de regen aan tot de fluisteringen van velen die onheilspellende geheimen uitwisselden in de zee van de nacht die het Palazzo Rospo had verzwolgen.

Maar op dezelfde manier dat hij zich erop gespitst had de regen te horen boven het geroffel van zijn hart uit, concentreerde hij zich nu op de voetstappen van de spiegelman. De architectuur van de zolder, de zwaaiende beweging van de reusachtige posters en het blazen van de regen verminkten het geluid, waardoor het leek alsof de indringer wegliep van Fric, daarna dichterbij kwam en vervolgens weer wegliep, terwijl hij eigenlijk gestaag in de richting van zijn prooi kwam.

Fric had zich de raad van de Geheimzinnige Beller ter harte genomen om een onbekende en geheime schuilplaats te gaan zoeken. Hij had geloofd dat hij snel een schuilplaats nodig zou hebben, maar hij had niet beseft dat het zó snel zou zijn.

Hij had geleerd tegelijkertijd adem te halen en te luisteren door de bewering van zijn getikte moeder ter harte te nemen dat hij 'een onzichtbare perfecte kleine muis' was. Hij sloop stil en snel langs de rood-met-gouden kartonnen torenspitsen van een futuristische stad waarboven zijn vader – in karton – uitstak met een angstaanjagend lasergeweer in de aanslag.

Bij een kruising van gangpaden keek Fric naar beide kanten, en ging naar links. Hij haastte zich verder, terwijl hij het geluid van de zware voetstappen analyseerde en berekende welke weg het beste zou zijn om afstand te scheppen tussen hem en de man uit de spiegel.

De indringer deed geen moeite stil te zijn. Hij leek te wíllen dat Fric hem hoorde, alsof hij erop vertrouwde dat de jongen uiteindelijk niet zou ontkomen aan zijn greep.

Moloch. Dit moest Moloch zijn. Op zoek naar een kind dat aan hem geofferd werd, een kind om te doden, misschien om op te eten.

Hij is Moloch, met de versplinterde botten van baby's tussen zijn tanden...

Fric weerhield zich ervan om om hulp te schreeuwen, omdat hij wist dat hij alleen maar door het man-god-beestwezen gehoord zou worden dat op hem jaagde. De muren van het huis waren dik, de vloeren dikker dan de muren, en niemand was dichterbij dan op de eerste verdieping midden in het grote huis.

Hij zou misschien een raam hebben kunnen zoeken voor een richel of voor een val van drie verdiepingen. De zolder had geen ramen.

Een stenen namaaksarcofaag stond rechtop, versierd met gegraveerde hiërogliefen en de beeltenis van een dode farao, niet langer bewoond door de duivelse mummie die ooit de strijd was aangegaan met de grootste filmster van de wereld.

Een zeemanskist waarin een meedogenloze en slimme moordenaar (gespeeld door Richard Gere) ooit het lijk van een verrukkelijke blondine had gepropt (in werkelijkheid het levende lichaam van de eerder genoemde Cassandra Limone), was nu leeg.

Fric kwam niet in de verleiding zich te verstoppen in die rekwisieten, en ook niet in de zwartgelakte koffer, of in de goochelkist waarin de assistent van een goochelaar kon verdwijnen met behulp van schuine spiegels. Zelfs niet in die dingen die geen koffers waren maar op koffers leken, want hij wist zeker dat het een zekere dood zou betekenen als hij erin kroop.

Het verstandigste was in beweging te blijven, zo snel als een muis en zo stil als een muis, ineengedoken en op afstand, altijd met een aantal hoeken en afslagen tussen hem en de spiegelman in. Uiteindelijk zou hij met een boog terugkeren naar de draaitrap, van de zolder naar beneden gaan en naar lagere verdiepingen vluchten waar hulp gevonden kon worden.

Plotseling besefte hij dat hij de voetstappen van zijn achtervolger niet meer kon horen.

Geen kartonnen Geestpapa stond stiller, geen mummie onder het zand van Egypte lag ademlozer met zijn verschrompelde longen, dan Fric toen die begon te vermoeden dat deze nieuwe stilte een slechte ontwikkeling was.

Een schaduw dreef boven zijn hoofd voorbij, liep op lucht alsof het water was.

Fric snakte naar adem, keek omhoog.

De balken die het dak droegen, lagen op de zuilen van de zolder, anderhalve meter boven zijn hoofd. Van de ene balk naar de andere, boven de filmposters, vloog een gedaante over het gangpad, vleugelloos maar eleganter dan een vogel, springend op de langzame en gewichtloze manier zoals die wordt vertoond door een astronaut in de ruimte met een minachting voor de zwaartekracht. Dit was geen geestverschijning met een cape, maar een man in een pak, degene die uit de spiegel was gestapt en die een onmogelijk luchtballet uitvoerde. Hij landde op een horizontale balk, draaide zich naar Fric om en dook van zijn hoge plaats naar beneden, niet als een vallende steen, maar als een veer, en grijnsde precies zoals Fric zich had voorgesteld dat de duivelse Moloch hongerend naar een kind zou grijnzen.

Fric draaide zich om en vluchtte.

Hoewel de daling van Moloch vederlicht was geweest, was hij toch plotseling híér. Hij greep Fric van achteren vast, een arm om zijn borst, een hand voor zijn gezicht.

Fric probeerde wanhopig zich los te rukken, maar werd van zijn voeten getild zoals een muis van de grond gegraaid kon worden door de klauwen van een jagende havik.

Een ogenblik dacht hij dat Moloch met hem de daksparren in zou vliegen om hem met een enorme eetlust uit elkaar te rukken.

Ze bleven op de vloer, maar Moloch was al in beweging. Hij stapte verder alsof hij wist waar elke wending van het maaswerk hem zou brengen.

Fric worstelde, schopte en schopte, maar leek niets te bevechten dat meer substantie had dan water, gevangen in de droomachtige stromingen van een nachtmerrie.

De hand voor zijn gezicht drukte onder tegen zijn kin, een klem die zijn tanden op elkaar hield en hem dwong zijn schreeuw in te slikken, en kneep zijn neus dicht.

Hij werd overvallen door een paniek die overeenkwam met zijn ergste astma-aanval, het schrikbeeld van verstikking. Hij kon zijn mond niet opendoen om te bijten, kon geen schop met effect plaatsen. Kon niet *ademhalen*.

En toen werd hij gegrepen door een nog grotere angst, die aan hem klauwde, aan zijn geest scheurde toen zij langs de sarcofaag van de mummie kwamen, langs een kartonnen smeris met het gezicht van Geestpapa: de beangstigende gedachte dat Moloch hem door de spiegel mee zou nemen naar een wereld van eeuwige nacht waar kinderen als vee werden vetgemest voor het genot van kannibalistische goden, waar je zelfs niet de betaalde vriendelijkheid zou vinden van Mrs. McBee, waar helemaal geen hoop bestond, zelfs niet de hoop om op te groeien.

41

Ethan wierp een blik op zijn polshorloge, en keek daarna naar het indicatielichtje van Lijn 24 om de tijd van het gesprek op te nemen.

Hij geloofde er niet in dat een dode het Palazzo Rospo had gebeld, terwijl die aan Gene Zijde metafysische munten in een publieke telefoon stopte. Het was waarschijnlijk of een verkeerd gedraaid nummer of een verkoper met zo'n razendsnelle aanpak dat hij zijn tekst zelfs zou afraffelen tegen een antwoordapparaat dat die berichten opnam.

Toen Ming du Lac, spiritueel raadgever van het Gezicht, Lijn 24 had uitgelegd, was Ethan wel zo bijdehand geweest om te beseffen dat Ming zijn geduld zou verliezen bij zelfs maar een opgetrokken wenkbrauw en vijandig zou staan tegenover elke vorm van ongeloof. Het was hem gelukt een uitgestreken gezicht te bewaren en zijn stem ernstig te houden.

Alleen Mrs. McBee in de huishouding en alleen Ming du Lac onder de medewerkers van Manheim hadden de invloed om Ethan door de grote man te laten ontslaan. Hij wist precies met wie hij voorzichtig moest zijn.

Telefoontjes van de doden.

Iedereen die een telefoon opneemt en stilte hoort, zegt weer 'hallo' in de veronderstelling dat de beller aan zijn kant van de verbinding door iets afgeleid wordt of dat er een probleem is met de centrale. Als een derde 'hallo' weer geen antwoord oplevert, hangen we op, ervan overtuigd dat het telefoontje verkeerd verbonden was of afkomstig was van een mafketel, of het resultaat van een technische fout in het systeem.

Sommige mensen, onder wie het Gezicht, geloven dat een deel van die telefoontjes afkomstig is van overleden vrienden of geliefden die proberen contact met ons te maken vanuit het hiernamaals. Om de een of andere reden kunnen de doden, volgens deze theorie, je telefoon doen overgaan, maar ze kunnen niet zo gemakkelijk hun stemmen laten doorklinken over de kloof tussen leven en dood; daarom hoor je alleen maar stilte of een vreemde statische ruis, of op zeldzame momenten gefluisterde flarden van woorden alsof ze van grote afstand komen.

Na dit onderwerp bestudeerd te hebben, en na de uitleg van Ming omtrent de bedoeling van Lijn 24, was Ethan erachter gekomen dat onderzoekers in het paranormale opnamen hadden gemaakt op telefoonverbindingen die open waren gelaten tussen testnummers, uitgaande van de gedachte dat als de doden een telefoontje konden plegen, ze misschien ook voordeel haalden uit een open verbinding die speciaal was bedoeld om hun communicaties te ontdekken.

Vervolgens versterkten de onderzoekers de zwakke geluiden van de opnamen en poetsten die op. Ze ontdekten inderdaad stemmen die vaak Engels spraken, maar soms ook Frans, Spaans, Grieks en andere talen.

De meeste van die fluisterende entiteiten gaven slechts flarden van zinnen of onsamenhangende woorden die nauwelijks ergens op sloegen en te weinig informatie gaven om te analyseren.

Andere, completere 'boodschappen' konden soms geanalyseerd worden tot voorspellingen of zelfs onheilspellende waarschuwingen. Maar die waren altijd kort en vaak raadselachtig.

Het verstand suggereerde dat de opnamen slechts doorgelekte gesprekken waren tussen levende mensen die gebruik maakten van andere verbindingen binnen het telefoonsysteem.

En eigenlijk leken veel van de coherente fragmenten te maken te hebben met te wereldse zaken om de doden te motiveren een hand naar de levenden uit te steken: vragen over het weer, over de laatste rapportcijfers van kleinkinderen, stukjes als '... heb altijd van pecannoten gehouden, de allerlekkerste...' en '... je kunt beter een appeltje voor de dorst hebben...' en '... de eigenaar van dat café dat je zo leuk vindt, heeft een wel heel smerige keuken...'

En toch...

En toch zeiden ze dat een paar van die stemmen zo bezeten klonken, zo deprimerend wanhopig of zo vol wanhopige liefde en bezorgdheid dat je ze niet meer los kon laten, je ze niet gemakkelijk kon uitleggen, vooral niet als de boodschappen heel dringend werden gebracht: '... gas uit de oven, gas, ga vanavond niet naar bed, gas...' en '... ik heb je nooit verteld hoeveel ik van je hou, zoveel, ga me alsjeblieft zoeken als je hier bent, denk aan me...' en '... een man in een blauwe vrachtwagen, laat hem niet in de buurt van kleine Laura komen, laat hem niet in haar buurt komen...'

Deze heel enge boodschappen, opgetekend door paranormale onderzoekers, waren voor Channing Manheim het motief om Lijn 24 te gebruiken, strikt ten gerieve van de babbelzieke doden.

Elke dag, waar ter wereld ze ook waren, gebruikten Manheim en Ming een deel van hun meditatieperiodes om mentaal het lokale nummer plus het nummer van zeven cijfers van Lijn 24 uit te zenden en gooiden deze van aas voorziene haak in de zee van onsterfelijkheid in de hoop een geest te vangen.

Tot dusver, over een periode van drie jaar, hadden ze alleen verkeerde nummers opgenomen, verkooppraatjes en een reeks telefoontjes van een grappenmaker die voor Ethans komst een beveiligingsagent van het landgoed bleek te zijn. Hij was weggestuurd met een genereuze ontslagpremie en, volgens Mrs. McBee, met een reprimande van Ming du Lac met de strekking dat het verstandig zou zijn zijn spirituele huishouding eens op orde te brengen.

Het signaallichtje knipperde uit. Dit telefoontje had één minuut en twaalf seconden geduurd.

Soms vroeg Ethan zich af hoe de Channing Manheim, die een zo schitterende acteercarrière had opgebouwd en die een investeringsgenie bleek te zijn, dezelfde man kon zijn die Ming du Lac in dienst had, en ook een feng-shui-raadgever, een helderziende, en een onderzoeker van vorige levens die veertig uur per week bezig was de reïncarnaties van de acteur door de eeuwen heen terug te sporen.

Aan de andere kant lieten de bijzondere gebeurtenissen van deze dag weinig heel van zijn gewoonlijke scepsis.

Hij verlegde zijn aandacht weer naar het computerscherm, naar het telefoonlogboek. Hij fronste zijn voorhoofd, terwijl hij zich afvroeg waarom Fric de zware hijger zou hebben bedacht.

Als iemand daadwerkelijk obscene telefoontjes naar de jongen had gepleegd, was er alle kans op dat die te maken hadden met de impliciete bedreiging aan Manheim die in die zwarte dozen waren gekomen. Anders waren er twee soorten bedreigingen tegelijkertijd gekomen. Ethan geloofde niet in toevalligheden.

De hijger zou weleens de ingeving in het echte leven kunnen zijn van de 'professor' die werd genoemd in Reynerds onvoltooide scenario, de man die had samengezworen om de zwarte dozen te sturen en om Manheim te doden. Als dat zo was, dan had hij in ieder geval één van de geheime nummers van het huis te pakken gekregen, en dat was een verontrustende ontwikkeling.

Toch had het telefoonlogboek in het verleden altijd alle telefoontjes geregistreerd. En hoewel machines fouten konden maken, ze logen niet.

Het laatste binnenkomende telefoontje op Lijn 24 was de laatste op de lijst van de dag. Zoals het hoorde.

Ethan had het telefoontje geklokt op één minuut twaalf seconden. De registrerende software gaf één minuut veertien seconden aan. Hij twijfelde er niet aan dat de fout van twee seconden bij hem lag.

Volgens het logboek had de beller een geheim nummer. Dat was vreemd als het telefoontje van een verkoper was geweest, aangezien het tegenwoordig voor hen door de wet was verboden een niet-geregistreerd nummer te voeren, maar helemaal niet zo vreemd als het een verkeerd gedraaid nummer was.

Ook was het niet ongebruikelijk dat een verkeerd gedraaid nummer de lijn een minuut of langer bezet hield. De begroeting op het antwoordapparaat dat verbonden was met Lijn 24 was geen ingewikkeld hallo aan hen in de geestenwereld, maar een eenvoudig 'Laat alsjeblieft een boodschap achter'. Sommige bellers die niet beseften dat ze het gewenste nummer niet te pakken hadden gekregen, gaven gehoor aan die uitnodiging.

Toch ging het er niet om wie Lijn 24 belde. De vraag was of de altijd betrouwbare machine een fout had gemaakt of loog over het niet registreren van de telefoontjes die de jongen beweerde te hebben ontvangen.

Logisch gezien kon Ethan alleen maar concluderen dat de machine geen fout kon hebben gemaakt. De volgende ochtend zou hij een gesprek hebben met Fric.

Op het bureau, naast de computer, lagen de drie zilveren klokjes uit de ambulance. Hij staarde er lange tijd naar.

Naast de klokjes lag een lichtbruine envelop van tweeëntwintig bij dertig centimeter die Mrs. McBee daar voor hem had neergelegd. Ze had zijn naam geschreven in een niet te evenaren schoonschrift. Zoals met alle dingen van Mrs. McBee, deed haar sierlijke handschrift Ethan glimlachen. Ze wist op welke manier elke taak het beste en meest elegant uitgevoerd kon worden, en ze hield zichzelf aan haar eigen hoge normen.

Hij opende de envelop en bevestigde een waarheid die hij al kende: Freddie Nielander, Frics moeder, was een kakelende kip zonder kop.

42

Corky Laputa, adembenemend geel van kop tot teen, accepteerde de knalroze plastic tas van Mr. Chung.

Hij was zich ervan bewust dat hij lachers onder de andere klanten had en hij veronderstelde dat hij in zijn geel-met-roze zwierigheid de vrolijkst uitziende anarchist ter wereld moest zijn.

De tas zat vol pakken Chinees eten en Mr. Chung vloeide over van goede wil. Hij bedankte Corky overvloedig voor zijn voortdurende klandizie en wenste hem het allerbeste toe wat vrouwe Fortuna hem had te bieden.

Na een typisch drukke dag in het najagen van de sociale ineenstorting had Corky zelden zin om eten klaar te maken. Hij haalde wel drie of vier keer per week eten bij Mr. Chung.

In een betere wereld zou hij in plaats van herhaaldelijk terug te

vallen op de afhaalchinees de voorkeur hebben gegeven aan veelvuldig dineren in chique restaurants. Maar als een onderneming
een goede keuken had en een uitstekende bediening, waren er on-
veranderlijk genoeg klanten om het plezier te vergallen.
Op een paar uitzonderingen na waren mensen saaie, misleide zeur-
pieten. Individueel of in klaslokalen waar hij de regels bepaalde
kon hij ze verdragen, maar in massa's droegen ze niet bij tot het
genieten van een goede maaltijd of tot een goede spijsvertering.
Hij reed door de regen naar huis met zijn roze tas en hij liet die
ongeopend achter op de keukentafel. Het vertrek vulde zich met
geuren die het water in de mond deden lopen.
Na zich omgekleed te hebben in een gemakkelijke gevoerde kasjmieren kamerjas, gepast voor een druilerige decemberavond, mix-
te Corky een martini. Slechts een spoortje vermouth, en twee olijven.
In het sublieme nagenieten van een goed bestede dag vond hij het
vaak leuk door zijn ruime huis te lopen en de rijkdom van de Vic-
toriaanse architectuur en versieringen te bewonderen.
Zijn ouders, allebei van gegoede families, hadden het huis kort na
hun huwelijk gekocht. Waren ze andere mensen geweest, dan zou
het prachtige huis vol heerlijke familieherinneringen zijn geweest
en met een gevoel van traditie.
Daarom was zijn enige mooie familieherinnering, die hem het
meest verwarmde, verbonden met de woonkamer, vooral het gedeelte rond de open haard waar hij zijn moeder haar erfenis af-
handig had gemaakt met behulp van een ijzeren pook.
Hij bleef daar een paar minuten staan, zich koesterend in het vuur,
voor hij weer naar boven ging. Deze keer liep hij met de martini
in zijn hand naar de logeerkamer achterin om naar Mannetje Stinkkaas te kijken.
Hij nam tegenwoordig niet eens meer de moeite de deur op slot
te doen. Ouwe Stinkie zou nooit meer op eigen kracht ergens heen
gaan.
De kamer was overdag donker, want de twee ramen waren dichtgetimmerd. Met de muurschakelaar bij de deur werd de lamp op
het nachtkastje bediend.
De gekleurde lamp en de abrikooskleurige zijden kap gaven een
aangenaam schijnsel. Zelfs in dit flatterende licht scheen Stinkie
bleker dan bleek, zo grauw dat hij in steen veranderd leek.
Zijn hoofd, schouders en armen waren bloot, maar voor de rest
ging hij schuil onder een laken en een deken. Later zou Corky van
de hele voorstelling genieten.

Stinkie was ooit een afgetrainde negentig kilo geweest en in uitstekende conditie. Als hij nu op een weegschaal had kunnen staan, zou hij waarschijnlijk nauwelijks vijftig kilo halen.

Hij was een en al botten, huid, haar en doorligplekken, en nauwelijks sterk genoeg om zijn hoofd een paar centimeter van het kussen op te tillen, veel te zwak om uit bed te komen en op een weegschaal te gaan staan, en de diepte van zijn wanhoop had al weken geleden zijn wil om zich te verzetten gebroken.

Stinkie werd niet langer half verdoofd. Zijn diepliggende ogen troffen die van Corky, duister glanzend met een wanhopige smeekbede.

Aan de infuusstandaard was de aangehangen zak met glucose en zoutoplossing van twaalf uur helemaal leeg. Het langzame infuus met glucose, vitaminen en mineralen die Stinkie in leven hielden, bevatte ook een drug die voor een mentale vaagheid en een betrouwbare volgzaamheid zorgde.

Corky zette zijn martini neer en haalde uit een kleine koelkast met volle infuuszakken een vervanging voor de lege zak. Met geoefende handen maakte hij de ingezakte zak los en hing de volle ervoor in de plaats.

Het huidige infuus bevatte geen drug. Corky wilde dat zijn verschrompelde gast later een helder hoofd zou hebben.

Nadat hij zijn martini weer had opgepakt en ervan had genipt, zei hij: 'Ik kom na het eten weer bij je,' en verliet de slaapkamer.

Terug in de woonkamer bleef Corky bij de open haard staan om zijn drankje op te drinken en om aan mama terug te denken.

Helaas was de historische pook niet meer hier om op te poetsen, op te pakken en te bewonderen. Jaren geleden, op de avond van het gebeuren, had de politie die samen met een heleboel andere dingen meegenomen, met de bedoeling bewijs te verzamelen, en had die nooit teruggebracht.

Corky was wel zo verstandig geweest niet om de teruggave te verzoeken, erop bedacht dat de politie misschien zou vermoeden dat die voor hem een sentimentele waarde vertegenwoordigde. Na de dood van zijn moeder waren alle attributen voor de open haard nieuw aangeschaft.

Tegen zijn zin had hij het tapijt vervangen. Als de rechercheurs van moordzaken om enige reden terug zouden komen in de maanden na de moord, zouden ze minstens een wenkbrauw hebben opgetrokken als ze zagen dat het met bloed bevlekte tapijt er nog steeds lag.

In de keuken verhitte hij het Chinese eten in de magnetron. *Moo goo gai pan. Mu shu pork.* Biefstuk en rode paprika. Rijst natuurlijk en zoetzure groenten.

Hij kon het eten niet allemaal in zijn eentje op. Maar al sinds hij ermee was begonnen Mannetje Stinkkaas in de logeerkamer methodisch uit te hongeren, was Corky te veel afhaalmaaltijden gaan kopen.

Blijkbaar was het zien van het afschuwelijke verval van Stinkie niet alleen maar onderhoudend, maar onbewust ook verontrustend. Het wekte in Corky een diepgewortelde angst ondervoed te raken.

Daarom, in het belang van een goede mentale gezondheid, bleef hij te veel afhaalmaaltijden kopen en genoot hij het therapeutische plezier het teveel in de vuilnisbak te gooien.

Deze avond at Corky, zoals de afgelopen maanden vaker wel dan niet gebeurde, aan de tafel in de eetkamer, waarop de complete blauwdrukken van het Palazzo Rospo lagen. Deze blauwdrukken waren afkomstig van een serie diskettes die waren ontwikkeld door het architectenbureau dat de leiding had gehad over de zes miljoen dollar kostende renovatie van het huis, meteen nadat Manheim het landgoed had gekocht.

Naast nieuwe elektriciteit, loodgieterswerk, verwarming, airconditioning en audio-videosystemen, was het enorme huis volgestouwd met computersystemen en een uiterst modern veiligheidspakket dat zo was ontworpen dat het voortdurend, gemakkelijk opgewaardeerd kon worden. Volgens één bron waarop Corky steunde, was het pakket de afgelopen twee jaar minstens één keer opgewaardeerd.

Alsof de nacht een levend wezen was, en humeurig, kwam hij uit zijn doornatte lethargie en veroorzaakte een slechtgeluimde wind, sissend aan de vensters, klauwend aan de muren van het huis met prothetische handen van boomtakken, en liet door het uitschudden van zijn enorme zwarte jas spervuren van regen tegen het glas ratelen.

In zijn warme eetkamer, gehuld in gevoerd kasjmier, met een Chinese feestmaaltijd voor zich, met waardevol en opwindend werk om zijn gedachten mee bezig te houden, had Corky Laputa zich zelden zo knus gevoeld of zo blij dat hij leefde.

43

Het schrijven van Mrs. McBee was zoals altijd gedetailleerd en zakelijk, maar ook vriendelijk, gebracht in schoonschrift waardoor het een klein kunstwerk werd en de uitstraling gaf van een historisch document. Ethan, zittend aan het bureau in zijn werkkamer, kon in zijn geest de muzikale klank van de zwakke Schotse tongval van de huishoudster horen.

Na een aanhef waarin ze de hoop uitdrukte dat Ethan een productieve dag had gehad en dat de geest van Kerstmis hem net zo verhief als het haar deed, herinnerde Mrs. McBee hem eraan dat zij en Mr. McBee de volgende ochtend vroeg naar Santa Barbara zouden vertrekken. Ze zouden twee dagen bij hun zoon en zijn gezin doorbrengen en zouden op de vierentwintigste om negen uur 's ochtends terugkeren.

Verder herinnerde ze hem eraan dat Santa Barbara op slechts een uur rijden naar het noorden lag en dat ze bereikbaar bleef voor het geval men haar raad nodig had. Ze gaf hem haar mobiele nummer, dat Ethan al had, en het telefoonnummer van haar zoon. Daarnaast gaf ze hem het adres van haar zoon en de informatie dat er op minder dan drie straten afstand van zijn huis een groot mooi park lag.

In het park staan veel statige Californische eiken en andere aanzienlijke bomen, schreef ze, *maar binnen de begrenzingen ervan zijn ook minstens twee grote grasvelden, die allebei voldoende ruimte bieden voor een helikopter voor het geval er een noodgeval binnen het huishouden zou optreden met zulke ijzingwekkende afmetingen dat ik naar huis gebracht moet worden met de snelheid van een arts in oorlogstijd.*

Ethan had niet gedacht dat iemand hem aan het einde van deze verontrustende dag zo hardop aan het lachen zou kunnen maken. Maar met haar droge gevoel voor humor was het Mrs. McBee gelukt.

Ze herinnerde hem eraan dat tijdens de afwezigheid van haar en Mr. McBee, Ethan in functie de ouderrol kreeg toebedeeld, met de volledige verantwoordelijke voor en autoriteit over Fric.

Overdag, mocht Ethan weg moeten van het landgoed, zou Mr. Hachette, de chef-kok, de leiding hebben. De bedienden en dienstmeisjes zouden naar behoeven voor de jongen zorgen.

Na vijf uur zouden de dagmeisjes en de bedienden weg zijn. Na het avondeten zou Mr. Hachette ook vertrekken.

Omdat de andere inwonende leden van de huishouding weg waren op een vroege kerstvakantie, adviseerde Mrs. McBee Ethan terug te zijn voordat Mr. Hachette aan het einde van de dag naar huis ging. Anders zou Fric alleen in het huis zitten, met geen andere volwassenen in de buurt dan de twee bewakers in het kantoor van de beveiliging achter op het landgoed.

Vervolgens, in haar memo, brak de huishoudster het onderwerp van de kerstochtend aan. Eerder deze dag, nadat hij in de bibliotheek met de jongen had gesproken, voordat hij naar Hollywood-West was gereden om een onderzoek te doen naar Rolf Reynerd, had Ethan bij Mrs. McBee de kwestie ter sprake gebracht van Frics kerstcadeautjes.

Elk kind zou opgewonden zijn geraakt bij het idee dat hij een lijst van gewenste dingen kon overleggen, net zo uitgebreid als hij maar wilde, en dat hij op kerstochtend alles zou krijgen wat hij vroeg, precies die dingen, niets minder maar ook niets meer. Toch leek het Ethan dat dit de kerstochtend van de verrukkelijke spanning beroofde en zelfs iets van de magie. Aangezien dit zijn eerste kerst op het Palazzo Rospo zou worden, had hij Mrs. McBee in haar kantoortje achter de keuken aangesproken om te informeren naar het protocol ten aanzien van een onverwacht cadeautje onder de boom voor Fric.

'God zegene je, Mr. Truman,' had ze gezegd, 'maar het is een slecht idee. Niet zo slecht als jezelf in je voet schieten om het effect van een kogel te observeren, maar bijna wel.'

'Waarom?' had hij gevraagd.

'Elk lid van het personeel ontvangt een genereuze kerstbonus, plus een klein ding van Neiman Marcus of Cartier van een meer persoonlijke aard...'

'Ja, ik heb dat gelezen in uw *Regels en Praktijk*,' had Ethan gezegd.

'Het is het personeel bewust verboden cadeautjes onder elkaar uit te wisselen omdat we met zovelen zijn, dat het te veel tijd zou kosten om inkopen te doen, en het een financiële last zou leggen op...'

'Dat staat ook in *Regels en Praktijk*.'

'Ik voel me gevleid dat je het allemaal zo goed onthouden hebt. Dan zul je ook weten dat het het personeel is verboden cadeautjes te geven aan leden van de familie, voornamelijk omdat de familie rijk genoeg is om alles te hebben wat ze zouden kunnen wensen, maar ook omdat Mr. Manheim ons harde werk en onze discretie ten aanzien van het bespreken van zijn privéleven met buitenstaanders ziet als cadeaus waarvoor hij elke dag dankbaar is.'

'Maar zoals de jongen een lijst moet opstellen en weet dat alles wat erop staat er op kerstochtend zal zijn – het ziet er zo kil uit.'

'De carrière en het leven van een grote beroemdheid zijn vaak een en hetzelfde, Mr. Truman. En in een bedrijf dat zo groot en zo ingewikkeld is als Mr. Manheim, is het enige alternatief voor die kilheid chaos.'

'Dat zal wel. Maar het blijft kil. En triest.'

Op zachtere toon en met een zekere genegenheid had Mrs. McBee hem in vertrouwen genomen: 'Het ís triest. De jongen is slachtoffer. Maar het beste dat we allemaal kunnen doen, is vooral gevoelig tegenover hem blijven, hem raad en aanmoedigingen geven als hij erom vraagt of als hij het lijkt nodig te hebben maar het niet wil vragen. Een echt onverwacht cadeau kan dan misschien door Fric goed ontvangen worden, maar ik ben bang dat zijn vader het er niet mee eens zal zijn.'

'Ik heb het gevoel dat hij het niet zou goedkeuren om een andere reden dan die in *Regels en Praktijk*.'

Mrs. McBee had er enige ogenblikken over nagedacht, alsof ze in haar geheugen een exemplaar van *Regels en Praktijk* raadpleegde dat veel langer was dan het in ringband gestoken aantekenboek dat ze aan elke werknemer gaf.

Ten slotte zei ze: 'Mr. Manheim is geen slecht of harteloos mens, gewoon overweldigd door zijn leven... en misschien te verliefd op de schittering ervan. Op een bepaald niveau herkent hij zijn tekortkomingen ten aanzien van Fric, en hij zal zeker wensen dat de dingen tussen hen anders waren, maar hij weet niet hoe hij het anders moet doen en tevens datgene te doen wat hij moet doen om te blijven wie hij is. Dus hij zet het uit zijn gedachten. Als jij onder de boom een cadeau voor Fric zou leggen, zou het schuldgevoel van Mr. Manheim aan de oppervlakte komen en hij zou zich gekwetst voelen door wat jouw gebaar inhield. Hoewel hij een eerlijk man is tegenover zijn werknemers, zou ik niet kunnen voorspellen hoe hij zal reageren.'

'Soms, als ik aan dat eenzame joch denk, zou ik zijn ouweheer wel wat verstand in zijn lijf willen schudden, zelfs als...'

Mrs. McBee had een waarschuwende hand opgestoken. 'Zelfs onderling praten we niet over degene wiens hand ons voedt, Mr. Truman. Dat zou ondankbaar en onfatsoenlijk zijn. Wat ik hier heb gezegd is bedoeld als een vriendelijk advies, omdat ik geloof dat jij een waardevol lid van de staf bent en goed voorbeeld voor Fric, die jou meer in de gaten heeft dan je misschien beseft.'

Hier, in haar memo, sneed Mrs. McBee het onderwerp van de cadeaus weer aan. Ze had de hele dag gehad om over haar advies na te denken: *wat het delicate onderwerp van een onverwacht cadeautje betreft, wil ik specificeren wat ik eerder heb gezegd. Een klein en heel speciaal ding, iets dat eerder magisch dan duur is, ergens anders dan onder de boom achtergelaten, en anoniem, zou bij de ontvanger een opwinding kunnen veroorzaken zoals jij en ik ons herinneren van de kerstochtenden uit onze jeugd. Ik vermoed dat hij intuïtief de wijsheid van de discretie in de zaak zou begrijpen en nagenoeg zeker het bestaan van het cadeau voor zichzelf zal houden, al was het alleen maar om zo'n geheim te hebben. Maar het ding moet beslist bijzonder zijn en voorzichtigheid is geboden. Nota bene, als je dit laatste hebt gelezen, versnipper het en eet het op.*

Ethan lachte weer.

Tegelijk met zijn lach flikkerde een indicatielichtje op de telefoon aan: Lijn 24. Hij zag dat bij het derde belsignaal het antwoordapparaat het overnam waarna het lampje bleef branden.

Hij kon de computer niet in en het programma bijstellen zodat hij Lijn 24 hier in zijn appartement kon ontvangen. Alleen de eerste drieëntwintig lijnen waren toegankelijk voor zijn bewerkingen. Naast Manheim was Ming du Lac de enige die toegang had tot de heilige vierentwintig. Een verzoek om die situatie te veranderen zou Ming zo kwaad maken als een spirituele goeroe maar kon worden, wat in wezen net zo woest was als een ratelslang die met een scherpe stok werd gepest, minus al het gesis.

Zelfs als hij toegang had gehad tot Lijn 24, zou hij geen enkel telefoontje op hebben kunnen pikken zodra het antwoordapparaat het overnam, omdat de recorder een exclusieve verbinding maakte waardoor op mechanische wijze afluisteren uitgesloten werd.

Hij was nooit eerder ook maar een fractie zo geïnteresseerd geweest in Lijn 24 als deze avond, en zijn belangstelling gaf hem een ongemakkelijk gevoel. Als hij er ooit achter wilde komen wat er met hem op deze gedenkwaardige dag was gebeurd, zou hij zijn bijgeloof op afstand moeten houden en logisch moeten gaan denken.

Toch, toen hij niet langer meer keek naar het lichtje van Lijn 24, merkte hij dat hij naar de drie zilveren klokjes staarde op zijn bureau. En het kostte hem moeite een andere kant op te kijken.

Het laatste onderwerp in het memo van Mrs. McBee betrof het tijdschrift dat ze had bijgesloten, het laatste nummer van *Vanity Fair*.

Ze schreef: *Dit tijdschrift kwam zaterdag met nog een hoop an-*

*dere post en was, zoals gewoonlijk, neergelegd op de juiste tafel
in de bibliotheek. Vanmorgen, kort nadat de jonge meester uit de
bibliotheek was vertrokken, merkte ik dat het tijdschrift open lag
op de pagina die ik heb aangegeven. Deze ontdekking had veel te
maken met mijn heroverweging van de raad die ik jou heb gegeven met betrekking tot de kwestie van kerstcadeaus.*

Tussen de tweede en derde pagina van een artikel over Frics moeder, Fredericka Nielander, had Mrs. McBee een geel memovelletje geplakt. Met een pen had ze een deel van de tekst gemarkeerd.

Ethan las het artikel vanaf het begin. Boven aan de tweede pagina vond hij een verwijzing naar Aelfric. Freddie had de interviewer verteld dat zij en haar zoon 'de beste maatjes' waren, en dat
ze, waar ze ook ter wereld terechtkwam met haar betoverende
werk, contact met elkaar bleven houden 'om als twee schoolmaatjes te roddelen, en dromen uit te wisselen en meer geheimen
dan twee spionnen die samenspanden tegen de wereld'.

Feitelijk was hun hele telefoonrelatie zo geheim, dat zelfs Fric er
niet van wist.

Freddie beschreef Fric als een 'uitbundig, zelfverzekerd joch, net
zo atletisch als zijn vader, en schitterend met paarden, een uitmuntend ruiter.'

Páárden!

Ethan zou er een jaarsalaris onder verwed hebben dat als Fric ooit
iets had gehad met paarden, die van het soort waren dat nooit
kakte en altijd op carrouselmuziek danste.

Door deze valse Fric te creëren, leek Freddie te suggereren dat de
echte kwaliteiten van haar zoon of geen indruk op haar maakten,
of haar mogelijk zelfs in verlegenheid brachten.

Fric was slim en gevoelig genoeg om tot diezelfde conclusie te komen.

De gedachte aan de jongen terwijl die dit kwetsende leuterverhaal
las, bracht Ethan ertoe het tijdschrift niet in de prullenbak naast
zijn bureau te werpen maar kwaad naar de open haard te gooien
met de bedoeling het later te verbranden.

Freddie zou waarschijnlijk zeggen dat ze in een interview met *Vanity Fair* elke bewering zó moest brengen dat die haar imago zou
verbeteren. Hoe super kon een supermodel zijn als uit haar lendenen allesbehalve een bovennatuurlijke superzoon was ontsprongen?

Om de pagina's van het tijdschrift te verbranden waarop de foto's stonden van Freddie zou bijzonder bevredigend zijn. Een soort
voodoo.

Lijn 24 was nog steeds bezet.

Hij keek naar de computer waar het telefoonlogboek te zien was. Dit telefoontje bleek ook afkomstig van een geheim nummer. Omdat de verbinding niet was verbroken bleef de tijd veranderen in de lijst LENGTE TELEFOONTJE. Het duurde nu al langer dan vier minuten.

Dat was een lange boodschap om achter te laten op een antwoordapparaat als de beller een verkoper was of iemand die onbewust een verkeerd nummer had gedraaid. Vreemd.

Het indicatielampje ging uit.

44

Toen Fric wakker werd, zag hij een veelheid aan vaders aan alle kanten om zich heen, een beschermleger waarin elke soldaat hetzelfde beroemde gezicht had.

Hij lag plat op zijn rug, en niet in bed. Hoewel hij zich voorzichtig stilhield, en met iets dat op wanhoop leek tegen de harde, gladde vloer onder hem drukte, draaide zijn geest langzaam, langzaam rond in een werveling van verwarring.

Enorm waren ze, die vaders, soms volledige figuren die oprezen en soms slechts lichaamsloze hoofden, maar reusachtige hoofden, als ballonnen in de optocht van Macy op Thanksgiving.

Fric had de indruk dat hij bewusteloos was geraakt door een gebrek aan lucht, wat een vreselijke astma-aanval betekende. Maar toen hij probeerde adem te halen, merkte hij dat het hem geen moeite kostte.

Veelal hadden deze enorme vaderlijke gezichten een edele uitdrukking, uitdrukkingen van een onverschrokken vastbeslotenheid, van een woedende woestheid, maar sommige glimlachten. Eén knipoogde. Een lachte zonder geluid. Een paar keken liefdevol of dromerig, niet naar Fric maar naar beroemde vrouwen met net zulke enorme hoofden.

Toen zijn gedachten op een langzamere snelheid begonnen te draaien en bijna stabiel werden, herinnerde Fric zich ineens weer de man die uit de spiegel was gekomen. Hij ging rechtop zitten op de vloer van de zolder.

Een ogenblik tolden zijn ronddraaiende gedachten sneller rond.

Hij voelde de aandrang om over te geven. Hij verzette zich er met succes tegen en voelde zich een beetje heldhaftig.

Fric durfde zijn hoofd naar achteren te buigen om de daksparren af te speuren naar de vleugelloze geest. Hij verwachtte een glimp of meer op te vangen van een vliegend, grijs wollen pak, zwarte schoenen met vleugelpunten die door de lucht schaatsten met de gratie van een ijsdanser.

Hij zag geen vliegend monster, maar zag overal de beschermvaders in kleur, in tweekleurige ontwerpen, in zwart en wit. Ze kwamen naderbij, ze trokken zich terug, ze cirkelden om hem heen, ze torenden boven hem uit.

Papieren vaders, allemaal.

Als een durfal met bescheiden ambities kwam hij overeind en bleef een ogenblik staan alsof hij zich op een hoog koord in evenwicht hield.

Hij luisterde en hoorde alleen de regen. De onophoudelijke, dreigende alles oplossende regen.

Fric, te snel voor behoedzaamheid en te langzaam voor moed, vond zijn weg door het maaswerk van memorabilia, op zoek naar de zoldertrap. Misschien was het onvermijdelijk, maar hij kwam bij de met slangen omlijste spiegel.

Hij was van plan er met een wijde boog omheen te lopen. Maar toch oefende het verzilverde glas een duistere en krachtige aantrekkingskracht op hem uit.

Afwisselend speelde zijn ervaring met de man uit de spiegel in zijn herinnering als een droom, maar daarna weer net zo echt als de geur van zijn eigen angstzweet.

Hij voelde een behoefte om te weten wat waar was en wat niet, misschien omdat te veel in zijn leven onecht leek, waardoor het onmogelijk werd nog één onzekerheid te tolereren. Verre van dapper, maar minder een angsthaas dan hij had verwacht, liep hij op het door slangen beschermde glas af.

Fric, door de recente gebeurtenissen ervan overtuigd dat het universum van Aelfric Manheim en dat van Harry Potter stilletjes met elkaar in aanvaring waren gekomen, zou verontrust maar niet heel erg verrast zijn geweest als de uitgesneden slangen magisch tot leven waren gekomen en hem hadden aangevallen toen hij naderde. De geschilderde schubben, de ronde wikkelingen bleven onbeweeglijk en de groene, glazen ogen schitterden met slechts een onbezielde kwaadheid.

In de spiegel zag hij alleen maar zichzelf en een omgekeerd stilleven van alles achter zich. Geen glimp van Elders, geen verwijzing naar Anderswaar.

Aarzelend stak Fric, ontzet door het trillen ervan, zijn rechterhand naar zijn beeltenis uit. Het glas voelde koel en glad aan – en ontegenzeggelijk solide – onder zijn vingertoppen.

Toen hij zijn handpalm plat op het zilveren oppervlak legde en een volledig contact maakte, leek de herinnering aan Moloch minder op een echte ontmoeting dan op een droom.

Toen besefte hij dat de ogen in zijn weerspiegeling niet de groene ogen waren waarmee hij was opgegroeid, het groen dat hij had geërfd van Mam in Naam. Deze ogen waren grijs, een lichtgevend satijnachtig grijs, met slechts spikkeltjes groen.

Het waren de ogen van de spiegelman.

Het moment dat Fric dit beangstigende verschil in zijn spiegelbeeld ontdekte, verschenen twee handen van een man uit de spiegel, grepen hem bij de pols, en gaven hem iets. Daarna sloten de handen van de man zich over zijn hand en drukte die samen tot een vuist waarmee hij het gegeven ding samenvouwde, voordat hij hem van zich afduwde.

In doodsangst gooide Fric neer wat hem was gegeven, huiverend door zowel het gladde als gebarsten gevoel ervan.

Hij sprintte door het laatste gangpad naar de zoldertrap en langs de draaiingen van de trap naar beneden, terwijl zijn voeten met zo'n door paniek voortbewogen kracht neerploften dat de metalen treden zoemden als trommelvellen die trilden door de herinnering aan donder.

Van de oostelijke gang naar het noorden, over de verlaten tweede verdieping; hij beefde als hij langs gesloten deuren kwam, alsof die door elk monster dat de geest maar kon voortbrengen geopend zouden worden. Hij huiverde als hij de door eeuwen bewolkte spiegels boven de oeroude tafels zag.

Herhaaldelijk keek hij achterom, keek omhoog, vol angstige gedachten. Natuurlijk zou Moloch op hem af komen vliegen, een onwaarschijnlijke kannibalistische god in een pak.

Hij bereikte de hoofdtrap ongehavend en zonder dat hij achternagezeten werd, maar hij voelde zich niet opgelucht. Het bonken van zijn hart zou de in ijzer gehulde hoeven van honderden paarden hebben verdronken, bereden door honderdmaal de Dood met honderd zeisen.

In ieder geval hoefde zijn vijand hem niet tot uitputtens toe te achtervolgen zoals een vos een haas. Als Moloch via spiegels kon reizen, waarom dan niet via vensterruiten? Waarom niet via oppervlakten die voldoende blonken om zelfs maar een vage reflectie te geven, zoals de ronding van die bronzen kruik, zoals de zwartgelakte deuren van die hoge empirekast, zoals, zoals, zoals...?

Voor hem verdween de ronde entreehal van drie verdiepingen in de duisternis. De grote trap die de ronde muur naar de benedenverdieping volgde, verdween in de draaiende donkerte.

De avond was gevorderd. De vloerbewerkers en de versierploeg hadden hun werk gedaan en waren vertrokken, evenals de werknemers die hadden overgewerkt. De McBee's waren naar bed.

Hij kon niet alleen op de tweede verdieping blijven.

Onmogelijk.

Toen hij een muurschakelaar overhaalde begonnen alle kristallen kandelaars die de kromming van de trap volgden tegelijk te branden. Honderden hangende afgeslepen lusters wierpen prismatische regenbogen van kleur op de muren.

Fric liep de trap met zo'n duizelingwekkende snelheid tot de benedenverdieping af dat hij, als Cassandra Limone, de actrice met de verpletterende kuiten, op de trap geoefend zou hebben, haar onvermijdelijk iets ergers zou hebben bezorgd dan een gebroken enkel.

Toen hij van de laatste tree sprong, kwam hij glijdend tot stilstand op de marmeren vloer van het trappenhuis, tot stoppen gebracht door zijn eerste zicht op de grote kerstboom. De boom was vijf of vijfeneenhalve meter hoog, uitsluitend getooid met rode, zilverkleurige en kristallen versieringen, en op sensationele manier verlammend, zelfs nu de snoeren elektrische lampjes niet brandden.

Het oogverblindende spektakel van de boom alleen al zou niet voldoende zijn geweest om hem ook maar even zijn vlucht te laten onderbreken, maar terwijl hij omhoogkeek naar de spar vol glittering, besefte hij dat hij iets in zijn rechterhand hield. Toen hij zijn vuist opende, zag hij het ding dat hem door de man in de spiegel was gegeven, het verfrommelde ding waarvan hij zeker wist dat hij het op de vloer van de zolder had gegooid.

Zowel glad als gebarsten van structuur, licht van gewicht, was het geen dode tor, ook niet de afgeschudde huid van een slang, geen verpletterde vleermuisvleugel, geen ingrediënt van een heksenbrouwsel zoals hij zich had voorgesteld. Gewoon een verfrommelde foto.

Hij vouwde de foto open en streek die met trillende vingers glad. Het portret van twaalf bij vijftien centimeter, gerafeld aan de randen alsof hij uit een lijstje was gerukt, toonde een mooie dame met donker haar en donkere ogen. Ze was een vreemde voor hem.

Fric wist vanuit een niet onaanzienlijke ervaring dat de manier waarop mensen op foto's kijken niets te maken had met de kwaliteiten die ze in het leven hadden vertoond. Toch zag hij in de vriendelijke glimlach van deze vrouw een lieve inborst en hij wenste dat hij haar kende.

Een vervloekte amulet, een kompres dat was ontworpen om bij oplegging de onsterfelijke ziel uit iemand te trekken, een voodoodingetje, iets uit de zwarte magie, een satanisch goocheldoosje, of welk ander vreemd en griezelig ding dat je verwachtte te kunnen krijgen van iets dat in spiegels leefde, zou minder verrassend zijn geweest en minder verwarrend dan deze verkreukte foto. Hij kon zich niet voorstellen wie deze vrouw was, wat haar foto moest betekenen, hoe hij haar kon identificeren of wat hij misschien zou winnen of verliezen door haar naam te kennen.

Zijn angst was minder geworden door het kalmerende effect van het vrouwengezicht op de foto, maar toen hij zijn blik van de foto omhoog bracht naar de spar, werd de angst in hem weer intenser. In de boom bewoog zich iets.

Niet van tak tot tak, niet schuilend in de groene schaduwen van de takken: deze beweging bestond in de versieringen. Elke zilverkleurige bal, zilveren trompet, zilveren hanger was een driedimensionale spiegel. Een vormloze schaduwachtige reflectie vloeide over die ronde glanzende oppervlakken, heen en weer, omhoog in de boom, en naar beneden.

Alleen iets dat in de ronde hal rondvloog, steeds weer naderbij komend en weer wijkend van de glinsterende boom, kon zo'n reflectie hebben gegeven. Maar geen enorme vogel, geen vleermuis met vleugels ter grootte van een vlag, geen kerstengel, geen Moloch vloog door deze lucht, en dus leek het alsof de bewegende duisternis ín de versieringen zat, en rimpelend aan een kant van de boom omhoog kroop, en aan de andere kant weer naar beneden viel.

Minder helder, onheilspellender dan de zilverkleurige, waren de rode versieringen ook spiegels. Dezelfde kloppende schaduw reisde door die rondingen van suikerappels en robijnrode vlakken, en suggereerde onvermijdelijk het spuiten en vloeien van bloed.

Fric voelde dat wat hem nu belaagde – als iets het deed – hetzelfde was wat hem eerder die avond belaagd had in de wijnkelder.

De huid verstrakte op zijn hoofd, rimpelde in zijn nek.

In een van de fantasyboeken, waar hij dol op was, had Fric gelezen dat geesten konden verschijnen door een daad van hun eigen wil, maar niet lang genoeg de materiële vorm konden vasthouden als jij je niet op hen concentreerde, maar dat jouw verwondering en angst hen in staat stelden dat langere tijd vol te houden.

Hij had gelezen dat vampiers alleen maar je huis konden binnen-

komen als iemand binnen hen uitnodigde de drempel te over-
schrijden.

Hij had gelezen dat een duivelse entiteit aan de ketenen van de hel
kan ontsnappen en een persoon in deze wereld kan binnengaan
door de onderzetter van een ouijabord, niet als je alleen maar vragen stelde over de doden, maar als je zo onvoorzichtig was om
dingen te zeggen als 'kom bij ons' of 'kom bij ons zitten'.

Hij had eigenlijk een teringzooi aan onzin gelezen en het meeste
ervan was waarschijnlijk verzonnen door stompzinnige schrijvers
die wat probeerden te verdienen, terwijl ze met hun stompzinnige scenario's van producer naar producer liepen.

Toch raakte Fric ervan overtuigd dat als hij geen andere kant op
keek, de verschijning in het geblazen glas steeds sneller zou bewegen, en met de seconde in kracht zou groeien tot alle versieringen in de kerstboom als gordels vol granaten zouden ontploffen en hem zouden doorboren met duizend splinters, zodat elk
gepunt stukje glas een deel van deze kloppende duisternis in zijn
vlees zou brengen, en zou opbloeien door zijn bloed om snel de
macht over hem over te nemen.

Hij rende om de boom heen de ronde hal uit.

In de noordelijke gang drukte hij op een lichtschakelaar en rende
piepend op zijn gympen met rubberen zolen over de pas opgewreven kalkstenen vloer. Hij rende langs de salon, de theekamer,
de intieme eetkamer, de grote eetkamer, ontbijtkamer, de butlerskeuken, de keuken, naar het einde van de noordelijke vleugel en
keek deze keer niet achterom, of naar links of naar rechts.

Afgezien van het dagverblijf waar het personeel van de huishouding de pauzes hield en de lunch gebruikte, en ook van de professioneel ingerichte wasserij, bevatte de westelijke vleugel op de
benedenverdieping de kamers en appartementen van het inwonende personeel.

De dienstmeisjes, miss Sanchez en miss Norbert, waren afwezig
tot de ochtend van de vierentwintigste. Hij zou toch niet naar hen
toe zijn gegaan. Ze waren heel aardig, maar een van hen giechel-
de te veel en de ander zat vol verhalen over North Dakota waar
ze geboren was, wat voor Fric zelfs nog minder interessant leek
dan het eilandenrijk van Tuvalu met de opwindende export van
kokosnoten.

Mrs. en Mr. McBee hadden vooral een lange en inspannende dag
gehad. Die lagen nu misschien al te slapen en Fric wilde ze niet
storen.

Toen hij de deur bereikte van het appartement dat was toegewezen aan Mr. Truman, die hem nog maar kortgeleden had gezegd op elk uur van de dag of nacht te komen als hij hulp nodig had en naar wie hij al vanaf het moment dat hij van de zolder weg-vluchtte van plan was geweest te gaan, zakte Fric ineens de moed in de schoenen. Een man die uit een spiegel stapte, diezelfde man die tussen de dakbalken vloog, een geest die in de versieringen van een kerstboom huisde, van daaruit toekeek en elk moment kon exploderen: Fric kon zich niet voorstellen dat iemand zo'n fan-tastisch en onsamenhangend verhaal zou geloven, en zeker een ex-smeris niet die waarschijnlijk cynisch was geworden na het luis-teren naar duizenden krankzinnige verhalen van ontelbare leugenachtige viespeuken en verwarde mafketels.

Fric maakte zich een beetje zorgen in een gekkenhuis gestopt te worden. Nooit eerder had iemand ook maar iets gezegd dat hij er thuishoorde. Maar een gekkenhuis maakte zeker onderdeel uit van de familiegeschiedenis. Iemand zou zich een bepaalde ervaring her-inneren van Mam in Naam en misschien zouden ze naar Fric kij-ken en denken: *Hier heb je een gek die in een tehuis hoort.*

En wat erger was, hij had eerder tegen Mr. Truman gelogen en hij zou die leugen moeten opbiechten.

Hij had niets verteld over zijn vreemde gesprek met de Geheim-zinnige Beller, omdat zelfs dát gedoe al te onzinnig gek had gele-ken dat iemand het zou geloven. Hij had gehoopt dat Mr. Tru-man, door alleen maar de hijger te noemen, de telefoontjes zou traceren, de schoft zou vinden – aangenomen dat de Geheimzin-nige Beller een schoft was – en deze bizarre gebeurtenis tot op de bodem zou uitzoeken.

Mr. Truman had Fric gevraagd of hij hem alles had verteld en Fric had gezegd: 'Natuurlijk. Het was die hijger,' en daarmee had hij de leugen verteld.

Nu zou Fric moeten toegeven dat hij 'niet helemaal openhartig' was geweest zoals smerissen dat noemden, en op de tv waren sme-rissen niet zo blij met viespeuken die informatie achterhielden. Vanaf dat moment zou Mr. Truman hem niet meer geloven en zich afvragen of de zoon van de grootste filmster ter wereld ei-genlijk niet gewoon de zoveelste viespeuk in de maak was.

Toch moest hij Mr. Truman over de Geheimzinnige Beller vertel-len als hij het tegenover hem over de Robin Goodfellow wilde heb-ben die eigenlijk Moloch was, en hij moest hem over Moloch ver-tellen om hem voor te bereiden op het verhaal over de totaal krankzinnige gebeurtenissen die er op de zolder hadden plaatsge-vonden.

Dit leek allemaal veel te veel krankzinnigheid om iemand ineens te vertellen, laat staan een cynische ex-smeris die het allemaal al veel te vaak had meegemaakt en die een hekel had aan niet openhartige vuilnisbakken. Door Mr. Truman eerder die avond niet alles te vertellen, had Fric voor zichzelf een val gegraven, net zoals stompzinnige mensen in stompzinnige politiefilms altijd een valkuil voor zichzelf groeven, of ze nu schuldig of onschuldig waren. *Liegen geeft je alleen maar ellende.*

Ja, ja, ja.

Het enige bewijs van zijn verhaal was de verkreukte foto van de mooie dame met de lieve glimlach, die hem in zijn handen was gepropt door de man in de spiegel.

Hij staarde naar de deur van het appartement van Mr. Truman.

Hij keek naar de foto.

De foto bewees niets. Hij had die van iedereen overal kunnen krijgen.

Als de man in de spiegel hem een magische ring zou hebben gegeven waardoor hij zichzelf in een kat kon veranderen, of in een pad met twee koppen, waarvan de ene kop Engels sprak en de andere Frans, en liedjes van Britney Spears zong met zijn achterste, zou dat wel een bewijs zijn geweest.

De foto bewees niets. Alleen maar een verkreukte foto. Alleen maar een portret van een mooie dame met een fantastische glimlach, een vreemde.

Als Fric zou zeggen wat er op de zolder was gebeurd, zou Mr. Truman denken dat hij geblowd had. Hij zou alle geloofwaardigheid die hij nog had verspelen.

Zonder aan te kloppen draaide hij zich van de deur om.

In deze strijd stond hij alleen. Alleen staan was niets nieuws, maar het was zeker wel vermoeiend.

45

Na te veel afhaalchinees te hebben gegeten, na zijn kennis van de iets duisterder hoeken van het Palazzo Rospo te hebben opgefrist, de etensresten in de vuilnisbak te hebben gekieperd, maakte Corky Laputa een tweede martini klaar en ging weer naar boven naar de logeerkamer achter in het huis waar Mannetje Stinkkaas in zo'n staat van uittering lag dat zelfs uitgehongerde gieren hem te mager zouden vinden en hem ongemoeid zouden laten liggen.

Corky noemde hem Mannetje Stinkkaas omdat hij na al die weken op bed, zonder gewassen te zijn, een enorme stank was gaan verspreiden die aan heel smerige dingen deed denken zoals bepaalde bijzonder sterke kaassoorten.

Het was lang geleden dat Stinkie nog vaste uitwerpselen had geproduceerd. Geuren uit zijn ingewanden vormden daarom geen zaak van belang meer.

Nadat hij de man gevangen had genomen had Corky hem van een catheter voorzien waardoor hij niet het probleem had van door urine doorweekt beddengoed. De catheter was verbonden met een glazen kruik van vier liter naast het bed die op het moment slechts voor een kwart gevuld was.

De zure, scherpe stank was voornamelijk het gevolg van weken van aanhoudend angstzweet dat zonder verzorging was opgedroogd en van de natuurlijke huidvetten die zo lang waren verzameld dat ze ranzig waren geworden. Wassen behoorde niet tot de diensten die Corky verleende.

Toen hij in de slaapkamer was, zette hij de martini neer en pakte een blik naar dennen geurend ontsmettingsmiddel van het nachtkastje.

Stinkie sloot zijn ogen omdat hij wist wat er komen ging.

Corky trok het laken en de deken naar het voeteneinde van het bed en besproeide zijn skeletachtige gevangene van top tot teen. Dit was een snelle en doeltreffende methode om de stank tot een aanvaardbaar niveau terug te brengen voor de duur van hun avondbabbel.

Bij het bed stond een barkruk met een gerieflijk beklede zitting en rugleuning. Corky nestelde zich op deze zitplaats.

Naast de kruk stond een hoge eikenhouten plantenstandaard die dienst deed als tafeltje. Na een slok van zijn martini genomen te hebben, zette Corky die neer op de plantenstandaard.

Hij bestudeerde Stinkie een tijdje zonder iets te zeggen.

Natuurlijk zei Stinkie niets omdat hij op de harde manier had geleerd dat het niet aan hem was om een gesprek te beginnen.

Bovendien was zijn eens zo krachtige stemgeluid teruggebracht tot het niveau van een terminale tuberculosepatiënt, gemarkeerd door een griezelig raspgeluid en gerochel: een stem als door de wind voortgejaagd zand die langs oude rotsen giert, als het breekbare fluisterende geklik van rennende scarabeeën. Het geluid van zijn stem beangstigde Stinkie tegenwoordig en het praten deed hem zo'n pijn dat hij elke avond minder zei.

De eerste dagen had Corky zijn mond afgeplakt om ervoor te zorgen dat hij niet zo hard kon roepen dat de buren nieuwsgierig werden. Tape was niet meer nodig, omdat hij geen zorgwekkend geluid meer voort kon brengen.

In het begin had hij Stinkie, hoewel hij met drugs in een staat van halve verdoving werd gehouden, aan het bed vastgeketend. Met het ernstige verval van zijn lichaam, met de totale ineenstorting van zijn fysieke kracht, waren de ketenen overbodig geworden.

Als Corky niet in de buurt was, bevatte het glucose-infuus altijd drugs om hem volgzaam te houden, een voorzorgsmaatregel tegen een onwaarschijnlijke ontsnapping.

's Avonds mocht hij helder van geest zijn. Voor hun sessies.

Afwisselend meden zijn door angst bezochte ogen Corky en werden dan weer door hem aangetrokken in een magnetische ontzetting. Hij lag in doodsangst over wat komen ging.

Corky had deze man nooit geslagen, nooit fysieke marteling gebruikt. Hij zou het nooit doen.

Met woorden en alleen maar woorden had hij de moed van zijn gevangene gebroken, had hij zijn hoop versplinterd, had hij zijn gevoel voor eigenwaarde verpletterd. Met woorden zou hij ook zijn geest breken, als Stinkie niet al krankzinnig was.

Stinkie heette in het echt Maxwell Dalton. Hij was lector Engels op dezelfde universiteit als waar Corky nog altijd een aanstelling had.

Corky gaf literatuur vanuit het gezichtspunt van deconstructie, waarmee hij zijn studenten het geloof bijbracht dat taal nooit de werkelijkheid kan beschrijven, omdat woorden alleen maar verwijzen naar andere woorden, niet naar iets dat echt bestaat. Hij leerde hun dat een persoon, of een schrijfsel nu een roman of een wetsartikel is, de enige scheidsrechter is die bepaalt wat dat schrijfsel inhoudt en wat het betekent, dat alle waarheid betrekkelijk is, dat alle morele principes bedrieglijke interpretaties zijn van religieuze en filosofische teksten die eigenlijk geen andere betekenis hebben dan wat elk mens wil dat het betekent. Dit waren heerlijk destructieve ideeën en Corky haalde een enorme voldoening uit zijn werk als leraar.

Professor Maxwell Dalton was een traditionalist. Hij geloofde in taal, betekenis, doel en principe.

Tientallen jaren lang hadden gelijkgestemde collega's van Corky de Engelse faculteit in hun macht gehad. In de afgelopen paar jaar had Dalton geprobeerd een revolutie te ontketenen tegen nietszeggendheid.

Dalton was een lastpost, een plaag, een bedreiging voor de triomf van de chaos. Hij bewonderde het werk van Charles Dickens, T.S. Eliot en Mark Twain. Hij was een onbeschrijflijk verachtelijk mens.

Dankzij Rolf Reynerd lag Dalton al meer dan twaalf weken hier in deze slaapkamer gevangen.

Toen Corky en Reynerd samen hadden gezworen dat zij een daad tegen de wereld zouden stellen met een goed opgezette aanval op het stevig bewaakte landgoed van Channing Manheim, waren ze ook overeengekomen dat ze, om de ernst van hun eed te bewijzen, eerst voor elkaar een halsmisdaad zouden plegen. Corky zou Reynerds moeder vermoorden en in ruil daarvoor zou de acteur Dalton ontvoeren en hem uitleveren aan Corky.

Zich herinnerend hoe hij zijn eigen moeder met zo weinig mogelijk rotzooi had willen smoren, maar dat dat was uitgelopen op een dolzinnige kloppartij met een pook, had Corky een pistool weten te bemachtigen dat niet naspeurbaar was en waarmee hij Mina Reynerd snel en professioneel uit de weg zou ruimen, met een schot door het hart om ervoor te zorgen dat er weinig bloed zou zijn.

Helaas wist hij destijds nog maar heel weinig van wapens. Zijn eerste schot was niet in haar hart, maar in haar voet.

Mrs. Reynerd was gaan gillen van de pijn. Om redenen die Corky nog steeds niet helemaal begreep, merkte hij uiteindelijk dat hij in plaats van door te gaan met het pistool woest aan het uithalen was met een antieke marmeren en bronzen lamp die hij ernstig beschadigde.

Later had hij zich verontschuldigd bij Rolf dat hij de waarde van dit mooie erfstuk had verminderd.

De acteur had zich aan zijn woord gehouden en daarna Maxwell Dalton ontvoerd. Hij had de professor bewusteloos afgeleverd in deze slaapkamer waar Corky had zitten wachten met een hoeveelheid gekoelde infuusvloeistof en een voorraad drugs om zijn gevangene de eerste weken rustig te houden toen Dalton nog de fysieke kracht bezat om zich te verweren.

Sindsdien had hij methodisch zijn collega uitgehongerd en hem alleen maar de hoogst noodzakelijke voedingsstoffen via het infuus toegediend om hem in leven te houden. Elke avond en soms 's ochtends onderwierp hij Dalton aan een extreme psychologische kwelling.

De brave professor geloofde dat zijn vrouw, Rachel en zijn tienjarige dochter, Emily, ook waren ontvoerd. Hij dacht dat ze werden vastgehouden in een andere kamer van dit huis.

Elke dag onthaalde Corky Dalton met verslagen van de vernederingen, mishandelingen en kwellingen waaraan hij de lieve Rachel en de kwetsbare Emily de laatste tijd had onderworpen. Zijn verslagen waren heel beeldend, uitzonderlijk wreed en schitterend weerzinwekkend.

Zijn talent voor pornografische invallen verraste en verheugde Corky, maar hij was nog verraster dat Dalton zijn verhalen zo gretig geloofde, huiverend van verdriet en wanhoop als hij ernaar luisterde. Zou hij drie gevangenen hebben moeten verzorgen buiten de eisen van alledag, en zou hij slechts een fractie van de gruweldaden hebben gepleegd op Rachel en Emily die hij beweerde te hebben gedaan, dan zou hij bijna net zo mager en zwak zijn geweest als de verhongerende man in het bed.

Corky's moeder, de econome en kwaadaardige academische intrigante, zou verbaasd zijn geweest als ze had geweten dat haar zoon een grotere verschrikking bleek te zijn voor tenminste één collega dan ze ooit had gedroomd zelf te zijn tegenover een van haar. Ze zou niet zo'n ingewikkeld en slim plan uit hebben kunnen werken als dat waarmee hij Maxwell Dalton op zijn knieën had gebracht.

Moeder was gemotiveerd geweest door jaloezie en haat. Corky, vrij van jaloezie, vrij van haat, werd gemotiveerd door de droom van een betere wereld via anarchie. Zij had een handjevol vijanden willen vernietigen, terwijl hij álles wilde vernietigen.

Succes is vaak hen met een grotere visie in grotere mate deelachtig.

Hier, aan het einde van een ongewoon succesvolle dag, zat Corky op zijn kruk te kijken naar de gekrompen professor, nam kleine teugjes van zijn martini en zei misschien tien minuten niets om de spanning te verhogen. Zelfs tijdens zijn drukke uren in en uit de regen had hij de tijd gevonden een fantastisch gruwelijk verhaal te bedenken dat misschien Daltons geestelijke gezondheid zou breken alsof het een soepstengel was.

Corky was van plan te melden dat hij Rachel, de vrouw, had vermoord. Gezien Daltons uitzonderlijk fragiele conditie zou die leugen, als die goed werd verteld, misschien een fatale hartaanval veroorzaken.

Zou de professor het afschuwelijke nieuws overleven, dan zou hij de volgende ochtend de informatie krijgen dat zijn dochter ook was vermoord. Misschien zou de tweede schok hem wel fataal zijn.

Corky was hoe dan ook bijna klaar met Maxwell Dalton. Hij had alle mogelijke amusement uit deze situatie geperst. Het werd tijd verder te gaan.

Bovendien zou hij deze kamer snel nodig hebben voor Aelfric Manheim.

46

Een avond op de maan, vol kraters en koud, zou niet minder eenzaam zijn geweest dat deze avond in het grote huis van Manheim. Binnen waren de enige geluiden die van Frics voetstappen, zijn ademhaling, het zwakke knarsen van scharnieren als hij een deur opende.

Buiten ruziede een veranderlijke wind, afwisselend dreigend en melancholisch, met de bomen, hief klaagliederen aan in de daksparren, sloeg tegen de muren, kreunde als in een treurig protest dat hij het huis niet binnen mocht. De regen tikte kwaad tegen de vensters, maar huilde daarna stilletjes langs de in lood gevatte ruitjes.

Een tijdje geloofde Fric dat hij veiliger zou zijn als hij in beweging bleef dan als hij op één plaats bleef zitten, dat als hij bleef staan, onzichtbare krachten zich ineens om hem heen zouden verzamelen. Bovendien kon hij, op zijn voeten, in beweging, ineens gaan rennen en makkelijker ontsnappen.

Zijn vader geloofde dat als een kind eenmaal zes jaar was, hij niet meer op een willekeurige tijd gedwongen kon worden naar bed te gaan, maar dat hij de kans moest hebben zijn persoonlijke dagelijkse ritme te vinden. Daarom ging Fric al jaren pas naar bed wanneer hij wilde, soms om negen uur, soms pas na middernacht.

Terwijl hij bleef ronddolen, lichten aandeed die hij achter zich liet branden, werd hij snel moe. Hij had gedacht dat de mogelijkheid van Moloch, de kinderen etende god, die elk moment uit een spiegel kon stappen, hem voor de rest van zijn leven wakker zou houden, of in ieder geval tot hij achttien werd en niet langer meer gedefinieerd kon worden als kind. Maar angst bleek net zo uitputtend als zwaar werk.

Bezorgd dat hij in elkaar zou zakken op een bank of in een stoel en in slaap zou vallen op een plek die hem kwetsbaarder maakte dan nodig was, overwoog hij terug te gaan naar de westelijke vleugel op de benedenverdieping waar hij zich op kon rollen voor het appartement van Mr. Truman. Maar als Mr. Truman of de Mc-Bee's hem daar slapend aantroffen, zouden ze hem zien als een angsthaas en een smet op de naam Manheim.

Hij besloot dat de bibliotheek de beste wijkplaats bood. Hij voelde zich altijd op zijn gemak tussen boeken. En hoewel de bibliotheek zich op de eerste verdieping bevond, die net zo verlaten was als de tweede, waren er geen spiegels.

De engelenboom stond hem op te wachten.

Hij huiverde toen hij al die gevleugelde objecten zag.

Toen besefte hij dat deze spar geen enkele glanzende versiering had van waaruit een kwaadaardige entiteit uit een andere dimensie deze wereld kon binnengaan of kon toekijken vanuit een andere.

De bungelende engeltjes leken werkelijk te suggereren dat dit een beschermde plek was, een echte wijkplaats.

In deze enorme kamer waren alle urnen en potten, amfora's en beeldjes of van Wedgewood-aardewerk met empirethema's of van porselein uit de Han-dynastie. Al het aardewerk was gematteerd zwart, en glansde niet. Tweeduizend jaar had het glazuur van de Han-stukken af gehaald en Fric maakte zich geen zorgen dat een antiek beeldje van een paard of een waterkruik die dateerde van voor de geboorte van Christus dienst zou kunnen doen als een kijkgat waardoorheen hij in de gaten kon worden gehouden door een of ander kwaadaardig wezen in een aangrenzende dimensie.

Achter in de bibliotheek leidde een deur naar een damestoilet. Met een stoel met rechte rug klemde Fric de deur stevig dicht zonder dat hij die durfde te openen omdat boven de wasbak in de wc een spiegel hing te wachten.

Deze zinnige voorzorgsmaatregel zorgde voor een ander probleempje dat eenvoudig op te lossen was. Hij moest plassen, dus hij ontlastte zich in de pot van een palm.

Hij waste altijd zijn handen na de wc. Deze keer zou hij besmetting, ziekte en een dodelijke straf moeten riskeren.

Er stonden minstens twintig palmen in potten in de grote ruimte. Hij maakte er een punt van zich te herinneren welke hij besproeid had om te vermijden dat hij het hele regenwoud van de bibliotheek om zeep hielp.

Hij liep terug naar het zitgedeelte bij de kerstboom met het bataljon wachthoudende engeltjes. Dit was beslist een veilige plek.

Het geheel aan leunstoelen en voetenbankjes bevatte ook een bank. Fric wilde zich net uitstrekken op dit geïmproviseerde bed toen de stilte werd doorbroken door het opgewekte kinderdeuntje dat thuishoorde op een crèche of de slaapkamer van kleinere kinderen.

Oedelie-oedelie-oe.

De telefoon stond op een meubelstuk dat Mrs. McBee een 'secretaire' noemde, maar dat voor Fric gewoon een schrijfbureau was. Hij ging ernaast staan en keek naar het signaallampje van zijn privélijn dat telkens als de telefoon overging knipperde.

Oedelie-oedelie-oe.

Hij verwachtte dat Mr. Truman bij de derde keer zou opnemen.

Oedelie-oedelie-oe.

Mr. Truman nam niet op.

De telefoon ging een vierde keer over. Een vijfde keer.

Zes keer. Zeven.

Fric weigerde de hoorn op te pakken.

Oedelie-oedelie-oe.

Ethan had in zijn appartement de inhoud van de zes zwarte dozen uit een kast gehaald en ze uitgestald op zijn bureau in de volgorde van binnenkomst.

Hij had de computer uitgezet.

De telefoon was bij de hand zodat hij telefoontjes naar Fric kon ondervangen als die lijn zou overgaan, en waar hij het indicatielichtje voor Lijn 24 kon zien als die ook binnenkomende telefoontjes aangaf. Het aantal boodschappen op de lijn van de doden leek toe te nemen, wat hem verontrustte om redenen die hij niet kon benoemen, en hij wilde de situatie in de gaten houden.

Zittend op zijn bureaustoel met een blik cola bij de hand dacht hij na over de elementen van het raadsel.

De kleine pot met tweeëntwintig dode lieveheersbeestjes. *Hippodamia convergens*, van de familie Coccinellidae.

Een andere, grotere pot waarin hij de tien dode slakken had gedaan. Overdag een smeriger gezicht.

Een potje waarin zure uitjes hadden gezeten met negen voorhuiden in formaldehyde. De tiende was bij de analyse in het laboratorium verloren gegaan.

De gesloten gordijnen dempten het tikken van de regen op het glas, de dreiging van de woedende wind.

Kevers, slakken, voorhuiden...

Om de een of andere reden dwaalde Ethans aandacht naar de telefoon, hoewel die niet was overgegaan. Er brandde geen lichtje op Lijn 24 of op een van de drieëntwintig daarvoor.

Hij hield het blikje cola schuin en nam een slok.
Kevers, slakken, voorhuiden...

Oedelie-oedelie-oe.
Misschien was Mr. Truman uitgegleden en op zijn hoofd gevallen, en misschien lag hij bewusteloos en hoorde hij het overgaan niet. Of misschien was hij weggevoerd naar een land aan de andere kant van de spiegel. Of misschien was hij gewoon vergeten het systeem aan te passen zodat hij Frics telefoontjes niet kon ontvangen.
De beller zou niet opgeven. Nadat het stompzinnige kinderlijke deuntje eenentwintig keer was overgegaan, besloot Fric dat hij, als hij de hoorn niet opnam, de hele nacht naar het rinkelen zou moeten luisteren.
De lichte trilling in zijn stem maakte hem treurig, maar hij zette door: 'Vinnies Frisdrankpaleis en Vomitorium, de plaats voor de sorbet van vier kilo, eerst genieten dan purgeren.'
'Hallo, Aelfric,' zei de Geheimzinnige Beller.
'Ik kan nog niet beslissen of jij een viespeuk of een vriend bent zoals je beweert. Ik neig naar viespeuk.'
'Je neigt verkeerd. Kijk om je heen naar de waarheid, Aelfric.'
'Naar wat moet ik om me heen kijken?'
'Naar wat er allemaal in de bibliotheek is.'
'Ik zit in de keuken.'
'Inmiddels zou je moeten weten dat je niet tegen mij kunt liegen.'
'Mijn onbekende en geheime schuilplaats wordt een van de grotere ovens. Daar kruip ik in en trek de deur achter me dicht.'
'Je kunt je dan maar beter insmeren met boter, want Moloch zal gewoon het gas aansteken.'
'Moloch is hier al geweest,' zei Fric.
'Dat was Moloch niet. Dat was ik.'
Toen hij deze onthulling kreeg, gooide Fric bijna de hoorn neer.
De Geheimzinnige Beller zei: 'Ik ben bij je op bezoek gekomen, omdat ik wilde dat je begreep, Aelfric, dat je écht risico loopt en dat je bijna geen tijd meer hebt. Als ik Moloch was geweest, dan was je al gebraden.'
'Je kwam uit een spiegel,' zei Fric, en zijn nieuwsgierigheid en gevoel van verwondering wonnen het voorlopig van zijn angst.
'En ik ben teruggegaan via een spiegel.'
'Hoe kun je uit een spiegel komen?'
'Kijk voor het antwoord om je heen, jongen.'
Fric keek door de bibliotheek.

'Wat zie je?' vroeg de Geheimzinnige Beller.

'Boeken.'

'O? Heb je veel boeken in de keuken?'

'Ik zit in de bibliotheek.'

'Ach, de waarheid. Er bestaat nog hoop dat je dan toch een beetje ellende ontloopt. Wat zie je nog meer behalve boeken?'

'Een schrijfbureau. Stoelen. Een bank.'

'Kijk verder.'

'Een kerstboom.'

'Zie je wel.'

'Zie ik wel wat?' vroeg Fric.

'Wat zwaait en bengelt?'

'Huh?'

'En is bijna geschreven als bengel?'

'Engel,' zei Fric, terwijl hij naar de stralende, witte kudde keek die zich met trompetten en harpen in de boom had verzameld.

'Ik reis via spiegels, mist, rook, via deuropeningen in water, trappen gemaakt van schaduwen, op wegen van maanlicht, op wens en hoop en eenvoudige verwachtingen. Ik heb mijn auto opgegeven.'

Verwonderd greep Fric de hoorn zo stevig vast dat zijn hand pijn deed, alsof hij er zo nog meer onthullende woorden van de spiegelman uit kon knijpen.

De Geheimzinnige Beller beantwoordde stilzwijgen met stilzwijgen, en wachtte.

Van alle vreemde dingen die Fric had verwacht, had dit niet op de lijst gestaan.

Ten slotte, met een ander soort trilling in zijn stem, zei hij: 'Vertel je me dat je een engel bent?'

'Geloof je dat ik er een zou kunnen zijn?'

'Mijn… beschermengel?'

In plaats van direct antwoord te geven, zei de spiegelman: 'Geloof is belangrijk in dit alles, Aelfric. In veel opzichten is de wereld wat wij ervan maken en ligt het aan ons om onze toekomst vorm te geven.'

'Volgens mijn vader staat de toekomst in de sterren geschreven, is ons noodlot bepaald als we worden geboren.'

'Je ouweheer heeft veel bewonderenswaardige dingen, jongen, maar wat zijn ideeën over noodlot betreft, is het allemaal gelul.'

'Wauw,' zei Fric, 'kunnen engelen "gelul" zeggen?'

'Ik heb het net gedaan. Maar ik ben nog een groentje hierin en ik zal zo nu en dan nog wel een fout maken.'

'Heb je nog steeds je oefenvleugels?'

'Dat zou je kunnen zeggen. Hoe dan ook, ik wil niet dat jou iets overkomt, Aelfric. Maar ik alleen kan jou je veiligheid niet garanderen. Je zult jezelf moeten helpen je te beschermen tegen Moloch als hij komt.'

Kevers, slakken, voorhuiden...
Bij de andere dingen op Ethans bureau stond de koekjeskat met tweehonderdzeventig letterblokjes, negentig elk van de O, W en E.
Owe. Woe. Wee woo. Ewe woo. Schuld. Wee. Tijdelijke liefde. Schapenliefde.
Naast de koekjespot lag *Paws for Reflection*, het boek van Donald Gainsworth die blindengeleidehonden had opgeleid en honden om mensen in rolstoelen te helpen.
Kevers, slakken, voorhuiden, koekjespot met letterblokjes, boek...
Naast het boek lag de opengemaakte appel met het poppenoog.
HET OOG IN DE APPEL? DE AANDACHTIGE WORM? DE WORM VAN DE EERSTE ZONDE? HEBBEN WOORDEN NOG EEN ANDERE BETEKENIS DAN VERWARRING?
Ethan had hoofdpijn. Hij hoorde waarschijnlijk dankbaar te zijn dat hij alleen maar pijn in zijn hoofd had na twee keer dood te zijn gegaan.
Hij liet de zes geschenken van Reynerd op het bureau staan en liep de badkamer in. Hij pakte een flesje aspirines uit het medicijnkastje en schudde er een paar in zijn hand.
Hij was van plan een glas water uit de kraan boven het fonteintje van de badkamer te pakken om de aspirines in te nemen. Maar toen hij een blik in de spiegel wierp, merkte hij dat hij slechts even naar zijn reflectie keek, en daarna naar een beschaduwde vorm zocht die er niet hoorde, die misschien zijn ogen ontweek als hij hem met zijn blik probeerde vast te pinnen, zoals in de badkamer in het penthouse van Dunny.
Voor het glas water liep hij naar de keuken waar geen spiegels hingen.
Vreemd genoeg werd zijn aandacht getrokken door de telefoon aan de muur naast de koelkast. Geen lijn was bezet. Lijn 24 niet. Frics lijn niet.
Hij dacht na over de hijger. Zelfs als de jongen een type was die kleine drama's bedacht om aandacht te trekken, wat hij niet was, leek dit een mager bedenksel, niet de moeite van een leugen waard. Als kinderen dingen verzonnen, neigden ze naar kleurrijke details.
Nadat hij de aspirines had ingenomen, liep Ethan naar de telefoon

en pakte de hoorn op. Een lichtje ging branden bij de eerste van zijn twee privélijnen.

De huistelefoons deden ook dienst als intercom. Als hij de knop indrukte waar INTERCOM bij stond en daarna de knop voor Frics lijn, zou hij direct met de jongen in zijn kamer kunnen spreken.

Hij wist niet wat hij zou zeggen of waarom hij het gevoel had dat hij contact moest opnemen met Fric op dit late uur in plaats van de volgende ochtend. Hij staarde naar de lijn van de jongen. Hij zette een vinger op de toets, maar aarzelde die in te drukken.

De jongen lag nu hoogstwaarschijnlijk al te slapen. Zo niet, dan hoorde hij dat te doen.

Ethan legde de hoorn terug.

Hij liep naar de koelkast. Eerder had hij niet kunnen eten. De gebeurtenissen van die dag hadden hem een maag bezorgd die als een vuist was dichtgeknepen. Even had hij alleen maar een goed glas whisky gewild. Nu, onverwachts, deed de gedachte aan een broodje ham hem watertanden.

Je stond elke dag op en hoopte er maar het beste van, maar het leven speelde een spelletje met je en je werd in je buik geschoten en je ging dood, daarna kwam je weer tot leven en je ging verder, maar het leven speelde een volgend spelletje met je, en je werd door het verkeer overreden en ging weer dood, en als je daarna uit alle macht probeerde gewoon weer verder te gaan, speelde het leven weer een volgend spelletje met je, dus het zou niet zo verrassend moeten zijn als die zware inspanningen je uiteindelijk de eetlust gaven van een olympische gewichtheffer.

Terwijl hij naar engeltjes van berijpt glas keek, naar de plastic engeltjes, de houten uitgesneden engeltje, de geschilderde blikken engeltjes, en tegelijkertijd met misschien een echte engel aan de telefoon sprak, zei Fric: 'Hoe kan ik ooit een veilige plaats vinden als Moloch via spiegels en maanlicht kan reizen?'

'Dat kan hij niet,' zei de Geheimzinnige Beller. 'Hij heeft mijn krachten niet, Aelfric. Hij is sterfelijk. Maar denk niet dat sterfelijkheid hem minder gevaarlijk maakt. Hij doet zeker niet onder voor een duivel.'

'Waarom kom je dan niet hier en wacht je samen met mij tot hij verschijnt, waarna je hem helemaal verrot slaat met je heilige knuppel?'

'Ik heb geen heilige knuppel, Aelfric.'

'Je moet iets hebben. Knuppel, staf, stok, een gewijd slagzwaard dat gloeit van de goddelijke energie. Ik heb over engelen gelezen in dat fantasieverhaal. Het zijn niet van die feeachtige wezens, die zo zwak zijn als een scheet. Het zijn strijders. Ze hebben de legioenen van satan bevochten en hem uit de Hemel naar de Hel verdreven. Dat was een mooie scène in het boek.'

'Dit is de hemel niet, jongen. Dit is de aarde. Hier ben ik alleen maar gemachtigd om indirect te werken.'

De Geheimzinnige Beller van hun eerdere gesprek citerend, toen ze met elkaar hadden gesproken over de telefoon in de wijnkelder, zei Fric: 'Aanmoedigen, inspireren, bang maken, overhalen, adviseren.'

'Je hebt een goed geheugen. Ik weet wat er gaat gebeuren, maar ik mag de gebeurtenissen alleen maar beïnvloeden met middelen die sluw...'

'... glad en verleidelijk zijn,' maakte Fric af.

'Ik mag niet direct ingrijpen in Molochs pogingen zijn eigen verdoemenis te bereiken. Net zomin mag ik tussenbeide komen als een heldhaftige politieagent op het punt staat zijn eigen leven op te offeren voor iemand anders waardoor hij voor altijd in de hemel komt.'

'Ik denk dat ik dat begrijp. Je bent zoiets als een regisseur die niet de laatste montage van zijn film mag doen.'

'Ik ben zelfs geen regisseur. Zie me gewoon als een van die studiobazen die voorstellen doen voor de herziening van een script.'

'Dat soort voorstellen waardoor scriptschrijvers altijd zo kwaad worden en aan de drank gaan. Je verveelt je kapot als ze het daarover hebben, alsof het een kind van tien wat kan schelen, alsof het iémand wat kan schelen.'

'Het verschil,' zei de mogelijke engel, 'is dat mijn voorstellen altijd goed bedoeld zijn – en gebaseerd op een visie op de toekomst die maar al te waar zou kunnen zijn.'

Fric dacht over dit alles een ogenblik na terwijl hij de stoel onder het bureau vandaan trok. Hij ging zitten en zei: 'Wauw. Het lijkt me frustrerend om een beschermengel te zijn.'

'Je weet nog niet half. Jij bent degene die de laatste montage van je leven in handen hebt, Aelfric. Dat noemen ze vrije wil. Jij hebt het. Iedereen heeft het. En uiteindelijk kan ik niets voor je doen. Dat moet je allemaal zelf doen... keuzes maken, goed of fout, verstandig zijn of niet, moedig zijn of niet.'

'Ik zou het kunnen proberen.'

'Dat zou ik maar doen. Wat heb je met de foto gedaan die ik je heb gegeven?'

'De mooie dame met haar lieve glimlach? Hij zit opgevouwen in mijn achterzak.'

'Daar zul je er weinig aan hebben.'

'Wat verwacht je dan dat ik ermee doe?'

'Denk na. Gebruik je hersens, Aelfric. Zelfs in jouw familie is dat mogelijk. Denk na. Wees verstandig.'

'Ik ben veel te moe om op dit moment nog na te denken. Wie is zij – de vrouw op de foto?'

'Waarom ga je niet wat speurwerk doen? Doe navraag.'

'Ik deed net navraag. Wie is zij?'

'Vraag iedereen. Op die vraag kan ik geen antwoord geven.'

'Waarom niet?'

'Omdat ik moet gehoorzamen aan de regel van sluw, glad en ver- leidelijk, waardoor elke beschermengel soms een zeikerd is.'

'Goed. Laat maar zitten. Ben ik vannacht veilig? Kan ik tot mor- gen wachten om die onbekende en bijzondere schuilplaats te gaan zoeken?'

'Direct morgenochtend is goed,' zei de beschermengel. 'Maar ver- spil geen tijd meer. Bereid je voor, Aelfric. Bereid je voor.'

'Goed. En, hé, het spijt me wat ik je noemde.'

'Je bedoelt de vorige keer – een advocaat?'

'Ja.'

'Ze hebben me wel voor erger uitgemaakt.'

'Echt waar?'

'Veel erger.'

'En het spijt me dat ik heb geprobeerd je te traceren.'

'Wat bedoel je?'

'Het lijkt nogal gluiperig tegenover een engel. Het spijt me van sterretje negenenzestig.'

De Geheimzinnige Beller viel stil.

Een ondefinieerbare diepte van die stilte maakte haar heel anders dan elke stilte die Fric ooit had gehoord.

Dit was om te beginnen een perfécte stilte, en zij zoog niet alleen alle geluiden uit de open verbinding op, maar zelfs elke fluistering van geluid in de bibliotheek tot hij dover dan doof leek.

De stilte werd ook intens, alsof de beschermengel belde vanaf de bodem van een oceaantrog. Diep en zo kóúd.

Fric huiverde. Hij kon zijn tanden niet horen klapperen of zijn li- chaam schudden. Hij kon zijn ademhaling ook niet horen, hoewel hij die naar buiten voelde stromen, heet genoeg om zijn tanden te drogen.

Perfecte, intense, koude stilte, ja, maar heviger en vreemder dan alleen maar perfect, intens en koud.

Fric stelde zich voor dat een dergelijke stilte een bezwering kon zijn van elke engel met bovennatuurlijke vermogens, maar ook dat het misschien een truc was die de engel des doods karakteriseerde.

De Geheimzinnige Beller haalde adem, inhaleerde ermee de stilte en liet weer geluid terugkeren in de wereld, te beginnen met zijn stem die een duidelijke klank van bezorgdheid bezat: 'Wanneer heb je sterretje negenenzestig geprobeerd, Aelfric?'

'Nou, nadat je me in de treinkamer hebt gebeld.'

'En ook nadat ik jou in de wijnkelder heb gebeld?'

'Ja. Weet je dit dan niet... door wat je bent?'

'Engelen weten niet alles, Aelfric. Zo nu en dan gaan sommige dingen... aan ons voorbij.'

'De eerste keer bleef je telefoon maar overgaan en overgaan...'

'Dat komt omdat ik de telefoon in mijn oude flat gebruikte, waar ik woonde voordat ik stierf. Ik heb je nummer niet gedraaid, ik heb alleen maar aan je gedacht, maar ik heb wél de hoorn opgenomen. Ik was nog aan het leren... aan het leren wat ik nu kan doen. Ik word er met het uur handiger in.'

Fric vroeg zich af of hij vermoeider was dan hij besefte. Het gesprek sloeg niet altijd ergens op. 'Je oude flat?'

'Ik ben betrekkelijk recent pas engel, jongen. Ik ben vanmorgen gestorven. Ik gebruik het lichaam waar ik vroeger in leefde, hoewel het... nu flexibeler is met mijn nieuwe vermogens. Wat gebeurde er de tweede keer toen je sterretje negenenzestig gebruikte?'

'Weet je het echt niet?'

'Ik vrees dat ik het misschien wel weet. Maar vertel het me.'

'Ik kreeg die viezerik.'

'Wat zei hij tegen je?'

'Hij zei helemaal niets. Hij hijgde alleen maar... en maakte toen van die dierlijke geluiden.'

De Geheimzinnige Beller was stil, maar dit bleek een heel andere stilte dan de doodsdiepe stilte van een ogenblik geleden. Deze stilte had een heleboel onduidelijke veranderingen, de vlinderzachte vibraties van trillende zenuwen, het heel zachte spannen van spieren.

'Eerst dacht ik dat jij het was,' legde Fric uit. 'Dus ik vertelde hem dat ik Moloch in het woordenboek had opgezocht. De naam bracht hem in verrukking.'

'Gebruik nooit meer sterretje negenenzestig nadat ik je bel, Aelfric. Echt nooit meer.'

'Waarom?'

Met grote nadruk, waarmee hij een mate van verontrusting etaleerde die te sterfelijk leek voor een onsterfelijke beschermengel, zei de beller: 'Echt nóóit meer. Begrijp je?'

'Ja.'

'Beloof je me, dat je nooit meer zult proberen me terug te bellen met sterretje negenenzestig?'

'Oké. Maar waarom?'

'Toen ik je in de wijnkelder belde, gebruikte ik geen telefoon, zoals ik de eerste keer heb gedaan. Ik heb geen telefoon nodig om je te bellen, net zoals ik geen auto meer nodig heb om te reizen. Ik heb alleen het *idee* van een telefoon nodig.'

'Het idee van een telefoon. Hoe werkt dat?'

'Mijn huidige omstandigheid verschaft me bepaalde bovennatuurlijke vermogens.'

'Als beschermengel, bedoel je?'

'Maar als ik alleen het idee van een telefoon gebruik, verbindt sterretje negenenzestig je misschien met een plek waar je niet moet zijn.'

'Welke plek?'

De beschermengel aarzelde. Toen zei hij: 'De duistere eeuwigheid.'

'Dat klinkt niet goed,' beaamde Fric en hij keek ongemakkelijk om zich heen door de bibliotheek.

In het labyrint van planken bestonden monsters binnen de omslagen van ontelbare boeken, zowel menselijke als niet-menselijke. Misschien dat er een beest op de loer lag, niet in die papieren wereld, maar in deze, die geen inkt asemde maar lucht, wachtend op een kleine jongen tot die hem vond op de een of andere hoek in die stille gangpaden.

'De duistere eeuwigheid. De bodemloze afgrond, de zichtbare duisternis en alles wat er huist,' wijdde de engel uit. 'Je had geluk, jongen. Dat het niet tegen je sprak.'

'Het?'

'Wat jij de "viespeuk" noemde. Als het tegen je praat, kunnen ze je met vleien overhalen, je overreden, betoveren, soms zelfs bevelen.'

Fric wierp weer een blik op de boom. De engelen leken allemaal naar hem te kijken.

'Als je sterretje negenenzestig intoetst,' zei de beschermengel, 'maak je een deur naar hen open.'

'Wie?'

'Moeten we hun zwavelachtige naam uitspreken? We weten allebei wie ik bedoel, toch?'

Als jongen met een voorkeur voor boeken met fantasieverhalen, met een huistheater waarin hij naar alles kon kijken van kinderfilms tot aan films vol monsters voor ouderen, met een verbeelding die gescherpt was door eenzaamheid, wist Fric bijna wel zeker wie hij bedoelde.

De beller zei: 'Jij opent een deur naar hen, en dan, met één verkeerd woord zul je hen misschien onbedoeld... binnen vragen.'

'Hier, in het Palazzo Rospo?"

'Je zou een van hen in jóú binnen kunnen vragen, Aelfric. Als ze worden uitgenodigd kunnen ze zich via de telefoonverbinding verplaatsen, door die tere verbinding van geest naar geest, bijna ongeveer zoals ik van spiegel naar spiegel kan reizen.'

'Ongelogen?'

'Ongelogen. Heb niet het lef sterretje negenenzestig te gebruiken als ik heb opgehangen.'

'Oké.'

'Of wanneer ik je ooit weer bel.'

'Nooit.'

'Ik meen dit bloedserieus, Aelfric.'

'Dit zou ik niet van een beschermengel verwachten.'

'Wat niet?'

'Dat hij me de doodsstuipen op het lijf jaagt.'

'Aanmoedigen, inspireren, bang maken,' herinnerde de beller hem. 'Ga nu lekker slapen, zolang het nog kan. En verspil morgenochtend geen tijd. Bereid je voor. Bereid je voor om te overleven, Aelfric, bereid je voor, omdat ik, vooruitkijkend op hoe de dingen zich hoogstwaarschijnlijk zullen ontvouwen... jouw dood zie.'

47

Fric bevond zich in een dilemma terwijl hij met zijn gezicht voorover op de bank naar de telefoon op de vloer van de bibliotheek lag te kijken. Hij had hem van het schrijfbureau verplaatst tot de maximale lengte van het snoer.

Hij had hem daar neergezet voor extra veiligheid, voor het geval hij snel een telefoontje om hulp moest plegen.

Hoewel het waar was, was het slechts ten dele waar. Hij speelde ook met het idee sterretje negenenzestig in te toetsen.

Fric was geen liefhebber van zelfvernietiging. Hij was niet een van die Hollywood-kinderen die niet konden wachten tot ze groot genoeg waren om een rijke heroïnejunk te worden. Hij was niet van plan zichzelf om zeep te helpen met een sportwagen, een pistool, een geweer, amfetaminen, sterke drank, een door marihuana veroorzaakte longkanker of vrouwen.

Soms, tijdens een feest, als het in het Palazzo Rospo krioelde van de honderden beroemde, half beroemde mensen en mensen die snakten naar beroemdheid, maakte Fric zichzelf onzichtbaar om beter te kunnen horen wat ze zeiden. In zo'n menigte kon je gemakkelijk onzichtbaar worden, omdat de helft van de gasten toch alleen maar aandacht had voor zichzelf, en de andere helft intens gericht was op het handjevol regisseurs, agenten en studiobazen die hen of goddeloos rijk konden maken of nog goddelozer rijk dan ze al waren. Tijdens een van die momenten had Fric over de op drie na – of op vier na – grootste filmster ter wereld horen zeggen dat 'die stomme lul zichzelf nog eens om zeep helpt zoals hij met vrouwen bezig is'. Fric had niet het geringste idee hoe iemand zichzelf om zeep kon helpen met vrouwen, of waarom een persoon met zelfmoordgedachten niet gewoon een pistool zou kopen.

Maar die intrigerende opmerking was hem bijgebleven en hij was van plan voorzichtig te zijn. Tegenwoordig, als hij nieuwe vrouwen ontmoette, bestudeerde hij hen heimelijk op aanwijzingen die hen tot het potentieel gevaarlijke soort deden behoren.

Tot op deze vreemde avond had hij zich op dezelfde manier ook nooit een voorstelling kunnen maken dat de dood opgebeld kon worden door alleen maar *69 in te toetsen.

Misschien zou hij niet gedood worden door wat er door de telefoon kwam. Misschien zou het zijn ziel alleen maar opsluiten, zijn lichaam overnemen en hem zo ellendig maken dat hij wenste dat hij dood was.

Of misschien zou het de macht over hem overnemen en hem met zijn hoofd vooruit tegen een bakstenen muur laten rennen, in een open beerput laten duiken (aangenomen dat er in Bel Air een open beerput gevonden kon worden), van het dak van het Palazzo Rospo, of in de armen van een dodelijke blondine sturen (van wie het in Bel Air klaarblijkelijk krioelde).

Zijn dilemma was dat hij niet wist of hij ook maar iets moest geloven van wat de Geheimzinnige Beller had gezegd.

Aan de ene kant zou dat gezwets over een beschermengel, over het zich verplaatsen via spiegels en maanlicht – allemaal weleens een teringzooi aan nonsens kunnen zijn. Een grotere zooi dan die film over de eenhoorn van Geestpapa.

256

Aan de andere kant – en er was altijd een andere kant – was de Geheimzinnige Beller wél uit een spiegel gekomen. Hij had tussen de dakbalken gevlogen. Zijn voorstelling op zolder – en later in de glanzende oppervlakken van de kerstversieringen – was zo ongelooflijk geweest, dat je wel iets van wat hij zei moest geloven.

Maar toch, wat voor soort beschermengel droeg een pak en een das direct afkomstig uit de dure Rodeo Drive-winkel, had een huid zo bleek als vissenvlees, zag er eerder angstaanjagend dan heilig uit, en bezat grijze ogen die zo kil als as in ijs waren?

Misschien had de Geheimzinnige Beller, om redenen die onbekend waren, gelogen, en Fric naar verkeerde conclusies geleid om hem in de val te laten lopen.

Hij had zijn vader eens horen zeggen dat werkelijk iedereen in deze stad iemand anders in de val liet lopen, en als ze het dan niet om het geld deden, deden ze het wel voor de sport.

De Geheimzinnige Beller had gezegd dat Fric niet *69 moest gebruiken omdat hij daardoor verbonden zou worden met de duistere eeuwigheid. Misschien was de waarheid dat de man gewoon niet wilde dat Fric probeerde hem op te sporen.

Nog steeds op zijn buik op de sofa, vooroverbuigend naar de telefoon, pakte Fric de hoorn op. Hij drukte op de toets voor zijn privélijn.

Hij luisterde naar de kiestoon.

De engelen in de boom zagen eruit als engelen. Je kon een engel met een harp, met een trompet, met eerlijke witte vleugels vertrouwen.

Hij drukte * in, en 6, en 9.

De telefoon werd niet bij vier keer overgaan opgenomen zoals eerder, maar bij de eerste keer. Niemand zei hallo. Zoals eerder werd hij door alleen maar stilte begroet.

Toen, na een paar seconden, hoorde hij ademen.

Fric was van plan de hijger af te wachten, om de viespeuk als eerste te laten spreken. Maar na twintig of dertig seconden, werd hij zo nerveus dat hij zei: 'Ik ben het weer.'

Zijn tegemoetkoming wekte geen antwoord op.

Terwijl hij probeerde een lichte en ietwat grappige toon aan te slaan, wat hem grotendeels niet lukte, vroeg Fric: 'Hoe staan de zaken in de duistere eeuwigheid?'

Het ademen werd luider, zwaarder.

'Je weet wel – de duistere eeuwigheid?' zei Fric honend, maar ook met een lichte trilling die hij niet in de hand had en die zijn houding van stoutmoedige zelfverzekerdheid ontkrachtte. 'Op som-

mige kaarten ook aangegeven met bodemloze afgrond. Of zichtbare duisternis.'

De freak bleef tegen hem ademen.

'Je klinkt niet zo best. Je hebt neusholteontsteking,' zei Fric.

Met zijn hoofd hangend over de rand van de sofa, begon hij zich
een beetje duizelig te voelen.

'Ik zal je de naam van mijn arts geven. Hij schrijft wel een receptje
uit. Dan adem je beter. Je zult me dankbaar zijn.'

Een krakende, knarsende stem, afkomstig uit een keel die bekleed
was met scheermesjes, droger dan twee keer verbrand as, opstijgend uit een verschrikkelijke afgrond, door de spleten van de gebroken stenen in een vreemde ruïne, zei slechts één woord: 'Jongen.'

In Frics oor kroop het woord rond alsof het een insect was, misschien wel zo'n oorwurm die volgens de verhalen naar je hersenen kroop en daar eieren legde, waardoor je veranderde in een levende korf vol wriemelende legioenen.

Denkend aan al die posters van zijn vader waarop hij er edel en
dapper en vol ijzeren vastberadenheid uitzag, hield Fric de hoorn
vast. Hij riep een ijzeren gewicht aan vastberadenheid op om de
plooien van angst in zijn stem glad te strijken, en zei: 'Mij maak
je niet bang.'

'Jongen,' herhaalde de ander, 'jongen,' en meerdere stemmen klonken op via de telefoonlijn; in het begin slechts vier of vijf, zachter
dan de eerste, mannelijke en vrouwelijke, die hun gesnater bena-
drukten met 'jongen... jongen'. Hun stemmen klonken dringend,
gretig. Wanhopig. Stemmen fluisterend en glad, grove stemmen.
'... wie is daar?' '... de weg, hij is de weg...' '... zoet vlees...' '...
stom varkentje, gemakkelijk te pakken...' '... nodig me uit...' '...
vraag mij...' '... nee, vraag mij...' In een paar tellen zwol hun aantal aan tot tien, tot twintig, een hele menigte. Misschien omdat ze
allemaal tegelijkertijd spraken, klonken hun stemmen alsof die veranderden in een beestachtig gegrom en gegrauw, en wat nog als
woorden klonk, waren vaker wel dan niet obsceniteiten die in onsamenhangende zinnen aan elkaar werden geknoopt. Verkillende
kreten van angst, pijn, frustratie en pure woede naaiden die flarden van rauw geluid aaneen tot een wandkleed van *behoefte*.

Frics sterke hart sloeg stevig tegen zijn ribben, klopte in zijn keel,
pulseerde in zijn slapen. Hij had beweerd niet bang te zijn, maar
hij was beslist wel bang, te bang om zelfs een enkele bijdehante
opmerking te maken, of om überhaupt iets te zeggen.

Toch intrigeerden die kolkende stemmen hem, en trokken zijn aandacht. De gretigheid erin, het intense smachten, de beklagenswaardige wanhoop, en het melancholische verlangen, weefden een aangrijpend lied dat de snaren van zijn aanhoudende eenzaamheid beroerde, dat tegen hem sprak en hem verzekerde dat hij geen eenzaamheid hoefde te kennen, dat hij maar om gezelschap hoefde te vragen, dat hij bedoeling, betekenis en familie zou krijgen als hij zijn hart voor hen openstelde.

Zelfs woordloos, of met uitbarstingen vol obsceniteiten die Fric hadden moeten afstoten, kalmeerde het keelachtige koor vol gegrom en gesis zijn verschrikking. Zijn hart bleef slaan, maar elk moment was de kracht waarmee zijn dolzinnige gebeuk werd aangedreven eerder opwinding dan angst. Alles kon anders worden. Helemaal. Volledig. Nu en voor altijd. Ogenblikkelijk anders worden. Hij zou een nieuw leven kunnen hebben en een beter leven alleen maar door te vragen, een leven waarin alle eenzaamheid uitgebannen zou worden, alle onzekerheid, alle verwarring en twijfel en zwakheid...

Fric opende zijn mond om iets te zeggen wat nagenoeg een uitnodiging zou inhouden, wat leek op wat gebruikers van een ouijabord werd geadviseerd juist na te laten. Voor hij iets kon zeggen, werd hij afgeleid door een beweging aan de rand van zijn blikveld. Toen hij zich omdraaide om te kijken wat zijn aandacht had getrokken, zag Fric dat het uitgerekte, gedraaide snoer tussen de hoorn en de telefoon, voorheen een schoon, wit snoer van met vinyl omwikkelde draden, nu organisch, roze en glad leek, als de streng die een moeder met een nieuwgeboren kind verbond. Het snoer pulseerde, langzaam en dik, maar sterk en het bewoog zich van de telefoon op de vloer naar de hoorn die hij bij zijn oor hield, alsof er gewacht werd op de uitnodiging die op zijn tong trilde.

Zittend aan het bureau in zijn werkkamer, terwijl hij een broodje ham at en probeerde een betekenis te vinden in de zes honende cadeautjes van Reynerd, merkte Ethan dat zijn gedachten herhaaldelijk wegdreven naar Duncan Whistler.

In de tuinkamer van het Onze Lieve Vrouwe van de Engelen, toen hij net hoorde dat het lichaam van Dunny was verdwenen, had hij intuïtief geweten dat de geheimzinnige gebeurtenissen in Reynerds flat en Dunny's verdwijning als levende dode, met elkaar te maken hadden. Later was Dunny's klaarblijkelijke betrokkenheid bij de moord op Reynerd, hoewel onverwacht, geen verrassing geweest.

Wat Ethan wél had verrast, hoe meer hij erover nadacht, was de bijna-ontmoeting met Dunny in de bar van het hotel.

Er moest meer aan de hand zijn dan alleen maar toeval. Dunny was in de bar geweest omdat Ethan in de bar zat. Het was de bedóéling geweest Dunny te treffen.

Als het de bedoeling was geweest Dunny te treffen, dan was het de bedoeling geweest hem te volgen. Misschien was het ook wel de bedoeling geweest dat hij Dunny had ingehaald.

Buiten het hotel, in de drukte en de regen, niet in staat een glimp van zijn prooi op te vangen, had Ethan het dringende telefoontje van Hazard gekregen. Nu dacht hij even na over wat hij gedaan zou hebben als hij niet verplicht was geweest Hazard te treffen in de kerk.

Hij kreeg het nummer van het hotel van inlichtingen en belde het. 'Ik zou graag met een van uw gasten willen spreken. Ik weet niet welke kamer hij heeft. Hij heet Duncan Whistler.'

Na een pauze waarin hij de hotelcomputer controleerde, zei de receptionist: 'Het spijt me, meneer, maar we hebben hier geen Mr. Whistler geregistreerd staan.'

Eerder hadden slechts een paar lampen zo hier en daar in de grote kamer gebrand, maar nu gloeiden alle lampen, ook het plafondlicht, de lampen in de nissen en het krullende snoer vol kleine fonkelende lichtjes in de kerstboom. De bibliotheek was net zo ontdaan van schaduwen als een operatiekamer, maar nog steeds was het voor Fric niet licht genoeg.

Hij had de telefoon teruggezet op het bureau. Hij had de stekker losgehaald.

Hij veronderstelde dat de telefoons in zijn kamers op de tweede verdieping overgingen en dat ze nog een tijdje zouden rinkelen. Hij zou niet naar boven gaan om te luisteren. Als de Hel belde, kon dat nog weleens een tijdje duren.

Hij had een leunstoel dicht naar de kerstboom getrokken. Dicht bij de engeltjes.

Misschien was hij bijgelovig, kinderachtig, stompzinnig. Het kon hem niet schelen. Die wanhopige mensen aan die telefoon, die wézens...

Hij zat met zijn rug naar de boom omdat hij meende dat er niets kon komen uit al die takken vol wachtende engeltjes om hem bij verrassing van achteren te pakken.

Als hij niet eerder tegen Mr. Truman had gelogen, had hij nu direct naar beneden kunnen gaan, naar het appartement van de chef-beveiliging om hem om hulp te vragen.

Hier in Fricburg, vs, was het altijd 'high noon', en de sheriff kon geen hulp verwachten van de burgers als de bende bandieten de stad binnenreed voor de laatste krachtmeting.

Ethan beëindigde het gesprek met de hotelbalie en pakte de andere helft van zijn hamsandwich op, maar een van zijn twee telefoonlijnen ging over voor hij een hap kon nemen.

Toen hij opnam, hoorde hij stilte. Hij zei weer 'hallo', maar wist geen antwoord op te wekken.

Hij vroeg zich af of dit de viespeuk van Fric was.

Hij hoorde geen suggestief hijgen of iets anders. Alleen de leegheid van een open verbinding en geknetter van statische ruis, zo zacht dat het nog maar net te horen was.

Ethan werd zelden zo laat opgebeld: het liep tegen middernacht. Door de tijd en de gebeurtenissen van deze dag vond hij zelfs stilte veelzeggend.

Of het nu door instinct of verbeelding kwam, dat wist hij niet, maar hij voelde een aanwezigheid op de lijn.

In de jaren dat hij een penning had gedragen, had hij voldoende surveillances uitgevoerd om geduld te hebben. Hij luisterde naar de luisteraar en beantwoordde stilte met stilte.

De tijd ging voorbij. De ham wachtte. Nog steeds hongerig begon Ethan nu ook trek te krijgen in een biertje.

Uiteindelijk hoorde hij een kreet die drie keer herhaald werd. De stem klonk vaag, niet omdat die fluisterde en evenmin omdat die zwak was, maar omdat die afkomstig was van een enorme afstand en zo fragiel klonk dat het bijna een illusie van geluid was.

Nog meer stilte, nog meer tijd en toen klonk de stem weer, net zo broos als ervoor, zo kortstondig dat Ethan niet met zekerheid kon zeggen of de stem van een man of een vrouw was. Het had zelfs de rouwende kreet van een vogel of een dier kunnen zijn, weer drie keer herhaald, met een getemperde kwaliteit alsof hij door een mistfilter kwam.

Hij verwachtte niet langer gehijg.

Hoewel het zwakke gesis van statische ruis niet luider was dan ervoor, klonk er iets van dreiging door, alsof elke zachte tik de inwerking van een radioactief deeltje op zijn trommelvlies voorstelde.

Toen de stem een derde keer klonk, beperkte die zich niet tot de korte kreet die hij eerder herhaald had. Ethan bespeurde geluidspatronen die beslist bedoeld waren om betekenis over te dragen. Woorden. Niet bepaald begrijpelijk.

Die woorden, als door een ver verwijderd radiostation uitgezonden in een ether vol stormen, werden misvormd door sterktewisselingen, door atmosferische storingen. Een stem van een andere tijd zou zo kunnen klinken, of een die werd uitgestuurd door ruimtevaarders vanaf de nachtzijde van Saturnus.

Hij kon zich niet herinneren zich naar voren te hebben gebogen in zijn stoel. Ook wist hij niet meer wanneer zijn armen van de leuningen van de stoel waren gegleden of wanneer hij zijn ellebogen op zijn knieën had gezet. Toch zat hij zo in die samengepakte houding, met beide handen bij zijn hoofd, de een met de hoorn, als een man vol wroeging of vol wanhoop door de ontvangst van vreselijk nieuws.

Hoewel Ethan zijn best deed de inhoud van het gesprek van die verre spreker te begrijpen, gleed die voortdurend door hem heen zonder iets achter te laten, even ongrijpbaar als wolkenschaduwen geprojecteerd door maanlicht op de voortrollende zee.

En toen hij zijn uiterste best deed om enige betekenis te vinden in die mogelijke woorden, trokken ze zich verder terug achter een scherm van statische ruis en vervorming. Hij vermoedde dat de woorden, als hij zich ontspande, duidelijker zouden worden, dat de stem harder zou klinken, maar hij kon zich niet ontspannen. Hoewel hij de hoorn met zo'n kracht tegen zijn hoofd drukte dat zijn oor pijn deed, lukte het hem niet dat te verminderen, alsof een ogenblik van minder gespannen concentratie het moment zou blijken te zijn dat de woorden helderder zouden doorklinken, maar alleen voor hem die oprecht luisterde.

De stem bezat een klaaglijke toon. Hoewel het hem niet lukte de woorden te vatten en er een betekenis uit te halen, bespeurde Ethan een dringende en smekende klank, en misschien een smachtende triestheid.

Toen hij dacht dat hij vijf minuten bezig was geweest om zonder succes betekenis uit die woorden uit de zee van statische ruis en stilte te vissen, wierp Ethan een blik op zijn polshorloge. 12.26. Hij had bijna een halfuur gekluisterd aan de telefoon gezeten.

Zijn oor, waar hij de hoorn zo lang tegenaan had gedrukt, brandde en klopte. Zijn nek voelde stijf en zijn schouders deden pijn.

Verrast en ietwat gedesoriënteerd ging hij rechtop in zijn stoel zitten. Hij was nog nooit gehypnotiseerd, maar hij stelde zich voor dat het zo moest voelen als je probeerde de naweeën van een trance van je af te schudden.

Onwillig legde hij de hoorn neer.

De suggestie van een stem in de leegte was misschien niets anders dan alleen maar dát geweest, voornamelijk een suggestie, een geluidsillusie. Toch had hij ernaar geluisterd met een doelgerichte zweterige verwachting van een sonaroperator in een onderzeeër die luisterde naar de *ping* van een naderend slagschip dat dieptebommen uitgooide.

Hij begreep niet helemaal wat hij had gedaan. Of waarom.

Hoewel het niet buitengewoon warm was in de kamer, depte hij zijn voorhoofd met de mouw van zijn hemd.

Hij verwachtte dat de telefoon weer over zou gaan. Misschien was het dan verstandig om niet op te nemen.

Die gedachte verontrustte hem, omdat hij die niet begreep. Waarom zou je een rinkelende telefoon niet opnemen?

Zijn blik ging langs de zes items van Reynerd, maar zijn aandacht bleef het langst bij de drie klokjes uit de ambulance waarin hij nooit gezeten had.

Toen de telefoon na twee of drie minuten niet meer was overgegaan, zette hij de computer aan en ging weer het logboek van de telefoon in. Het laatste genoteerd was het telefoontje dat hij naar het hotel had gepleegd om te informeren naar Dunny Whistler.

Het telefoontje daarna, dat hij had ontvangen en dat bijna een halfuur had geduurd, stond niet geregistreerd in het logboek. Onmogelijk.

Hij staarde naar het scherm en dacht aan Frics telefoontjes van de hijger. Hij had het verhaal van de jongen te snel voor onmogelijk gehouden.

Toen Ethan een blik op de telefoon wierp, merkte hij dat het indicatielichtje van Lijn 24 brandde.

Verkooppraatje. Verkeerd verbonden. En toch...

Zou hij zijn nieuwsgierigheid makkelijk hebben kunnen bevredigen, dan zou hij naar boven, naar de tweede verdieping, zijn gegaan waar het antwoordapparaat voor Lijn 24 was opgeborgen in een speciale kamer met een afgesloten blauwe deur. Maar het binnengaan van die kamer alleen al zou hem zijn baan kosten.

Voor Ming du Lac en Channing Manheim was de kamer achter de blauwe deur een heiligdom. Het was ieder ander dan zij verboden naar binnen te gaan.

Voor het geval er een noodsituatie ontstond, was Ethan gemachtigd zijn moedersleutel overal in het huis te gebruiken. De enige deur waarop die niet paste, was de blauwe deur.

Een vlucht engelen, de aangename geur van de spar en het gerief van een enorme leunstoel konden Fric niet in slaap brengen.

Hij kwam uit de stoel en liep behoedzaam naar de dichtstbijzijnde boekenplanken om een boek uit te zoeken.

Hoewel hij pas tien was, las hij op het niveau van een zestienjarige. Hij was hier niet trots op, want voor zover hij wist, waren de meeste zestienjarigen tegenwoordig geen wonderkinderen omdat waarschijnlijk niemand dat van hen verwachtte.

Zelfs miss Dowd, zijn lerares Engels en lezen, verwachtte niet dat hij van boeken genoot; ze betwijfelde het of ze wel goed voor hem waren. Ze zei dat boeken relikwieën waren; de toekomst zou gevormd worden door beelden, niet door woorden. Ze geloofde eigenlijk in 'memen' die ze als miemen uitsprak en definieerde als ideeën die spontaan ontstonden bij 'ontwikkelde mensen' en die onder het gewone volk van de ene geest naar de andere werden verspreid, als een mentaal virus dat 'een nieuwe manier van denken' creëerde.

Miss Dowd kwam vier keer week bij Fric, en na elke sessie liet ze voldoende meststof achter om de gazons en bloembedden van het landgoed voor minstens één jaar te bemesten.

Terug in de leunstoel merkte Fric dat hij zich niet voldoende kon concentreren om in het verhaal te komen. Dit betekende niet dat boeken achterhaald waren, maar alleen dat hij moe en bang was. Hij bleef een tijdje zitten wachten tot een 'meme' in zijn hoofd opkwam en hem iets totaal nieuws gaf om over na te denken, iets dat alle gedachten aan Moloch, kinderoffers en vreemde mannen die via spiegels reisden uit zijn hoofd zou jagen. Maar er heerste klaarblijkelijk momenteel geen meme-epidemie.

Toen zijn ogen warm aanvoelden en begonnen te prikken, maar niet zwaarder werden, haalde hij uit een broekzak de foto die hem uit een spiegel was toegestoken. Hij vouwde de foto open en streek hem glad op zijn been.

De vrouw zag er zelfs nog mooier uit dan hij zich herinnerde. Niet het mooi van een supermodel, maar mooi op een échte manier. Lief en aardig.

Hij vroeg zich af wie ze was. Hij verzon voor zichzelf een verhaal over hoe het leven zou zijn als deze vrouw zijn moeder was en als haar man zijn vader was. Hij voelde zich een beetje schuldig dat hij Mam in Naam en Geestpapa buiten dit denkbeeldige verhaal liet, maar zij lééfden in fantasie, dus hij dacht niet dat ze hem een gefantaseerde familie voor één nacht zouden misgunnen.

Na een tijdje wekte de glimlach van de vrouw op de foto een glimlach bij Fric op, wat beter was dan het opvangen van een meme. Later, als Fric samenleefde met zijn nieuwe mam en haar man die hij nog niet had ontmoet, in een knus huisje in Goose Crotch, in Montana, waar niemand wist wie hij ooit was geweest, stapte de spiegelman met grijze ogen uit de glans van een broodrooster, aaide de hond over zijn kop, en waarschuwde hem dat het gevaarlijk was om hem met *69 te bellen. 'Als een engel het *idee* van een telefoon gebruikt om mij te bellen,' zei Fric, 'en ik toets vervolgens sterretje negenenzestig, waarom word ik dan verbonden met een plek als de Hel in plaats van met de Hemel?' In plaats van hem antwoord te geven op de vraag, ademde de man een soort drakenvlam naar hem uit en verdween weer in de glans van het broodrooster. De vlammen verschroeiden Frics kleren en deden wolkjes rook van hem opstijgen, maar hij raakte niet in brand. Zijn heerlijke nieuwe moeder schonk opnieuw een glas limonade voor hem in om hem af te koelen, en ze spraken verder over favoriete boeken terwijl hij een stuk eigengemaakte chocoladetaart at die zij voor hem had gebakken.

In de tumultueuze duisternis die eerst gevuld werd met geweervuur en het gebulder van naderende machines, daarna met een stem die riep vanuit een leegte, draaide Ethan zich steeds om, tuimelend over nat asfalt, tot hij zich een laatste keer omdraaide in de rustige duisternis van vochtige, verwarde lakens.

Hij ging rechtop in bed zitten en zei: 'Hannah', want in zijn slaap, waar alle psychologische verdedigingsmiddelen waren verdwenen, had hij haar stem herkend in de stem die hij over de telefoon had gehoord.

Eerst had ze dezelfde kreet drie keer herhaald en daarna weer drie keer. In zijn slaap had hij het woord herkend, zijn naam: '*Ethan...*
Ethan... Ethan...'

Wat ze verder nog tegen hem had gezegd, de dringende boodschap die ze met veel moeite over de kloof tussen hen in had geprobeerd over te brengen, bleef hem ontgaan. Zelfs in zijn slaap, die ruimte die grensde aan de dood, was hij niet dicht genoeg bij Hannah in de buurt gekomen om meer dan zijn naam te horen.

Terwijl de sluiers van de slaap van hem afgleden, werd Ethan overweldigd door het idee dat hij in de gaten werd gehouden.

Elk kind kent het gevoel van wakker worden uit een droom naar de waarneming dat de duisternis van de slaapkamer dekking biedt aan kwaadaardige demonen van ontelbare beschrijvingen en begeertes. De aanwezigheid van demonen leek zo echt, dat veel kleine handen aarzelden bij de schakelaar van de lamp uit angst dat zien nog erger zou zijn dan de beelden die de koortsige verbeelding leverde; en toch verdwenen de verschrikkingen altijd in het licht.

Ethan wist niet of licht deze keer de onredelijkheid zou uitbannen. Hij had het gevoel dat wat hem in de gaten hield uilen waren en kraaien met scherpe snavels, raven en loerende haviken, dat ze niet op zijn meubels zaten, maar in sombere zwart-witfoto's aan de muren, afbeeldingen die er nog niet hadden gehangen toen hij was gaan slapen. Hoewel de nacht uren geleden was overgegaan in de duisternis net voor het aanbreken van de nieuwe dag, had hij geen reden om te vermoeden dat dinsdag minder getekend zou worden door irrationaliteit dan maandag had gedaan.

Hij stak zijn hand niet uit naar de lampschakelaar. Hij ging weer liggen, het hoofd op zijn kussens, en gaf zich over aan de aanwezigheid van wat de duisternis ook mocht brengen.

Hij betwijfelde het of hij weer in slaap zou kunnen vallen. Maar sneller dan hij wist, werden zijn ogen zwaar.

Op de rand van de draaikolk van de slaap, terwijl Ethan steeds loom ronddraaide, hoorde hij van tijd tot tijd een *tik-tik-tik*, dat afkomstig zou kunnen zijn van de klauwen van wachthoudende kraaien die zich verplaatsten op een ijzeren hek. Of misschien waren het alleen maar de klauwen van een koude regen die over de ramen krasten.

Toen hij nog sneller begon rond te draaien in de meedogenloze aantrekkingskracht van het zwarte gat van de slaap, knipperden Ethans ogen een laatste keer, en hij zag een klein lichtje in de lamploze duisternis. De telefoon. Zonder te kijken zou hij niet met zekerheid het nummer van het indicatielichtje kunnen identificeren, maar hij wist instinctief dat het Lijn 24 moest zijn.

Hij gleed van de rand van de draaikolk de maalstroom in, naar beneden naar welke dromen er ook mochten komen.

48

Vrij van jaloezie, vrij van haat, opgewekt in dienst van de chaos, begon Corky Laputa zijn dag met een kaneelbroodje, vier koppen zwarte koffie en een paar cafeïnetabletten.

Iedereen die de sociale orde onderuit wilde halen, moest alles omhelzen wat een extra scherpte gaf, zelfs met het gevaar de maagwand kapot te maken en een chronische ontsteking van de darmen te veroorzaken. Gelukkig voor Corky leek de consumptie van zo nu en dan enorme hoeveelheden cafeïne de bittere kracht van zijn gal te vermeerderen zonder maagzuur te veroorzaken of andere betreurenswaardige symptomen.

Terwijl hij cafcïne met cafeïne wegspoelde stond hij bij het raam van zijn keuken glimlachend naar de sombere lucht en de afhangende flarden nachtmist te kijken die nog niet helemaal waren weggevaagd door de botte grijze dageraad. Slecht weer was opnieuw zijn medeplichtige.

De huidige pauze in de regen zou maar kort duren. Binnenjagend op de hielen van de vertrekkende storm zou een nieuw, naar men zei heviger noodweer de stad overspoelen en het dragen van regenkleding rechtvaardigen, hoe ingewikkeld die er ook uit mocht zien.

Corky had inmiddels de waterdichte binnenzakken gevuld van zijn gele plastic regenjas die nu in de garage aan een haak hing.

Hij nam zijn laatste kop koffie mee naar boven naar de logeerkamer waar hij die opdronk terwijl hij Mannetje Stinkkaas informeerde dat zijn geliefde dochter, Emily, dood was.

De avond ervoor had hij de laatste marteling en wrede moord op Rachel gemeld, Stinkies vrouw die natuurlijk nog in leven was en niet bij Corky gevangenzat. De gefantaseerde details waren zo fantasierijk en levendig dat Stinkie was teruggebracht tot onbeheerste tranen, tot snikken die vreemd onmenselijk – en behoorlijk walgelijk – uit zijn verschrompelde strottenhoofd opklonken.

Hoewel verpletterd door wanhoop had Stinkie niet die hartaanval gekregen waarop Corky had gehoopt.

In plaats van de man een kalmerend middel te geven, had Corky een sterk hallucinogeen toegevoegd via een inlaatopening in de infuusslang. Hij hoopte dat Stinkie niet zou kunnen slapen en de donkerste uren tussen middernacht en het aanbreken van de dag zou doorbrengen in een hel van door drugs opgewekte visioenen waarin zijn onmenselijk behandelde vrouw zou voorkomen.

Nu, terwijl hij zijn gast trakteerde op een nog buitensporiger verhaal van veel grovere mishandelingen en wredere gewelddaden die Emily waren aangedaan, kreeg Corky genoeg van de tranen en de angst die hem hier weer werden getoond. Gezien de omstandigheden leek een enorme hartaanval niet te veel gevraagd, maar Stinkie wilde niet meewerken.

Voor een man die schijnbaar meer van zijn vrouw en dochter hield dan van het leven, was de vastbeslotenheid van Stinkie om in leven te blijven ongepast, nu hem was verteld dat zijn gezin niets anders meer was dan rottend vlees. Zoals de meeste traditionalisten, met al hun luid verkondigde geloof in taal en betekenis, bedoeling en principe, was Stinkie waarschijnlijk een oplichter.

Zo nu en dan merkte Corky woede onder het verdriet van Stinkie. In de ogen van de man verscheen een haat die zo heet was dat een blik kon doden, maar verdween daarna ineens weer onder een stortvloed van tranen.

Misschien bleef Stinkie zich aan het leven vasthouden met de hoop van wraak. De man was geschift.

Bovendien vernietigt de haat alleen de hater. Door het voorbeeld van haar verspilde leven had Corky's moeder de waarheid van die stelling bewezen.

Handig en efficiënt wisselde Corky infuuszakken na de nieuwe voorzien te hebben van een drug die een half verlamde toestand zou veroorzaken. Stinkie had nog maar zo weinig spierweefsel over dat een kunstmatig veroorzaakte verlamming onnodig leek, maar Corky haatte het ook maar iets aan het toeval over te laten.

Ironisch genoeg zorgde hij ervoor goed georganiseerd te werken om chaos te veroorzaken. Hij had strategie nodig voor de zege en plande nauwgezet tactieken om aan die strategie te voldoen.

Zonder strategie en tactieken was je geen echt instrument van de chaos. Dan was je Jeffrey Dahmer of zo'n krankzinnige dame die honderd katten hield en haar erf volstouwde met afzichtelijke hopen afval, of een recente gouverneur van Californië.

Vijf jaar geleden had Corky geleerd injecties te geven, hoe hij een canule in een ader moest inbrengen, hoe hij met de apparatuur moest omgaan die met een infuus te maken had, hoe hij een catheter bij een man of vrouw moest aanbrengen... Sindsdien had hij een paar keer de kans gehad, zoals met Mannetje Stinkkaas, die vaardigheden te oefenen; daarom hanteerde hij de instrumenten en apparaten met een handigheid die de bewondering van elke verpleegster zou afdwingen.

Hij was eigenlijk ook door een verpleegster opgeleid, Mary Noone. Ze had het gezicht van een madonna van Botticelli en de ogen van een fret.

Hij had Mary ontmoet op een universiteitsfeestje voor mensen die waren geïnteresseerd in utilitaristische bio-ethiek. Utilitaristen geloofden dat elk leven een bepaalde waarde voor de samenleving kon worden toegekend en dat medische zorg volgens die waarde verdeeld moest worden. Deze filosofie ondersteunde het doden, door verwaarlozing, van de lichamelijk gehandicapten, kinderen met het downsyndroom, mensen van boven de zestig met medische problemen die dure behandelingen nodig hadden, zoals dialyse en bypassoperaties, en vele anderen.

De samenkomst was vol leuke en intelligente gesprekken geweest – en het klikte meteen tussen hem en Mary toen hun ogen elkaar troffen. Ze dronken allebei cabernet sauvignon toen ze aan elkaar werden voorgesteld en tijdens een volgend drankje waren ze wellustig naar elkaar gaan verlangen.

Weken daarna, toen hij Mary had gevraagd hem de juiste manier te leren om een injectie te geven en hoe je een patiënt aan het infuus moest leggen, had Corky ernstig verklaard dat de gezondheid van zijn moeder snel afnam. 'Ik vrees de dag dat ze bedlegerig wordt, maar ik verzorg haar liever zelf dan dat ik haar overlever aan vreemden in een verpleeghuis.'

Mary had hem verteld dat hij een heerlijke zoon was en Corky had gedaan alsof hij dat compliment nederig in ontvangst nam, wat makkelijk viel vol te houden omdat hij zowel over de gezondheid van zijn moeder als over zijn bedoelingen loog. Het ouwe lijk was nog net zo gezond als Methusalem zeshonderd jaar voor zijn dood, en Corky had gespeeld met het idee haar met iets dodelijks te injecteren terwijl ze lag te slapen.

Hij wist bijna zeker dat Mary de waarheid vermoedde. Toch leerde ze hem wat hij wilde weten.

In het begin geloofde hij dat haar bereidheid om hem in deze zaken te onderwijzen te maken had met het feit dat ze op hem geilde. Bronstige junglekatten copuleerden niet met de felheid en de frequentie van Mary Noone en Corky in de paar maanden dat ze bij elkaar waren.

Uiteindelijk besefte hij dat ze zijn ware motieven begreep en die niet afkeurde. Daarbij begon hij te vermoeden dat Mary een engel des doods was die handelde vanuit haar utilitaristische bio-ethiek door stilletjes de levens te beëindigen van patiënten wier levens ze van een armoedige kwaliteit en van weinig waarde voor de samenleving achtte.

Hij durfde onder die omstandigheden niet haar seksspeeltje te blijven. Vroeg of laat zou ze gearresteerd worden en voor het gerecht gebracht, zoals dat met engelen van haar soort nu eenmaal gebeurde. Door haar geliefde te zijn, wist Corky zeker dat hij door de politie nauwgezet doorgelicht zou worden, waardoor zijn levenswerk en mogelijke vrijheid in gevaar zouden komen.

Bovendien begon Corky, nadat ze meer dan drie maanden bij elkaar waren geweest, zich ongemakkelijk te voelen in hetzelfde bed als Mary Noone te slapen. Hoewel hij als minnaar misschien wel hoog in de achting van geile Mary stond, wist Corky niet hoeveel – of hoe weinig – hij naar haar mening van waarde was voor de samenleving.

Tot zijn verrassing reageerde Mary met opluchting op zijn voorzichtig gebrachte idee van een vriendschappelijke verbreking van hun relatie. Klaarblijkelijk had zij ook niet rustig geslapen.

Langzamerhand had hij besloten zijn moeder niet met een injectie om het leven te brengen, maar de inspanning om zichzelf deze aspecten van de medische zorg eigen te maken was niet verspild geweest.

In het jaar daarna had hij Mary maar twee keer gezien, beide keren op feestjes van bio-ethiek. De oude geilheid tussen hen beiden was er nog steeds, maar ook de behoedzaamheid.

Met een vaardigheid en een tederheid die Mary Noone zou bewonderen, maakte Corky zijn verzorging van Mannetje Stinkkaas af.

Het verlammingsmiddel zou Stinkie uitschakelen zonder hem suf te maken of hem in een andere staat van bewustzijn te brengen. Met een volledig geestelijke helderheid zou hij de dag treurend over de dood van zijn vrouw en dochter doorbrengen.

'Nu zal ik de lijken van Rachel en Emily moeten wegwerken,' loog Corky met een zwier die hem verheugde. 'Ik zou ze aan varkens voeren, als ik maar wist waar ik een varkensboerderij kon vinden.'

Hij herinnerde zich een recent verhaal over een jonge blondine wier lijk in een rioolzuiveringsinstallatie was gedumpt. Terwijl hij details van dat verhaal leende, verzon hij voor Stinkie een verhaal over de vergaarbekkens voor menselijke behoeften waar zijn geliefden naar verdoemd waren.

Nog steeds geen hartaanval.

Later die avond, als hij hier terugkeerde met Aelfric Manheim, zou Corky de jongen aan dit uitgemergelde wrak voorstellen om hem voor te bereiden op de verschrikkingen die hem te wachten stonden. Aelfrics lijden zou ietwat anders worden dan wat nodig was geweest voor deze arrogante liefhebber van Dickens, Dickinson, Tolstoi en Twain. Als de koppige sukkel in de loop van de dag niet aan een hartaanval was overleden, zou Corky hem voor middernacht doden.

Corky liet Stinkie over aan welke vreemde gedachten ook die de oude geest van een traditionalist onder deze omstandigheden zouden vullen en trok zijn rijkelijk voorziene gele regenjas aan, sloot het huis af en reed in zijn BMW de decemberdag in.

De nieuwe wolkbreuk had zich al in de stad genesteld. Enorme kudden draken van zwarte wolken kolkten van horizon naar horizon, de slierten verward tot één grote ademende massa, vol opgekropt gebrul en wit vuur dat snel uitgeademd zou worden in oogverblindende, onregelmatige vuurstoten.
Er viel een aarzelende druilregen, maar er zou een stortbui volgen, verticale rivieren, stromen, watervallen, een zondvloed.

49

Beschermd door de boom der engelen en door de foto van de onbekende, mooie dame, werd Fric ongedeerd wakker, zijn lichaam en ziel intact.
Boven het centrum van de bibliotheek werd het kunstige glas-in-loodraam van de koepel verlicht door de dageraad, maar de kleuren waren gedempt omdat het vroege licht zwak en grijs viel.
Na de foto van zijn droommoeder een ogenblik bestudeerd te hebben, vouwde Fric hem op en stak hem terug in een achterzak van zijn spijkerbroek.
Hij kwam uit de leunstoel overeind. Hij geeuwde en rekte zich uit. Hij verbaasde zich er een ogenblik over dat hij nog leefde.
Achter in de bibliotheek haalde hij de gestutte stoel onder de klink van de toiletdeur weg. Maar hij ging niet de ruimte met de spiegels binnen om gebruik van de wc te maken.
Na een snelle blik om zich heen om er zeker van te zijn dat niemand hem zag, pieste hij in de gepotte palm die hij de avond ervoor ter dood had veroordeeld. De belevenis was voor hem bevredigend, maar zeker niet voor de boom.
Hij kon geen wc bedenken in het grote huis die hij kon bereiken zonder door een badkamer met spiegels te moeten.
Dit ongewone toiletgebruik zou voor een tijdje wel gaan, maar alleen als hij wat er gedaan moest worden staande kon doen. Op het moment dat hij moest gaan zitten, kwam hij in de problemen.
Als het ten slotte ophield met regenen – of als dat niet gebeurde – zou hij zich misschien naar buiten kunnen wagen naar het groepje himalayaceders achter de rozentuin. Daar kon hij doen wat beren in het bos deden, waarmee hij niet de winterslaap bedoelde of het stelen van honing uit bijenkorven.
Beveiligingsagenten zouden hem naar en van de ceders zien lopen.

Gelukkig waren er geen camera's in dat kleine groepje bomen opgehangen.

Als iemand hem vroeg waarom hij in de regen naar het bos was gegaan, zou hij zonder aarzelen zeggen dat hij vogels was gaan observeren. Hij moest eraan denken als dekmantel een verrekijker mee te nemen.

Niemand zou aan zijn verhaal twijfelen. Mensen dachten nu eenmaal niet anders dan dat een sullig joch als hij vogelwaarnemer was, en een wiskundig genie, een bouwer van modellen van plastic monsters, een stiekeme lezer van bodybuildingtijdschriften, een verzamelaar van zijn eigen neuspeutersels en nog meer dingen.

Nu zijn toiletstrategie klaarlag, stak hij de telefoon van de bibliotheek, die hij de avond ervoor had losgetrokken, terug in het stopcontact. Hij verwachtte dat deze verbinding direct weer zou overgaan, maar het gebeurde niet.

Hij sleepte de leunstoel weg van de kerstboom en zette hem terug op zijn gebruikelijke plek. Na de lichten te hebben uitgedaan, ging hij de bibliotheek uit.

Toen hij de deur sloot, glinsterden sommige bungelende engeltjes zacht in de duisternis, nauwelijks aangeraakt door het licht van het noodweer dat gefilterd door het glas-in-loodraam van de koepel naar binnen kwam.

Moloch kwam eraan.

Er moesten voorbereidingen getroffen worden.

Hij nam de grote trap naar beneden, stak de ronde hal over en liep door de gang naar de keuken. Onderweg knipte hij de lichten uit die hij de vorige avond aan had gedaan.

De stilte na de dageraad in het enorme huis was intenser dan de stilte die tijdens de lange avond zo'n perfect onderkomen had geboden voor spoken met allerlei bedoelingen.

In de keuken, langs een raam, merkte hij een oponthoud in de regen op, en ving een glimp op van de verzameling ceders in de verte. Maar op het moment voelde hij geen enkele aandrang om vogeltjes te observeren.

Gewoonlijk meed Fric de keuken op de dagen dat Mr. Hachette, de diabolische chef-kok, aan het werk was. Hier was het leger van de duivel, waar de vele ovens onwillekeurig gedachten aan Hans en Grietje en hun hachelijke situatie opwekten, waar je eraan herinnerd werd dat een draaispit ook een gemeen slaginstrument was, waar je verwachtte te ontdekken dat de messen, bijlen en vleesvorken gegraveerd waren met de woorden EIGENDOM VAN HET BATES MOTEL.

Vanochtend was het terrein veilig, omdat Mr. Hachette – afkomstig van de Cordon Bleu-school van culinaire kunsten, en recenter nog losgelaten uit een even prestigieus krankzinnigengesticht – er niet zou zijn om een ontbijt te maken voor zowel familie als personeel. Hij zou zijn dag beginnen met het rondhangen op een boerenmarkt waarna hij een reeks specialiteitenwinkels zou bezoeken om vruchten, groenten, vleessoorten, delicatessen uit te kiezen – en regelingen te treffen voor de levering ervan – en ongetwijfeld het gif dat nodig was om de verschillende kerstmaaltijden voor te bereiden die hij had gepland met zijn gewone boosaardige heimelijkheid. Mr. Hachette zou niet voor de middag op het Palazzo Rospo verschijnen.

Hoewel hij klein was, kon Fric wel bij de kranen van de keukengootsteen. Hij regelde het water tot het aangenaam warm was.

Als de keuken een spiegel had gehad, zou hij het niet hebben gedurfd zich hier te wassen. Je was zo kwetsbaar als je je waste terwijl je al je verdediging had laten zakken.

De roestvrijstalen deuren van de zes koelkasten en de talloze ovens hadden een geruwd oppervlak in plaats van een glanzend. Ze dienden niet als spiegels en zouden daardoor niet zo waarschijnlijk een goedkope en gemakkelijke reis bieden aan goede of slechte geesten.

Fric trok zijn hemd en onderhemd uit, maar verder niets. Hij was geen exhibitionist. Zelfs als hij wél een exhibitionist was geweest, zou de keuken geen geschikte plek zijn om zich tentoon te stellen. Met gebruikmaking van papieren handdoeken en naar citroen geurende vloeibare zeep uit de houder, waste hij zijn armen en bovenlichaam, met speciale aandacht voor zijn oksels. Hij gebruikte nog meer papieren handdoeken om zichzelf af te spoelen en af te drogen.

Hij had de kraan nog niet dichtgedraaid en zijn bovenlijf afgedept toen hij iemand hoorde naderen. De voetstappen kwamen niet uit de gang maar uit de butlerskeuken waar het porselein, het kristal en het mooie zilveren bestek lagen opgeslagen.

Fric greep zijn hemd en onderhemd, liet zich op de vloer vallen en kroop snel als een wegschietende hagedis weg van de butlerskeuken, de hoek om van het dichtstbijzijnde van de drie kookeilanden met een granieten blad.

Juist boven op dit eiland waren vier grote frituurbakken, een kookplaat die groot genoeg was om tegelijkertijd vijfentwintig pannenkoeken te bereiden en een werkblad zo groot als een weiland. Als hij hier was weggekropen en werd ontdekt door een grijnzende Mr. Hachette zou Fric gevild zijn, schoongemaakt, in de olie gegooid en gegeten terwijl de paar mensen die op het moment in het huis waren ongehinderd doorsliepen, verrukkelijk onwetend dat een buitenaardse gourmet een griezelig ontbijt voor zichzelf had klaargemaakt.

Toen hij om de hoek van het kookeiland durfde te kijken, zag hij niet Mr. Hachette, maar Mrs. McBee.

Hij was ten dode opgeschreven.

Mrs. McBee had zich gekleed voor haar rit vroeg deze ochtend naar Santa Barbara. Ze liep de keuken door naar haar kantoor, ging naar binnen en liet de deur achter zich openstaan.

Ze zou Fric ruiken. Hem ruiken, hem horen, hem op de een of andere manier voelen. Ze zou de waterdruppels in de gootsteek ontdekken, ze zou de afvalbak openmaken en de vochtige papieren handdoeken zien en zo ogenblikkelijk wéten wat hij had gedaan en waar hij zich nu verschool.

Niets ontsnapte aan de aandacht van Mrs. McBee of verijdelde haar vermogen tot deductie.

Ze zou hem niet fileren en in de olie gooien natuurlijk, omdat zij een goed mens was en volledig menselijk. Maar ze zou erop staan te weten waarom hij zich in de keuken tot op zijn middel had uitgekleed, zich had gewassen en er net zo schuldig uitzag als een stomme kat met de resten van een kanarie rond zijn bek.

Omdat ze werkneemster was van Geestpapa zou Fric het argument kunnen gebruiken dat zij, technisch gesproken, ook voor hem werkte en dat hij geen antwoord hoefde te geven op haar vragen. Áls hij naar dat argument greep, zou hij diep in de *merde* zitten zoals Mr. Hachette vreugdevol zou zeggen. Mrs. McBee wist dat ze *in loco parentis* optrad, en hoewel ze niet stapelgek was op die bevoegdheid nam ze het serieus.

Of Fric nu een valse uitleg bedacht, of probeerde eronderuit te komen door slechts een deel van de waarheid te vertellen, Mrs. McBee zou net zo makkelijk door zijn bedrog heen kijken als hij door een raam kon zien, en ze zou intuïtief alles weten van waar hij mee bezig was geweest, minstens vanaf het moment dat hij wakker was geworden in de leunstoel. Twintig seconden daarna, met een van zijn oren stevig tussen de duim en wijsvinger van de rechterhand van Mrs. McBee geklemd, zou hij voor de gepotte palm in de bibliotheek staan, zwetend als een achterlijke otter, terwijl hij probeerde uit te leggen waarom hij had geprobeerd de plant met een dubbele hoeveelheid urine te vermoorden.

Een paar minuten daarna zou het haar gelukt zijn hem het hele verhaal te laten vertellen, vanaf Moloch via spiegelman tot aan het telefoontje uit de Hel. Dan zou er geen terugkeer meer mogelijk zijn.

Zelfs Mrs. McBee met haar beangstigende vermogen door elke leugen of uitvlucht heen te kijken, zou in deze zaak niet de waarheid herkennen. Zijn verhaal was te waanzinnig om geloofd te worden. Hij zou klinken als een grotere mafketel dan al die talloze mafketels uit de amusementswereld die, terwijl ze op bezoek waren op het Palazzo Rospo, Mrs. McBee de afgelopen zes jaar met hun waanzin hadden verbaasd.

Hij wilde niet dat Mrs. McBee teleurgesteld in hem raakte of dacht dat hij geestelijk gestoord was. Haar mening over hem maakte Fric veel uit.

Bovendien, hoe meer hij erover nadacht, hoe meer hij besefte dat hij, als hij iemand probeerde te overtuigen dat hij in contact stond met een via spiegels reizende beschermengel, persoonlijk naar een groepssessie voor therapie zou worden gebracht. De groep zou bestaan uit zes psychiaters en hij was dan de enige patiënt.

Geestpapa had zielenknijpers bijna net zo hoog zitten als spirituele raadgevers.

Nu kwam Mrs. McBee haar kantoortje uit, sloot de deur en bleef staan om door de keuken te kijken.

Fric dook terug achter het eiland met frituurbakken en kookplaat. Hij hield zijn adem in. Hij wenste dat hij net zo makkelijk zijn poriën kon sluiten om te verhinderen dat ze zijn geur uitzonden.

De grote keuken was niet bepaald net zo'n maaswerk als het labyrint vol memorabilia op zolder, hoewel er niet alleen zes grote SubZero-koelkasten stonden, maar ook twee staande vriezers, meer ovens van verschillende types dan je in een bakkerij zou vinden, drie ver uit elkaar liggende kookgebieden met een totaal aan twintig hoogwaardige gaspitten, een planninghoek, een bakafdeling, een schoonmaakhoek met vier gootstenen en vier afwasmachines, drie kookeilanden, bereidingstafels en een teringzooi aan apparatuur van restaurantkwaliteit.

Een cateraar uit Beverly Hills zou hier kunnen werken met veertig van zijn werknemers, met Mr. Hachette en het huishoudpersoneel zonder enig gevoel te hebben dat het druk was. Op een feest bereidden ze driehonderd maaltijden, dienden die op en serveerden die uit binnen een redelijke tijd vanuit deze ruimte. Fric had het vaak zien gebeuren en het bleef hem altijd weer verbijsteren.

Als twee of zelfs drie gewone mensen erop uit waren gegaan hem in deze keuken te zoeken, zou Fric weinig moeite hebben gehad hen te ontlopen. Mrs. McBee was in geen enkel opzicht gewoon. Terwijl hij zijn adem inhield meende hij haar de lucht te horen opsnuiven. *Fie-Faai-Fo-Fam.*

Hij was blij dat hij het keukenlicht niet had aangedaan, hoewel hij er zeker van was dat ze het water dat was achtergebleven in de middelste wasbak zou ruiken.

Voetstappen.

Bijna schoot Fric overeind, bijna maakte hij zijn aanwezigheid bekend, wat hem verstandiger leek dan te wachten tot hij hier weggedoken werd gevonden als een ordinaire boef, naakt tot op zijn middel en duidelijk met niets goeds in de zin.

Toen besefte hij dat de voetstappen zich van hem verwijderden.

Hij hoorde de deur van de butlerskeuken dichtzwaaien.

De voetstappen gingen over in stilte.

Verbouwereerd en op een vreemde manier verdrietig te ontdekken dat Mrs. McBee niet volmaakt was, haalde Fric weer adem.

Na een tijdje sloop hij naar de deur van de gang die hij op een kier opende. Hij bleef staan luisteren.

Toen hij in de verte het zoemen van de dienstlift hoorde, wist hij dat Mrs. McBee en Mr. McBee naar beneden, naar de onderste garage, gingen. Snel zouden ze naar Santa Barbara onderweg zijn.

Hij wachtte een paar minuten voor hij zich van de keuken naar de wasserij in de nabijgelegen westelijke vleugel waagde, waar ook het appartement van de McBee's was.

Terwijl de keuken gigantisch was, was de wasserij alleen maar enorm.

Hij hield van de geur van die ruimte. Was- en bleekmiddel, stijfsel, de geur die er hing van warm katoen onder een stoomstrijkijzer...

Fric zou zonder moeite dezelfde spijkerbroek en hetzelfde hemd een tweede dag hebben gedragen. Maar hij vreesde dat Mr. Truman het misschien zou merken en er vragen over zou stellen.

Mrs. McBee zou het onmiddellijk hebben gezien. Ze zou erop hebben gestaan de reden van zijn onverzorgdheid te weten.

Mr. Truman kon er niets aan doen, maar hij zag dingen minder snel dan Mrs. McBee. Toch bleef hij een ex-smeris en heel snel zou hij smerige, verkreukte kleren van een dag oud opmerken.

De mogelijkheid was misschien klein dat er iets duivels en uiterst walgelijks in Frics suite op hem zat te wachten, maar hij was niet van plan dat heel snel uit te zoeken. Hij zou daar niet naartoe gaan om andere kleren aan te trekken.

Maandag stond als wasdag op het programma. Mrs. Carstairs, een van de daghulpen en eigenlijk de wasvrouw, deed de was op één dag en gaf die de volgende ochtend direct terug aan de leden van de familie en aan het personeel.

Fric vond zijn gestreken jeans, lange broeken en hemden aan een karretje hangen dat leek op die karretjes die piccolo's van een hotel gebruikten om tassen en koffers te vervoeren. Zijn opgevouwen ondergoed en sokken lagen onder het hangende goed op de bodem van het karretje.

Met een rood hoofd en met het gevoel beslist een viezerik te zijn, kleedde hij zich in de wasserij helemaal naakt uit. Hij trok schoon ondergoed aan, jeans en een blauw-met-groen geruit flanellen hemd met een rechte zoom waardoor die, in Hawaïaanse stijl, over zijn broek gedragen kon worden.

Hij bracht zijn portemonnee en de opgevouwen foto van zijn oude jeans over naar zijn nieuwe, voor hij het vuile goed in de wasmand gooide onder de waskoker die gebruikt werd door de eerste en tweede verdieping.

Met nieuwe moed, omdat hij zich met succes had kunnen ontlasten, wassen en andere kleren aan had kunnen trekken onder deze wanhopige oorlogsomstandigheden, keerde Fric terug naar de keuken.

Hij liep voorzichtig naar binnen in de verwachting Mrs. McBee daar aan te treffen die op hem stond te wachten: *zo, jongen, dacht je echt dat ik zo stom was om me zo gemakkelijk beet te laten nemen?*

Ze was niet teruggekomen.

Uit de kamer met huishoudelijke apparatuur haalde hij een klein roestvrijstalen karretje met twee plateaus. Hij ging de keuken door en laadde het karretje met spullen die hij nodig zou hebben in zijn verborgen en speciale geheime plek.

Hij overwoog een sixpack cola aan zijn proviand toe te voegen, maar warme cola was niet zo lekker. In plaats daarvan koos hij een fourpack Stewart's Orange 'n Cream soda light, wat zelfs op kamertemperatuur heerlijk was, en zes flessen water van drie liter.

Pas nadat hij een paar appels en een zak pretzels op het karretje had gelegd, besefte hij zijn fout. Als je je verschool voor een gedegenereerde psychopathische moordenaar met de scherp gewette zintuigen van een loerende panter, was het eten van luidruchtig voedsel net zo onverstandig als het zingen van kerstliedjes om de tijd door te komen.

Fric verving de appels en pretzels door bananen, een doos choco-ladedonuts en een aantal müslirepen.

Hij deed er een kleine, afsluitbare plastic zak bij om de schillen in te doen als hij het fruit had gegeten. In de open lucht zouden schillen een enorme bananengeur afgeven als ze bruin werden. Volgens films had elke seriemoordenaar een reuk die scherper was dan die van een wolf. Bananenschillen zouden weleens de dood van Fric kunnen worden als hij ze niet in een luchtdichte zak deed.

Een rol keukenpapier. Een aantal in folie gewikkelde, vochtige zakdoekjes. Zelfs als hij zich verschool, wilde hij netjes blijven.

Uit een kast vol Rubbermaid-potten, pakte hij een paar potten van zacht plastic van een liter met schroefdeksels. Die zouden de gepotte palm vervangen.

Mr. Hachette, als uiterst instabiel persoon, had de keuken bevoorraad met meer bestek dan ooit nodig zou zijn, zelfs als het hele keukenpersoneel een messenwerpersact ontwikkelde en bij de kermis ging werken. Drie wandrekken en vier laden boden voldoende messen om het hele kokosnootrijke land van Tuvalu te bewapenen.

Fric pakte een vleesmes. In verhouding met hem was het mes zo groot als een machete – angstig om naar te kijken, maar niet handig.

In plaats daarvan koos hij een kleiner, maar nog altijd formidabel mes, met een lemmet van vijftien centimeter, een gemene punt en een snijkant die scherp genoeg was om een mensenhaar te splijten. De gedachte er een mens mee te snijden maakte hem misselijk.

Hij legde het mes op het onderste blad van het karretje en bedekte dat met een theedoek.

Voorlopig kon hij niets meer bedenken dat hij uit de keuken nodig zou hebben. Mr. Hachette – bezig met winkelen en ongetwijfeld als een slang aan het vervellen – werd de eerste uren nog niet glibberend terugverwacht in de keuken, maar Fric wilde toch zo snel mogelijk weg zijn uit het domein van de chef-kok.

Het zou te gevaarlijk zijn om de dienstlift te gebruiken, omdat die zich in de westelijke vleugel bevond, niet ver van het appartement van Mr. Truman. Hij hoopte de beveiligingschef te kunnen vermijden. De personenlift, aan het oostelijke einde van de noordgang, zou veiliger zijn.

In een plotseling opkomende schuldige haast duwde hij het karretje door de zwaaideuren de gang op, ging rechtsaf en kwam bijna in botsing met Mr. Truman.

'Je bent vroeg op vanochtend, Fric.'

'Eh, moest een paar dingen doen, weet u, eh,' mompelde Fric, zichzelf in stilte vervloekend dat hij zo onoprecht klonk, zo schuldig en meer dan een beetje als een verstrooide Hobbit.

'Wat is dat allemaal?' vroeg Mr. Truman wijzend op de spullen die op het karretje lagen.

'Ja. Voor mijn kamer, dingen die ik nodig heb, weet u, spullen voor mijn kamer.' Fric schaamde zichzelf, hij was zielig, doorzichtig, stompzinnig. 'Gewoon wat frisdranken en eten en spullen,' voegde hij eraan toe en hij kon zichzelf wel voor zijn hoofd slaan.

'Door jou komt een van de dienstmeisjes nog op straat te staan.'

'Jemig, nee, dat wil ik niet.' *Hou je bek, hou je bek, hou je bek!* waarschuwde hij zichzelf, kon zich toch niet weerhouden eraan toe te voegen: 'Ik vind de meisjes aardig.'

'Gaat het wel goed me je, Fric?'

'Natuurlijk gaat het goed met me. Hoe gaat het met u?'

Mr. Truman bleef fronsend naar de spullen op het karretje kijken en zei: 'Ik zou graag nog wat met je willen praten over die telefoontjes.'

Blij dat hij het mes met een theedoek had bedekt, zei Fric: 'Welke telefoontjes?'

'Van de hijger.'

'O. Ja. De hijger.'

'Weet je zeker dat hij niets tegen je heeft gezegd?'

'Hij hijgde. Hij heeft alleen maar, weet u, gehijgd.'

'Het vreemde is – geen van de telefoontjes waarover je me hebt verteld is in het telefoonlogboek te vinden.'

Nou, natuurlijk, nu Fric begreep dat deze telefoontjes waren gepleegd door een bovennatuurlijk door spiegels wandelend wezen dat zichzelf beschermengel noemde en alleen het *idee* van een telefoon gebruikte, was hij niet verrast dat ze niet in de lijst telefoontjes voorkwamen. Hij was er ook niet meer verbaasd over waarom Mr. Truman de vorige avond het telefoontje niet had opgenomen, hoewel die zo'n beetje een eeuwigheid had gerinkeld. De Geheimzinnige Beller wist altijd waar Fric was – de treinkamer, wijnkelder, bibliotheek – en door gebruik te maken van zijn geheimzinnige krachten en slechts het *idee* van een telefoon liet hij Frics lijn niet door het hele huis overgaan, maar alleen in het vertrek waar Fric die kon horen.

Fric snakte ernaar deze krankzinnige situatie aan Mr. Truman uit te leggen en hem over alle vreemde gebeurtenissen van de afgelopen avond te vertellen. Maar op het moment dat hij moed verzamelde om alles te vertellen, dacht hij aan de zes psychiaters die dolgraag honderdduizenden dollars zouden willen verdienen door hem op de bank te houden en te praten over de spanning die het enig kind van de grootste filmster ter wereld moest hebben, tot hij óf ontplofte in bloederige stukjes óf ontsnapte naar Goose Crotch.

'Begrijp me niet verkeerd, Fric. Ik zeg niet dat je die telefoontjes verzonnen hebt. Eigenlijk weet ik wel zeker dat het niet zo is.'

Frics handen, stevig om de greep van het karretje, werden vochtig. Hij veegde ze af aan zijn broek – en besefte dat hij dat niet had moeten doen. Elke waardeloze, goedkope crimineel in de wereld kreeg waarschijnlijk vochtige handpalmen in de aanwezigheid van een smeris.

'Ik weet zeker dat je het niet hebt gedaan,' vervolgde Mr. Truman, 'omdat ik gisteravond op een van mijn privélijnen ben gebeld en dat is ook niet in het logboek verschenen.'

Verrast door dit nieuws hield Fric ermee op zijn handen droog te wrijven en zei: 'Was het van de hijger?'

'Niet de hijger, nee. Iemand anders.'

'Wie?'

'Waarschijnlijk verkeerd verbonden.'

Fric keek naar de handen van de beveiligingschef. Hij kon niet zien of ze bezweet waren of niet.

'Duidelijk,' vervolgde Mr. Truman, 'is er iets aan de hand met de software van de telefoons.'

'Tenzij het een soort geest is of zoiets,' flapte Fric eruit.

De uitdrukking die op het gezicht van Mr. Truman verscheen, viel moeilijk te peilen. Hij zei: 'Geest? Waarom zeg je dat?'

Op de trillende rand van alles willen vertellen, herinnerde Fric zich dat zijn moeder ooit in een gekkenhuis had gezeten. Ze was er maar tien dagen geweest en ze had er niet gezeten omdat ze als een gek met een bijl had staan zwaaien of zoiets ergs.

Maar toch, als Fric begon te babbelen over de laatste krankzinnige gebeurtenissen zou Mr. Truman zich beslist herinneren dat Freddie Nielander een tijdje in een kliniek voor tijdelijk mesjogge mensen had doorgebracht. Hij zou denken: *zo moeder, zo zoon.*

Hij zou zeker direct contact opnemen met de grootste filmster ter wereld die op lokatie in Florida zat. Dan zou Geestpapa een enorm SWAT-team aan psychiaters sturen.

'Fric,' hield Mr. Truman aan, 'wat bedoelde je met – geest?'

Terwijl hij kunstmest schepte over het zaadje van waarheid die hij had verteld in de hoop er een half overtuigende leugen uit te laten grocien, zei Fric: 'Nou, weet u, mijn vader heeft een speciale tele-foonverbinding voor boodschappen van geesten. Ik bedoel alleen maar dat misschien een van hen de verkeerde lijn heeft gebeld.'

Mr. Truman staarde hem aan alsof hij probeerde te besluiten of hij net zo stom kon zijn als hij zich voordeed.

Fric, niet zo'n groot acteur als zijn vader, wist dat hij niet lang zou standhouden in een ondervraging door een ex-smeris. Hij was zo nerveus dat hij over een minuut in een van de plastic potten zou moeten plassen.

'Eh, nou, ik moet gaan, heb dingen te doen, dingen in mijn ka-mer, weet u,' mompelde hij, terwijl hij weer klonk als een neefje van de zwakzinnige tak van de Hobbit-familie.

Hij draaide het karretje om Mr. Truman heen en duwde het door de grote gang naar het oosten. Hij keek niet achterom.

50

Het koepellicht boven op het Onze Lieve Vrouwe van de Engelen-ziekenhuis was een goudkleurig baken. Hoog boven de koepel, op de punt van een radiomast, knipperde het rode waarschuwings-licht voor het vliegverkeer in de grijze mist, alsof het noodweer een levend dier was en dit zijn kwaadaardige cyclopenoog.

In de lift, op weg van de garage naar de vierde verdieping, luis-terde Ethan naar een overdadig georchestreerde versie van een klassieker van Elvis Costello, opgekrikt met violen en hinderlijke waldhoorns. Dit hokje aan een kabel, vierentwintig uur per dag op en neer gaand, was een kleine buitenpost van de hel in eeu-wigdurende beweging.

De conversatiezaal van de arts op de vierde verdieping, waarheen hij via de telefoon was verwezen, was niets meer dan een naar-geestig raamloos vertrek met verkoopautomaten en een paar met formica beklede tafels in het midden. De oranje plastic gevallen om de tafels heen verdienden net zomin de kwalificatie stoelen als het vertrek de grootse naam op de deur verdiende.

Ethan was vijf minuten te vroeg en gooide munten in een van de apparaten voor zwarte koffie. Terwijl hij van het spul nipte, wist hij waarnaar de dood moest smaken, maar hij dronk het toch om-dat hij maar vier of vijf uur had geslapen en iets opwekkends no-dig had.

Dr. Kevin O'Brien arriveerde precies op tijd. Hij was ongeveer vijf-enveertig, knap, met een lichtelijk gejaagde blik en de goed ver-borgen maar toch duidelijke nerveuze spanning van iemand die tweederde van zijn leven aan de moeilijke wetenschap had gewijd, om erachter te komen dat de hamers die werden gebruikt door de gezondheidszorg, overheidsbureaucratie en de hebzuchtige balie-advocaten dagelijks zijn beroep naar beneden haalden en het me-dische systeem afbraken waaraan hij zijn leven had gegeven. Zijn ogen waren in de hoeken samengeknepen. Hij likte veelvuldig langs zijn lippen. Stress verleende een grijze tint aan zijn bleke teint. Helaas voor zijn gemoedsrust leek hij een intelligent man die zich niet meer zo lang voor de gek zou kunnen houden dat het drijfzand onder zijn voeten eigenlijk een solide ondergrond was.

Hoewel hij niet de persoonlijke internist van Duncan Whistler was, was O'Brien de arts van dienst geweest toen Dunny's monitor een rechte lijn aangaf. Hij had toezicht gehouden op reanimatiepo-gingen en had de uiteindelijke beslissing genomen de heroïsche po-gingen te staken. De overlijdensakte droeg zijn handtekening.

Dr. O'Brien had het volledige patiëntendossier bij zich in drie dik-ke mappen. Tijdens hun discussie spreidde hij de hele inhoud er-van geleidelijk uit over een van de tafels.

Ze zaten naast elkaar in de zogenaamde stoelen om samen beter de documenten door te kunnen nemen.

Dunny's coma was het resultaat geweest van cerebrale hypoxie, een gebrek aan voldoende zuurstof in de hersenen voor lange tijd. De uitslagen middels EEG's en hersentests – angiografie, CAT-scans, MRI – hadden tot de onvermijdelijke conclusie geleid dat hij, als hij ooit weer bij bewustzijn kwam, ernstig gehandicapt zou zijn.

'Zelfs bij patiënten in het diepste coma,' legde O'Brien uit, 'met slechts weinig tot geen duidelijk activiteit in de grote hersenen, is er gewoonlijk voldoende functie in de hersenstam waardoor ze een paar automatische reflexen behouden. Ze blijven zonder hulp ver-der ademen. Eens in de zoveel tijd kunnen ze hoesten, met hun ogen knipperen, zelfs geeuwen.'

De meeste tijd dat hij in het ziekenhuis lag, had Dunny zelf ge-ademd. Drie dagen terug, toen zijn automatische reflexen afna-men, werd hij aan een beademingsapparaat gelegd. Hij kon niet meer ademen zonder mechanische hulp.

Tijdens zijn eerste weken in het ziekenhuis had hij, hoewel diep comateus, zo nu en dan gehoest, geniest, gegeeuwd en met zijn ogen geknipperd. Af en toe was er zelfs sprake geweest van oog-bewegingen.

Langzamerhand waren deze automatische reflexen in aantal verminderd tot ze niet meer waargenomen konden worden. Dit gaf een gestaag verlies aan van functies in de lagere hersenstam.

De ochtend van de dag ervoor had Dunny een hartstilstand gehad. Defibrilleren en injecties met adrenaline hadden het hart weer op gang gebracht, maar slechts kort.

'De automatische functie van de bloedsomloop wordt in stand gehouden door de lagere hersenstam,' zei dr. O'Brien. 'Het was duidelijk dat zijn hart ermee ophield omdat de lagere hersenstam ermee ophield. Je komt niet meer terug van een onherstelbare schade aan de lagere hersenstam. De dood volgt onvermijdelijk.'

In dit soort gevallen werd de patiënt niet aan een hart-longmachine gelegd, waarmee de werking van longen en hart kunstmatig wordt opgevangen, tenzij de familie erop stond. De familie moest dan over de middelen beschikken om te kunnen betalen, omdat de verzekeringsmaatschappijen deze kosten niet wilden vergoeden om redenen dat de patiënt nooit meer bij bewustzijn zou komen.

'In het geval van Mr. Whistler,' zei O'Brien, 'had u een volmacht betreffende zijn medische behandeling.'

'Ja.'

'En u hebt al een tijd geleden een ontheffing getekend waarin er geen drastische maatregelen, behalve een beademingsmachine, getroffen zouden worden om hem in leven te houden.'

'Inderdaad,' zei Ethan. 'En ik ben niet plan een aanklacht in te dienen.'

Deze oprechte geruststelling bracht geen zichtbare opluchting bij O'Brien teweeg. Hij geloofde duidelijk dat, ook al was de nauwgezette medische zorg die Dunny had gekregen onberispelijk geweest, een horde advocaten op hem zou neerdalen.

'Dr. O'Brien, wat er met Dunny gebeurd kan zijn toen zijn lichaam het mortuarium van het ziekenhuis bereikte, is een heel andere zaak en heeft niets met u te maken.'

'Maar ik ben niet minder ontdaan dan u. Ik heb er al twee keer met de politie over gesproken. Ik ben... verbijsterd.'

'Ik wil gewoon dat u weet dat ik ook het personeel van het mortuarium in het geheel niet verantwoordelijk stel voor zijn verdwijning.'

'Het zijn goede mensen,' zei O'Brien.

'Dat geloof ik zeker. Wat er hier gaande is, is niet de fout van het ziekenhuis. De verklaring is... nogal buitengewoon.'

De arts durfde door hoop wat kleur in zijn gezicht toe te laten. 'Buitengewoon? En wat mag dat zijn?'

'Ik weet het niet.. Maar de afgelopen vierentwintig uur heb ik verbazingwekkende dingen meegemaakt, die op de een of andere manier volgens mij allemaal met Dunny te maken hebben. Dus waarom ik u vanochtend wilde spreken...'
'Ja?'
Zoekend naar woorden duwde Ethan zich van de tafel weg. Hij ging staan, zijn tong tegengehouden door zevenendertig jaar van vertrouwen op rede en rationaliteit.
Hij wenste dat er een raam was. Het naar buiten staren naar de regen zou hem een excuus hebben gegeven niet naar O'Brien te kijken terwijl hij vroeg wat hij moest vragen.
'Dokter, u was niet de persoonlijke arts van Dunny...'
Praten terwijl hij naar een automaat vol snoepgoed stond te kijken leek vreemd.
'... maar u was betrokken bij zijn behandeling.'
O'Brien zei niets, wachtte.
Ethan had zijn koffie opgedronken; hij pakte het papieren bekertje van tafel en kneep dat samen in zijn vuist.
'En na wat er gisteren is gebeurd, durf ik te wedden dat u zijn dossier beter kent dan wie ook.'
'Tot op de komma's,' bevestigde O'Brien.
Terwijl hij het papieren bekertje naar de afvalbak bracht, zei Ethan: 'Staat er iets in het dossier dat u ongewoon acht?'
'Ik kan geen enkele fout vinden in diagnose, behandeling en de overlijdensakte.'
'Dat bedoel ik niet.' Hij gooide het verfrommelde bekertje in de bak en begon heen en weer te lopen terwijl hij naar de vloer keek.
'Ik meen het oprecht als ik u zeg dat ik ervan overtuigd ben dat u en het ziekenhuis geen enkele blaam treft. Als ik zeg "ongewoon", bedoel ik eigenlijk... vreemd, bovennatuurlijk.'
'Bovennatuurlijk?'
'Ja. Ik weet niet hoe ik dat beter kan omschrijven.'
Dr. O'Brien bleef zo lang stil dat Ethan ophield met ijsberen en opkeek van de vloer.
De arts kauwde op zijn onderlip en staarde naar de stapel documenten.
'Er wás iets,' gokte Ethan. Hij liep terug naar de tafel en ging op een van de oranje martelwerktuigen zitten. 'Iets geheimzinnigs, oké?'
'Het staat hier in het dossier. Ik noemde het niet. Het betekent niets.'
'Wat?'

'Het zou verkeerd geïnterpreteerd kunnen worden als bewijs dat hij voor een tijdje uit het coma was gekomen, maar dat is niet zo. Sommigen wijten het probleem aan een verkeerd functioneren van de machine. Dat is niet zo.'
'Verkeerd functioneren? Welke machine?'
'Het EEG-toestel.'
'De machine die zijn hersengolven registreert.'
O'Brien kauwde op zijn lip.
'Dokter?'
De arts keek Ethan in de ogen. Hij zuchtte. Hij duwde zijn stoel weg van de tafel en stond op. 'Het is beter als u het zelf ziet.'

51

Corky parkeerde in de verkeerde straat en liep twee blokken door de koude regen naar het huis van de freak met de drie ogen.

In dit noodweer waaide het heviger dan maandag en de wind rukte zwakke bladeren van palmbomen, deed een lege plastic vuilniszak over het midden van de straat tuimelen, scheurde een markies van een raam en deed het losse einde bosgroen canvas klapperen.

Maagdenpalmen zwiepten met hun wilgachtige takken alsof ze probeerden zichzelf aan stukken te ranselen. Alpendennen verloren hun dode bruine naalden die nu prikkend en verblindend door de kolkende lucht tolden.

Terwijl Corky voortliep, dobberde er een dode rat voorbij op het snelstromende water in de goot. De bungelende kop draaide zijn richting op en toonde één donkere, lege oogkas en één melkwit oog.

Het grootse en prachtige spektakel deed hem wensen dat hij de tijd had om mee te doen in de viering van wanorde, om er wat schelmse chaos van zichzelf aan toe te voegen. Hij verlangde ernaar een paar bomen te vergiftigen, brievenbussen vol te proppen met haatteksten, spijkers te strooien onder de banden van geparkeerde auto's, een huis in brand steken...

Maar dit was een drukke dag van een andere orde, en hij had veel dingen op de agenda staan die hij moest doen. Maandag was hij een duivelse schavuit geweest, een amusante deugniet van nihilisme, maar vandaag moest hij een ernstige soldaat van de anarchie zijn.

De buurt was een ruime mengeling van arbeidershuisjes van twee verdiepingen met verhoogde veranda's aan de voorkant en klassieke Californische bungalows van één verdieping die van veel bouwstijlen geleend hadden. Ze werden met duidelijke trots onderhouden, versierd met looppaden van baksteen, omheiningen van paaltjes, en bloembedden.

In contrast stond de bungalow van de freak met de drie ogen achter een halfdode voortuin en een verhoogd betonnen looppad. Onder het dak van Mexicaanse tegels hingen aan de dakgoot de smerige resten van een lang geleden verlaten vogelnest, en de gestuukte muren toonden barsten, kale plekken en moesten nodig geverfd worden.

Het bouwsel zag eruit als de woning van een trol die er genoeg van had gekregen ongerieflijk onder bruggen te wonen, maar die de kennis, de zin en de trots miste die er voor nodig waren om een huis te onderhouden.

Corky belde aan en de bel bracht geen aangenaam ding-donggeluid voort maar het sputterende lawaai van een kapot, verroest mechanisme.

Hij hield van dit huis.

Omdat Corky van tevoren had gebeld en geld had beloofd, stond de freak met de drie ogen bij de deur te wachten. Hij deed open op de tuberculeuze hoest van de bel voor het geluid in Corky's oor uitgeknarst was.

Ned Hokenberry rukte de deur open, dreigend, een enorme grauwe grimas met een overhangende pens en maat zevenenveertig blote voeten, in een grijze trainingsbroek en een T-shirt van een concert van Megadeth, en zei: 'Jij ziet eruit als een verrekte mosterdpot.'

'Het regent,' merkte Corky op.

'Je ziet eruit als een puist op de reet van Godzilla.'

'Als je je zorgen maakt over dat je tapijt nat wordt…'

'Verrek, zo smerig als het tapijt is kan een zootje kotsende, dronken zwervers met een blaasprobleem er nog geen schade op aanrichten.'

Hokenberry draaide zich om en sjokte de woonkamer in. Corky stapte naar binnen en sloot de deur achter zich.

Het tapijt zag eruit alsof het eerder als vloerbedekking voor een schuur had gediend.

Zou ooit de dag komen dat formica meubels met een fineer van mahonie en een bekleding van groen-met-blauw gestreept polyester door verzamelaars en musea gewaardeerd werden, dan zou Hokenberry een rijk man zijn. De twee beste stukken in de woonka-mer waren een ligstoel vol chipsresten en een breedbeeldtelevisie. De kleine ramen waren half bedekt door gordijnen. Er brandden geen lampen, alleen de tv gaf licht.

Corky voelde zich op zijn gemak in het halfdonker. Ondanks zijn affiniteit met chaos, hoopte hij nooit het interieur van het huis in helder licht te zien.

'Het laatste beetje informatie dat je me hebt gegeven,' zei Corky, 'blijkt juist te zijn, voor zover ik het heb kunnen controleren. Ik heb er echt wat aan gehad.'

'Ik heb je verteld dat ik het landgoed beter ken dan die slappe ac-teur zijn eigen lul.'

Tot hij was weggestuurd, met een aanzienlijke ontslagpremie, voor het achterlaten van grappige boodschappen op het antwoordap-paraat dat zijn werkgever had gereserveerd voor telefoontjes van de doden, was Ned Hokenberry beveiligingsagent geweest op het Palazzo Rospo.

'Je zegt dat ze een nieuwe beveiligingschef hebben. Ik kan niet ga-randeren dat hij niet een paar procedures heeft veranderd.'

'Dat begrijp ik.'

'Heb je mijn twintigduizend?'

'Ik heb het hier.' Corky haalde zijn rechterarm uit de omvangrij-ke mouw van de regenjas en tastte in een binnenzak naar het pak geld, zijn tweede betaling aan Hokenberry.

Zelfs omlijst door de dichtgeknoopte gele kraag van zijn regenjas en de hangende gele rand van zijn regenhoed, moest Corky's ge-zicht meer van zijn minachting hebben laten zien dat hij van plan was geweest.

Hokenberry's bloeddoorlopen ogen werden vaag van het zelfme-delijden en zijn pafferige gezicht trok samen in meer en diepere plooien toen hij zei: 'Ik ben niet altijd een beklagenswaardig wrak geweest. Ik had vroeger deze pens niet. Ik schoor me elke dag, maakte alles schoon. De voortuin was vroeger groen. Omdat die schoft me heeft ontslagen, ben ik zo ingestort.'

'Ik dacht dat je zei dat Manheim je een heel hoge ontslagpremie heeft gegeven?'

'Dat geld was om zijn ziel af te kopen, dat begrijp ik nu. Hoe dan ook, Manheim was niet mans genoeg om me persoonlijk te ont-slaan. Hij liet het zijn gluiperige goeroe doen.'

'Ming du Lac.'

'Ja, die. Ming, hij neemt me mee naar de rozentuin, schenkt thee, die ik zo beleefd nog drink ook, al smaakt die naar pis.'

287

'Je bent een heer.'

'We zitten aan die tafel, omgeven door rozen, met dat witte kanten kleed en mooie porselein...'

'Klinkt heerlijk.'

'... en terwijl hij me zegt dat ik mijn spirituele huishouding op orde moet zien te krijgen, verveel ik me niet alleen de kolere, maar denk dat hij een nog grotere mafketel is dan ik ooit had gedacht, als ik *na een kwartier* besef dat ik ontslagen word. Als hij dat aan het begin duidelijk had gemaakt zou ik die armzalige pisthee van hem niet hebben gedronken.'

'Dat klinkt nogal traumatiserend,' zei Corky, medeleven pretenderend.

'Dat was niet traumatiserend, retenpuist. Wie denk je dat ik ben, de een of andere flikker die zijn mooie smoeltje in de rimpels trekt omdat iemand hem verkeerd aankijkt? Ik was niet getraumatiseerd, ik was *behekst*.'

'Behekst?'

'Behekst, vervloekt, bevoodood, gediaboliseerd, betoverd door het boze oog... hoe je het ook maar wilt noemen. Ming du Lac, die heeft hellekracht in zich, die gluiperige hufter, en hij heeft me voor altijd vernietigd in die rozentuin. Sinds die tijd ben ik alleen maar verder naar beneden afgegleden.'

'Voor mij klinkt hij als de gewone Hollywood-oplichter.'

'Ik vertel je dat die kleine rat een echte tovenaar is en dat ik betoverd ben.'

Corky stak het pak geld uit, maar trok het weer terug toen het behekste wrak van een man er zijn hand naar uitstak. 'Nog één ding.'

'Belazer me niet,' zei Hokenberry, woedend over Corky heen gebogen alsof hij kwaad langs een bonenstaak naar beneden was gekomen om degene die zijn kippeneieren had gestolen te zoeken.

'Je krijgt je geld wel,' stelde Corky hem gerust. 'Ik wil gewoon graag weten hoe je aan je derde oog bent gekomen.'

Hokenberry had zelf maar twee ogen, maar om zijn hals, aan een hanger, hing het oog van een vreemde.

'Ik heb je al twee keer verteld hoe ik eraan ben gekomen.'

'Ik wil het gewoon horen,' zei Corky. 'Je vertelt het zo goed. Het prikkelt me.'

Terwijl hij zijn gezicht zo samenkneep dat hij op een sharpei leek, dacht Hokenberry na over het idee een verteller te zijn, en het leek hem te bevallen. 'Vijfentwintig jaar geleden begon ik beveiliging te doen voor rockgroepen, beveiliging tijdens tournees. Ik bedoel niet dat ik het regelde of leidde. Dat is mijn werkterrein niet.'

'Jij bent altijd alleen maar spierballen geweest,' zei Corky die hem voor was.

'Ja, ik ben altijd alleen maar spierballen geweest, vooraan om de gekste fans te intimideren, de volledig doorgedraaide speedfreaks en LSD-idioten. Was spierkracht voor de Rollin' Stones, Megadeth, Metallica, Van Halen, Alice Cooper, Meat Loaf, Pink Floyd...'

'Queen, Kiss,' voegde Corky eraan toe, 'zelfs voor Michael Jackson toen hij nog Michael Jackson was.'

'... Michael Jackson toen hij nog het meeste de echte Michael Jackson was,' beaamde Hokenberry. 'Hoe dan ook, ik had die klus van drie weken voor... Mijn herinnering laat me hierover in de steek. Volgens mij was het of de Eagles of het zou Peaches and Herb kunnen zijn geweest.'

'Of Captain and Tennille.'

'Ja, het zou kunnen. Een van die drie optredens. De menigte pakt zich samen, alle klieren staan op springen, te veel slechte troep ingenomen of gespoten die avond.'

'Je kon voelen dat ze misschien het toneel zouden bestormen.'

'Ik kon voelen dat ze misschien het toneel zouden bestormen. Je hebt maar één achterlijke idioot nodig met smurrie in plaats van hersenen, en hij besluit op de band af te gaan en een rel te beginnen.'

'Je moet hem voor zijn,' moedigde Corky hem aan.

'Moet hem voor zijn, hem pakken op het moment dat hij in actie wil komen, anders komen er nog eens tweehonderd andere idioten achter hem aan.'

'Dus die punk met het blauwe haar...'

'Wie vertelt er dit verhaal?' gromde Hokenberry. 'Jij of ik?'

'Jij. Het is jouw verhaal. Ik vind het een heerlijk verhaal.'

Om zijn walging voor deze onderbrekingen te demonstreren, spoog Hokenberry op het tapijt. 'Dus die punk met het blauwe haar staat op het punt in actie te komen, het toneel te beklimmen, Peaches en Herb te bereiken...'

'Of de Captain.'

'Of Tenille. Dus ik roep naar hem, ga snel op hem af en de kleine etterbak steekt zijn vinger naar me op, wat me het absolute recht geeft hem een knal te verkopen.' Hokenberry steek een vuist op ter grootte van een ham. 'Ik plantte Bullwinkle zo diep mogelijk in zijn smoel.'

'Noem je je rechtervuist Bullwinkle?'

'Ja, en mijn linker is Rocky. Had Rocky niet eens nodig. Gaf hem zo'n roei met Bullwinkle dat een van zijn ogen eruit sprong. Ik schrok, maar ik ving hem in de lucht op. Een glazen oog. De punk ging meteen neer, en ik heb dat oog bewaard en er deze hanger van laten maken.'

'Het is een fantastische hanger.'

'Glazen ogen zijn niet echt van glas, weet je. Het zijn dunne plastic kapjes waar ze met de hand aan de binnenkant de iris op schilderen. Heel gaaf.'

'Heel erg,' beaamde Corky.

'Ik liet een vriend van mij, een kunstenaar, deze kleine glazen bol maken om het oog op te zetten zodat het niet kapot zou gaan. Dat is het verhaal, geef me nu mijn twintig rooien.'

Corky overhandigde hem het pakje in plastic gewikkeld geld.

Zoals hij met de eerste twintigduizend had gedaan op de eerste van hun drie eerdere ontmoetingen, wendde Hokenberry zich af van Corky en liep met het pak naar de tafel in de aangrenzende eethoek om elk nieuw biljet van honderd dollar te tellen.

Corky schoot hem drie keer in de rug.

Toen Hokenberry de vloer raakte trilde de bungalow.

De val van de grote man was veel luider dan de schoten omdat het pistool was voorzien van een geluiddemper die Corky had gekocht van een anarchistische quasi-overlever met hechte banden met een agressieve groep anti-kalfsvleesactivisten die de dempers zowel maakten voor eigen gebruik als voor een winstgevende verkoop. Elk schot maakte een stil geluid zoals iemand die sliste het woord *supper* zou uitspreken.

Dit was het wapen waarmee hij de moeder van Rolf Reynerd in de voet had geschoten.

Gezien Hokenberry's intimiderende afmetingen had Corky er niet op vertrouwd de klus met een ijspriem te kunnen klaren.

Hij liep dichter naar de spierbundel toe en vuurde nog drie schoten op hem af, om er zeker van te zijn dat er geen kracht meer in Rocky en Bullwinkle zou zitten.

52

Twee ramen toonden een oplossende hemel en een stad die verdween in druppels, druilregens en dampen.

Het grootste deel van de grote archiefruimte in het Onze Lieve Vrouwe van de Engelen was verdeeld in looppaden door hoge dossierkasten. Bij de ramen was een open gebied met vier werkstations waarvan er twee in gebruik waren.

Dr. O'Brien ging aan een van de ongebruikte monitors zitten en zette de computer aan. Ethan trok naast hem een stoel bij.

De arts stak een cd in de computer en zei: 'Mr. Whistler begon drie dagen geleden moeilijkheden met zijn ademhaling te krijgen. Hij moest aan een beademingsmachine gelegd worden en werd overgebracht naar de intensive care.'

Toen de cd geïnstalleerd was, verscheen WHISTLER, DUNCAN EUGENE op het scherm met Dunny's patiëntennummer en andere vitale informatie die was verzameld toen hij werd ingeschreven.

'Terwijl hij op de intensive care lag,' vervolgde O'Brien, 'werden voortdurend zijn ademhaling, hartslag en hersenfuncties gecontroleerd en via telemetrie naar de verpleegsterskamer gestuurd. Dat is standaardprocedure.' Hij gebruikte de muis om een reeks iconen en keuzes aan te klikken. 'De rest is relatief nieuw. De informatie wordt tijdens de hele duur van het verblijf van de patiënt in de intensive care digitaal opgetekend door elektronische controleapparatuur. Om later te bekijken.'

Volgens Ethan bewaarden ze een digitale registratie als bewijs ter verdediging tegen pietluttige aanklachten.

'Hier is het EEG van Whistler toen hij net op de intensive care kwam om tien voor halfvijf de afgelopen vrijdagmiddag.'

Een onzichtbare stift trok een rechte lijn van links naar rechts over een eindeloos draaiende grafiek.

'Dit zijn de elektrische impulsen van de hersenen gemeten in microvolts,' vervolgde O'Brien.

Een monotone reeks pieken en dalen gaven Dunny's hersenactiviteit aan. De pieken waren hoog en breed, de dalen waren relatief steil en smal.

'Deltagolven zijn het typische patroon van een normale slaap,' legde O'Brien uit. 'Dit zijn deltagolven, maar niet die geassocieerd worden met een gewone nachtrust. Die pieken zijn breder en veel lager dan gewone deltagolven, met een gelijkmatiger schommeling bij gedachten. De elektrische impulsen zijn gering in aantal, smaller en zwakker. Dit is Whistler in diep coma. Goed. Laten we nu snel overstappen naar de avond van de dag voor zijn dood.'

'Zondagavond.'

'Ja.'

Op het scherm, terwijl de uren van registratie in een ogenblik voorbijschoten, werden de ongewone deltagolven vaag en sprongen iets op, maar slechts iets omdat de variatie van golf naar golf minuscuul was. Een uur samengeperste data, in een paar seconden gezien, leek sterk op elke minuut van dezelfde data die in de echte tijd werd bestudeerd.

En inderdaad was de gelijkheid van de patronen zo opmerkelijk dat Ethan niet beseft zou hebben hoeveel uren – dagen – aan data voorbij stroomden als er geen tijdsaanduiding op het scherm had gestaan.

'Het gebeurde één minuut voor middernacht, zondag,' zei O'Brien. Hij klikte terug naar werkelijke tijd en de schijf stopte op 11.23.22, zondagavond. Hij spoelde de gegevens weer snel door in twee snelle klikken tot hij 11.58.09 bereikte.

'Nu binnen een minuut.'

Ethan merkte dat hij naar voren leunde op zijn stoel.

Vlagen regen kletterden tegen de ruiten, alsof de wind in een gekwetste woede gebroken tanden had uitgespuugd.

Een van de mensen aan de andere werkstations had het vertrek verlaten.

De achtergebleven vrouw mompelde iets in haar headset. Haar stem klonk zacht, zangerig, ietwat griezelig, zoals misschien de stemmen die boodschappen achterlieten op het antwoordapparaat van Lijn 24.

'Hier,' zei O'Brien.

Om 11.59 begonnen de loom wisselende deltagolven woest te pieken in iets anders: scherpe, onregelmatige toppen en dalen.

'Dit zijn bètagolven, heel extreme bètagolven. De lage, heel snelle wisseling geeft aan dat de patiënt zich concentreert op een stimulus van buiten.'

'Welke stimulus?' vroeg Ethan.

'Iets wat hij ziet, hoort, voelt.'

'Van buiten? Wat kan hij in een coma zien, horen of voelen?'

'Dit is niet het golfpatroon van een man in een coma. Dit is een volledig bewust, alert en verontrust persoon.'

'En is het een machinedefect?'

'Een paar mensen hier denken dat het een machinedefect moet zijn. Maar...'

'U bent het er niet mee eens?'

O'Brien aarzelde, staarde naar het scherm. 'Nou, ik moet niet vooruitlopen op het verhaal. Eerst... toen de verpleegster van intensive care dit via telemetrie ontving, ging ze direct naar de patiënt met de gedachte dat hij uit zijn coma was gekomen. Maar hij bleef slap en reageerde niet.'

'Kan hij gedroomd hebben?' vroeg Ethan.

O'Brien schudde nadrukkelijk zijn hoofd. 'Het golfpatroon van dromers is heel anders en gemakkelijk te herkennen. Onderzoekers hebben vier droomfasen onderscheiden en voor elke fase een andere signatuur. Geen daarvan is zoals deze.'

De bètagolven begonnen hoger en lager te pieken dan ervoor. De pieken en dalen waren nagenoeg naaldpunten in plaats van de eerdere onregelmatige plateaus, met steile hellingen ertussenin.

'De verpleegster heeft een arts laten komen,' zei O'Brien. 'Die arts belde een andere. Niemand merkte enig fysiek bewijs op dat Whistler ook maar enigszins uit het diepe coma was gekomen. Het beademingstoestel regelde nog steeds de ademhaling. Het hart klopte langzaam, enigszins onregelmatig. Toch, volgens het EEG brachten zijn hersenen bètagolven voort van een bewust en alert persoon.'

'En u zei "verontrust".'

Het bètaspoor op het scherm schoot woest op en neer, de dalen werden smaller, de afstand tussen de hoogste en laagste punten van elk patroon versnelde radicaal tot die deden denken aan de patronen die werden voortgebracht op een seismograaf tijdens een zware aardbeving.

'Op sommige momenten mag je zeer juist zeggen dat hij "verontrust" schijnt, op andere "opgewonden" en in het gedeelte dat je nu ziet, zou ik zonder maar enig melodramatisch effect zeggen dat dit de hersengolven zijn van een doodsbang mens.'

'Doodsbang?'

'Heel erg.'

'Nachtmerrie?' stelde Ethan voor.

'Een nachtmerrie is gewoon een droom van een duisterder soort. Hij kan radicale golfpatronen geven, maar ze blijven desondanks herkenbaar als die van een droom. Heel anders dan dit.'

O'Brien spoelde weer snel de data door, naar acht minuten later in slechts seconden.

Toen het scherm weer overging op werkelijke tijd zei Ethan: 'Dit ziet er hetzelfde uit... en toch anders.'

'Dit zijn nog steeds de bètagolven van een bewust mens en ik zou zeggen dat de man nog steeds bang is, hoewel de verschrikking hier misschien is afgenomen naar heel erg bang.'

De slangenstem van de wind, zingend in een taal van sissen, gillen en kreunen, en het tikken van de klauwen van de regen op het glas van het raam leken een perfecte muziek voor de begeleiding van de puntige beelden op het scherm.

'Hoewel het algemene patroon dat van een bewuste angst is,' ging dr. O'Brien verder, 'zijn er die onregelmatige ondergroepen van hogere punten, die elk weer gevolgd worden door een ondergroep van lagere punten.'

Hij wees op het scherm naar enige voorbeelden voor Ethan.

'Ik zie ze,' zei Ethan. 'Wat betekenen die?'

'Die zijn kenmerkend voor een gesprek.'

'Gesprek? Praat hij tegen zichzelf?'

'Om te beginnen praat hij niet hardop tegen iemand, zelfs niet tegen zichzelf, dus we zouden die patronen niet moeten zien.'

'Ik begrijp het, denk ik.'

'Maar wat deze voorstellen, valt niet te zeggen. Bij de ondergroepen van hogere punten, moet de persoon praten. Bij de ondergroepen van lagere punten zou hij moeten luisteren. Een mens die een beetje mentaal in gesprek is met zichzelf, zelfs als hij wakker is, geeft niet die ondergroepen. Hoe dan ook, om te beginnen geef je als je met jezelf in gesprek bent, een inwendige woordenwisseling hebt...'

'Technisch gezien praat je dan altijd,' zei Ethan. 'Je bent beide kanten van de gesprekspartners. Je luistert nooit echt.'

'Precies. De ondergroepen zijn aanwijzers voor een bewust gesprek tussen deze persoon en een ander mens.'

'Welk ander mens?'

'Ik weet het niet.'

'Hij is in coma.'

'Ja.'

Fronsend zei Ethan: 'Hoe kan hij dan tegen iemand praten? Telepathisch?'

'Geloven we in telepathie?' vroeg O'Brien.

'Ik niet.'

'Ik ook niet.'

'Waarom zou dit dan geen defecte machine kunnen zijn?' vroeg Ethan.

O'Brien versnelde de dataopslag tot de patronen van hersengolven van het scherm verdwenen en werden vervangen door de woorden DATA INTERRUPT.

'Ze hebben Whistler losgekoppeld van het EEG-toestel waarvan ze dachten dat die de fouten maakte,' zei de arts. 'Ze hebben hem aan een ander apparaat gekoppeld. De verandering duurde zes minuten.'

Hij spoelde snel verder tot de patronen weer verschenen.

'Ze zien er op het nieuwe apparaat hetzelfde uit,' zei Ethan.

'Ja, inderdaad. Bètagolven die bewustzijn aangeven, een heleboel

angst en met ondergroepen die op heftige gesprekken duiden.'
'Een tweede slecht functionerend apparaat?'
'Er is er nog één die dat blijft beweren. Ik niet. Deze golfpatronen liepen negentien minuten op het eerste EEG, kennelijk zes minuten tussen de aansluitingen en daarna eenendertig minuten op het tweede apparaat. Zesenvijftig minuten in totaal voordat ze ineens ophielden.'
'Hoe verklaart u dat?' vroeg Ethan.
In plaats van hem antwoord te geven, was de arts op het toetsenbord bezig en riep een tweede scherm met gegevens op, dat boven het eerste verscheen: weer een bewegende witte lijn op de blauwe achtergrond, piekend van links naar rechts. In dit geval waren er alleen pieken boven de basislijn, geen enkele eronder.
'Dit is de ademhaling van Whistler die is gesynchroniseerd met de data van de hersengolven,' zei O'Brien. 'Elke top is een inademing. De uitademing vindt tussen de pieken plaats.'
'Heel regelmatig.'
'Ja. Maar de beademingsmachine doet het voor hem.'
De arts sloeg weer toetsen aan en een derde scherm verscheen naast de andere twee.
'Dit is de hartfunctie. Standaard drie fasen actie. Diastole, systole van de slagader, systole van de hartkamer. Langzaam maar niet te langzaam. Zwak, maar niet te zwak. Kleine onregelmatigheden, maar niets gevaarlijks. Kijk nu eens naar de hersengolven.'
De bètagolven toonden weer het patroon van de aardbeving.
Ethan zei: 'Hij is weer doodsbang.'
'Naar mijn mening wel. Toch is er geen verandering in de hartfunctie. Het is dezelfde langzame, zwakke slag met aanvaardbare onregelmatigheden, zoals het patroon van diep coma sinds hij in het ziekenhuis werd opgenomen, bijna drie maanden geleden. Hij verkeert in doodsangst... toch is zijn hart rustig.'
'Het hart is rustig omdat hij in coma is. Toch?'
'Nee. Zelfs in een diep coma, Mr. Truman, is er geen volledige scheiding tussen geest en lichaam. Als je een nachtmerrie hebt, is de verschrikking denkbeeldig, niet echt, maar de hartfunctie is desondanks toch aangedaan. Tijdens een nachtmerrie slaat het hart op hol.'
Een ogenblik bestudeerde Ethan de woest springende bètagolven en vergeleek die met de langzame, regelmatige hartslag. 'Na zesenvijftig minuten ging de hersenfunctie weer over op de lange, langzame deltagolven?'
'Inderdaad. Tot hij de volgende ochtend overleed.'

'Dus als niet twee apparaten een defect hebben, hoe verklaart u het dan, dokter?'

'Dat doe ik niet. Dat kan ik niet. U vroeg me of er iets ongewoons in het dossier van de patiënt voorkwam. Vooral iets... bovennatuurlijks.'

'Ja, maar...'

'Ik heb geen woordenboek bij de hand, maar volgens mij betekent bovennatuurlijk iets dat niet gewoon is, iets buitengewoons, iets dat niet uitgelegd kan worden. Ik kan u alleen maar vertellen wat er is gebeurd, Mr. Truman, maar op geen enkele manier waaróm.'

Regentongen likten langs de ramen.

Met gesnuif, gegrom, en een scherpe smeekbede vroeg de wolfachtige wind toegang.

Over de legendarische stad rolde een uitgerekte donder.

Ethan en O'Brien keken naar de ramen, en Ethan veronderstelde dat ook de arts zich ergens een terroristische aanval had voorgesteld waar vrouwen en kinderen werden vermoord door fascistische, islamitische radicalen die teerden op kwaadaardigheid en die over de wereld rondkropen met een demonische vastberadenheid. Ze luisterden naar het geluid dat langzaam verdween en ten slotte zei dr. O'Brien opgelucht: 'Donder.'

'Donder,' beaamde Ethan.

In Zuid-Californië kwamen donder en bliksem niet veel voor in onweersbuien. Dit geluid, in plaats van een bomontploffing, voorspelde niet veel goeds voor de komende dag.

Bètagolven, even scherp als bliksem, verschenen herhaaldelijk op het computerscherm.

In coma had Dunny een beangstigende ontmoeting gehad die noch in deze wereld noch in het land van dromen voorkwam. Hij was in een gesprek gewikkeld geweest zonder gesproken woorden, alsof hij een geest had ingeademd die naar zijn longen was gereisd, en daarvandaan naar zijn bloedvaten en via het bloed van hart naar hersenen, om daar zesenvijftig minuten in de duistere kamers van zijn geest rond te spoken.

53

Als een Arabische sjeik met een gele kaffiya en gele mantel, hier gebracht door het wrijven over een lamp en de toverkracht van een geest, was Corky Laputa een heldere werveling in het verder troosteloze huis van de freak met de drie ogen.

Terwijl hij 'Reunited' zong en daarna 'Shake Your Groove Thing', allebei hits van Peaches and Herb, doorzocht hij die kamers vol troep die hij beoordeelde op de vuilschaal – vuil, vuiler, vuilst – naar wat er misschien nog over was van de eerste twintigduizend dollar die hij Hokenberry een paar weken eerder had gegeven.

De spierbal zou Corky's naam geschreven kunnen hebben in een adresboek, of op een kaart – zelfs op een muur, gezien hoe erg deze verwaarloosde muren leken op die van de smerigste openbare wc's. Het kon Corky niet schelen. Hij had Hokenberry trouwens niet zijn echte naam gegeven.

Natuurlijk, met een geheugen dat net zo betrouwbaar was als dat van een bosmarmot, had Hokenberry Corky's telefoonnummer ergens in de bungalow op een stukje papier geschreven. Corky maakte zich daar ook geen zorgen over. Als de politie het uiteindelijk vond, zou het nummer nooit naar hem leiden.

Elke maand of zes weken kocht Corky een nieuw mobieltje. Hij kreeg het met een nieuw nummer en een maagdelijke rekening onder een valse naam met een nepadres. Hij gebruikte dit voor al zijn gevoelige telefoontjes met betrekking tot zijn werk in dienst van de chaos.

Die telefoons werden hem geleverd door een ongeëvenaarde hacker en anarchistische multimiljonair die Mick Sachatone heette. Mick verkocht ze voor zeshonderd dollar per stuk. Hij garandeerde bruikbaarheid voor dertig dagen.

Gewoonlijk besefte de telefoonmaatschappij niet dat hun systeem werd gemanipuleerd en identificeerde de valse rekening de eerste twee maanden niet. Daarna sloten ze hun diensten af en zochten naar de binnendringer. Tegen die tijd had Corky de telefoon in een vuilcontainer gegooid en weer een nieuwe gekocht.

Zijn bedoeling was niet om geld te besparen, maar om zijn anonimiteit te bewaren als hij zich bezighield met zaken die tegen de wet waren. Om een kleine bijdrage te leveren aan de uiteindelijke financiële ondergang van de telefoonmaatschappij, was een aangename bonus.

Corky vond de geldschat van Ned Hokenberry in een slaapkamer die net iets beschaafder was dan een grot waarin een beer zijn winterslaap hield. De vloer was bezaaid met vuile sokken, tijdschriften, lege zakken van gebakken zwoerd, lege papieren bakjes van Kentucky Fried Chicken en afgekloven kippenbotjes. Het geld was in een doos onder het bed gestopt.

Van de twintigduizend waren er nog maar veertienduizend over. De andere zesduizend waren klaarblijkelijk uitgegeven aan fastfood en vette varkenshappen.

Corky pakte het geld en liet de doos staan.

In de eethoek van de woonkamer was Hokenberry nog steeds dood en niet minder lelijk dan ervoor.

Tijdens hun eerdere drie ontmoetingen had Corky de conclusie getrokken dat Hokenberry van zijn familie vervreemd was geraakt. De voormalige spierbal van rockbands, ongetrouwd, beslist geen ideale man om afspraakjes mee te maken en ook niet de man om een netwerk van vrienden te hebben, zou pas gevonden worden als de FBI langskwam ten gevolge van de ontvoering van de jonge meester Manheim.

Toch, om zich te behoeden voor een toevallige ontdekking van het lichaam door een nieuwsgierige buur of zoiets, haalde Corky Hokenberry's sleutels van een prikbord in de keuken en sloot de voordeur af toen hij het huis uitliep. Hij gooide de sleutels in de overwoekerde struiken.

Als een grommende hellehond in de gangen van de hemel, blafte en rommelde de donder in de laaghangende, grijze lucht.

Corky's hart maakte een vreugdesprongetje.

Hij keek omhoog naar de neervallende regen, zoekend naar bliksem, en bedacht toen dat die vóór de donder zou zijn gekomen. Als er bliksem was geweest was de schicht niet door de wolken heen gekomen of was ver uit de buurt ingeslagen in de uitgestrekte stad.

De donder moest een voorteken zijn.

Corky geloofde in geen enkele god of duivel. Hij geloofde niet in bovennatuurlijke dingen van welke vorm of betekenis ook. Hij geloofde alleen maar in de kracht van de chaos.

Toch verkoos hij het te geloven dat de donder als een voorteken gezien moest worden, dat aangaf dat zijn onderneming de komende avond naar het Palazzo Rospo zich volgens plan zou ontvouwen en dat hij naar huis zou terugkeren met de bewusteloze jongen.

Het universum was misschien wel een domme machine die nergens heen ging maar toch snel bewoog, met geen andere bedoeling dan de eigen uiteindelijke catastrofale vernietiging. Toch wierp hij misschien soms een bliksemschicht of een afgebroken machineonderdeel weg waaruit een aandachtig mens zijn volgende richting kon aflezen. De donder was zo'n afgebroken onderdeel, en gebaseerd op het timbre en de duur ervan voorspelde

Corky vol vertrouwen het succes van zijn onderneming.

Als de grootste filmster ter wereld, wonend achter versterkte muren, met een elektronische slotgracht, een permanente beveiliging en lijfwachten, zijn gezin geen veiligheid kon bieden, als de enige zoon van het Gezicht opgepikt kon worden van het landgoed in Bel Air en weggetoverd, ook al was de acteur nadrukkelijk gewaarschuwd door de bezorging van zes pakjes in zwart papier, dan was nergens ook maar één gezin veilig. Noch de arme noch de rijke. Noch de onbekende noch de beroemde. Noch de goddeloze, noch de godvrezende.

Het publiek zou met die boodschap geconfronteerd worden, uur na uur, de ene slopende dag na de andere, terwijl de lange en folterende beproeving van Channing Manheim zich zou ontvouwen. Corky was van plan de gevangen jongen eerst emotioneel te vernietigen, daarna geestelijk, en helemaal op het laatst lichamelijk. Hij zou video-opnamen maken van dat proces, waarvan hij verwachtte dat het weken zou duren. Hij zou de band monteren, kopieën maken op apparatuur die hij voor dit project had aangeschaft en regelmatig geselecteerde publicaties en televisieopnamen uitsturen met het bewijs van Aelfrics foltering.

Bepaalde media zouden afkerig zijn iets van de video te laten zien of zelfs maar foto's ervan, maar andere zouden het concurrerende voordeel inzien om het zonder geweten of smaak wel te doen, en zouden met mooie woorden een duik in het uitgesproken sensationele rechtvaardigen. Daarna zouden sommige van de meer kieskeurige hetzelfde doen.

Het van angst vertrokken gezicht van de jongen zou het land achtervolgen, en dan zou weer een volgende slag in een lange reeks toegebracht zijn aan de fundamenten van Amerika's orde en stabiliteit. Miljoenen burgers zouden beroofd worden van hun inmiddels al aangetaste gevoel van veiligheid.

Twee straten van Hokenberry's bungalow vandaan, toen Corky zijn BMW naderde, schoot een bliksemschicht door de wolken, daverde de donder, en een steenpuist in de hemel brak open. Regen die eerst gedruild had, kwam nu met bakken tegelijk en met voldoende gewicht om de windkracht te halveren.

Als de donder alleen al een voorteken was geweest van zijn triomf, was deze donder voorafgegaan door bliksem een bevestiging dat hij de eerste rollende knal juist geïnterpreteerd had.

De hemel lichtte weer op en gromde. Dikke, bladeren afscheurende koude regendruppels brulden door de bomen en bombardeerden onophoudelijk het wegdek.

Een halve minuut lang danste Corky als Gene Kelly, terwijl hij zong: 'Shake Your Groove Thing', zonder zich zorgen te maken dat iemand hem misschien zag.

Toen stapte hij in de auto en reed daar weg, want hij had veel werk te doen op deze tot dusver allerbelangrijkste dag van zijn leven.

54

Terwijl Ethan stond te wachten op muziek die de ziel zou verdorren en op de lift in het ziekenhuis die de muziek zou brengen, ging zijn mobiel over.

'Waar zit je?' vroeg Hazard Yancy.

'Onze Lieve Vrouwe van de Engelen. Op het punt te vertrekken.'

'Ben je in de garage?'

'Op weg naar beneden.'

'Onderste of bovenste niveau?'

'Bovenste.'

'Waar rijd je in?'

'Een witte Expedition, zoals gisteren.'

'Wacht daar. We moeten praten.' Hazard hing op.

Ethan was alleen in de lift en zonder muziek. Klaarblijkelijk werkte het geluidssysteem niet goed. Er klonk alleen maar gesis, geplop en geknetter uit de luidspreker in het plafond.

Hij was één verdieping gedaald toen hij dacht een vage stem in de statische ruis te horen. Snel werd die minder vaag, hoewel nog steeds te zwak om er een betekenis uit te halen.

Tegen de tijd dat hij drie verdiepingen lager was, overtuigde hij zichzelf ervan dat dit de griezelige stem was waar hij de avond ervoor een halfuur over de telefoon naar had zitten luisteren. Hij was zo gespannen bezig geweest betekenis te halen uit wat die zei dat hij in zoiets als een trance was terechtgekomen.

Uit de luidspreker in het plafond dreef zacht als sneeuw, door een aanval van statische ruis heen, zijn naam naar beneden. Hij hoorde die alsof hij van heel ver kwam, maar duidelijk…

'Ethan… Ethan…'

Op een mistige winterdag aan het strand of in de haven riepen soms zeemeeuwen hoog in de omhullende mist naar elkaar met tweelettergrepige kreten die voor een deel waarschuwingen en voor een deel zoeksignalen leken, uitgezonden in de bedroefde hoop op antwoord, het meest verloren geluid ter wereld. Deze roep '*Ethan, Ethan*', alsof die in een ravijn weerkaatst werd vanaf een enorm hoge top, had dezelfde intensiteit in melancholie en drang.

Maar toen hij naar meeuwen luisterde, had hij zich nooit ingebeeld zijn stem in hun verlaten kreten te horen. En ook had hij nooit gedacht dat hun klaagzang in de mist klonk als de stem van Hannah, zoals de verre stem achter de statische ruis van de luidspreker nu als die van haar klonk.

Ze riep niet meer zijn naam, maar ze riep iets dat niet helemaal te ontcijferen viel. Haar stem was dezelfde als die ze zou kunnen gebruiken om een waarschuwing te roepen tegen een man die op het trottoir stond en totaal onwetend was van een verschrikkelijk gewicht aan ijs dat naar hem toe viel vanaf het dak van het gebouw achter hem.

Tussen de hal en het bovenste niveau van de garage, op een halve verdieping van zijn bestemming af, drukte Ethan op de stopknop op het bedieningspaneel. De cabine remde, zakte iets door en danste aan zijn kabels.

Zelfs als dit inderdaad een stem was die tegen hem sprak – en alleen tegen hem – via de luidspreker boven zijn hoofd, en het geen bewijs was van psychische onevenwichtigheid, kon hij het zich niet permitteren erdoor gehypnotiseerd te raken zoals eerder over de telefoon.

Hij dacht aan mistige avonden en de onoplettende zeelieden die het zingen van de Lorelei hoorden. Ze draaiden hun schepen naar haar stem in een poging de verlokkende belofte in haar woorden te ontdekken, voeren op haar rots, leden schipbreuk en verdronken.

Deze stem was waarschijnlijk eerder die van de Lorelei dan die van zijn overleden Hannah. Om datgene te wensen dat altijd buiten bereik is, om dat te zoeken tegen alle rede in, is de fatale rots in een eindeloze mist.

Hij had in ieder geval de lift niet tot stilstand gebracht om de woorden van de mogelijke waarschuwing te ontcijferen. Met kloppend hart had hij op STOP gedrukt omdat hij plotseling werd overweldigd door de overtuiging dat als de deuren openschoven, de garage er niet achter zou liggen.

Krankzinnig genoeg verwachtte hij een dichte mist en zwart water. Of een steile rotswand en een gapende afgrond. De stem zou daar zijn, over het water, over de kloof en hij zou nergens anders heen kunnen dan alleen maar daarheen.

In een andere lift, maandagmiddag, omhoog naar Dunny's flat was hij overvallen geweest door claustrofobie.

En weer kropen hier de vier wanden dichter naar elkaar toe dan toen hij instapte. Het plafond kwam steeds lager. Hij zou als vlees ingeblikt worden.

Hij legde zijn handen over zijn oren om de spookachtige stem uit te bannen.

Terwijl de lucht warmer en dikker leek te worden, hoorde Ethan zichzelf moeizaam ademhalen, snakkend met elke inademing, piepend met elke uitademing, en hij moest denken aan Fric tijdens een astma-aanval. Bij de gedachte aan de jongen, sloeg zijn hart harder dan ooit en met één hand ging hij naar de START-knop op het bedieningspaneel.

Terwijl de wanden naar hem toe bleven komen, leken ze nog meer krankzinnige gedachten in zijn hoofd te drukken. In plaats van zwart water en mist waar de garage hoorde zijn, zou hij misschien vanuit de lift dat appartement in zwart-wit met de wanden vol toekijkende vogels binnenstappen waar Rolf Reynerd nog leefde en een pistool uit een zak chips haalde. Ethan zou weer in zijn buik geschoten worden en ditmaal geen gratie krijgen.

Hij aarzelde, drukte niet op de knop.

Misschien omdat zijn moeizame ademhaling Fric in een astmatische aanval bij hem had opgeroepen, begon Ethan te denken dat onder de zwakke en niet helemaal verstaanbare woorden die uit de speaker boven zijn hoofd kwamen, de naam van de jongen zat. 'Fric...' Toen hij zijn adem inhield en zich concentreerde, kon hij hem niet horen. Als hij ademhaalde, klonk de naam weer. Of was dat niet zo?

In die andere lift, maandagmiddag, was de voorbijgaande aanval van claustrofobie de sublimatie van een andere vrees geweest die hij niet onder ogen had willen zien: de irrationele en toch hardnekkige angst dat hij in Dunny's flat zijn oude vriend dood, maar tot leven gewekt, zou aantreffen, koud als een lijk, maar springlevend.

Hij vermoedde dat zijn huidige claustrofobie en de angst van de weer opgestane Reynerd ook een andere angst maskeerden die hij met tegenzin aanvaardde en die hij niet helemaal uit zijn onbewuste kon vissen.

Fric? Fric was emotioneel kwetsbaar, en dat was geen wonder, maar fysiek liep hij geen gevaar. Het personeel op het landgoed bestond nog steeds uit tien personen, chef-kok Hachette en de terreinbeheerder, Mr. Yorn, meegerekend. De beveiliging van het landgoed was formidabel. Het echte gevaar voor Fric bestond eruit dat de een of andere gek Channing Manheim te pakken zou nemen waardoor de jongen vaderloos werd.

Ethan drukte op START.

De lift kwam weer in beweging. Na een ogenblik stopte hij bij het bovenste niveau van de parkeergarage.

Misschien zou hij als hij naar buiten stapte op een regenachtige straat komen in de baan van een op hol geslagen PT Cruiser.

De deur schoof weg en onthulde niets onmogelijkers dan de betonnen muren van een ondergrondse garage en rijen auto's die samengepakt onder tl-buizen stonden.

Terwijl hij naar de Expedition liep, werd zijn onregelmatige ademhaling snel weer normaal. Zijn racende hart vertraagde niet alleen, maar verdween uit zijn keel terug naar zijn borst waar dat hoorde.

Achter het stuur van de SUV drukte hij op de knop waarmee hij alle portieren afsloot.

Door de voorruit zag hij alleen maar een betonnen muur vol watervlekken en vuil van uitlaatgassen. Zo hier en daar was in de loop der tijd betonrot opgetreden.

Zijn verbeelding wilde in deze vlekken naar gezichten zoeken, zoals die soms op groot wild had gejaagd en hele dierenverzamelingen had aangelegd in de veranderende vormen van wolken. Hier zag hij alleen ontbindende gezichten en de gevallen, in elkaar verwarde lichamen van hen die wreed vermoord waren. Hij had voor een afschuwelijke muurschildering kunnen zitten van de vele slachtoffers voor wie hij, als rechercheur bij Moordzaken, gerechtigheid had gezocht.

Hij kantelde zijn hoofd naar achteren, sloot zijn ogen en liet de spanning huiverend wegvloeien.

Na een tijdje overwoog hij de radio aan te zetten om de tijd door te komen tot Hazard arriveerde. Sheryl Crow, Barenaked Ladies, Chris Isaak, zonder een partij violen, pauken en hoorns zouden zijn stemming misschien verlichten.

Hij aarzelde om de knop in te drukken. Hij vermoedde dat hij, in plaats van de gewone muziek, het nieuws en de praatprogramma's, zou merken dat van het ene einde van de schaal tot het andere hij alleen de stem zou horen die misschien van Hannah was en die tevergeefs probeerde over elke frequentie tegen hem te praten.

Knokkels tegen het glas – *tik-tik-tik* – deden hem schrikken. Hazard Yancy, met een pet en een dreigende blik om azijn mee te stremmen, tuurde door het rechterraampje.

Ethan haalde de portiers van het slot.

Hazard, terwijl hij de SUV net zo volledig vulde als hij zou hebben kunnen doen met een botsautootje op de kermis, stapte op de voorstoel en trok het portier dicht. Hoewel hij meer knie dan knieruimte had, trok hij niet aan de knoppen om de stoel naar achteren te schuiven. Hij leek nerveus. 'Hebben ze Dunny gevonden?'

'Wie?'

'Het ziekenhuis.'

'Nee.'

'Waarom ben je dan hier?'

'Ik heb met de arts gesproken die de overlijdensakte heeft ondertekend om iets aan de weet te komen.'

'Ben je ergens gekomen?'

'Precies waar ik was begonnen – starend naar mijn eigen navel.'

'Geen uitzicht dat toeristen zal trekken,' zei Hazard. 'Sam Kesselman heeft griep.'

Ethan had Kesselman nodig – de rechercheur die op de moord met de dure lamp op Rolf Reynerds moeder was gezet – om het onvoltooide script van Reynerd te lezen en daarna de inspiratie uit het echte leven voor de moorddadige professor in de pagina's op te sporen.

'Wanneer gaat hij weer aan het werk?' vroeg Ethan.

'Volgens zijn vrouw kan hij nog niet eens kippensoep binnenhouden. Het ziet ernaar uit dat we hem voor Kerstmis niet meer zien.'

'Heeft hij een partner?'

'Vanaf het begin had Glo Williams ermee te maken, maar de zaak liep al snel dood, en hij stapte eruit.'

'Haal hem weer terug.'

'Hij zit op die verkrachting en doodslag van dat elfjarige meisje dat overal op het nieuws is, geen tijd voor iets anders.'

'Man, de wereld wordt met de week zieker.'

'Met het uur. Anders zouden wij geen werk hebben. Ze noemen de zaak van Mina Reynerd de Vamp en de Lamp omdat zij er op foto's van haar toen ze jonger was uitziet als een van die vamps in oude films, zoals Theda Bara of Jean Harlow. Het dossier ligt alleen op Kesselmans bureau, samen met andere lopende zaken.'

'Dus na de kerst is hij er misschien ook niet als eerste mee bezig.'

Hazard staarde naar de betonnen muur achter de voorruit, alsof hij een eigen dierenverzameling aanlegde. Misschien zag hij gazellen en kangoeroes. Hoogstwaarschijnlijk kon hij er ook niet omheen in elkaar geslagen kinderen, gewurgde vrouwen en de lichamen van aan flarden geschoten mannen te zien.

Herinneringen aan onschuldige slachtoffers. Zijn spookfamilie. Altijd bij hem. Ze waren voor hem net zo echt als de penning die hij droeg, echter dan het pensioen dat hij misschien nooit zou halen.

'Na de kerst is niet snel genoeg,' zei Hazard. 'Ik had een droom.'

Ethan keek hem aan en wachtte. Toen: 'Wat voor droom?'

Terwijl hij zijn Paul Bunyan-schouders bewoog, verschoof op de stoel om wat ruimte voor zijn benen te krijgen, er net zo ongemakkelijk uitzag als Babe de Blauwe Os in een kanariekooi, staarde Hazard naar de betonnen muur en zei op zakelijke toon: 'Jij was samen met mij in de flat van Reynerd. Hij schoot je in je buik. Vervolgens zitten we in een ambulance. Jij gaat het niet halen. Ze hebben van die kerstversieringen in de ambulance. Folie, kleine klokjes. Jij vraagt me om een set klokjes. Ik pak een setje, probeer ze aan jou te geven, maar je bent weg, dood.'

Ethan verlegde zijn aandacht weer naar de muur van de parkeergarage. Hij verwachtte onder de ontbindende lichamen die zijn verbeelding in de vlekken en veranderingen in structuur had herkend zijn eigen gezicht te zien.

'Ik word wakker,' vervolgde Hazard, nog steeds gericht op het gevlekte beton, 'en er is iemand bij me in de kamer. Staat naast het bed. Een donkerder vorm in het donker. Een man. Ik sta op. Ben bij hem, maar hij is er niet. Nu is hij aan de andere kant van de kamer. Ik ga achter hem aan. Hij beweegt. Hij is snel. Hij loopt, hij *glijdt* min of meer. Mijn wapen zit in mijn holster die over een stoel hangt. Ik pak het. Hij blijft in beweging, snel, te snel, glijdend, alsof hij met me speelt. We cirkelen rond in de kamer. Ik bereik een lichtknop, klik een lamp aan. Hij staat bij mijn kastdeuren, met zijn rug naar me toe. Kastdeuren met spiegels. Hij loopt de spiegel in. Verdwijnt in de spiegel.'

'Dit is nog steeds de droom,' opperde Ethan.

'Ik zei je dat *ik wakker werd*, en er is iemand bij me in de kamer,' herinnerde Hazard hem. 'Ik kon hem niet goed bekijken, zijn rug naar me toe. Slechts een glimp in de spiegel, maar volgens mij was het Dunny Whistler. Ik open de kastdeur. Hij zit er niet in. Waar is hij – in die verrekte *spiegel*?'

'Soms word je in een droom wakker,' zei Ethan, 'maar het wakker worden maakt gewoon deel uit van de nachtmerrie en in werkelijkheid droom je nog steeds.'

'Ik zoek de flat af. Vind niemand. Terug in de slaapkamer, vind ik wel deze.'

Ethan hoorde het lieve zilveren getingel van kleine klokjes.

Hij keek weg van de betonnen muur.

Hazard hield een reeks van drie concentrisch aan elkaar gebonden klokjes op zoals die in de ambulance hadden gehangen.

Hun blikken ontmoetten elkaar.

Ethan wist dat Hazard dan niet direct de aard van zijn geheimen had geraden, maar zeker wel het feit dat hij geheimen hád.

De verbazingwekkende dingen die met Ethan waren gebeurd in minder dan dertig uur, en nu ook met Hazard, plus het onverklaarbare geval van een lopende dode Dunny die mogelijk de moord op Reynerd had opgezet: dit alles moest te maken hebben met de inhoud van de zes zwarte dozen en het dreigement aan Manheim.

'Wat vertel je me niet?' vroeg Hazard.

Na een lange pauze zei Ethan: 'Ik heb ook een setje klokjes.'

'Heb jij die net zoals ik in een droom gekregen?'

'Ik kreeg die van mij net voordat ik doodging in een ambulance, gisteren, aan het einde van de middag.'

55

Ongehinderd door zowel smakeloze muziek als stemmen vanuit het hiernamaals, leidden vier trappen naar de laagste van de drie ondergrondse verdiepingen van het ziekenhuis.

Ethan en Hazard volgden de bekende, helder verlichte witte gang, langs de tuinkamer naar een stel dubbele deuren. Erachter was de ambulancegarage.

Tussen andere auto's die bij het ziekenhuis hoorden, stonden vier ambulances naast elkaar. Lege parkeerplaatsen suggereerden dat andere wagens uit de vloot op de regenachtige dag aan het werk waren.

Ethan liep naar de dichtstbijzijnde ambulance. Hij aarzelde, maakte toen de achterdeur open.

Binnen was rode folie aan het dak vastgemaakt langs zowel de linker- als de rechterkant van het interieur. Zes bosjes klokjes hingen ook hier, een setje aan het begin, een ander in het midden en een derde aan het einde van elke folieslinger.

Bij de tweede ambulance zei Hazard: 'Hier.'

Ethan ging bij hem staan bij de open achterdeur.

Twee slingers van rode folie. Slechts vijf setjes klokjes. Het ontbrekende setje, in het midden van de rechterfolieslinger, was het setje dat hij had gekregen toen hij ging sterven.

Een kille trilling, bijna een druk, bewoog zich langzaam langs het midden van zijn rug, alsof de vleesloze vingerpunt van een skelet langs zijn ruggengraat ging, van nekwervel tot staartbeentje.

Hazard zei: 'Er ontbreekt een setje, maar samen hebben we er twee.'

'Misschien niet. Misschien hebben we hetzelfde setje.'

'Wat bedoel je?'

Achter hen zei een man: 'Kan ik jullie helpen?'

Toen hij zich omdraaide zag Ethan de ambulancebroeder die hem nog geen vierentwintig uur daarvoor had geholpen in de voortracende ambulance.

De ontdekking van de klokjes in zijn hand voor Forever Roses was al een stukje te veel duistere magie geweest. Om nu oog in oog te komen met deze man, die hij eerder alleen in die droom had gezien, maakte het sterven in de ambulance bijna echt, ook al ademde hij nog steeds en leefde hij nog.

De schok van de herkenning was niet wederzijds. De ambulancebroeder bekeek Ethan met niet meer belangstelling dan hij misschien tegenover elke vreemde zou hebben getoond.

Hazard liet zijn politiepenning zien. 'Hoe heet u, meneer?'

'Cameron Sheen.'

'Mr. Sheen, we moeten weten aan welke oproepen juist deze ambulance gistermiddag gevolg heeft gegeven.'

'Op welke tijd precies?' vroeg de broeder.

Hazard keek Ethan aan en Ethan vond zijn stem. 'Tussen vijf en zes uur.'

'Ik reed toen met Rick Laslow,' zei Sheen. 'Een paar minuten na vijven kwam er een politieoproep binnen, een elf tachtig, ongeluk met ernstig letsel, hoek van Westwood Boulevard en Wilshire.'

Dat was op kilometers afstand van de plaats waar Ethan van de PT Cruiser was gestuiterd.

'Honda in aanvaring met een Hummer,' zei Sheen. 'Wij vervoerden de man uit de auto. Hij zag eruit alsof hij tegen een Peterbilt was aan gelopen, in plaats van tegen een Hummer. We hebben hem direct naar chirurgie gebracht in onze persoonlijk beste tijd, en van wat ik hoor, komt hij er weer goed genoeg uit te voorschijn om te huppen en te wippen.'

Ethan noemde de twee straten van de kruising op een half blok afstand van Forever Roses. 'Krijgen jullie ook zo ver in west oproepen?'

'Zeker. Als we een manier denken te weten om opstoppingen te vermijden gaan we overal heen waar maar bloed ligt.'

'Hebben jullie gereageerd op een oproep op de kruising gisteren?' De ambulancebroeder schudde zijn hoofd. 'Rick en ik niet. Misschien een van de andere wagens. Je zou in het logboek kunnen kijken.'

'Je komt me bekend voor,' zei Ethan. 'Hebben we elkaar eerder ontmoet?'

Sheen fronste zijn voorhoofd, leek zijn geheugen na te zoeken. Toen: 'Niet dat ik weet. Willen jullie dus het logboek inkijken?'

'Nee,' zei Hazard, 'maar nog één ding.' Hij wees op een van de folieslingers achter in de ambulance. 'Het middelste setje klokken is weg.'

Sheen tuurde in de bus en zei: 'Ontbreken er klokjes? O ja? Het lijkt me zo. Wat is ermee?'

'We vragen ons af wat ermee gebeurd is.'

Verwarring deed Sheens gezicht samentrekken. 'O ja? Die klokjes? Kan me niet herinneren dat er tijdens mijn dienst iets mee is gebeurd. Misschien dat een van de jongens van een andere dienst jullie kan helpen.'

Op een blik van Hazard haalde Ethan zijn schouders op. Hazard sloeg de deur van de ambulance dicht.

Sheens verwarring ging over naar verbazing. 'Je bedoelt toch niet dat ze twee rechercheurs sturen omdat iemand een kerstversiering van twee dollar heeft gejat?'

Ethan noch Hazard had daar een antwoord op.

Sheen had er verder op door moeten gaan, maar zoals zoveel mensen tegenwoordig gaf zijn onwetendheid over de werkelijke aard van het werk van een smeris hem een zelfgenoegzaam superieur gevoel tegenover iedereen met een penning. 'Wat is er voor nodig om een katje uit een boom te halen? Een SWAT-team?'

Hazard zei: 'De ontbrekende versiering is niet alleen maar een kwestie van twee dollar, hè, rechercheur Truman?'

'Nee,' beaamde Ethan, terugvallend in hun oude ritme, 'het gaat om het principe. En het is een misdaad uit haat.'

'Beslist een ernstig misdrijf uit haat volgens het Californische Criminele Wetboek,' zei Hazard met een uitgestreken gezicht.

'Voor de duur van deze tijd,' zei Ethan, 'zijn we toegewezen aan de brigade Diefstal kerstversieringen.'

'Dat is een divisie,' voegde Hazard eraan toe, 'van de speciale eenheid van de kerstgedachte conform de Anti-haatwet van 2001.'

Een aarzelende glimlach kroop over het gezicht van Sheen toen hij zijn hoofd schuin hield, eerst naar Ethan en vervolgens naar Hazard. 'Jullie nemen me in de maling, hè, spelen *Dragnet*.'

Terwijl hij een intense blik van afkeuring gebruikte waarmee hij alles kon doen verschrompelen van de grootste boef tot aan boeketten, zei Hazard: 'Bent u een kersthater, Mr. Sheen?'

Sheens aarzelende glimlach verstarde voordat hij volledig gevormd was. 'Wat?'

'Gelooft u,' vroeg Ethan, 'in de vrijheid van godsdienst of bent u zo iemand die gelooft dat de Amerikaanse grondwet u de vrijheid garandeert zich van de godsdienst af te keren?'

Terwijl hij met zijn ogen knipperde waardoor de glimlach daar ook verdween en zijn lippen aflikte, zei de ambulancebroeder: 'Zeker, natuurlijk, vrijheid van godsdienst, wie gelooft er niet in?'

'Als we een bevel zouden halen om uw huis nu te doorzoeken,' zei Hazard, 'zouden we dan een verzameling antichristelijke haatliteratuur vinden, Mr. Sheen?'

'Wat? Ik? Ik haat niemand. Ik ben een gemakkelijk man. Waar hebben jullie het over?'

'Zouden we materiaal vinden om bommen mee te maken?' vroeg Ethan.

Zoals Sheens grijns was verstard en gebroken onder Hazards kille blik, trok nu alle kleur uit zijn gezicht weg en werd hij net zo grijs als de ongeverfde betonnen muren van de ambulancegarage. Achteruitstappend van Hazard en Ethan, terwijl hij zijn handen omhoog bracht alsof hij een time-out aanvroeg, zei Sheen: 'Wat is dit? Menen jullie dit? Dit is krankzinnig. Wat – er is een kerstversiering van twee dollar weg, en ik moet nu een advocaat bellen?'

'Als u er een hebt,' zei Hazard ernstig, 'zou het misschien slim van u zijn hem eens te bellen.'

Nog steeds niet zeker wat hij moest geloven, deed Sheen weer een stap naar achteren, twee, draaide zich toen om en haastte zich naar het dagverblijf waar het ambulancepersoneel wachtte tot het erop uitgestuurd werd.

'SWAT-team, m'n reet,' gromde Hazard.

Ethan glimlachte. 'Wat je zegt, maat.'

'Wat jij zegt, maat.'

Ethan was vergeten hoeveel gemakkelijker het leven kon zijn met assistentie, vooral assistentie met gevoel voor humor.

'Je zou eigenlijk weer terug moeten komen naar het korps,' zei Hazard toen ze door de garage naar de deuren van de gang naar de tuinkamer liepen. 'We zouden de wereld kunnen redden en wat lol hebben.'

Op de trappen naar de bovenste verdieping van de publieke garage, zei Ethan: 'Stel dat al deze krankzinnigheid vroeg of laat stopt – in je buik geschoten worden maar niet heus, de klokjes, de stem over de telefoon, een man die je kastspiegel inloopt. Denk je dat het mogelijk is gewoon terug te keren naar het normale smeriswerk alsof er niets vreemds is gebeurd?'

'Wat moet ik anders – monnik worden?'

'Het lijkt me dat dit... dingen zal veranderen.'

'Ik ben blij met wie ik ben,' zei Hazard, 'ik ben al zo cool als wat. Denk je niet dat ik cool ben tot in mijn chromosomen?'

'Je bent lopend ijs.'

'Wat niet wil zeggen dat ik geen warmte heb.'

'Wat het niet wil zeggen,' beaamde Ethan.

'Ik heb een heleboel warmte.'

'Je bent zo cool, dat je hot bent.'

'Precies. Dus er bestaat geen enkele reden voor mij om te veranderen, tenzij ik misschien Jezus ontmoet en Hij me een lel voor mijn kop geeft.'

Ze waren niet op een begraafplaats, liepen niet te fluiten, maar de teneur van hun woorden, die van de grafkoude wanden van het trappenhuis weerkaatsten, bracht oude filmbeelden in Ethans geest van jongens die hun angst maskeerden met vertoon van bravoure terwijl ze midden in de nacht over een kerkhof zwierven.

56

Op een slijpsteen van zelfontkenning, met de ijver van een waarachtig bezetene, had Brittina Dowd zichzelf geslepen tot een lang, dun mes. Als ze liep leken haar kleren zeker aan flarden te worden gesneden door de scharende bewegingen van haar lichaam. Haar heupen waren gewet tot die bijna net zo teer waren als vogelbotjes. Haar benen leken op die van een flamingo. Haar armen hadden niet meer substantie dan vleugels zonder veren. Brittina leek vastbesloten zichzelf te snoeien tot een lichte bries haar omhoog zou voeren, naar het hoge gebied van winterkoning en mus. Ze was eigenlijk geen enkelvoudig mes, maar een heel Zwitsers zakmes met alle snij- en steekmogelijkheden uitgevouwen.

Corky Laputa had misschien van haar kunnen houden als ze niet zo lelijk was geweest.

Hoewel hij niet van Brittina hield, vrijde hij wel met haar. De wanorde waarin ze haar skeletachtige lichaam had gevormd, wond hem op. Dit was als vrijen met de Dood.

Ze was pas zesentwintig en had zichzelf vlijtig voorbereid op een vroeg optredende osteoporose, alsof ze smachtte in scherven te vallen, teruggebracht te worden tot deeltjes, precies zoals een kristallen vaas die van een plank op een stenen vloer valt.

In hun hartstocht verwachtte Corky altijd doorboord te worden door een van haar knieën of ellebogen of om te horen dat Brittina onder hem aan duigen viel.

'Pak me,' zei ze, 'pak me', en het lukte haar het minder te doen klinken als een uitnodiging tot seks dan als een verzoek om met zelfmoord geholpen te worden.

Haar bed was smal, slechts geschikt voor een slaper die niet woelde en draaide, die even onbeweeglijk lag als een gemiddelde bewoner van een doodskist, veel te smal voor de woeste bronst waar ze allebei toe in staat waren.

Ze had de kamer ingericht met een eenpersoonsbed omdat ze nog nooit een minnaar had gehad en had verwacht maagd te blijven. Corky had haar het hof gemaakt met hetzelfde gemak als waarmee hij een kolibrie in zijn vuist had kunnen verpletteren.

Het smalle bed stond in een kamer op de bovenste verdieping van een smal Victoriaans huis van twee verdiepingen. Het perceel was diep maar te smal om aanspraak te maken op de benaming woonhuis onder de huidige stadsregels.

Bijna zestig jaar geleden, net na de oorlog, had een excentrieke hondenliefhebber het merkwaardige huis ontworpen en gebouwd. Hij had er gewoond met twee hazewindhonden en twee whippets. Ten slotte was hij verlamd geraakt door een beroerte. Nadat er verscheidene dagen voorbij waren gegaan dat hun baasje hun niet te eten had gegeven, hadden de uitgehongerde honden hem opgegeten.

Dat was veertig jaar geleden gebeurd. De latere geschiedenis van dit huis was soms net zo kleurrijk en bijna net zo akelig als het leven en de gruwelijke dood van de eerste eigenaar.

De vibraties van het huis hadden de aandacht van Brittina getrokken zoals het hoge piepen van een hondenfluitje misschien de oren van een whippet overeind deden staan. Ze had het gekocht met een deel van de erfenis die ze had gekregen van haar grootmoeder van vaderszijde.

Brittina was student aan dezelfde universiteit die generaties lang werk had verschaft aan de familie Laputa. Over anderhalf jaar zou ze haar doctoraal doen in Amerikaanse literatuur, die ze voornamelijk haatte.

Hoewel ze niet haar hele erfenis erdoorheen had gejaagd met het huis, moest ze haar geïnvesteerde geld aanvullen met andere inkomsten. Ze had gewerkt als een universiteitsassistente om de naar chocola smakende Slim-Fast en braakwortel voor zichzelf te kunnen kopen.

Toen, zes maanden eerder, had de persoonlijke assistent van Channing Manheim de voorzitter van de Engelse faculteit benaderd om uit te leggen dat er een nieuwe leraar nodig was voor de zoon van de beroemde acteur. Alleen academici van het hoogste niveau konden reageren.

De voorzitter kwam naar Corky die vice-voorzitter was van de faculteit en Corky beval miss Dowd aan.

Hij wist dat ze aangenomen zou worden omdat die idioot van een filmster in de eerste plaats onder de indruk zou raken van haar dramatische verschijning. Lijkbleek, een ingevallen gezicht en het lichaam van een non met anorexia zou gezien worden als bewijs dat Brittina maar weinig gaf om de geneugten van het vlees, dat ze voornamelijk van het leven van de geest genoot en dat ze daardoor een oprechte intellectueel was.

In de amusementsindustrie telde alleen het uiterlijk. Manheim zou daardoor geloven dat het uiterlijk in andere beroepen ook met de werkelijkheid overeenkwam.

Daarbij was Brittina Dowd een intellectuele snob die haar spraak kruidde met een academisch jargon dat nog ondoordringbaarder was dan het laboratoriumlingo van microbiologen. Als de vermagering van de jonge vrouw de filmster niet overtuigde van haar intellectuele kwaliteiten, zouden haar moeilijke woorden dat wel doen.

Uiteindelijk werd ze de lerares Engels en literatuur voor Aelfric Manheim, waardoor ze regelmatig een bezoek bracht aan het Palazzo Rospo.

Hieraan voorafgaande hadden Rolf Reynerd en Corky in algemene bewoordingen gesproken over de slag die zou worden toegebracht in naam van sociale wanorde door te bewijzen dat zelfs een beroemdheid van wereldniveau kwetsbaar was voor de agenten van de chaos. Het was hun pas gelukt een ideaal doelwit te vinden toen Corky's minnares door Channing Manheim werd ingehuurd.

Van Brittina was Corky, in bed en daarbuiten, veel aan de weet gekomen over het landgoed van Manheim. En inderdaad onthulde ze hem het bestaan van Lijn 24 – en, wat belangrijker was, ze vertelde hem over de veiligheidsagent Ned Hokenberry, dapper vertegenwoordiger van het treurige levenslied, die volgens Fric was weggestuurd omdat hij nepberichten van de doden op dat antwoordapparaat had achtergelaten.

Brittina had ook voor Corky een gedetailleerd psychologisch portret van Channings zoon geschilderd. Dit zou van onschatbare waarde zijn als hij, met Aelfric in zijn macht, doorging met de emotionele destructie van de jongen.

Tijdens het nagenieten van de dolle insectenseks, had Brittina nooit ook maar één keer vermoed dat Corky's belangstelling voor alle dingen van Manheim misschien te maken had met iets dat verder ging dan gewone nieuwsgierigheid. Ze was onwetend medeplichtige, een naïef verliefd meisje.

'Pak me,' zei Brittina nu, 'pak me', en Corky gaf gehoor.

De wind sloeg tegen het smalle huis, een harde regen geselde de magere zijkanten ervan, en in het smalle bed stootte Brittina als een opgewonden bidsprinkhaan.

Ditmaal, in hun postcoïtale omhelzing, hoefde Corky geen vragen meer te stellen die te maken hadden met Manheim. Hij had meer informatie over dat onderwerp dan hij nodig had.

Zo achteloos als haar gewoonte was, kwam Brittina in een monoloog over de nutteloosheid van literatuur terecht, de verouderde aard van het geschreven woord; de aanstaande triomf van het beeld over de taal; die ideeën die zij memes noemde, die schijnbaar als een virus van de ene geest op de andere werden overgebracht, waardoor een nieuwe manier van denken in de samenleving werd gecreëerd.

Corky meende dat zijn geest zou exploderen als ze niet haar bek hield, waarna hij een nieuwe manier van denken nódig zou hebben.

Uiteindelijk stond Brittina rammelend op van hun liefdesnestje met de bedoeling ratelend naar de badkamer te gaan.

Corky stak zijn hand onder het bed en pakte het pistool dat hij er eerder had verborgen.

Toen hij haar twee keer in de rug schoot, verwachtte hij half dat Brittina uit elkaar zou spatten in botsplinters en stof, alsof ze een antieke mummie was die breekbaar was geworden door twee eeuwen van uitdroging, maar ze viel alleen maar dood neer in een bleke hoekige hoop.

57

In de jaren dat ze officieel partners waren geweest, opereerden Ethan en Hazard zoveel mogelijk volgens het boekje dat grotendeels was geschreven door mensen die nooit het werk hadden gedaan.

Maar op deze decemberdag, nu onofficieel partners, speelden ze boeven. Boef zijn deed Ethan zich ongemakkelijk voelen, maar het gaf hem het vertroostende gevoel dat ze in ieder geval de zaak in handen namen.

Een briefje op de deur van Rolf Reynerd meldde dat flat 2B nog in onderzoek bij de politie was. Het pand was verboden terrein voor iedereen behalve daartoe gemachtigd politiepersoneel en mensen van het kantoor van de openbare aanklager.

Ze negeerden de waarschuwing.

Het lipsslot op de flatdeur van Rolf Reynerd was bedekt met een politiezegel. Ethan verbrak het en trok het los.

Hazard had een Lockaid slotopener-pistool bij zich, een werktuig dat uitsluitend aan politiediensten werd verkocht. Onder gewone omstandigheden zou hij dit apparaat met het juiste papierwerk hebben aangevraagd, met de vermelding waarvoor het gebruikt ging worden en zeker altijd met een verwijzing naar een bestaand huiszoekingsbevel.

Dit waren geen gewone omstandigheden.

Hazard had met ongewone middelen de hand weten te leggen op een van de Lockaids van het bureau. Hij zou heel erg op het randje lopen tussen rechtschapenheid en ondergang tot hij het instrument terugbracht in de instrumentenkast waar het thuishoorde.

'Als je te maken hebt met de een of andere magische man die in spiegels verdwijnt,' zei hij, 'staat je leven toch al op het spel.'

Hazard stak de dunne pen van de Lockaid in het sleutelgat van het lipsslot onder de tuimelaars. Hij drukte vier keer op de trekker voor de stalen veer in het pistool alle sluitstiften te pakken had en het slot volledig open was.

Ethan volgde Hazard de flat in en sloot de deur achter zich. Hij probeerde om en over de vlekken heen te stappen – Reynerds bloed – die het witte tapijt net binnen de drempel kleurden.

Hij had zelf rivieren van bloed uitgestort op dit tapijt. Was erop gestorven. De ervaring kwam weer boven in zijn herinnering, te levendig om een droom te zijn geweest.

Het meubilair in zwart en wit, de kunst en de versieringen bleken precies zo te zijn als hij zich herinnerde.

Op de wanden een groep duiven midden in de vlucht. Als witte kalkvlekken op grijs leisteen vlogen ganzen door een sombere lucht en een verzameling uilen zat op een schuurdak te delibereren over het lot van muizen.

Hazard was er de vorige avond bij geweest toen de flat voor het eerst werd doorzocht. Hij wist wat er was meegenomen als mogelijk bewijs en wat er was achtergebleven.

Hij liep direct naar die hoek van de woonkamer waar een zwart gelakt bureau stond met nepivoren grepen op de laden. 'Wat we nodig hebben, zit waarschijnlijk hierin,' zei hij, en doorzocht de laden van boven tot onder.

Kraaien op een ijzeren hek, een arend op een rots, een fel kijkende reiger even prehistorisch als een pterodactylus: allemaal staarden ze deze kamer in vanuit een andere tijd, een andere plaats.

Ethan had, zonder zich ervoor te schamen, het paranoïde gevoel dat de vogels, toen hij wegkeek van de grote foto's, hun koppen meedraaiden om hem in de gaten te houden, allemaal zich ervan bewust dat hij dood hoorde te zijn en dat de man die hun foto's had verzameld nog hoorde te leven om hen te bewonderen.

'Hier,' zei Hazard terwijl hij een schoenendoos uit een van de bureauladen pakte. 'Bankafschriften, geweigerde cheques.'

Ze gingen aan de roestvrijstalen tafel met een zwart formica blad in de eethoek zitten om Reynerds financiële archief door te nemen. Naast de tafel: een raam. Achter het raam: de tumultueuze dag, volledig in tinten grijs, door de wind voortgejaagd en overspoeld, nu zonder donder en bliksem, toch onheilspellend, duister en ijzingwekkend.

Het licht bleek te zwak om hun werk te vergemakkelijken. Hazard stond op en knipte de kleine zwart-witte keramische kroonluchter boven de tafel aan.

Elf stapeltjes cheques werden met elastieken samengehouden, voor elke maand van het huidige jaar een, vanaf januari tot en met november. De ongeldig gemaakte cheques van de huidige maand zouden pas midden januari door de bank verwerkt worden.

Als ze klaar waren, zouden ze alles in de schoenendoos terug moeten doen en de doos terug moeten zetten in de lade, precies zoals Hazard hem had gevonden. Sam Kesselman, de rechercheur die met de moord op Mina Reynerd belast was, zou ongetwijfeld dezelfde cheques doornemen als hij hersteld was van de griep en na de kerst weer aan het werk ging, en het gedeeltelijke scenario van de dode acteur las.

Maar als ze op Kesselman wachtten, zou Channing Manheim al dood kunnen zijn. En Ethan ook.

Ze moesten alleen die cheques nazien die in de eerste acht maanden van het jaar, voorafgaande aan de moord op Mina Reynerd, waren uitgeschreven.

Hazard nam vier maanden cheques. Hij schoof vier stapeltjes over tafel naar Ethan.

In het scenario had een werkloze en ondergewaardeerde acteur acteerlessen gevolgd op de universiteit, waar hij een professor had ontmoet met wie hij een plan had uitgedacht om de grootste filmster ter wereld te vermoorden. Als de fictieve academicus geïnspireerd was door een professor in het echte leven, zou een cheque voor het lesgeld naar een instituut van universitair onderwijs kunnen verwijzen waar de zoektocht moest beginnen.

Snel kwamen ze erachter dat Rolf Reynerd een fanaat was geweest op het gebied van doorlopend onderwijs. Zijn aantekeningen op de aantekenregel van elke cheque waren nauwgezet en behulpzaam. In de eerste acht maanden van het jaar had hij een paar congressen van drie dagen in het weekend over acteren bijgewoond, een andere over script schrijven, een seminar van één dag over publiciteit en zelfpromotie, en twee cursussen voor gevorderden op de universiteit over Amerikaanse literatuur.

'Zes mogelijkheden,' zei Hazard. 'Ik denk dat we een drukke dag voor de boeg hebben.'

'Hoe sneller we die natrekken, hoe beter,' beaamde Ethan. 'Maar Manheim komt pas donderdagmiddag terug uit Florida.'

'En?'

'We hebben morgen nog.'

Hazard keek langs Ethan naar het raam en staarde in de storm, alsof hij de regen met dezelfde verwachting van een betekenis las die een waarzegger uit natte theeblaadjes haalde.

Na nagedacht te hebben, zei hij: 'Misschien moeten we helemaal niet op morgen rekenen. Ik krijg het gevoel dat we nog maar heel weinig tijd hebben.'

58

De dun geklede botten tuimelden tegen de vloer, gaven geen kreet van verrassing, geen kreun, geen meme.

Om er zeker van te zijn dat Brittina dood was, wilde Corky nog een schot op haar afvuren, ditmaal in haar achterhoofd. Helaas was zijn pistool meer geluid gaan maken.

Zelfs de allerbeste geluiddemper wordt minder bij gebruik. Ongeacht het materiaal dat er werd gebruikt om het schot in de verlenging van de loop te smoren, trok het iets samen en verminderde het in functie.

Daarbij bezat Corky geen demper van de kwaliteit die door agenten van de CIA werd gebruikt. Je kon geen materialen en vakmanschap verwachten overeenkomend met die van de grote vuurwapenfabrikanten als je een demper kocht bij anti-kalfsvleesactivisten. Hij had Hokenberry zesmaal geraakt en Brittina twee keer. In slechts acht schoten was het pistool zijn stem weer terug gaan vinden.

Misschien was de laatste kogel buiten het smalle huis niet te horen geweest, maar de volgende zou luider klinken. Hij was een man die berekende risico's nam, maar dit sloeg nergens op.

In de koffer van zijn auto, in de gereedschapskist, had hij nog een nieuwe demper, evenals een nachtkijker en een doos met injectienaalden met flesjes kalmerende middelen en gif.

Maar zoals altijd had hij een paar blokken van Brittina's huis geparkeerd, in een andere straat als die van haar. Omdat Corky een aanstelling als professor had en zij studente was, hadden ze hun romantische relatie steeds heel discreet gehouden.

Om naar en van de BMW te lopen en een vervangingsdemper te halen, leek een onnodige complicatie. In plaats daarvan hurkte hij naast zijn beschadigde minnares neer en voelde haar hals om te kijken of hij een hartslag in haar halsslagader kon vinden.

Ze was zo dood als een dodo.

In de badkamer waste Corky zijn genitaliën, handen en gezicht. Als je verliefd was op chaos, hoefde je nog niet een goede persoonlijke hygiëne te verwaarlozen.

Uit het medicijnkastje pakte hij een grote fles mondwater. Omdat Brittina toch dood was en zich niet beledigd kon voelen, nam Corky een teug direct uit de fles en gorgelde.

Haar kussen hadden hem een slechte smaak bezorgd.

Ten gevolge van Brittina's gewoonte meer wel dan niet te vasten, was ze vaak in een toestand van ketonemie geweest waardoor haar lichaam werd gedwongen dat beetje aan vetreserves dat ze zo nauwgezet bewaakte te verbranden. Symptomen van ketonemie zijn onder andere misselijkheid en overgeven, maar een aangenamer symptoom is een zoete naar fruit geurende adem.

Corky genoot van de geur van haar adem, maar als ze een hele-boel speeksel hadden uitgewisseld, tong tegen tong, hield hij soms een zure nasmaak over. Zoals voor alle dingen in een imperfecte wereld, betaalde je altijd een prijs voor vrijen.

In dit geval was de prijs voor Brittina natuurlijk veel groter ge-weest dan voor hem.

Hij kleedde zich snel aan. Op kousenvoeten liep hij de smalle trap af naar de nauwe keuken aan de achterkant van het huis.

Zijn gele regenjas en regenhoed hingen aan een haak in de muur van de kleine met een hor afgeschermde veranda achter de keu-ken. Zijn zwarte laarzen stonden naast de regenjas.

De regen daverde met zo'n kracht op het dak van de veranda dat het klonk als het geluid van stortregen in de tropische jungle. Hij verwachtte in de achtertuin half grijnzende krokodillen te zien en pythons die door de bomen kronkelden.

Hij stak het pistool in een van de ruime zakken van de regenjas. Uit een andere zak haalde hij een stuk soepele rubberslang en een object dat leek op een kleine fles vruchtenyoghurt, hoewel het zwart was en een rood deksel had en geen illustratie bevatte van heerlijk fruit.

Omdat hij geen reden meer had zich zorgen te maken over Britti-na's schone vloer, trok hij zijn laarzen aan en liep het huis weer in. De zware, vochtige stappen van zijn laarzen piepten op de vi-nyltegels van de keuken.

Zijn werk was nog niet klaar. Hij had bewijs achtergelaten dat hem zou veroordelen wegens moord. Sperma, haar, vingeraf-drukken – het moest allemaal geëlimineerd worden.

Vanaf de dag dat hij was begonnen deze samengeknepen behui-zing te bezoeken, maanden eerder, was hij zonder de latex hand-schoenen gekomen die hij gewoonlijk droeg op plaatsen van een ernstig misdrijf. Ook al was Brittina Dowd heel excentriek, ze zou zeker argwaan gekregen hebben tegen een minnaar die altijd ope-ratiehandschoenen droeg.

Een steilere en smallere trap dan ergens anders in het huis leidde vanuit de keuken naar beneden naar een garage waarin drie van de vier muren ondergronds waren. De duisternis verzamelde zich hier net zo weelderig als het ooit was samengekomen in welke ca-tacombe of kerker ook.

Corky kon bijna een enorme hoeveelheid spinnen horen die tok-kelden op hun zijdeachtige harpen.

Vier kleine ramen in de garagedeur zouden op een klassieke Ca-lifornische dag enig zonlicht hebben toegelaten. Nu kon de grijze stormachtige duisternis niet door het stoffige glas heen komen.

Hij knipte een kale peer aan het plafond aan, amper voldoende licht om bloed bij de god van het *mazdaïsme* af te tappen.

De god van met mazdaïsme is Ahoera Mazda. Brittina's auto was een Mazda, zonder de Ahoera, maar Corky genoot toch van zijn kleine grap.

Uit de koffer haalde hij vier spuitbussen van het formaat haarlak die door een gestrande automobilist gebruikt konden worden om een lekke band weer op te blazen en tegelijkertijd het gat erin te dichten. Hij zette die opzij en pakte daarna uit de koffer een paar lege jerrycans van zeveneneenhalve liter.

Hij had die dingen voor Brittina gekocht, naast wegbakens en een gele vlag met NOOD erop in vette, zwarte letters en had erop gestaan dat ze die altijd in de koffer bewaarde van haar god van het mazdaïsme.

Ze was ontroerd geweest door zijn bezorgdheid en had gezegd dat diamanten zijn liefde niet zo zeker bewezen zouden hebben als deze nederige cadeaus. Ze waren in werkelijkheid deel van zijn voorbereidingen om van haar lichaam af te komen als de dag aanbrak dat hij haar vermoordde.

Corky zou nooit ontkennen dat hij schitterend romantisch kon zijn als het nodig was, maar groter dan zijn flair voor romantiek was zijn talent voor nauwgezette voorbereidingen. Of hij nu een kalkoen voor Thanksgiving aan het roosteren was, een lastige minnares vermoordde of een plan maakte om de zoon van de grootste filmster ter wereld te ontvoeren, hij benaderde de taak met aanzienlijk veel aandacht en geduld, nam alle tijd die nodig was om een vlekkeloze strategie te ontwikkelen, evenals de tactieken om succes te verzekeren.

Ze had nooit gevraagd naar het waarom van *twee* jerrycans, als ze er maar één gemakkelijk kon dragen. Hij had gewéten dat ze het nooit zou vragen of zich dingen zou afvragen, want ze was een vrouw van beelden en memes en utopische dromen geweest, niet een vrouw met belangstelling voor wiskunde of logica.

Hij zette de twee lege jerrycans op de vloer. Hij stak een kort einde van de rubberen slang in de benzinetank van de auto. Hij moest aan het andere einde zuigen om de hevelwerking te beginnen.

Veel oefening met dit soort dingen zorgde ervoor dat Corky zo min mogelijk dampen in zijn longen zoog, en dat niets van het artikel van Shell in zijn mond terechtkwam. Het begon snel te stromen toen hij het langste einde in de eerste jerrycan stak.

Toen er vijftien liter uitgeheveld was en beide blikken vol waren, droeg Corky de jerrycans naar de benedenetage. Het losse einde van de hevel liet een stroom benzine op de garagevloer achter.

Hij ging terug voor de vier spuitbussen. In de keuken zette hij er twee op het laagste rek van de onderste oven. Hij zette de andere twee op het laagste rek van de bovenste oven.

Op weg naar boven met een van de jerrycans van zeveneneenhalve liter zette hij de thermostaat van de benedenverdieping uit en daarna de thermostaat op de bovenverdieping. Dit zou voorkomen dat een elektrische starter een vonk veroorzaakte in het gasfornuis en mogelijk een explosie begon met de verzamelde benzinedampen voordat Corky het huis had verlaten.

Terwijl hij het deksel op de jerrycan liet zitten en uitschonk met de tuit, begoot hij vrijelijk het bleke naakte lichaam van Brittina Dowd. Haar lange haar bood een tondel, maar ze had niet veel vet om het vuur te voeden.

Na niet meer dan een liter benzine in de badkamer uitgegoten te hebben, verdeelde hij misschien drie liter over het verkreukte beddengoed. Hij prepareerde niet de andere twee slaapkamers boven, omdat hij er nooit in was geweest en omdat hij niet elke hoek hoefde te begieten om het effect te krijgen dat hij wilde hebben.

Vanaf de slaapkamer goot hij een ononderbroken spoor benzine uit door de smalle gang boven en over de trap naar beneden, naar de benedenetage. Onder aan de trap gooide hij het lege blik weg en pakte het volle.

Hij liep verder in een kring door de woonkamer en de eetkamer naar de deur van de keuken. Daar zette hij het blik op de drempel. Hij draaide het deksel eraf en gooide dat weg.

Uit een jaszak haalde hij het rood met witte ding dat ongeveer zo groot was als een yoghurtpak: een chemische ontsteker.

Het omhulsel van de ontsteker was ietwat vervormbaar. Hij propte het in het gat dat door de schroefdop bedekt was geweest, en zette zo de jerrycan van zeveneneenhalve liter met ongeveer nog twee liter erin op scherp.

Hij haalde een lipje van het rode deksel. Hiermee begon een chemische reactie die snel hitte zou veroorzaken en, in vier minuten, een explosie die sterk genoeg was om de resterende hoeveelheid in het blik van zeveneneenhalve liter tot ontbranding te brengen en het spoor van benzine dat ervandaan naar de slaapkamer op de eerste verdieping en naar het lijk leidde.

Dit zou een slecht moment zijn als iemand aanbelde.

Er klonk natuurlijk geen deurbel, omdat hij naast zijn mooie strategie, perfecte tactieken en nauwgezette voorbereiding kon rekenen op het geluk van Laputa. Zijn beschermengel was chaos en hij zat altijd midden in het veilige, rustige centrum van de wereldvernietigende kracht ervan.

Hij liep terug naar de ovens en sloot beide deuren om de zelfreinigende functie te beginnen. Op allebei drukte hij een knop in die aangaf SCHOONMAKEN.

De hitte zou snel de samengedrukte inhoud van beide ovens doen uitzetten, die zouden exploderen. Omdat de deuren dicht zaten, kon de kracht van de explosie niet gemakkelijk ergens anders heen. De resulterende ravage van de ovens zou ernstig genoeg zijn om een natuurlijk gaslek te veroorzaken en een nog grotere explosie.

De volledige destructie van het huis had de truc met de ovens niet nodig om te werken. De vijftien liter hoogst brandbare vloeistof die hij door het hele kleine bouwsel had uitgegoten en die in plassen op de vloer van de garage lagen zouden de vlammen voeden en elke bron van zijn DNA, van sperma tot haren, en elke vingerafdruk die hij had achtergelaten uitwissen. Toch geloofde hij waar maar mogelijk in een teveel.

Op de veranda achter werkte Corky zich in zijn volumineuze gele regenjas. Hij drukte de slappe regenhoed op zijn hoofd.

Hij ging de hordeur door en liep de trap af. Aan het einde van de achtertuin liep hij door een hek een steeg in en keek niet meer achterom naar het smalle huis.

Hij voelde zich heerlijk in de regen.

De regen gutste uit de hemel. De voortrazende stromen in de goten spoelden over de stoepranden.

De stortbui zou het vuur dat hij was begonnen niet doven. De door benzine gevoede vlammen zouden de houten structuur grondig ondermijnen voordat de muren instortten en de regen zouden toelaten.

De storm was zeker zijn bondgenoot. Ernstig overstroomde kruisingen en vastgelopen verkeer zouden de brandweer ophouden.

Hij was net een hoek om en in het gezicht van zijn BMW gekomen toen hij de eerste explosie in de verte hoorde. Het geluid was zacht, vlak, gedempt maar lelijk.

Gauw zou hij iedereen en elke aanwijzing hebben uitgewist die de politie misschien op zijn spoor zou zetten na de aanval op het Palazzo Rospo.

59

Uit de meer afgelegen kamers van het Palazzo Rospo haalde Fric in een picknickmand noodlantaarns voor het geval van aardbevingen.

Het huis en de buitengebouwen waren om seismische veiligheidsredenen verbouwd om ervoor te zorgen dat er weinig of geen schade zou optreden bij zelfs een beving van twee minuten met een piek van acht op de schaal van Richter.

Over het algemeen werd 8.0 gezien als het getal van zeg-maar-dag-met-je-handje. Aardbevingen van zo'n formaat zag je alleen maar in films.

Als een kolossale aardbeving de elektriciteitsvoorziening van de stad uitschakelde, zou het Palazzo Rospo terug kunnen vallen op benzinegenerators in een ondergrondse ruimte die muren en een plafond had van een halve meter dik gestort, gewapend beton. Na een catastrofe in de regio zou het huis volledig verlicht blijven, de computers en liften zouden blijven werken, de koelkasten zouden koud blijven.

In de rozentuin zou de gebeeldhouwde granieten fontein met de plassende cherubijnen eeuwig blijven spuiten.

Deze voorziening zou minder doeltreffend zijn als tot dusver onbekende vulkanen onder Los Angeles uitbarstten en rivieren van gesmolten lava zouden uitbraken die honderden vierkante kilometers zouden veranderen in een smeulende woestenij, of als er een asteroïde op Bel Air neerkwam. Maar zelfs een ster die zo beroemd en rijk was als Geestpapa kon zichzelf niet beschermen tegen een ramp van planetaire omvang.

Als de Zwitserse generators in de bunker niet meer werkten, dan zouden de rijen twintig jaar oude accu's van kasteel Frankenstein, elk zo groot als een op zijn kant staande doodskist, direct in actie komen. Ze ondersteunden een beperkte verlichting, alle computers, het veiligheidssysteem en andere noodzakelijke apparaten voor zesennegentig uur.

Zou de elektriciteitscentrale van de stad onklaar raken, zouden de generators niet meer werken, zouden de reusachtige twintig jaar oude accu's nutteloos blijken te zijn, dan waren er veel aardbevingslampen door het hele huis verspreid. Persoonlijk dacht Fric dat een dergelijke storing alleen maar waarschijnlijk was in het geval van een invasie van buitenaardse wezens met magnetische pulswapens.

In ieder geval, volgens Mrs. McBee, waren er 214 van die lantaarns, wat inhield dat je er je leven onder kon verwedden dat het er geen 213 en geen 215 waren.

Deze kleine, maar in potentie heldere zaklantaarns die op batterijen werkten, waren altijd aangesloten op een stopcontact in de plint waardoor ze voortdurend werden opgeladen. Als de elektriciteit uitviel gingen de aardbevingslampen onmiddellijk branden waardoor iedereen veilig uit het huis weg kon komen in de donkerste uren van het diepst van de nacht. Daarbij konden ze worden losgekoppeld en meegenomen alsof het gewone zaklantaarns waren. Net als de dekplaat op het stopcontact waarin ze zaten, kwam het plastic omhulsel van elke lantaarn overeen met de kleur van de plint waarin hij was gestoken: beige bij een kalkstenen plint, donkerbruin bij mahonie, zwart bij zwart marmer... In gewone tijden hoorden ze onopvallend te zijn. Als je er elke dag mee te maken had, merkte je ze al snel niet meer op.

Niemand behalve Mrs. McBee zou waarschijnlijk merken dat er een stuk of tien van die 214 ontbraken. Mrs. McBee zou pas donderdagochtend uit Santa Barbara terugkeren.

Toch stal Fric alleen maar de lantaarns uit afgelegen en weinig gebruikte kamers waar het gemis ervan waarschijnlijk minder snel tot een onderzoek zou leiden. Hij had ze nodig voor zijn onbekende en speciale schuilplaats.

Hij deed de lantaarns in een picknickmand omdat daar een scharnierend deksel op zat. Zolang hij het deksel dicht hield, bleef de inhoud onzichtbaar als hij een onverwachte ontmoeting had met iemand van de huishouding.

Als iemand vroeg wat er in de mand zat, zou hij liegen en zeggen: 'sandwiches'. Hij zou zeggen dat hij ging kamperen in een lakentent in de biljartkamer, waar hij zou doen alsof hij een Zwartvoetindiaan was die leefde in misschien 1880.

Het hele idee van het spelen van een Zwartvoet in de biljartkamer was gigantisch stompzinnig natuurlijk. Maar de meeste volwassenen geloofden dat sullige tienjarige jongens van dat soort stomme, sullige dingen deden, dus ze zouden hem geloven en waarschijnlijk medelijden met hem hebben.

Mensen konden beter medelijden met je hebben, dan dat ze dachten dat je net zo krankzinnig was als de kat met twee koppen van Barbra Streisand.

Dat was een van de uitdrukkingen van Geestpapa. Als hij dacht dat iemand niet helemaal spoorde, zei hij: 'De man is zo gek als de kat met twee koppen van Barbra Streisand.'

Jaren geleden had Geestpapa een contract getekend om een film te doen die werd geregisseerd door Barbra Streisand. Er was iets vreselijk fout gegaan. Uiteindelijk stapte hij uit het project.

Hij had nooit een negatief woord over miss Streisand gezegd. Maar dat betekende niet dat ze net zo graag met elkaar avonturen wilden beleven als alle kleine dieren in *The Wind in the Willows*.

In de amusementsindustrie deed iedereen alsof ze vrienden waren, ook al konden ze elkaars bloed wel drinken. Ze kusten elkaar, waren overdreven vriendelijk, altijd elkaar aan het omhelzen, elkaar schouderklopjes gevend, en zo overtuigend dat zelfs Sherlock Holmes er niet achter zou zijn gekomen wie nu echt wie wilde vermoorden.

Volgens Geestpapa durfde niemand in de amusementswereld de waarheid over iemand anders in dat wereldje te vertellen, omdat ze allemaal wisten dat ieder ander in staat was bloederige wraak te nemen met zo'n kwaadaardigheid dat het zelfs de gemeenste maffioso nog dun door de broek zou lopen.

Barbra Streisand had geen kat met twee koppen. Dit was gewoon een 'metafoor' zoals Frics vader het noemde, voor het een of andere verhaalelement of personage dat ze in haar film had willen stoppen nadat Geestpapa had getekend voor een scenario zónder de kat met twee koppen.

Hij vond het hele idee van een kat met twee koppen krankzinnig en miss Streisand had gedacht dat ze er een hele teringzooi aan oscars mee binnen zou halen. Dus ze kwamen overeen het niet met elkaar eens te zijn, kusten elkaar, omhelsden elkaar, gaven elkaar schouderklopjes, prezen elkaar en gingen zonder bloedvergieten uit elkaar.

Deze ochtend, in de gang bij de keuken, toen Fric Mr. Truman bijna had verteld over de spiegelman en Moloch en alles, was hij gevaarlijk dicht in de buurt gekomen net zo krankzinnig te zijn als de kat met twee koppen van Barbra Streisand. Hij zou die fout niet meer maken.

Zijn moeder was eens opgesloten geweest in een krankzinnigengesticht.

Ze zouden denken: *zo moeder, zo zoon.*

Zijn moeder had na tien dagen weer buiten gestaan.

Als Fric zou gaan praten over spiegelmannen, zouden ze hem nóóit meer loslaten. In geen tien dagen, in geen tien jaar.

Erger nog, als hij in een krankzinnigengesticht zat, zou Moloch precies weten waar hij hem kon vinden. Je kon je nergens verschuilen in een gecapitonneerde cel.

Terwijl hij de picknickmand droeg alsof hij op jacht was naar paas-
eieren, en stiekem aardbevingslampen stal uit het trappenhuis achter, uit de theekamer, uit de meditatiekamer, bleef Fric zichzelf
herinneren aan 'sandwiches, sandwiches', omdat hij bang was dat
hij, als hij uiteindelijk een dienstmeisje of bediende tegenkwam,
zijn tong niet meer kon bewegen en zou vergeten welke leugen hij
had willen vertellen.

Van nature was hij geen goede leugenaar. Op een plaats en een
tijd wanneer je moest liegen om voor normaal door te gaan, en
op een plaats en een tijd wanneer je moest liegen om te overleven,
was het dodelijk als je een slechte leugenaar was.

'Sandwiches, sandwiches.'

Hij was een debiel slechte leugenaar.

En hij was alleen. Zelfs met de een of andere halfgare beschermengel, was hij echt alléén.

Elke keer dat hij langs een raam kwam, werd hij er ook aan herinnerd dat de stormachtige dag snel aan z'n einde kwam en dat
Moloch hoogstwaarschijnlijk die avond zou komen.

Klein voor zijn leeftijd, mager voor zijn leeftijd, een slechte leugenaar, alleen, *tik-tik-tik*: hij had niets in zijn voordeel.

'Pandwiches,' mompelde hij tegen zichzelf. 'Alleen maar sindakaas
pandwiches.'

Hij was ten dode opgeschreven.

60

Koninginnenpalmen, koningspalmen, koninklijke palmen en fe-
nikspalmen schudden hun vederachtige kruinen zoals de door de
storm opgezweepte bomen in *Key Largo*. Bussen, auto's, vrachtwagens en suv's verstopten de straten, met ruitenwissers die het
aflegden tegen de neerstortende regen, de zijraampjes half beslagen, claxons toeterend, remmen gierend om het andere verkeer af
te bluffen, stationair draaiend, gas gevend en weer stationair draaiend. De chauffeurs wasemden een tastbare frustratie uit die deed
denken aan de openingsscène van *Falling Down,* minus de zomerse
hitte van die film, minus Michael Douglas, hoewel Ethan veronderstelde dat Michael Douglas ook weleens in deze narigheid kon
zitten, en stilaan net zo krankzinnig werd als zijn filmpersonage.
Voor een boekwinkel, onder een luifel, stond een groepje beschil-

derde punkrockers met rechtopstaand haar en piercings in wenkbrauw, neus en tong, of gewone punks, gekleed in het zwart, een van hen met een bolhoed waardoor hij deed denken aan de lulhannesen in *A Clockwork Orange*. Verderop naderde een groepje tienerschoolmeisjes, allemaal mooi, die genoten van hun winterse vrijheid, zonder paraplu's, hun haar aan hun hoofden gepleisterd, allemaal lachend, en allemaal speelden ze de rol van een artistiekerig feestmeisje, probeerden allemaal Holly Golightly te zijn in een remake van *Breakfast at Tiffany's*, ditmaal opgenomen op vijfduizend kilometer afstand van de oorspronkelijke lokatie, ditmaal aan de woeste kust van het land. De duistere storm veranderde de middag in een schemering, alsof de een of andere regisseur 'day-for-night'-opnamen aan het maken was. De lichten van de winkels, het neon, de koude-kathodebuizen, de heldere slingers van kleurrijke en vaag Aziatische lampions die de straten versierden in een politieke correcte, niet religieuze kerstgeest, de koplampen en achterlichten – ze rimpelden en flitsten allemaal van de winkeletalages, van de muren van glazen gebouwen die oprezen in een waanzinnige tarting van de volgende aardbeving, op nat wegdek, schitterden als lovertjes in flonkerende, kwikzilveren dampen van de auto-uitlaten, en deden Ethan denken aan sfeerrijke beelden in *Blade Runner*.

De dag was tegelijkertijd te echt en een hersenspinsel; de dromen van Hollywood die de stad op een paar plekken licht hadden gemaakt, op meer plekken donker, veranderden die na elke hoek tot niets meer zo solide leek als het hoorde te zijn.

Ze zaten in Ethans Expedition en hadden Hazards niet-gemarkeerde auto van het bureau bij het Onze Lieve Vrouwe van de Engelen achtergelaten. Aangezien Ethan geen politiebevoegdheid had, kon hij niemand de arm omdraaien voor informatie, maar zijn partner kon niet én een arm omdraaien én rijden.

Om hun zes aanwijzingen na te trekken, zouden ze buiten de jurisdictie komen die nog strikt onder de bevoegdheid van de politie van Los Angeles viel. Omdat ze de weg niet via de geëigende kanalen bewandelden, kon zelfs Hazard geen volledig wettig gezag uitoefenen. Ze hadden geen tijd voor protocol.

Hazard was bijrijder en pleegde telefoontjes. Hij verhief zijn stem van een beleefd, bijna romantisch gemompel tot een eisend gedonder, maar meestal hield hij het op een informeel toontje, terwijl hij meedogenloos zijn status als rechercheur van Moordzaken gebruikte om medewerking los te vleien, te knijpen, drukken en wringen uit een reeks hoog opgeleide bureaucraten.

Elke middelbare school en universiteit in Los Angeles was de laatste twee of drie weken van het jaar gesloten. Slechts een schaduwstaf bleef achter voor die studenten die niet naar huis waren gegaan met de feestdagen.

Bij elke instelling die hij belde, gebruikte hij charme, een beroep op hun goede burgerzin, bedreigingen en overredingskracht om van de ene persoon die niets wist bij een volgende komen, maar altijd uiteindelijk bij iemand die wel iets wist zodat ze hun onderzoek konden voortzetten.

Ze wisten inmiddels dat de professor drama – dr. Jonathan Spetz-Mogg – beide weekendstages over acteren had georganiseerd waarvoor Rolf Reynerd cheques had uitgeschreven. Ze hadden een afspraak kunnen maken met Spetz-Mogg en waren nu op weg erheen zonder het voordeel van een zwaailicht of sirene.

Tijdens het proces van het opsporen van dr. Gerald Fitzmartin die het lange weekend van drie dagen had georganiseerd over script schrijven, was Hazard zo woest geworden toen hij weer eens werd afgescheept, iets waarin alle academische types uitblonken, dat hij een pauze inlaste in de jacht voor hij uit frustratie zijn politietelefoon tegen zijn voorhoofd kapot zou slaan.

'Al die universitaire muizen haten politie.'

'Tot ze je nodig hebben,' zei Ethan.

'Ja, dan houden ze van ons.'

'Ze houden nooit van je, maar als ze je nodig hebben om ze uit de nesten te halen, zullen ze je tolereren.'

'Ken jij dat citaat van Shakespeare?' vroeg Hazard.

'Ik ken er wel meer.'

'Over hoe je de wereld tot een betere plek moet maken...'

'Dood aan alle juristen.'

'Ja, dat,' zei Hazard. 'Shakespeare heeft er niet bij stilgestaan wie al die advocaten opleidt.'

'Universitaire muizen.'

'Ja. Als je de wereld tot een betere plek wilt maken, ga dan naar de bron.'

Het verkeer bleef niet-aflatend druk. De Expedition kuste de verf van een zwarte Mercedes-suv, die net gered bleef voor een reisje naar de autospuiterij door slechts niets anders dan het dunne laagje regenwater.

Geschrokken meende Ethan dat hij Fric op de stoep zag lopen, in zijn eentje wandelend tussen vreemden. Toen hij nauwkeuriger keek, zag hij dat de jongen die achter zijn ouders aan liep jonger was dan de erfgenaam van Manheim.

Dit was niet de eerste valse Fric die hij had gezien en op wie hij zo reageerde sinds hij uit het ziekenhuis was gekomen. Zijn zenuwen waren rauw geschuurd door te veel vreemde gebeurtenissen.

'Hoe staat het met Blondie in de Vijver?' vroeg Ethan. 'Heb je vanochtend je laboratoriumrapport gekregen?'

'Ik heb niet gekeken. Als ik het juiste verhaal over mijn gemeenteraadslid krijg, krijg ik er jeuk van dat ik hem zo vol van zichzelf moet laten lopen, alsof hij de gekozen God is, waar je nog woester van wordt wanneer je bedenkt hoeveel stembussen dat tuig van hem heeft volgestouwd. Ik bel het lab morgen wel, overmorgen, wanneer we die situatie van ons hebben geregeld.'

'Sorry hiervoor,' zei Ethan.

'Als je sorry zegt voor je neus, laat die dan repareren. Als iets anders je spijt, hoeft dat niet.'

'Zoveel problemen zijn niet te betalen met een lunch en een paar mamouls.'

'Jij hebt mijn wereld niet op z'n kop gezet. Als een man uit een nachtmerrie me een setje droomklokjes geeft en daarna in een spiegel verdwijnt, raak ik zonder jouw hulp ook van streek.'

Hazard tastte met beide handen onder zijn jasje, trok aan zijn katoenen trui en Ethan zei: 'Ben je sinds gisteren aangekomen?'

'Ja. Ik heb kevlar als ontbijt genomen.'

'Ik heb nooit geweten dat jij bescherming droeg.'

'Ik heb lopen denken dat ik misschien veel meer kogels heb ontweken dan waar je als man recht op hebt. Dat betekent niet dat ik niet nog altijd onbevreesd ben.'

'Ik zei niet dat het niet zo was.'

'Ik ben doodsbenauwd, maar ik ben nog steeds onbevreesd.'

'Dat is de juiste psychologie.'

'Psychologie van de overlever,' zei Hazard.

'Wat is er trouwens mis met mijn neus?'

'Wat niet?'

De hevige regen werd ineens nog heviger en Ethan zette de ruitenwissers op de hoogste snelheid.

Hazard zei: 'Het lijkt wel het einde van de wereld.'

61

Na een opgewonden telefoontje van Captain Queeg von Hindenburg moest Corky Laputa een onverwacht reisje maken naar de
buitenwijken van Malibu.

De man in Malibu noemde zich tegenwoordig Jack Trotter. Trotter had bezittingen, een geldig rijbewijs en betaalde zo weinig mogelijk belastingen onder de naam Felix Greene. Greene, alias Trotter, had ooit andere namen gebruikt: Lewis Motherwell, Jason
Barnes, Bobby Domino en nog meer.

Toen Jack-Felix-Lewis-Jason-Bobby vierenveertig jaar geleden geboren werd, hadden zijn trotse ouders hem Norbert James Cree-
zel genoemd. Ongetwijfeld hadden ze van hem gehouden en hadden zich als eenvoudige boerenmensen uit Iowa nooit hebben
kunnen voorstellen dat Norbert zou uitgroeien tot een krankzinnig stuk vreten als Captain Queeg von Hindenburg.

Corky noemde hem Captain Queeg omdat de man de paranoia en
megalomanie vertoonde zoals die gevonden konden worden in het
personage met dezelfde naam in *The Caine Mutiny* van Herman
Wouk. Von Hindenburg paste deels bij hem omdat hij – net als
de Duitse zeppelin van dezelfde naam die in 1937 zesendertig mensen naar hun dood in Lakehurst in New Jersey had gevoerd – geen
wind- maar een gasbuil was die, als hij aan zichzelf zou worden
overgelaten, op een dag zou neerstorten en spectaculair verbranden.

Op weg naar Malibu hield Corky stil bij een garage die hij in Santa Monica had gehuurd. Dit was een van de veertig dubbele ga-
rages die bereikt konden worden via een steeg in een industriege-
bied.

Hij had de garage gehuurd onder de naam Moriarity en betaalde
maandelijks contant.

In het eerste vak stond een zwarte Land Rover. Corky bezat de
auto onder de naam Kurtz Ivory International, een niet-bestaand
maar goed gedocumenteerd bedrijf.

Hij parkeerde de BMW naast de Land Rover, stapte uit, deed de
garagedeur naar beneden en knipte de lichten aan.

Geurend naar de frisse kalklucht van koud beton, de zoetzure geur
van oude motorolievlekken, en de zwakke maar nog aanwezige
bittere reuk van insecticide van een termietenontsmetting die een
maand eerder was gedaan, was deze saaie ruimte voor Corky de
essentie van magie en avontuur. Hier, net als de verontruste Bruce

Wayne in de Batcave, werd Corky een zwarte ridder, hoewel met een agenda die de Joker misschien meer zou aanspreken dan Bruce in cape en maillot.

In de oorlog tussen Hemel en Aarde marcheerden legers regen over de golfplaten van het dak en maakten zo'n strijdlawaai dat hij zichzelf niet duidelijk had kunnen horen zingen als hij verkozen zou hebben in 'Shake Your Groove Thing' uit te barsten.

Na een elektrische heteluchtkachel aangezet te hebben, deed hij zijn regenhoed en gele regenjas uit. Hij hing die op een haak in de muur.

Aan de linkerkant van de garage, naar achteren, waren vier hoge metalen kasten in de muur geklonken. Corky maakte de eerste open.

Twee plastic kledingzakken met ritsen hingen aan een roe. Op een plank boven de zakken lagen in een grote Tupperware-bak sokken, dassen, een paar goedkope mannensieraden, een polshorloge, en andere persoonlijke bezittingen van een valse identiteit. Op de vloer stond een verzameling schoenen.

Nadat hij zijn regenlaarzen had uitgetrokken en zich tot op zijn ondergoed had uitgekleed, trok Corky een grijze corduroy broek aan, een zwarte coltrui, zwarte sokken en zwarte Rockports.

De uitgekiende combinatie werkbank/gereedschapskast achter in de dubbele garage bevatte een ruime, geheime lade die Corky zelf had ontworpen. Deze lade bevatte een verzameling wapens en pakjes valse identiteitspapieren op zes namen.

Hij gespte een schouderholster over de coltrui heen. Hij stak een 9mm-Glock in de holster.

Hij ruilde zijn portefeuille om voor een die gevuld was met alles wat hij nodig had om als een andere man weer op weg te gaan: rijbewijs, sociale verzekeringskaart, een paar creditcards op zijn nieuwe naam, en foto's van een vrouw en kinderen die volledig verzonnen waren. De portefeuille bevatte zelfs vijfhonderd dollar in contanten.

Het pakje bevatte ook een geboorteakte, een paspoort en een leren etui met zijn FBI-identificatie. Voor wat hem te doen stond, had hij die dingen niet nodig.

Maar hij nam wel een tweede slank, leren etui mee dat een valse, maar een zeer overtuigende identificatie bevatte van hem als agent van de National Security Agency. Queeg von Hindenburg geloofde dat hij dat was.

De NSA-identificatie zou de gemiddelde burger meteen zwijmelend doen meewerken, maar zou geen gerichte verificatie doorstaan van welke wetsdienaar dan ook. Corky zou die nooit durven laten zien aan een smeris.

Omdat het echt was, zou het rijbewijs onder deze valse naam elk grondig onderzoek, van een politieagent die Corky aan kon houden, doorstaan. Daarbij telde in zijn voordeel dat het hem een smetteloos rijgedrag toekende.

Jaren geleden was de staat Californië de controle kwijtgeraakt over veel van zijn bureaucratieën, waaronder het departement van motorvoertuigen. Bepaalde corrupte ambtenaren verkochten elk jaar tienduizenden geldige rijbewijzen aan mensen zoals Mick Sachatone, de anarchistische multimiljonair die Corky ook regelmatig voorzag van weggooimobieltjes op valse rekeningnamen.

Mick – en andere tussenpersonen zoals hij – verdienden aanzienlijk veel geld met het verstrekken van rijbewijzen aan illegale immigranten, aan veroordeelde misdadigers die hun tijd erop hadden zitten en die oprecht hoopten een nieuwe misdadige carrière te beginnen die niet gehinderd werd door hun strafblad, aan chaosactivisten zoals Corky en aan veel anderen.

Corky, voldoende voorzien van identiteitspapieren, met de Glock in een holster onder zijn linkerarm, werkte zich in een stijlvol zwartleren jasje dat zo gemaakt was dat het de bobbel van het wapen verhulde. Hij stak twee reservemagazijnen in de zakken van het jasje.

Hij sloot de kast, deed de geheime lade in de werkbank dicht, sloot hem af, en zette de kachel uit.

Achter het stuur van de Land Rover, klikte hij op de afstandsbediening om de garagedeur omhoog te laten gaan. Hij reed achteruit de verregende steeg in.

Hij was in Santa Monica aangekomen als Corky Laputa. Hij vertrok als Robin Goodfellow, agent van de NSA.

Na gewacht te hebben tot hij zeker wist dat de garagedeur helemaal naar beneden was, drukte hij op een tweede knop van de afstandsbediening waarmee hij een elektrisch slot activeerde dat het perceel dubbel beveiligde.

De cd-speler in de Land Rover bevatte symfonieën en opera's van Richard Wagner, wat zijn lievelingsmuziek was als hij zich voordeed als Robin Goodfellow. Hij zette *Götterdämmerung* aan en vertrok in het noodweer naar Malibu om een ernstig onderhoud te hebben met de man die hem vannacht ongemerkt op het landgoed van Manheim zou brengen.

Corky hield van zijn leven.

62

'Sandwiches,' zei Fric.

Stom, stom, stom.

Na de twaalf noodlampen naar zijn onbekende en speciale schuilplaats te hebben gebracht, besloot Fric de lege picknickmand terug te brengen naar de opslag voor tuingereedschap waar hij die vandaan had gehaald. Hij had besloten dit te doen om de een of andere reden die toen logisch had geleken, hoewel hij zich nu niet meer kon herinneren waarom.

Mr. Devonshire, een van de bedienden – degene met het Engelse accent, de borstelige wenkbrauwen en het luie linkeroog dat de neiging had naar zijn slaap te draaien – was Fric tegengekomen in de westelijke gang op de benedenverdieping, waar aan het einde zich de opslagruimte bevond. Uit vriendelijkheid had Mr. Devonshire gezegd: 'Wat heb je daar, Fric?'

Sandwiches, had Fric gezegd. Nu zei hij het weer: 'Sandwiches.'

Dit was stom, stom, stom om te zeggen, laat staan dat je het herhaalde, omdat toen Mr. Devonshire hem tegen was gekomen, Fric onder het lopen door de gang zo met de mand had gezwaaid dat de lichtheid ervan – en daardoor de leegheid – ogenblikkelijk duidelijk moest zijn geweest.

'Wat voor soort sandwiches?' vroeg Mr. Devonshire.

'Ham,' zei Fric, omdat het een simpel antwoord was dat hij niet op de negenduizend manieren zou kunnen verknallen als hij waarschijnlijk met de woorden *pindakaas met jam* zou hebben gedaan.

'Dus je gaat picknicken, hè?' zei Mr. Devonshire, terwijl zijn linkeroog langzaam uit focus draaide, alsof hij verwachtte achter zich te kunnen zien terwijl hij op hetzelfde moment Fric opnam.

Toen hij net was komen werken op het Palazzo Rospo, had Fric gedacht dat hij het boze oog bezat en met een blik een vloek kon opleggen. Mrs. McBee had dit kinderlijke misverstand gecorrigeerd en voorgesteld dat hij eens wat dingen moest nakijken.

Nu wist Fric dat Mr. Devonshire leed aan amblyopie. Weinig mensen kenden dit woord. Fric wist graag dingen die de meeste mensen niet wisten.

Lang geleden had Fric geleerd naar het goede oog van Mr. Devonshire te kijken als hij met hem praatte. Maar nu lukte het hem niet het goede oog te vinden omdat hij zich schuldig voelde door het liegen; als gevolg daarvan merkte hij dat hij stompzinnig naar het luie oog staarde.

Om Mr. Devonshire en zichzelf niet in verlegenheid te brengen, keek hij maar naar de vloer en zei: 'Ja, een picknick, alleen, om iets anders te doen, weet u, niet altijd hetzelfde.'

'Waar ga je picknicken?' vroeg Mr. Devonshire.

'De rozentuin.'

Op verraste toon zei Mr. Devonshire: 'In deze regen?'

Stom, stom, stom.

Fric was de regen vergeten. Hij zei: 'Eh, ik bedoel de rozenkamer.' De rozenkamer, zoals hij door het personeel werd genoemd, was een kleine ontvangstsalon op de begane grond. De ramen boden een uitzicht op de plek waar vroeger de rozentuin was geweest.

Een paar jaar eerder, op aandringen van hun feng-shui-goeroe, was de rozentuin verder van het huis geplaatst. Waar de oude rozentuin was geweest, groeide gras, en op het gras rees een modern beeldhouwwerk op dat Mam in Naam aan Geestpapa had gegeven op hun negende trouwdag toen ze al acht jaar gescheiden waren.

Mam in Naam had de stijl van het beeld 'futuristische organische zen' genoemd. Voor Fric zag het eruit als een gigantische hoop paardenvijgen afkomstig van een kudde Clydesdales.

'De rozenkamer lijkt me een vreemde plaats voor een picknick,' zei Mr. Devonshire, die ongetwijfeld dacht aan die stronthoop van zen voor de ramen.

'Eh, nou, daar voel ik me dichter bij mijn moeder,' zei Fric, wat zo lamlendig was dat het bijna slim werd.

Mr. Devonshire zweeg een ogenblik en zei toen: 'Gaat het wel met je, Fric?'

'Eh, jawel. Ik voel me prima, alleen maar een beetje, weet u, afgeknapt door al die regen.'

Na een volgende, maar gelukkig kortere stilte, zei de bediende: 'Nou, geniet maar van je hamsandwiches.'

'Dank u. Zal ik doen. Ik heb ze zelf gemaakt. Helemaal.' Hij was de slechtste leugenaar ter wereld. 'Met ham.'

Mr. Devonshire liep naar de noordelijke gang en Fric bleef alleen maar staan, de mand stompzinnig vasthoudend alsof die zwaar was.

Nadat de bediende was verdwenen op de kruising van de westelijke met de noordelijke gang, bleef Fric hem nakijken. Hij was ervan overtuigd dat Mr. Devonshire zich uit het zicht zou verbergen en dat het vreemde linkeroog van de man zover naar een kant zou draaien dat het uit zijn hoofd hing terwijl hij om de hoek loerde.

De tuinopslag waar Fric naartoe wilde, werd niet gebruikt voor de opslag van tuinen en patio's. Maar voor de kussens van de honderd of meer tuinstoelen en stretchers – en soms voor de meubels zelf ook – die daarheen werden gebracht als er slecht weer op komst was. De grote kamer bevatte ook de parasols, croquetsets, buitenspellen en zulke aanverwante zaken als picknickmanden.

Door zijn gesprek met de bediende kon Fric de mand niet gewoon terugbrengen naar de opslagkamer. Als Mr. Devonshire hem snel weer zag zonder de mand, zou hij ontmaskerd worden als een gemene leugenaar die eigenlijk maar weinig goeds van plan was.

Misschien hield het personeel hem wantrouwig wel heimelijk in de gaten, zelfs al waren ze op het moment maar met zo weinigen. Zonder het te beseffen zou hij zijn onbekende en speciale schuilplaats kunnen verraden aan een scherpe waarnemer.

Nu hij zich had verbonden aan het picknickverhaal, moest hij ermee doorgaan. Hij zou met de mand naar de rozenkamer moeten gaan en bij het raam gaan zitten, naar buiten starend naar de rozentuin die er niet meer was en doen alsof hij hamsandwiches at die niet bestonden.

De Geheimzinnige Beller had hem gewaarschuwd voor liegen.

Als het hem al niet lukte de aardige Mr. Devonshire iets voor te spiegelen, vroeg Fric zich af op welke manier hij kon verwachten Moloch te bedotten en zich voor hem te verschuilen.

Ten slotte besloot hij dat de bediende met zijn luie oog toch niet om de hoek stond te loeren.

Ervan overtuigd dat hij er te naargeestig uitzag voor een picknicker, maar niet in staat een glimlach op te brengen, droeg hij de verrekte mand het hele einde van de zuidwestelijke kant van het huis naar de noordoostelijke kant, naar de rozenkamer.

63

Jack Trotter die onder vele namen door het leven ging, maar die Corky alleen maar kende als Queeg von Hindenburg, woonde niet in het chique gedeelte van Malibu. Hij leefde ver van die heuvels met uitzicht en stranden waar acteurs, rocksterren en de ongelofelijk rijke stichters van bankroete dot-combedrijven in de zon lagen, speelden en recepten uitwisselden van hasjcake.

Maar hij woonde in het binnenland, achter de heuvels en voorbij het uitzicht op zee, in een van die rustieke kloven die niet alleen aantrekkelijk waren voor mensen die van paarden en van het simpele leven hielden, maar ook voor gestoorde mafketels en zonderlingen, wietrokers die Boomer en Moose heetten en die marihuana kweekten onder lampen in schuren en bunkers, voor milieuterroristen die plannen maakten om autobedrijven op te blazen uit naam van bedreigde boomratten en voor religieuze sektes die UFO's aanbaden.

Er stond een hek dat dringend verf kon gebruiken om Trotters twee hectaren land heen. Gewoonlijk hield hij het hek dicht om bezoekers af te schrikken.

Vandaag hing het hek wijd open, omdat hij bang was dat Corky – die hij kende als Robin Goodfellow, de keiharde federale agent – door die barrière heen zou rijden en van de scharnieren zou rukken, zoals hij een keer eerder had gedaan.

Aan het einde van het grindpad stond het huis in haciëndastijl van bleekgele pleisterkalk en open balken. Het huis was niet zo vervallen dat het bouwvallig genoemd kon worden, nog net niet zo vuil dat het smerig genoemd kon worden, maar het leed aan een soort elegante verwaarlozing.

Trotter besteedde niet zoveel geld aan het onderhoud van zijn huis omdat hij verwachtte elk moment te moeten vluchten. Een man met zijn hoofd op het blok van de guillotine leefde niet onder meer spanning dan wat Jack Trotter dagelijks te verduren had.

Als samenzweringstheoreticus geloofde hij dat het land door een geheime kliek werd geleid, dat het de bedoeling was dat het met de democratie snel afgelopen zou zijn en dat er een wreed dictatoriaal regime zou worden geïnstalleerd. Hij was altijd op zijn hoede voor vroege tekenen van de aanstaande actie.

Momenteel geloofde Trotter dat postemployees de voorhoede zouden vormen van de repressie. Ze waren in zijn opinie niet de pure ambtenaren die ze leken, maar hoog opgeleide stoottroepen die zich voordeden als onschuldige postbodes.

Hij had een serie wijkplaatsen voorbereid, elk steeds weer een eind verder dan de vorige. Hij hoopte in etappes de beschaving te ontvluchten als het bloedbad begon.

Ongetwijfeld zou hij al na Corky's eerste bezoek zijn gevlucht als hij niet had geloofd dat Corky, als Robin Goodfellow, de lokatie van al zijn wijkplaatsen kende en dat hij, als hij in zijn schuilplaats zat, op hem af zou komen met een gezelschap van moordpostbodes die geen genade zouden kennen.

Aan de oostelijke kant van zijn land, op enige afstand van het huis, stonden een oude ongeverfde schuur en een prefab stalen gebouw van recentere datum. Corky wist maar een fractie van wat Trotter in die bouwsels deed, maar hij deed alsof hij alles wist.

In de enorme hitte van de zomer zou de echte dreiging voor Trotter niet van een gemene overheidskliek komen, maar van vuur. De steile hellingen achter zijn land, evenals de smalle valleiwanden waren van boven tot beneden begroeid met woest struikgewas dat aan het einde van augustus net zo makkelijk zou branden als het huis van Brittina Dowd had gedaan met behulp van een beetje benzine.

Nu waren de hellingen natuurlijk zo door en door verzadigd van de regen dat het risico een modderlawine was. Op dit terrein konden de wanden van het ravijn zo snel naar beneden komen in een vloedgolf van drek dat zelfs een hyperventilerende paranoïcus met elk zintuig volledig gespitst er niet aan zou kunnen ontkomen. Als hij bij het eerste gerommel zou gaan rennen, dan zou Trotter uiteindelijk toch levend begraven kunnen worden, hoewel kort levend, en zou hij zijn graf delen met een ark vol verpletterd en gesmoord dierlijk leven.

Corky hield van Zuid-Californië.

Trotter, nog niet verpletterd en gesmoord, zat zijn bezoeker op de veranda op te wachten. Mocht het enigszins mogelijk zijn, dan hoopte hij Corky buiten het huis te houden.

Bij een van zijn eerdere bezoeken, heel erg in zijn rol van schurkachtige regeringsagent die de grondwet van de Verenigde Staten als toiletpapier gebruikte, had Corky zich misdragen. Hij had geen enkel respect getoond voor Trotters eigendommen. Hij was een beest geweest.

Op deze tweeëntwintigste december voelde Corky zich niet vrediger gestemd door de kerststemming. Hij was een verrotte, gemene trol.

Hoewel hij op tien stappen van de veranda parkeerde, haastte hij zich niet door de stromende regen omdat Robin Goodfellow, te hip voor regenlaarzen maar ze wel in de geest dragend, er niet de man naar was om slecht weer op te merken als hij een klerehumeur had.

Hij beklom de drie treden naar de veranda, trok de Glock uit zijn schouderholster en drukte de loop tegen Trotters voorhoofd.

'Herhaal wat je me over de telefoon hebt gezegd.'

'Verdomme,' zei Trotter nerveus. 'Je weet dat het waar is.'

'Het is gelul,' zei Corky.

Trotters haar was net zo oranje als dat van de Cheshire Cat die

met Alice in Wonderland had gespeeld. Hij had de wijd openge-
sperde uitpuilende ogen van de Gekke Hoedenman. Zijn neus trilde nerveus en deed denken aan het Witte Konijn. Zijn opgezwollen gezicht en zijn enorme snor verwezen naar de beroemde Walrus
en hij was in het algemeen net zo fantastisch, glibberig en hans-
worsterig als talrijke personages van Lewis Carroll bij elkaar.
'In 's hemelsnaam, Goodfellow,' Trotter snotterde bijna, 'de storm,
de stórm! We kunnen de klus nu niet doen. Het is onmogelijk in
dit soort weer.'
Nog steeds met de Glock tegen Trotters voorhoofd zei Corky: 'De
storm gaat tegen zes uur liggen. Er is dan helemaal geen wind. We
krijgen ideale omstandigheden.'
'Ja, ze zeggen dat het misschien ophoudt, maar wat weten zij ervan? Is ooit een van hun voorspellingen uitgekomen?'
'Ik heb het niet over de weermannen op de tv, debiel. Ik vertrouw
op supergeheime satellieten van het ministerie van defensie, die
niet alleen de weerpatronen op aarde bestuderen, maar die beheersen met microgolf-energiepulsen. We maken een einde aan het
noodweer wanneer we dat willen.'
Deze bizarre veronderstelling werkte goed bij de paranoïde Trotter, wiens wijd open ogen nog groter werden. 'Weerbeheersing,'
fluisterde hij trillerig. 'Orkanen, tornado's, sneeuwstormen,
droogtes – een niet op te sporen wapen dat even verschrikkelijk
is als een atoombom.'
In werkelijkheid rekende Corky er alleen maar op dat chaos als
zijn bondgenoot het noodweer zou doen ophouden wanneer hij
kalme weersomstandigheden nodig had.
Chaos liet hem nooit in de steek.
'Regen of geen regen, wind of geen wind,' zei hij tegen Trotter,
'maar jij bent in Bel Air, op de rendez-vousplek, om precies zeven
uur zoals het oorspronkelijke plan aangaf.'
'Weerbeheersing,' mompelde Trotter somber.
'Denk er zelfs niet aan niet te komen. Weet je wel hoeveel ogen er
nu op ons gericht zijn – daar in die heuvels, daar op die velden?'
'Een heleboel ogen,' gokte Trotter.
'Mijn mensen zitten overal in dit ravijn, erop gericht je eerlijk te
houden of je kop eraf te knallen, wat je maar wilt.'
Om eerlijk te zijn waren de enige ogen die op hen gericht waren
die van kraaien, haviken, mussen en andere leden van de geve-
derde gemeenschap die in de oude Californische eiken om het huis
heen zaten.
Jack Trotter had die leugens niet geslikt door de valse NSA-papie-

ren en niet door Corky's bombastische optreden als agent Robin Goodfellow, maar omdat Corky zoveel had geweten over de vele aliassen van Trotter en minstens een paar dingen over zijn tot dusver succesvolle carrière als bankrover en verkoper van ecstasy. Hij had geloofd dat Corky zoveel over hem wist via het nagenoeg alomtegenwoordige informatievergarende apparaat van de heersende kliek.

Maar de informatie die Corky over Trotter had, had hij gekregen van Mick Sachatone, de hacker en anarchistische multimiljonair, die handelde in valse documenten, niet op te speuren gsm's en andere illegale papieren, objecten, substanties en informatie. Mick had Trotter van de identiteiten voorzien, die hij later aan Corky had onthuld.

Gewoonlijk zou Mick nooit de zaken van de ene klant aan de ander bekendmaken. Gezien de soort mensen met wie hij zaken deed, zou een dergelijke openhartigheid resulteren in, als hij geluk had, zijn dood of, als hij geen geluk had, in het uitsteken van zijn ogen, het uitrukken van zijn tong, het afsnijden van zijn duimen en castratie met een buigtang.

Omdat Mick reden had Trotter te haten met een intensiteit die aan moordzucht grensde, had hij het risico genomen informatie door te spelen aan Corky. Jaloerse woede van theatrale dimensies had ervoor gezorgd zijn gewone norm inzake de vertrouwelijkheid van zijn klant te overtreden.

Aan zijn kant had Trotter de vijandschap van Mick verdiend, hoewel hij het zich niet bewust leek. Hij had Micks vriendin afgepikt. Micks vriendin was een pornoactrice geweest die in bepaalde gestoorde kringen bekend had gestaan om de onmenselijke lenigheid van haar lichaam.

Misschien dacht Trotter dat niemand zich 's avond en in de weekends emotioneel enorm aangetrokken kon voelen tot een vrouw die twee, zes en zelfs tien mannen tegelijk voor een camera afwerkte tijdens werkuren.

Maar sinds zijn dertiende was Micks meest gekoesterde droom geweest een vriendin te hebben die pornoster was. Hij had het gevoel dat Trotter hem had beroofd van de zijn enige echt begeerde hartenwens en zijn lotsbestemming had verijdeld.

Na vier maanden met Trotter was de vrouw verdwenen. Mick was de mening toegedaan dat Trotter, toen hij genoeg van haar had, haar had vermoord, óf omdat ze te veel wist over zijn illegale activiteiten óf alleen voor de sport, en dat hij haar diep in de canyon had begraven.

338

Nu had niemand meer iets aan haar en deze zinloze verspilling van haar buitengewone lenigheid had Mick nog woester gemaakt.

Terwijl Corky de Glock van Trotters voorhoofd liet zakken, zei hij: 'Laten we naar binnen gaan.'

'Alsjeblieft niet,' zei Trotter smekend.

'Moet ik je eraan herinneren,' zei Corky met een opgewekte zwier, 'dat jouw samenwerking met mij betekent dat je uit alle officiële dossiers wordt verwijderd, uit alle belastingdossiers, waardoor jij de meest vrije man wordt die ooit heeft bestaan, een man die *totaal onbekend is voor de overheid?*'

'Ik ben er vanavond. Krek zeven uur. Wind of geen wind. Ik zweer het je.'

'Ik wil nog steeds naar binnen,' zei Corky. 'Ik heb de behoefte je het duidelijk te maken.'

Er verscheen triestheid in de Gekke Hoedemans ogen van Trotter. Zijn walrussnor zakte.

Hij legde zich erbij neer en liet Corky het huis binnen.

De kogelgaten in de muren van de vorige keer dat Corky de behoefte had Trotter een lesje te leren, waren niet hersteld; maar de planken in de woonkamer waren weer gevuld met een nieuwe verzameling Lladro-porselein – beeldjes van ballerina's, prinsessen dansend met prinsen, kinderen spelend met een hond, een lieftallig boerenmeisje dat een kudde ganzen aan haar voeten te eten geeft...

Dat een paranoïde samenzweringsgekke, bankrovende, drugsverkopende quasi-overlever met kogelgaten van hier tot Tokio een zwakke plek had voor fragiel porselein, verraste Corky niet. Hoe grof we aan de buitenkant ook mogen lijken, we hebben allemaal een menselijk hart.

Corky zelf had een zwak voor oude films van Shirley Temple, waaraan hij zich een of twee keer per jaar overgaf. Zonder gêne. Terwijl Trotter toekeek, leegde Corky het 9mm-magazijn, en schoot met elke patroon een beeldje aan scherven.

In de maanden nadat hij per ongeluk Mina Reynerd in haar voet had geschoten, was hij opmerkelijk bekwaam geworden met handwapens. Tot voor kort had hij nooit zo graag een wapen willen gebruiken in dienst van de chaos, want het had te kil en te onpersoonlijk geleken. Maar hij begon plezier in het stuk gereedschap te krijgen.

Hij verving het eerste magazijn door een tweede en verwoestte de hele Lladro-verzameling. De vochtige lucht was vol kalkstof en de geur van schoten.

'Zeven uur,' zei hij.

'Ik zal er zijn,' zei de gekastijde Trotter.

'We gaan een sprookjesreis maken.'

Na het tweede magazijn door een derde vervangen te hebben, stak Corky de Glock in zijn schouderholster en liep naar buiten de veranda op.

Hij liep langzaam door de regen naar de Land Rover, waarbij hij stoutmoedig zijn rug naar het huis gekeerd hield.

Hij reed de canyons van Malibu uit naar de kust.

De hemel was een open beker en stortte geen regen maar het universele oplosmiddel uit waarnaar de middeleeuwse alchemisten vruchteloos hadden gezocht. Overal om hem heen smolten de heuvels. De vlaktes losten op. De rand van het continent zakte weg in de tumultueuze zee.

64

Fric, in de rozenkamer, in een stoel bij de ramen, keek naar buiten, naar het liefdescadeau van zijn moeder van hoog opgestapelde bronzen paardenvijgen.

De picknickmand stond op de vloer naast zijn stoel, het deksel dicht.

Hoewel hij enige tijd hier zou blijven zitten om het verhaal te ondersteunen dat hij zo dom tegen Mr. Devonshire had uitgebraakt, zou hij niet werkelijk doen alsof hij niet-bestaande hamsandwiches zou eten, voor een deel omdat als iemand hem zag die zeker zou denken: *zo moeder, zo zoon*, maar voornamelijk omdat hij geen niet-bestaande zure uitjes bij zich had die erbij hoorden.

Ha, ha, ha.

Op het moment van het incident, ongeveer twee jaar geleden, legde de publiciteitsagent van zijn moeder aan de ratten van de schandaalhongerige pers uit dat Freddie Nielander was opgenomen in een privékliniek ergens in Florida. Ze zou lijden aan uitputtingsverschijnselen.

Met een verrassende frequentie werden supermodellen om die reden opgenomen. Blijkbaar kon het uiterst bekoorlijk optreden voor vierentwintig uur per dag fysiek net zo veeleisend zijn als het werk van een trekpaard en net zo emotioneel uitputtend als het verzorgen van terminale patiënten.

Mam in Naam had één cover van *Vanity Fair* te veel gedaan, één middenpagina in *Vogue* meer dan verstandig was, wat had geleid tot een tijdelijk maar volledig verlies van spiercontrole door haar hele lichaam. Dat leek het officiële verhaal te zijn, voor zover Fric het kon begrijpen.

Niemand geloofde het officiële verhaal. Kranten, tijdschriften en de gastheren van de gossipshows op televisie spraken somber over een 'zenuwinstorting' en een 'emotionele breakdown'. Sommigen noemden het zelfs een 'psychotische periode', wat klonk als een aflevering van *I Love Lucy* waarin Lucy en Ethel een zootje mensen neermaaiden met hun machinepistolen. Ze noemden haar kliniek een 'sanatorium voor de rijksten der rijken' en 'een exclusieve psychiatrische kliniek', en Howard Stern, de roddeljournalist van de radio, noemde het naar men zei: 'een gekkenhuis voor een meid die meer gekte dan hersenen heeft'.

Fric had gedaan alsof hij niet wist wat de media over zijn moeder zeiden, maar heimelijk had hij naar elk stukje publiciteit dat hij kon vinden geluisterd en erover gelezen. Hij had zich niet angstig gevoeld, hij had zich nutteloos gevoeld. Verslaggevers twistten over in welk van de twee inrichtingen zij misschien zat en Fric had van geen van beide een adres gehad. Hij had haar zelfs geen kaartje kunnen sturen.

Uiteindelijk had zijn vader hem apart genomen in de rozentuin die al achter het huis was weggehaald om te vragen of Fric vreemd nieuws over zijn moeder had gehoord. Fric had gedaan alsof hij nergens van wist.

Zijn vader had gezegd: 'Nou, vroeg of laat zul je dingen horen en ik wil dat je weet dat ze allemaal niet waar zijn. Het is het gewone spelletje van beroemdheidje pesten. Ze zullen zeggen dat je moeder de een of andere zenuwinzinking heeft gehad of zoiets, maar dat is niet waar. De waarheid is niet mooi, maar niet half zo lelijk als jij zult horen, dus Ming en dr. Rudy zullen je een paar technieken leren zodat je tijdens dit hele gebeuren niet nerveus zult worden.'

Dr. Rudy was Rudolf Kroog, een psychiater, beroemd in Hollywood-kringen om zijn onconventionele therapie over vorige levens. Hij praatte een tijdje met Fric, probeerde vast te stellen of hij misschien in een vorig leven een jonge koning in Egypte was geweest in de tijd dat het werd geregeerd door farao's en gaf hem een flesje capsules met het voorschrift er een met de lunch en een voor het slapen gaan in te nemen.

Eraan denkend dat heel jonge koningen soms vergiftigd waren

door hun raadgevers, wat hij had geleerd door het zien van te-
kenfilms op tv op zondagochtend, had Fric de capsules direct naar
zijn suite op de tweede verdieping gebracht waar hij ze door de
wc had gespoeld. Mochten er groen geschubde monsters in zijn
wc hebben gezeten, dan had hij deze die dag met een overdosis
vermoord.

Zo gemakkelijk als dr. Rudy te verduren was geweest, zo moeilijk was Ming. Na twee dagen van 'delen' gaf Fric er de voorkeur
aan overgeleverd te worden aan de genade van Mr. Hachette, de
chef-kok met een hersenbeschadiging, zelfs als hij op Thanksgiving met appels geroosterd aan nietsvermoedende straatzwervers
opgediend zou worden.

Uiteindelijk werd hij door iedereen met rust gelaten.

Hij wist nog steeds niet of het nu een ziekenhuis, sanatorium of
een gesticht was geweest.

Zijn moeder was sindsdien nog maar één keer op het Palazzo Rospo geweest, maar ze had niets over het gebeuren verteld. Dat was
het bezoek waarop ze Fric had verteld dat hij een bijna perfect onzichtbare kleine muis was.

Ze waren gaan rijden op een stel enorme zwarte hengsten en Fric
was opgetogen geweest, zelfverzekerd, net zo atletisch als zijn vader en een voortreffelijk ruiter.

Ha, ha, ha.

Hier zittend in de rozenkamer, starend door de ramen, was hij zo
verloren geraakt in het verleden dat hij niet had gemerkt dat Mr.
Yorn, de terreinbeheerder, in beeld was verschenen. Gekleed in
een groene regenplunje en zwarte regenlaarzen moest Mr. Yorn
de drainage van de gazons aan het controleren zijn geweest of een
verstopte afvoer hebben onderzocht. Nu staarde hij door de ramen van de rozenkamer naar Fric, op een afstand van anderhalve meter, verbaasd en misschien bezorgd.

Misschien had Mr. Yorn gezwaaid en Fric, verloren in het verleden, had niet teruggezwaaid, en dus had Mr. Yorn nogmaals gezwaaid, en nog steeds had Fric niet teruggezwaaid, en nu dacht
Mr. Yorn misschien dat Fric in trance was.

Om te bewijzen dat hij noch een brutaal snotjoch was noch gehypnotiseerd, zwaaide Fric terug, wat hem juist leek, of Mr. Yorn
daar nu onopgemerkt tien seconden had gestaan of vijf minuten.
Fric zwaaide iets te woest, wat misschien de oorzaak was dat de
terreinbeheerder dichter naar het raam kwam en zei: 'Gaat het wel
met je, Fric?'

'Ja, meneer. Prima. Ik ben een paar hamsandwiches aan het eten.'

Blijkbaar filterden de glas-in-loodramen en het gebulder van de regen elke betekenis uit Frics woorden, want Mr. Yorn stapte nog dichterbij en sprak weer: 'Wat zei je?'

'Hamsandwiches,' legde Fric uit, terwijl hij zijn stem bijna tot schreeuwen verhief.

Een ogenblik lang bleef Mr. Yorn naar hem staren, alsof hij een vreemde kever bestudeerde die gevangenzat in een potje. Toen schudde hij zijn hoofd waardoor de rand van zijn regenhoed komisch op en neer ging en draaide zich om.

Fric keek naar de terreinbeheerder die langs de bronzen uitwerpselen liep. Mr. Yorn liep weg de stortregen in en werd steeds kleiner op het immense gazon tot hij niet groter leek dan een tuinkabouter, en tot hij uiteindelijk was verdwenen als een geest.

Fric meende precies te weten wat Mr. Yorn dacht: *zo moeder, zo zoon.*

Toen Fric overeind kwam uit de stoel, zich uitrekte, de stijfheid uit zijn benen schudde, schopte hij per ongeluk de picknickmand om. Het deksel viel open en toonde dat er iets in zat: iets wits.

De mand was leeg geweest. Geen noodlantaarns, geen hamsandwiches, helemaal niets.

Fric keek door de salon. Hij zag geen plek waarin een onvermoede gast zich zou kunnen verbergen. De deur naar de gang zat nog steeds dicht, zoals hij hem had achtergelaten.

Aarzelend bukte hij zich. Voorzichtig stak hij zijn hand in de mand. Hij haalde er een opgevouwen krant uit en sloeg die trillend open. De *Los Angeles Times.*

De kop was te vet, te zwart en te ongelofelijk om te missen: FBI BEMOEIT ZICH MET MANHEIM-ONTVOERING.

Een huiverende verkilling schoot heen en weer door Fric.

Plotseling werden zijn handpalmen klam, alsof hij zijn handen in een bovennatuurlijke zee had gedoopt, en zijn vingers bleven aan de krant kleven.

Hij controleerde de datum van de krant. 24 december. Overmorgen.

Op de voorpagina, onder de huiveringwekkende kop, stonden twee foto's: een publiciteitsfoto van Geestpapa en de poort aan de voorkant van het landgoed.

Hij aarzelde om het artikel te lezen uit angst dat het door het te lezen werkelijkheid zou worden. Fric wierp een blik op het einde van het artikel en zag dat het verder ging op pagina 8. Hij sloeg de krant open naar pagina 8, op zoek naar de foto die het belangrijkst voor hem was.

En daar stond hij.

Onder zijn foto waren de woorden: *Aelfric Manheim, 10, vermist sinds dinsdagnacht.*

Terwijl hij geschokt naar de foto keek, ging het zwart-witbeeld over in dat van de spiegelman, de Geheimzinnige Beller, zijn beschermengel: het koude gezicht, de bleekgrijze ogen.

Fric probeerde de *Times* neer te gooien, maar het lukte hem niet die los te laten, niet omdat zijn handen vochtig nat waren van de angst, maar omdat de krant een statische lading leek te hebben gekregen en aan hem vastplakte.

Op de foto kwam de Geheimzinnige Beller in beweging, alsof het geen nieuwsfoto was, maar een miniatuur tv-scherm en hij sprak waarschuwend vanuit de *Los Angeles Times*: 'Moloch komt eraan.'

Toen, zonder enige herinnering dat hij een stap verzet had, merkte Fric dat hij door de kamer naar de deur was gelopen.

Hij snakte naar adem, hoewel niet door zijn astma. Zijn hart dreunde luider dan de donder die eerder door de hemel had geslagen.

De *Times* lag bij de omgekeerde mand.

Terwijl Fric keek, vloog de krant van het Perzische tapijt omhoog alsof hij gegrepen was door een woeste wind, hoewel er niet het geringste zuchtje wind voelbaar was. De verschillende katernen van de *Times* vouwden open, bloeiden op; in slechts ogenblikken krompen ze samen, draaiden en voegden zich lawaaierig bij elkaar tot een lange, menselijke gedaante, alsof een onzichtbare man daar al die tijd had gestaan en alsof de opgeblazen krant zich aan zijn tot dusver onzichtbare gestalte had vastgezet.

Dit had niet de uitstraling van een beschermengel, hoewel hij het beslist was. Dit voelde... *bedreigend.*

De papieren man keerde zich af van Fric en vloog naar de erkerramen. Toen het knetterende nieuwsblad het glas raakte, hield het op krant te zijn, werd het een schaduw, een vliegende duisternis, die door de geslepen ruitjes zwermde op dezelfde manier als hij de vorige avond door de versieringen in de kerstboom had geknipperd.

De geest vervaagde, verdween, alsof hij van glas naar de regen was overgegaan, en daarna op de regen was verdwenen naar een plek ver weg en ondenkbaar.

Fric was weer alleen. Of zo leek het.

65

Dr. Jonathan Spetz-Mogg woonde in een prijzige buurt van West-wood, in een mooi Nantucket-stijl huis met cederen dakspanen die zo zilverkleurig waren geworden door de tijd dat ze zelfs in de regen niet meer donker werden, wat de indruk wekte dat de zilveren kleur misschien wel een aangebrachte patina was.

Het Britse accent van Spetz-Mogg was zo excentriek dat het boeiend was, maar zo inconsistent dat het eerder verkregen moest zijn door een lang verblijf in dat land dan door geboorte en opvoeding.

De professor noodde Ethan en Hazard in zijn huis, maar eerder overbeleefd dan elegant. Hij beantwoordde hun vragen niet in een geest van weloverwogen medewerking, maar in een nerveuze woordenrijke stroom.

Hij droeg een ruim FUBU-hemd en een ruime, laaghangende broek met zakken op de pijpen en zag er net zo belachelijk uit als elke blanke die zich probeert te kleden als de *brothers* in welke zwarte wijk ook, en twee keer zo belachelijk omdat hij achtenveertig was. Elke keer dat hij zijn benen over elkaar sloeg, wat hij vaak deed, ritselde de ruime broek zo hard dat het gesprek erdoor onderbroken werd.

Misschien droeg hij binnen vaker wél een zonnebril dan niet. Bij deze gelegenheid droeg hij er een.

Spetz-Mogg nam de zonnebril af en zette hem weer op, bijna net zo vaak als hij zijn benen over elkaar sloeg, hoewel deze twee nerveuze aandoeningen niet synchroon liepen. Hij leek niet in staat te beslissen of hij een betere kans maakte een ondervraging te overleven door zich open en onnozel op te stellen of door zich achter gekleurde glazen te verbergen.

Hoewel de professor duidelijk geloofde dat elke smeris een smerige fascist was, zou hij nooit de barricades op gaan om die beschuldigingen uit te schreeuwen. Hij was niet kwaad dat twee agenten van de repressieve politiestaat in zijn huis waren; hij was gewoon, stilletjes, doodsbang.

In antwoord op elke vraag kotste hij een troep aan informatie uit in de hoop dat woordenrijke antwoorden Ethan en Hazard de deur uit zouden spoelen voordat ze met boksbeugels en wapenstokken aan de gang gingen.

Dit was niet de professor naar wie ze op zoek waren. Spetz-Mogg zou anderen kunnen inspireren een misdaad te plegen uit naam van een of ander ideaal, maar hij had te weinig lef om het zelf te doen.

Bovendien had hij geen tijd voor misdaad. Hij had tien non-fictieboeken en acht romans geschreven. Naast lesgeven organiseerde hij conferenties, workshops en seminars. Hij schreef toneelstukken.

In Ethans ervaring pleegden bedrijvige mensen, ongeacht de kwaliteit van hun geproduceerde werk, zelden gewelddadige misdaden. Alleen in films gaven succesvolle zakenlieden zich over aan moord en narigheid naast hun verantwoordelijkheden aan het bedrijf.

Misdadigers waren meestal mislukkelingen op de werkvloer of gewoon lui. Of hun materiële bezittingen waren verworven via erfenissen of andere gemakkelijke manieren. Nietsdoen gaf hun de tijd plannen uit te broeden.

Dr. Spetz-Mogg herinnerde zich Rolf Reynerd niet. Gemiddeld werden zijn weekendconferenties door driehonderd mensen bijgewoond. Slechts weinigen lieten een blijvende indruk achter.

Toen Ethan en Hazard opstonden om te vertrekken zonder enige aanwijzing dat ze de professor wilden martelen met elektrische draden tegen zijn genitaliën, vergezelde Spetz-Mogg hen met zichtbare opluchting naar de deur. Toen hij de deur achter hen sloot, schoot hij ongetwijfeld naar de wc omdat zijn voorgewende Britse gelijkmoedigheid werd ontkracht door zijn huiverende ingewanden.

In de Expedition zei Hazard: 'Ik had die klootzak uit principe een lel moeten verkopen.'

'Je wordt een beetje raar zo midden in je carrière,' zei Ethan.

'Wat was dat voor accent?'

'Adam Sandler die James Bond speelt.'

'Ja. Met een scheutje Schwarzenegger.'

Na het huis van Spetz-Mogg in Westwood verspilden ze veel te veel tijd met het opsporen van dr. Gerald Fitzmartin die de scriptcursussen had georganiseerd die Reynerd had bijgewoond.

Volgens de universiteit waaraan hij lesgaf, was Fitzmartin met de feestdagen thuis en niet op reis. Toen Hazard opbelde, kreeg hij alleen maar een antwoordapparaat.

Fitzmartin woonde in Pacific Palisades. Ze reden over verharde wegen die meer geschikt leken voor gondels dan voor suv's.

Er deed niemand open toen ze bij het huis van Fitzmartin hadden aangebeld. Misschien was hij inkopen aan het doen voor de kerst. Misschien had hij het te druk met het inpakken van een haatcadeau voor Manheim om naar de deur te komen.

De buurman vertelde een ander verhaal. Fitzmartin was op maandagochtend in allerijl naar het Cedars-Sinai Medisch Centrum gebracht. Hij wist niet waarom.

Toen Hazard het Cedars-Sinai belde, merkte hij dat voor het ziekenhuis de privacy van de patiënt belangrijker was dan de relatie met de politie.

Onder een hemel die net zo gekneusd was als het aangeslagen lichaam van een bokser reed Ethan in de richting van het centrum. De wind vocht met bomen, en soms verloren de bomen het en lieten ze takken op straat vallen die het verkeer hinderden.

Het verkeer was hetzelfde als de hemelse turbulentie. Op één kruising hadden twee auto's met elkaar geknokt, en allebei waren ze neergegaan en uitgeteld. Vijf straten verder had een vrachtwagen zich in de zijkant van een opgebouwd busje geboord.

Ethan reed zo voorzichtig dat het een hinderende omzichtigheid werd. Hij bleef onwillekeurig denken dat hij, als hij al een keer in het verkeer was aangereden en gestorven, misschien wel in een andere straat kon sterven. Misschien dat hij deze keer niet meer uit de dood op zou staan.

Onderweg bleef Hazard aan de telefoon bezig en vond de naam van de professor, bij weer een ander instituut, die het seminar van een dag had georganiseerd over publiciteit en zelfpromotie.

Zonder een van beide handen van het stuur te halen, wierp Ethan een blik op zijn horloge. De dag spoelde sneller weg dan de regen in de riolen.

Hij moest voor vijf uur terug zijn op het Palazzo Rospo. Fric mocht niet alleen zijn in het grote huis, zeker niet op deze vreemde dag.

Het Cedars-Sinai Medisch Centrum bevond zich op Beverly Boulevard in een deel van Los Angeles dat Beverly Hills wilde zijn. Ze kwamen er om achttien minuten over twee aan.

Ze lokaliseerden dr. Gerald Fitzmartin op de intensive care, maar ze kregen geen toestemming hem te zien. In de wachtkamer was de zoon van de professor blij een afleiding te hebben, hoewel hij zich niet kon voorstellen waarom politieagenten met zijn vader wilden spreken.

Professor Fitzmartin was achtenzestig. Na een eerlijk leven gingen oudere mannen als ze gepensioneerd waren zelden over op misdaad. Het hinderde tuinieren en voorbijgaande nierstenen.

Bovendien had Fitzmartin net deze ochtend vier bypasses gehad. Mocht hij samen met Rolf Reynerd samenspannen dan zou hij in de directe toekomst geen filmsterren vermoorden.

Ethan keek op zijn horloge. Vier over halfdrie. *Tik, tik, tik.*

66

Mick Sachatone, de anarchistische multimiljonair, woonde niet in de chique omgeving van multimiljonairs, om niet aan de belastingen te hoeven uitleggen waar zijn welstand vandaan kwam. Leef je contant, dan woon je niet op stand.

Hij waste voldoende inkomsten wit om een ruime vijfkamerwoning zonder architectonische kenmerken van twee verdiepingen te rechtvaardigen in een schone en aangename buurt voor de middenklasse in Sherman Oaks.

Slechts een handvol van Micks meest betrouwbare oude klanten had zijn adres. Meestal deed hij zaken op openbare stranden en in openbare parken, koffiehuizen en kerken.

Zonder bij de garage in Santa Monica langs te gaan om zijn Robin Goodfellow-uitmonstering in te ruilen voor zijn gewone kloffie en gele regenjas, reed Corky direct van de smerige kamers van Jack Trotter in Malibu naar Sherman Oaks. Dankzij Queeg von Hindenburg, verzamelaar van gebroken porselein, was Corky's rooster in de problemen gekomen. Hij had nog een heleboel te doen op deze belangrijkste maar snel verdwijnende dag van zijn leven.

Hij parkeerde op de oprit en rende met een paar snelle passen door de regen naar de overdekking van de veranda.

Micks stem klonk uit een intercom naast de drukbel: 'Kom eraan', en Mick Sachatone kwam naar de deur met een ongewoon enthousiasme. Soms moest je hier twee of drie minuten op de veranda wachten, soms langer, vanaf het moment dat Mick tegen je sprak via de intercom en hij je persoonlijk kwam begroeten, omdat hij zoals gewoonlijk bezig was met werk of andere belangwekkende zaken.

Zoals gewoonlijk als hij thuis was, liep Mick op blote voeten en was hij gekleed in een pyjama. Vandaag was zijn pyjama rood, versierd met afbeeldingen van het tekenfilmpersonage Bart Simpson. Mick kocht sommige pyjama's direct in de winkel, maar liet zich andere aanmeten.

Zelfs al voordat Mick in de puberteit zat, was hij verrukt geweest door het verhaal van Hugh Hefner, stichter van *Playboy*. Hef had een manier ontdekt om succesvol op te groeien en toch een groot kind te blijven dat zich overgaf aan elke gril of wens, hoe groot die ook mocht, door van zijn leven één groot feest te maken, en hij bracht meer dagen in pyjama's door dan niet.

Mick, die meestal thuis werkte, bezat meer dan 150 pyjama's. Hij sliep naakt, maar droeg overdag pyjama's.

Hij zag zichzelf als een navolger van Hef. Een mini-Hef. Mick was tweeënveertig, bijna dertien.

'Hé, Cork, superhip kloffie,' zei Mick toen hij de deur opende en Corky gekleed zag als Robin Goodfellow.

Voor een vreemde zou dit misschien als een bespotting gezien worden, maar Micks vrienden wisten dat hij er al lang geleden mee was opgehouden nieuwe woorden te gebruiken in een poging meer in de lijn van Hef te blijven.

'Sorry dat ik laat ben,' zei Corky terwijl hij naar binnen stapte.

'Geeft niks, man, ik zou dit huis zonder klok runnen, als ik het kon.'

De woonkamer bevatte zo weinig mogelijk meubilair. De pluchen bank, lompe leunstoelen, voetbankjes, salontafel, bijzettafeltje en lampen waren als één pakket bij een warenhuis gekocht. De kwaliteit was goed, maar alles was op het gemak uitgezocht, niet op het uiterlijk.

Mick had geen pretenties. Ondanks zijn rijkdom was hij een man met eenvoudige, hoewel soms obsessieve behoeftes gebleven.

De voornaamste inrichting in Casa Sachatone bestond niet uit meubels of kunst. Buiten een paar vertrekken die Mick als werkruimtes aan het oorspronkelijke huis had laten aanbouwen, waren alle wanden in het huis op twee na voorzien van planken waarop een verzameling van duizenden pornografische videobanden en dvd's stond. Er waren ook planken aangebracht aan de muren van de trap en die van de gangen.

Mick gaf de voorkeur aan videotapes boven dvd's omdat de cassettes in dozen kwamen met dikke, kleurrijke ruggen die waren versierd met obscene titels en soms met pornografische foto's. Het gevolg was één onafgebroken erotisch mozaïek dat voortliep van de ene naar de andere kant van het huis en van beneden naar boven, waardoor een bijna psychedelisch effect ontstond.

Alleen de werkvleugel, deze woonkamer en de grote slaapkamer waren gemeubileerd. Andere vertrekken, waaronder de eetkamer, waren niet alleen afgezet met videocassettes maar waren gevuld met gangen vol kasten, zoals in de bibliotheek.

Mick at al zijn maaltijden of voor zijn computer of in bed: veel magnetron-eten, en ook veel bezorgde pizza's en Chinees eten.

Van de twee muren die niet van de vloer tot aan het plafond waren voorzien van planken bevond een ervan zich in de woonkamer. Deze ruimte was voorbehouden aan vier supermoderne tv's met plasmaschermen en aanverwante apparatuur. De andere soortgelijke muur bevond zich in de slaapkamer.

Een stel plasmaschermen hing naast elkaar, en een tweede stel hing naast elkaar boven dat eerste. Elk scherm werd bediend door een dvd-speler en een videorecorder; die uitrusting, plus acht speakers en ermee verbonden versterkers waren gehuisvest in lage kasten onder de schermen.

Mick kon vier films tegelijk afspelen en kon, naar believen, van het ene geluidsspoor naar het andere overschakelen. Of hij kon – wat hij vaak deed – alle vier geluidssporen tegelijkertijd afspelen. Gewoonlijk werd je, als je Sachatones woonkamer binnenstapte, begroet door een rauwe symfonie van zuchten, knorren, kreunen, gilletjes, piepjes, gesis en kreetjes van genot, door gefluisterde en gegromde obsceniteiten en door een ritmische stroom zwaar gehijg in elke mate van opwinding. Met gesloten ogen zou je bijna kunnen geloven dat je je in een liederlijk bevolkte jungle bevond, zij het een jungle waarin alle tropische diersoorten tegelijk aan het copuleren waren.

Deze middag ging geen van de vier pornofilms vergezeld van geluid. Mick had ze allemaal uitgezet.

'Janelle was zo bijzonder,' zei Mick teder, knikkend naar de videowand en doelend op zijn verloren vriendin. 'Eén grote swingende meid.'

Hoewel zijn Bart Simpson-pyjama er misschien frivool uitzag, bleef Mick in een sombere herdenkingsstemmig hangen. Alle vier de schermen toonden klassiekers uit Janelles uitgebreide filmografie. Wijzend naar het scherm rechtsboven in de opstapeling van vier, zei Mick: 'Dat wat ze daar doet, dat heeft niemand – niemand – ooit eerder of later in een film gedaan.'

'Ik betwijfel het of iemand anders het zou kunnen,' zei Corky, omdat het oogverblindende nummer waarbij ze zo heftig betrokken was haar legendarische lenigheid betrof, en waarvoor misschien alleen zij van alle mensen de juiste genen bezat.

Doelend op de medespelers van zijn vriendin in de video rechtsboven, zei Mick: 'Die vier mannen houden van haar. Zie je dat? Elk van die kerels houdt gewoon van haar. Mannen hielden van Janelle. Ze was echt super.'

Micks stem zwol aan met een weemoedig verlangen. Ondanks heel zijn hefneriaanse hipheid, had hij een sentimenteel hart.

'Ik kom net van Trotter in Malibu,' zei Corky.

'Heb je die klootzak al vermoord?'

'Nog niet. Je weet dat ik hem nog even nodig heb.'

350

'O, moet je dat zien.'
'Ze is heel bijzonder.'
'Je zou denken dat het pijn doet.'
'Misschien deed het dat ook,' zei Corky.
'Volgens Janelle niet, het was leuk.'
'Doet ze veel rekoefeningen?'
'Haar werk was rekoefeningen. Vermoord je hem?'
'Dat heb ik je toch beloofd?'
'Ik had gedacht oud met haar te worden,' zei Mick.
'O ja?'
'Nou, in ieder geval ouder.'
'Ik heb zijn nieuwe verzameling porselein kapotgeschoten.'
'Duur?'
'Lladro.'
'Martel je hem voordat je hem vermoord?'
'Zeker.'
'Je bent een goede vriend, Cork. Je bent een maat.'
'Nou, we kennen elkaar al heel lang.'
'Meer dan twintig jaar,' zei Mick.
'De wereld was toen erger,' zei Corky, van een anarchistisch standpunt uitgaande.
'In onze tijd is er veel kapot gegaan,' beaamde Mick. 'Maar niet zo snel als we droomden toen we nog krankzinnige kinderen waren.'
Ze keken elkaar glimlachend aan.
Zouden ze andere mannen zijn geweest, dan hadden ze elkaar misschien omhelsd.
In plaats daarvan zei Mick: 'Ik ben klaar om het Manheim-programma te starten', en bracht Corky naar de achterkant van zijn huis naar zijn werkkamers.
Hier waren de wanden niet geflankeerd door videofilms, maar door computers, een compacte drukpers, lamineermachines, een lasergestuurde impressumprinter, en andere hightechapparatuur die nodig waren voor de beste kwaliteit vervalste documenten.
In zijn centrale werkplaats had Mick al twee stoelen direct voor het computerscherm neergezet.
Corky trok zijn leren jasje uit, hing dat over de rug van de tweede stoel, en ging zitten.
Toen hij de Glock in de holster zag, zei Mick: 'Gebruik je dat schietijzer om Trotter om te brengen?'
'Ja.'
'Kan ik het daarna krijgen?'

'Het wapen?'

'Ik zal voorzichtig zijn,' beloofde Mick. 'Ik zal het nooit gebruiken. En ik boor de loop uit zodat hij niet in verband gebracht kan worden met de kogels waarmee je hem doodt. Ik wil hem niet als wapen, weet je, het zal gewoon een soort heilig object voor me worden. Een deel van mijn persoonlijke herinneringsmuur aan Janelle, op de plank waar ik al haar films bewaar.'

'Oké,' zei Corky. 'Hij is van jou als ik met hem klaar ben.'

'Je bent fantastisch, Cork.' Wijzend op de computer en de gegevens erop, zei de bewaarder van Janelles eeuwige vlam: 'Dit was een klotemoeilijke klus.'

Mick, als hacker van buitengewone kwaliteiten, liet doorschemeren of stelde ronduit dat voor hem, de Ultieme Meester over Digitale Data en Heerser over het Virtuele Universum, alles net zo makkelijk ging als bijtjes naar bloemen vlogen; daarom moest deze bekentenis, dat de Manheim-klus het uiterste van zijn talenten had gevergd, betekenen dat het een enorm karwei was geweest.

'Om precies halfnegen vanavond,' vervolgde Mick, 'sluit de computer van de telefoonmaatschappij alle vierentwintig lijnen van het Manheim-landgoed af.'

'Alarmeert dat Paladin Patrol niet, de beveiligingsfirma van buiten? Er is een speciale lijn die vierentwintig uur per dag verbinding houdt tussen Paladin en het landgoed, voor het doorgeven van een alarm.'

'Ja, als de verbinding wegvalt, zal Paladin de interruptie op dezelfde manier afhandelen als een alarmsignaal. Maar ze zullen niets weten.'

'Het is een gewapende beveiligingsdienst,' zei Corky zorgelijk. 'Hun agenten zijn geen stadswachters met peperspray. Ze reageren snel, met wapens.'

'Een deel van het programma dat ik voor jou heb ontwikkeld, richt zich op een inbraak in de Paladin-computer, direct voordat de telefoons van Manheim platgelegd worden. Het haalt de stekker uit hun hele systeem.'

'Ze hebben extra's.'

'Ik ken hun extra's net zo goed als mijn eigen kruis,' zei Mick ongeduldig. 'Ik haal de stekker ook uit dat extra systeem.'

'Indrukwekkend.'

'Je hoeft je geen zorgen te maken over dat externe beveiligingsbedrijf. Maar hoe staat het met de privébewakers van het landgoed, de jongens van Manheim?'

'Twee in de avonddienst,' zei Corky. 'Ik ken hun routine. Ik heb dat uitgezocht. Hoe staat het met de mobiele telefoons?'

'Dat maakt deel uit van het pakket dat je van me koopt. Ik heb de informatie nagetrokken die jij hebt gekregen van Ned Hokenberry, en Manheim gebruikt nog steeds dezelfde mobiele telefoons als voordat Hokenberry werd ontslagen.'

Corky zei: 'Twee van die mobiele telefoons worden gebruikt door de beveiligingsagenten die dienst hebben. Een derde is altijd in het bezit van de chef-beveiliging, Ethan Truman.'

Mick knikte. 'Die worden om halfnegen, tegelijk met de vaste telefoons, afgesloten. Het echtpaar dat het huis leidt, krijgt ook mobieltjes als behorend bij hun baan...'

'De McBee's.'

'Ja,' zei Mick. 'En Hachette, de chef-kok, en ook William Yorn...'

'De terreinbeheerder. Ze zijn er vanavond geen van beiden,' merkte Corky op. 'Alleen maar Truman en de jongen.'

'Je wilt toch niet het risico lopen dat iemand besluit tot laat door te werken of misschien vroeger terugkeert van vakantie, hè? Als ik ze allemaal platgooi, bestaat er geen enkele kans dat iemand op dat landgoed negen-een-een draait. Tegelijkertijd zullen de verbindingen van degenen van het personeel die piepers hebben onklaar gemaakt worden.'

Eerder hadden ze het over het internet gehad en de manieren waarop dat gebruikt kon worden om om hulp te vragen.

Corky voorvoelend zei Mick: 'De directe kabelaansluiting vanuit het landgoed zal ook om halfnegen beëindigd worden.'

'En de bewakers die dienst hebben, weten die dan niet dat dit alles gebeurt?'

'Tenzij ze proberen een telefoon te gebruiken of internet op te gaan.'

'Zit er geen waarschuwing op hun computers dat het systeem platgelegd is?'

'Ik heb daaraan gedacht. Maar waarvoor ik je al heb gewaarschuwd, is dat ik niet de camera's onklaar kan maken, noch de hittesensoren aan de grens of de bewegingsdetectors in het huis zelf. Als ik dat zou doen, zouden ze zien dat hun systeem niet meer werkte, en zouden ze weten dat er iets aan de hand was.'

Corky haalde zijn schouders op. 'Als ik in het huis ben, wil ik trouwens dat de bewegingsdetectors werken. Misschien heb ik ze nodig. Wat de camera's en hittesensoren betreft, Trotter helpt me erlangs te komen.'

'En daarna vermoord je hem,' zei Mick.

'Niet meteen. Later. Dus wat moet je nog doen?'

Terwijl hij zijn rechterhand op ceremoniële wijze hoog opstak, zei Mick: 'Alleen maar dit.' Langzaam, met een mallotig gevoel voor drama, bracht Mick zijn wijsvinger recht naar beneden naar het keyboard en toetste ENTER in.

De data op de computer verdwenen. Het scherm ging over naar een zacht onbezoedeld blauw veld.

Corky klemde zijn kaken op elkaar. 'Wat is er misgegaan?'

'Niets, ik ben net met de uitvoering van het programma begonnen.'

'Hoe lang duurt het?'

Mick wees op de twee woorden die in het midden van het scherm waren verschenen: GA ERTEGENAAN. 'Als dat verandert, zit de klus erop. Wil je een cola of zoiets?'

'Nee, bedankt,' zei Corky.

Hij at of dronk nooit iets in huize Sachatone, en hij probeerde ook niets aan te raken. Je moest je voorstellen dat Mick alles in het huis op welke tijd ook had aangeraakt, en je wist nooit waar Mick zijn handen kortgeleden had gehouden. Eigenlijk wist je wél waar Micks handen recentelijk waren geweest, en dat was het probleem. De meeste vrienden van Mick zouden zijn hand niet geschud hebben als hij die had aangeboden, maar hij leek hun bezorgdheid te begrijpen, al was het maar onderbewust, en stak nooit zijn hand naar iemand uit.

Bart Simpson rende over een veld kreukels, sprong in en uit de plooien van het weefsel en trok een heleboel gezichten toen Mick een cola pakte uit de koelkast van het kantoor en terugkwam naar zijn stoel bij de computer.

Ze spraken over een zeldzame pornovideo die naar men zei in Japan was geproduceerd en die beroemd was onder de ware liefhebbers van goorheid; de film ging over twee mannen, twee vrouwen en een hermafrodiet, allemaal gekleed als Hitler. Mick zat al twaalf jaar achter dit item aan.

De video klonk Corky helemaal niet zo interessant in de oren, maar hij kreeg niet de kans om zich te vervelen tijdens het gesprek omdat binnen vier minuten de woorden op het computerscherm veranderden van GA ERTEGENAAN in BEVREDIGING.

'Pakje afgeleverd,' zei Mick.

'Is dat het?'

'Ja. De zaadjes zijn geplant in de telefoonmaatschappij, het kabelbedrijf en in de computers van de beveiligingsfirma. Later vandaag, op het moment dat jij wilt, wordt alles platgegooid.'

'Zonder verder nog enige bemoeienis van jou?'

Mick grijnsde. 'Glad, hè?'

'Verbazingwekkend,' zei Corky.

Mick hield zijn hoofd achterover om een lange teug cola te nemen, Corky trok de Glock, en toen Mick zijn hoofd weer liet zakken, knalde Corky hem van de wereld.

67

De professor die het eendaagse seminar had georganiseerd over publiciteit en zelfpromotie, was dr. Robert Vebbler. Hij gaf er de voorkeur aan dr. Bob genoemd te worden, zoals hij bekendstond binnen het motivatie opwekkende wereldje, waar hij beloofde gewone, aan zichzelf twijfelende mannen en vrouwen te veranderen in twijfelloze dynamo's vol eigenbelang en bovenmenselijke prestaties.

Ethan en Hazard vonden de professor op de voornamelijk verlaten campus, in zijn kantoor, zich voorbereidend op een tournee van lezingen in januari. De muren van de ruimte van twee vertrekken waren bedekt met portretposters van dr. Bob in een formaat dat populair was gemaakt door Josef Stalin en Mao Tsedung.

Hij had een geschoren hoofd, een gekrulde snor, had een roodbruine huidskleur van de zon, die zijn minachting voor huidkanker aangaf, en door laser wit gemaakte tanden, helderder dan lichtende pianotoetsen. Met uitzondering van zijn rode slangenleren laarzen, was alles wat hij aanhad – evenals op de posters – wit, inclusief zijn horloge dat een wit bandje had en een witte wijzerplaat, zonder nummers of punten om de uren aan te geven.

Het lukte dr. Bob zo succesvol elke vraag te beantwoorden met een minilezing over gevoel van eigenwaarde en positief denken dat Ethan wilde dat Hazard hem arresteerde op aanklachten van misbruik van clichés en het praktiseren van filosofie zonder enige inhoud.

Hij was net zo kwakend als Donald Duck, maar hij was net zomin een moordenaar als die opgewonden eend. Hij hongerde naar beroemdheid, niet naar beruchtheid. Donald had zo nu en dan geprobeerd Knabbel en Babbel te vermoorden, dat stel hinderlijke grondeekhoorns, maar dr. Bob zou in plaats daarvan hen gemotiveerd hebben hun knaagdierengewoontes op te geven en succesvolle ondernemers te worden.

Hij signeerde twee van zijn laatste boeken over motivatielezingen voor Ethan en Hazard en verklaarde dat hij de eerste zou zijn die een serie boeken over zelfhulp op elkaar zou stapelen tot een Nobelprijs voor de literatuur.

Tegen de tijd dat ze uit het kantoor van dr. Bob ontsnapten, een vuilnisbak hadden gevonden om de paperbacks te dumpen en terugkeerden naar de Expedition wezen de klok op het dashboard en Ethans horloge dezelfde tijd aan: 3.41.

Om vijf uur zou het laatste lid van het huishoudpersoneel vertrekken. Fric zou dan alleen zijn in het Palazzo Rospo.

Ethan overwoog de bewakers in het beveiligingskantoor achter op het landgoed te bellen. Een van hen zou naar het huis kunnen gaan om bij de jongen te blijven.

Daardoor zou één man achterblijven om de camera's en andere detectiesystemen in de gaten te houden, en niemand zou de geplande patrouille te voet kunnen uitvoeren. Ethan had er weinig zin in zijn hulpbronnen in de huidige omstandigheden zo dun uit te smeren.

Hij bleef geloven dat Reynerds onbekende partner, als die nog in actie wilde komen, dat op z'n vroegst niet eerder zou doen dan donderdagmiddag, als het Gezicht terugkeerde van lokatie in Florida. Manheims verblijfplaats was publiekelijk bekend en er was veel over geschreven. Iedereen die voldoende geobsedeerd was door de ster om hem te willen doden, zou hoogstwaarschijnlijk weten wanneer hij terugverwacht werd in Bel Air.

Hoogstwaarschijnlijk... maar niet absoluut zeker.

Het element van twijfel en Hazards intuïtieve gevoel dat ze niet tot donderdag hadden, zat Ethan dwars. Hij maakte zich zorgen dat iemand een manier zou ontdekken om door de verdediging van het landgoed heen te komen, ongeacht hoe stevig het terrein was afgegrendeld, en onopgemerkt zou liggen wachten op Manheims terugkeer.

Zelfs het meest luchtdichte veiligheidsplan bleef toch een menselijke onderneming, en elke menselijke onderneming was, naar het aardje van het beestje, niet perfect. Een waanzinnige die maar slim genoeg was, voortgedreven door obsessie en door een enorme moorddadige stimulans, zou zelfs een gat kunnen vinden in de beveiligingsmuur rond een president van de Verenigde Staten.

Van wat Ethan wist over Reynerd, was de man niet slim geweest, maar de persoon die het karakter van de professor in het script had geïnspireerd zou weleens een mafketel van een veel hogere orde kunnen zijn.

'Jij gaat naar huis,' hield Hazard aan toen ze de campus van de universiteit afreden. 'Breng me naar het Onze Lieve Vrouwe van de Engelen zodat ik mijn auto kan halen en ik controleer zelf de laatste twee namen.'

'Dat lijkt me niet juist.'

'Jij bent trouwens geen echte smeris meer,' zei Hazard. 'Je hebt dat allemaal opgegeven voor fortuin en de mogelijkheid om de reet van een ster te likken. Weet je nog?'

'Jij bent er alleen maar bij betrokken door mij.'

'Mis. Ik zit er hierom in,' zei Hazard en liet het setje van drie klokjes rinkelen.

Het geluid weerklonk in het vocht van Ethans ruggengraat.

'Verdomd als ik dit soort enge flauwekul in mijn leven toelaat,' zei Hazard, 'of dat van mannen die spiegels inlopen. Op de een of andere manier vind ik een verklaring, om al die voodoogedachten uit mijn hoofd te blazen en weer te worden wie ik was, en hoe ik was.'

De overgebleven twee namen waren die van professoren in Amerikaanse literatuur op weer een andere universiteit. Ze waren onder aan de lijst gezet, omdat Reynerds onafgemaakte script suggereerde dat zijn medesamenzweerder een leraar drama of een academicus zou blijken te zijn die op de een of andere manier te maken had met de amusementsindustrie. Duffe professoren in de literatuur, die rondliepen in tweedjassen met leren elleboogstukken, die pijp rookten en over deelwoorden discussieerden, leken niet zulke waarschijnlijke stalkers of moordenaars van beroemdheden.

'Hoe dan ook,' zei Hazard. 'Volgens mij zullen deze misschien net zomin iets opleveren als de anderen.'

Hij las van aantekeningen die hij had gemaakt tijdens telefoontjes die hij onderweg had gepleegd tussen professor Fitzmartin in het Cedars-Sinai en dr. Bob.

Het noodweer was iets afgenomen. De wind die bomen had doen splijten maakte ze hoogstens nog verontrust en deed ze huiveren in afwachting van een plotselinge opleving van de storm.

De regen viel met een afgemeten doeltreffendheid, maar niet meer met een verwoestende kracht, alsof een revolutie in de hemelen de heersende krijgers had vervangen door zakenlieden.

'Maxwell Dalton,' vervolgde Hazard na een ogenblik. 'Blijkbaar is hij met verlof of met een sabbatsjaar van de universiteit. De vrouw met wie ik sprak was de een of andere vakantiekracht, dus ik zal Daltons vrouw moeten opzoeken. En de ander is Vladimir Laputa.'

68

Corky betreurde het wat hij met het gezicht van Mick Sachatone had gedaan. Een goede vriend behoorde op een waardiger manier geëxecuteerd te worden.

Omdat de Glock niet voorzien was geweest van een geluiddemper, had hij ervoor moeten zorgen dat het eerste schot raak was. Misschien was er geen enkele buur thuis, en misschien zou, als ze wel thuis waren, het geluid van de neerstromende regen een enkel schot voldoende maskeren om hun belangstelling niet op te wekken. Maar een salvo had niet gekund.

In Malibu had Corky het mooie geluid van het pistool niet willen dempen. De *knal* van elk schot dat het tere koor van de versplinterde porseleinen beeldjes benadrukte, had Jack Trotter door elkaar gerammeld.

Hoewel hij een demper bij zich had, kwam de Glock door de verlengde loop minder goed in de holster te zitten. En ook kon Corky door die paar extra centimeter niet zo gladjes trekken als hij wel wilde.

Bovendien zou de arme Mick, als hij had gezien dat de Glock in de holster was voorzien van een geluiddemper, zich weleens ongemakkelijk hebben kunnen voelen, ondanks Corky's nonchalance.

Nadat hij het pistool in de holster had gestoken, trok Corky zijn zwartleren jasje aan en haalde een paar plastic operatiehandschoenen uit één zak. Hij moest er natuurlijk voor zorgen geen vingerafdrukken achter te laten, maar in dit heiligdom van de zondige hand, maakte hij zich minder zorgen om het bewijs dat hij misschien achterliet dan om wat hij misschien oppakte.

Elders zaten planken vol video's voor de ramen waardoor het huis een grot werd, maar in de werkkamers drukte het sombere gezicht van de afnemende dag tegen het beregende glas. Corky trok de gordijnen dicht.

Hij had tijd nodig om het huis te doorzoeken naar de goed verborgen geldreserves van Mick, die hoogstwaarschijnlijk aanzienlijk waren, en ook tijd om de computers los te koppelen en in de

Land Rover te laden om ervoor te zorgen dat de informatie die ze bevatten niet in vijandelijke handen zou komen. Hij zou het lichaam in een kleed rollen, het hier wegslepen en daarna het bloed verwijderen.

Om geen onderzoek van Moordzaken te krijgen dat misschien, ondanks al zijn voorzichtigheid, naar hem zou leiden, was Corky van plan Mick te laten verdwijnen.

Hij zou in plaats daarvan ook de plek vol benzine kunnen gieten en het daarna in brand steken om alle bewijs te laten verdwijnen, zoals hij had gedaan in het smalle huis van Brittina Dowd. De duizenden videocassettes zouden met een intense hitte branden en voldoende enorme wolken giftige rook uitstoten om het werk van de brandweerlieden te verhinderen. In de smeulende resten zouden geen aanwijzingen achterblijven.

Toch haatte hij het de archieven van Sachatone vol geestloze lust te vernietigen, want deze plek was het grootste monument van chaos dat Corky ooit had gezien. De kwaadaardige hoeveelheid straalde vibraties uit met de macht ontbinding en wanorde te verspreiden op dezelfde manier als een hoop plutonium een dodelijke straling uitzendt waartegen mettertijd geen levend wezen bestand was.

Maar de zoektocht naar Micks contanten, het ontmantelen van zijn computers en het verwijderen van het lijk in pyjama moest wachten tot Aelfric Manheim was weggerukt uit de knusse schoot van beroemdheid en was opgesloten in de kamer die momenteel bezet werd gehouden door Mannetje Stinkkaas. Corky zou hier over vierentwintig uur terugkeren.

Ondertussen zette hij de computers en de andere actieve machines in de werkkamers uit, om ervoor te zorgen dat geen enkel elektrisch apparaat aan bleef staan dat oververhit kon raken en een kleine brand kon beginnen, die de brandweer in deze vertrekken bracht voordat de schat aan geld was gevonden en terwijl het lijk nog lag te wachten om ontdekt te worden.

Terug in de woonkamer bleef Corky een ogenblik staan om naar de erotische kronkelingen van de onvergelijkbare Janelle op de vier schermen te kijken, voordat hij duisternis bracht in de muur van wriemelend vlees. Hij vroeg zich af of Jack Trotter voordeel had gehaald uit haar verbazingwekkende lenigheid door haar tot op de helft op te vouwen voor een half graf om zichzelf enig graafwerk te besparen.

Nu Mick dood was, waren zowel de Romeo als de Julia van de porno verdwenen. Triest.

Corky zou er de voorkeur aan hebben gegeven Mick niet te doden, maar Mick had zijn eigen doodvonnis gesigneerd toen hij Trotter had verraden. In een aanval van jaloezie, misselijk door wraak, had hij Corky de talrijke valse identiteiten onthuld die hij door de jaren heen voor Trotter had gemaakt. Als hij één klant kon verraden, zou hij Corky op een dag ook kunnen verraden.

Het vernietigen van de sociale orde is eenzaam werk.

Corky stapte de veranda op en sloot de deur met Micks sleutel die hij van het sleutelbord in de keuken had gepakt.

De kilte van de dag was toegenomen.

Ondanks al het spoelen en wringen die de droogdoek van de hemel had ondergaan, was hij smeriger grijs dan hij die ochtend was geweest, en het licht wierp noch licht noch de geringste schaduw. Er was zoveel gebeurd sinds hij was opgestaan om de dag tegemoet te treden. Maar het beste moest nog komen.

69

Toen Ethan in de keuken met Mr. Hachette het eten besprak, merkte hij dat de chef-kok amper wilde communiceren en dat hij stijf stond van een woede die hij ronduit weigerde te verklaren. Hij zei alleen maar: 'Mijn verklaring over de zaak is op de post, inspecteur Truman.' Hij wilde de 'zaak' waar hij op doelde verder niet uitleggen. 'Mijn gepassioneerde verklaring is op de post. Ik weiger in een vechtpartij terecht te komen als een gewone kok. Ik ben *chef*, en ik druk mijn minachting uit als een heer middels de moderne pen, niet in uw gezicht, maar in uw rug.'

Hachettes Engels was minder gebroken als hij niet kwaad of opgewonden was, maar zelden kreeg je de kans zijn vloeiender uitspraak te horen.

In tien maanden had Ethan al geleerd de chef-kok nooit onder druk te zetten over zaken die met de keuken te maken hadden. De kwaliteit van zijn eten rechtvaardigde zijn eis als grillige artiest zijn ruimte te krijgen. Zijn onweersbuien kwamen en gingen, maar lieten geen schade in hun kielzog achter.

Ethan beantwoordde Mr. Hachette met een schouderophalen en ging Fric zoeken.

Mrs. McBee wilde niet dat het hele huis via de intercom op te roepen was. Ze zag het als een overtreding van de statige atmosfeer van het grote huis, een belediging voor de familie en een afleiding voor het personeel. 'We werken niet in een kantoorgebouw of in een warenhuis,' had ze uitgelegd.

Het hogere personeel had piepers bij zich waarop ze overal op het uitgespreide landgoed persoonlijk opgeroepen konden worden. Naar hen schreeuwen over het intercomsysteem was zelden nodig. Als je een lager personeelslid wilde opsporen of als je positie je ook de bevoegdheid gaf naar goeddunken een lid van de familie te zoeken – wat onder het huishoudelijk personeel alleen voor Mrs. en Mr. McBee en Ethan was weggelegd – dan deed je dat met de intercom van kamer naar kamer. Je begon met de drie plaatsen waar je de betreffende persoon het meest verwachtte te vinden.

Tegen vijf uur bleef er slechts een minimale personeelsbezetting achter die kon worden afgeleid, omdat ze allemaal volgens het rooster binnen een paar minuten zouden vertrekken. Fric was het enige lid van de familie Manheim dat in het huis was. De McBee's waren in Santa Barbara. Toch voelde Ethan zich verplicht de standaardprocedure te volgen uit respect voor de traditie, uit achting voor Mrs. McBee en in de overtuiging dat als hij Fric in alle kamers tegelijk opriep, de lieve dame in Santa Barbara ogenblikkelijk zou weten wat er was gebeurd en haar korte vakantie zou bekorten door een onnodige zorg.

Gebruik makend van de intercomfaciliteit op een van de keukentelefoons probeerde Ethan eerst Frics kamers op de tweede verdieping. Hij zocht de jongen vervolgens in de treinkamer – 'Ben je daar, Fric? Met Mr. Truman' – in de bioscoop en vervolgens in de bibliotheek. Hij kreeg geen antwoord.

Hoewel Fric nooit nukkig was geweest en zeker nooit brutaal, gaf hij er misschien de voorkeur aan niet te reageren op de intercom ook al hoorde hij hem.

Ethan besloot het huis van boven naar beneden te doorlopen, voornamelijk om de jongen te zoeken, maar ook om zichzelf ervan te verzekeren dat in het algemeen alles zo was als het hoorde te zijn. Hij begon op de tweede verdieping. Hij ging niet elke kamer binnen, maar maakte in ieder geval de meeste deuren open om naar binnen te kijken en riep herhaalde malen de naam van de jongen. De deur naar Frics suite stond open. Na zichzelf twee keer bekendgemaakt te hebben en geen antwoord te hebben gekregen, besloot Ethan dat deze avond de veiligheidszaken voorrang hadden op huishoudetiquette en de privacy van de familie. Hij liep Frics kamers binnen, maar zag de jongen daar niet en evenmin dat er iets ontbrak.

Ethan keerde door de oostelijke vleugel terug naar de noordelijke gang, in de richting van de hoofdtrap, en bleef drie keer staan om zich om te draaien, te luisteren, tegengehouden door een kriebeling in zijn nek, door een gevoel dat alles niet zo in orde was als het scheen.

Rust. Stilte.

Hij hield zijn adem in en hoorde alleen zijn hart.

Als hij dat inwendige ritme uitzette, hoorde hij niets echts, alleen absurditeiten die hij zich inbeeldde; steelse bewegingen in de antieke spiegel boven een dressoir vlakbij; een zwakke stem zoals die over de telefoon de avond ervoor, maar zwakker dan toen, die hem riep, niet vanuit een kamer op de tweede verdieping, maar van de andere kant van een blinde bocht op de snelweg naar de eeuwigheid.

De spiegel gaf alleen maar zijn spiegelbeeld, geen vage vorm, geen vriend uit zijn jeugd.

Toen hij weer begon te ademen, kon de verre stem die alleen in zijn verbeelding bestond zelfs daar niet meer gehoord worden.

Hij daalde de hoofdtrap af naar de eerste verdieping waar hij Fric in de bibliotheek vond.

De jongen zat een boek te lezen in een leunstoel die hij van zijn toegewezen plaats had verschoven. Hij stond met zijn rug pal tegen de kerstboom.

Toen Ethan de deur opende en naar binnen liep, schrok Fric, wat hij probeerde te verhullen door te doen alsof hij alleen maar was gaan verzitten in de leunstoel. Door pure angst waren zijn ogen een ogenblik heel groot en had hij zijn kaken op elkaar geklemd, tot hij besefte dat Ethan slechts Ethan was.

'Hallo, Fric. Gaat het een beetje? Ik heb je een paar tellen geleden hier over de intercom opgeroepen.'

'Ik heb het niet gehoord, mmmm, nee, niet de intercom,' zei de jongen, die zo onbeholpen loog, dat als hij aan een leugendetector vastgekoppeld was geweest, het apparaat zou zijn ontploft.

'Je hebt de stoel verschoven.'

'Stoel? Mmm, nee, ik heb hem zo gevonden, zo hier, weet u, gewoon zo.'

Ethan ging op de rand van een andere leunstoel zitten. 'Is er iets mis, Fric?'

'Mis?' vroeg de jongen, alsof de betekenis van de woord hem ontging.

'Is er iets dat je me graag zou willen vertellen? Maak je je ergens zorgen om? Want je lijkt zo heel anders.'

De jongen wendde zijn blik van Ethan af en keek naar het boek. Hij sloeg het boek dicht en liet het op zijn schoot zakken.

Als smeris had Ethan lang geleden al geduld geleerd.

Toen Fric weer oogcontact maakte, leunde hij naar voren in zijn stoel. Hij leek samenzweerderig te willen fluisteren, maar aarzelde en ging rechtop zitten. Wat hij had willen zeggen, liet hij voorbijgaan. Hij haalde zijn schouders op. 'Ik weet het niet. Misschien ben ik gespannen omdat mijn vader donderdag thuiskomt.'

'Dat is toch heel goed?'

'Natuurlijk. Maar het is ook moeilijk.'

'Waarom moeilijk?'

'Nou, hij zal een paar vrienden meenemen, weet u. Dat doet hij altijd.'

'Vind je zijn vrienden niet aardig?'

'Ze zijn oké. Het zijn allemaal golfers en sportfanaten. Pap praat graag over golf, rugby en dingen. Zo ontspant hij zich. Zijn vrienden en hij, het is net een club.'

Een club waarvan je nooit ofte nimmer lid van zal zijn, dacht Ethan, verrast door een medeleven dat zijn keel dichtkneep.

Hij wilde de jongen knuffelen, met hem naar de film gaan, naar een bioscoop, niet beneden naar het mini-Pantages in het Palazzo Rospo, maar naar een gewoon bioscoopcomplex waar het krioelde van de kinderen met hun families, waar de lucht verzadigd was van de geur van popcorn en de vettige olie die half naar boter rook, waar je de bioscoopstoelen eerst moest controleren op kauwgum en snoep voor je ging zitten, en waar je tijdens de grappige momenten van de film niet alleen je eigen lachen hoorde, maar dat van een hele meute.

'En hij zal een vrouw bij zich hebben,' ging Fric verder. 'Dat is altijd zo. Vóór Florida maakte hij het uit met de laatste. Ik weet niet wie die nieuwe is. Misschien is ze aardig. Soms zijn ze dat. Maar ze is nieuw, en ik zal haar moeten leren kennen, wat niet zo makkelijk is.'

Ze bevonden zich op gevaarlijk terrein voor een gesprek tussen een lid van het gezin en een lid van het personeel. Uit medelijden kon Ethan niets zeggen waaruit zijn werkelijke oordeel over Channing Manheim als vader bleek, of wat de suggestie bevatte dat de prioriteiten van de filmster niet in de juiste volgorde stonden.

'Fric, wie de nieuwe vriendin van je vader ook is, haar leren kennen zal niet zo moeilijk zijn omdat ze je aardig zal vinden. Iedereen vindt je aardig, Fric,' voegde hij eraan toe, wetend dat voor deze lieve en uiterst bescheiden jongen deze woorden een openbaring zouden zijn en die hij hoogstwaarschijnlijk niet zou geloven.

Fric zat met zijn mond open, alsof Ethan net had verklaard dat hij een aap was die zich voordeed als mens. Er verscheen een blos op zijn wangen en hij keek verlegen naar het boek op zijn schoot. Beweging bracht Ethans aandacht van de jongen naar de boom achter zich. De bungelende versieringen bewogen: draaiende engeltjes, knikkende engeltjes en dansende engeltjes.

De lucht in de bibliotheek was net zo stil als de boeken op de planken. Als er een heel kleine aardbeving was geweest die voldoende was om de versiering te beroeren, was die voor Ethan te klein geweest om hem te voelen.

De beweging van de engeltjes nam af, alsof ze in beweging waren gebracht door een kortstondige trek die werd veroorzaakt door een passerende geest.

Ethan werd overvallen door een vreemd gevoel van verwachting, een gevoel dat elk moment in zijn hart een deur naar begrip open kon gaan. Hij besefte dat hij zijn adem inhield en dat de kleine haartjes op de rug van zijn handen rechtop stonden alsof er een staaf met statische elektriciteit bij gehouden werd.

'Mr. Hachette,' zei Fric.

De engeltjes hingen weer stil en het beladen moment ging voorbij zonder de manifestatie van... iets.

'Pardon?' zei Ethan.

'Mr. Hachette vindt me niet aardig,' zei Fric, om de suggestie te weerleggen dat hij misschien hoger werd aangeslagen dan hij dacht.

Ethan glimlachte. 'Nou, ik weet niet of Mr. Hachette wel iemand heel erg aardig vindt. Maar hij is een goede kok, hè?'

'Hannibal Lecter ook.'

Hoewel grappen ten koste van een ander lid van het leidinggevend personeel ontegenzeggelijk van slechte smaak getuigden, lachte Ethan. 'Misschien sta jij er anders tegenover, maar ik vertrouw erop dat als Mr. Hachette je vertelt dat hij kalfsvlees op je bord doet, het ook kalfsvlees is en niets anders.' Hij stond op van de rand van de leunstoel. 'Nou, ik had twee redenen om je te zoeken. Ik wilde je waarschuwen de verdere avond geen enkele buitendeur open te doen. Zodra ik zeker weet dat het laatste lid van het personeel is vertrokken, zet ik het alarm van het huis aan.'

Weer ging Fric rechter op zijn stoel zitten. Als hij een hond was geweest, dan zou hij zijn oren hebben gespitst, zo alert was hij op de betekenis van deze verandering in routine.

Als Frics vader in het huis was, zou de alarminstallatie van het huis pas ingeschakeld worden als de eigenaar het wenste. Tijdens Manheims afwezigheid schakelde Ethan gewoonlijk het systeem pas in als hij zich voor de nacht terugtrok, tussen tien uur en middernacht.

'Waarom zo vroeg?' vroeg Fric.

'Ik wil het vanavond op de computer controleren. Volgens mij is er een probleem in de stroomvoorziening van een paar raam- en deurcontacten. Niet iets waardoor er vals alarm wordt gegeven, maar het moet gerepareerd worden.'

Hoewel Ethan een betere leugenaar was dan Fric, kwam de twijfelachtige uitdrukking op het gezicht van de jongen heel erg overeen met die wanneer hij het kalfsvlees van Mr. Hachette bekeek. Haastig zei Ethan: 'Maar ik kwam je ook zoeken om te kijken of we misschien niet vanavond samen konden eten, omdat wij vanavond als twee vrijgezellen alleen door het huis banjeren.'

Regels en Praktijk bevatte geen verbodsbepaling tegen het eten van een hoger personeelslid met de jongen in afwezigheid van de ouders. Meestentijds at Fric eigenlijk alleen, óf omdat hij privacy wenste bij het eten óf, wat waarschijnlijker was, omdat hij dacht dat hij stoorde als hij vroeg bij de anderen te mogen zitten. Van tijd tot tijd haalde Mrs. McBee hem over bij haar en Mr. McBee te komen eten, maar voor Ethan en Fric zou het de eerste keer worden.

'Echt?' vroeg Fric. 'U hebt het niet te druk met het controleren van de stroomvoorziening?'

Ethan herkende de stiekeme spot in die vraag, wilde lachen, maar deed alsof hij geloofde dat Fric zijn leugen over het vroeg inschakelen van het alarm had geslikt. 'Nee, Mr. Hachette heeft alles klaargemaakt. Ik hoef het alleen maar in de oven op te warmen volgens zijn aanwijzingen. Wanneer wil je eten?'

'Liever vroeg,' zei Fric. 'Halfzeven?'

'Halfzeven dus. En waar zal ik de tafel dekken?'

Fric haalde zijn schouders op. 'Waar wilt u?'

'Als het aan mij ligt, wordt het het dagverblijf,' zei Ethan. 'Alle andere eetruimtes zijn strikt voor de familie.'

'Dan kies ik,' zei de jongen. Hij kauwde een ogenblik op zijn onderlip en zei toen: 'Ik neem het nog met u op.'

'Oké. Ik ben een tijdje in mijn appartement, daarna in de keuken.'

'Het lijkt me dat we vanavond wijn drinken, vindt u niet?' vroeg Fric. 'Een goede merlot.'

'O ja? Zal ik dan ook maar gewoon mijn spullen pakken, een taxi

regelen, uit naam van je vader een ontslagbrief aan mezelf schrijven en klaarstaan om te vertrekken zodra jij dronken onder zeil
gaat?'
'Hij hoeft het niet te weten,' zei Fric. 'En als hij het wel zou weten, zou hij denken dat het gewoon zoiets was van Hollywood-
kinderen, liever drank dan cocaïne. Hij zou me met dr. Rudy laten praten om te kijken of het probleem misschien afkomstig is
van toen ik de zoon van een keizer was in het oude Rome, toen
ik misschien getraumatiseerd raakte door het kijken naar stomme
leeuwen die stomme mensen in het stomme Colosseum opvraten.'
De onbeschaamde tekst zou Ethan leuker hebben gevonden als hij
niet had geloofd dat het Gezicht misschien echt ongeveer zo op
het drinken van zijn zoon zou reageren.
'Misschien komt je vader er nooit achter. Maar je vergeet Zij Die
Niet Te Bedotten Valt.'
Fric fluisterde: 'McBee.'
Ethan knikte. 'McBee.'
Fric zei: 'Ik neem Pepsi.'
'Met of zonder ijs?'
'Zonder.'
'Brave jongen.'

70

Hoewel bang, bitter en worstelend tegen wanhoop, bleef Rachel
Dalton een lieftallige vrouw, met weelderig kastanjebruin haar en
blauwe ogen met een mysterieuze diepte.
Ze was ook, in Hazards ervaring, ongewoon voorkomend. Nadat
ze telefonisch had ingestemd met een gesprek, had ze koffie gezet
tegen de tijd dat hij arriveerde. Ze diende die op in de woonkamer met een blad miniatuurcakejes en boterkoekjes.
Tijdens hun werk kregen rechercheurs van Moordzaken zelden
iets aangeboden en nooit met damasten servetten. Vooral niet van
vrouwen van vermiste mannen voor wie de politie beschamend
weinig had gedaan.
Het bleek dat Maxwell Dalton drie maanden eerder was verdwenen. Rachel had hem als vermist opgegeven toen hij vier uur na
een middagcollege aan de universiteit niet was verschenen.
Natuurlijk was de politie niet geïnteresseerd geweest in een vol-

wassene die pas vier uur vermist werd, en evenmin hadden ze weinig interesse toen hij een dag later, twee dagen later, of drie dagen later nog niet was opgedoken.

'Blijkbaar,' zei Rachel tegen Hazard, 'leven we in een tijd dat een schokkend aantal mannen – en vrouwen – op drugsfeesten terechtkomen of gewoon ineens besluiten een week in Puerto Vallarta door te brengen met de een of andere del die ze net tien minuten eerder in Starbucks zijn tegengekomen, of gewoon zonder waarschuwing uit hun leven weglopen. Toen ik Maxwell probeerde te beschrijven, geloofden ze niet in hem – een man die zo betrouwbaar was. Ze waren ervan overtuigd dat hij mettertijd weer zou verschijnen, met bloeddoorlopen ogen, een schaapachtige uitdrukking op zijn gezicht en een geslachtsziekte.'

Uiteindelijk, toen Maxwell Dalton zo lang weg was dat zelfs de hedendaagse autoriteiten zijn afwezigheid als ongewoon zagen, had de politie een officiële aangifte van vermiste personen laten invullen. Dit had tot weinig of geen activiteit geleid in het opzoeken van de man, en dat had Rachel gefrustreerd, want ze had ten onrechte aangenomen dat een zaak van een vermiste persoon een onderzoek zou starten dat slechts een fractie minder energiek gebeurde dan bij een moord.

'Niet als het om een volwassene gaat,' zei Hazard, 'en niet als er geen bewijzen van geweld zijn. Als ze zijn verlaten auto zouden hebben gevonden...'

Maar zijn auto was niet gevonden, evenmin als zijn weggegooide portefeuille, ontdaan van het geld, en ook geen ander ding dat op een misdaad duidde. Hij was verdwenen, met net zo weinig sporen als elk schip dat de Bermudadriehoek was binnengevaren zonder er weer uit te komen.

Hazard zei: 'Ik weet dat het u al gevraagd is, maar had uw man vijanden?'

'Hij is een goede man,' zei Rachel, zoals hij verwachtte dat ze zou zeggen. Toen voegde ze er iets aan toe wat hij niet had verwacht: 'En zoals alle goede mensen in een duistere wereld had hij natuurlijk vijanden.'

'Wie?'

'Een bende tuig in die goot die ze universiteit noemen. O, ik zou niet zo scherp moeten zijn. Er werken daar veel goede mensen. Helaas is de faculteit Engels in handen van schoften en waanzinnigen.'

'Denkt u dat iemand van de faculteit misschien...'

'Niet waarschijnlijk,' gaf Rachel toe. 'Ze praten alleen maar, die mensen, en nog flauwekul ook.' Ze bood hem weer koffie aan en toen hij bedankte, zei ze: 'Hoe heette die man ook al weer wiens dood u onderzoekt?'

Hij had haar net voldoende verteld om haar deur binnen te komen; en hij was niet van plan daar nu uitgebreid over te vertellen. Hij had zelfs niet verteld dat hij Reynerds moordenaar achterna had gezeten en had neergeschoten. 'Rolf Reynerd. Hij is gisteren in Hollywood-West doodgeschoten.'

'Denkt u dat deze zaak te maken kan hebben met mijn echtgenoot? Ik bedoel, meer dan het feit dat hij Max' colleges literatuur volgde?'

'Mogelijk,' zei hij. 'Maar onwaarschijnlijk. Ik zou niet...'

Vreemd genoeg maakte een trieste glimlach haar nog lieftalliger. 'Het gebeurt niet, rechercheur,' zei ze, antwoordend op wat hij aarzelend had willen zeggen. 'Ik krijg er niet meer hoop door. Maar ik laat die niet varen ook.'

Toen Hazard overeind kwam om te vertrekken, ging de deurbel. De vrouw aan de deur bleek een oudere, zwarte vrouw met grijs haar en de sierlijkste handen die hij ooit had gezien, slank en met lange vingers, even soepel als die van een jong meisje. De pianolerares die Daltons tienjarige dochter les kwam geven.

Aangetrokken door de muzikale stem van haar lerares, kwam Emily, de dochter, nog net op tijd beneden om voorgesteld te worden aan Hazard voordat die vertrok. Ze had dezelfde lieftalligheid als haar moeder, maar nog niet net zoveel staal in haar ruggengraat als haar moeder, want haar onderlip trilde en haar ogen vertroebelden toen ze zei: 'U gaat mijn vader vinden, hè?'

'We gaan heel erg ons best doen,' verzekerde Hazard haar, sprekend namens de afdeling, terwijl hij hoopte dat wat hij zei geen leugen zou blijken te zijn.

Nadat hij de drempel over was gestapt naar de veranda, draaide hij zich om naar Rachel Dalton in de deuropening. 'De volgende naam op mijn lijst is een collega van uw man, van de faculteit Engels. Misschien kent u hem. Vladimir Laputa.'

Zoals triestheid Rachels lieftalligheid niet verminderde, deed woede het evenmin. 'Van alle hyena's is hij de ergste. Max verachtte... veracht hem. Zes weken geleden kwam Mr. Laputa op bezoek, om zijn deelneming te betuigen en zijn bezorgdheid te uiten dat er geen nieuws over Max was. Ik zweer... de rat probeerde me uit om te zien of ik niet eenzaam was geworden in bed.'

'Lieve hemel,' zei Hazard.

'Meedogenloosheid, rechercheur Yancy, is op de gemiddelde uni-

versiteit net zo gangbaar als bij het gemiddelde lid van een straat-
bende. Het wordt alleen anders uitgedrukt. De dag dat de verfijnde academicus in zijn ivoren toren zit, alleen geïnteresseerd in
kunst en waarheid, ligt ver achter ons.'

'Kortgeleden ben ik zoiets al gaan vermoeden,' zei hij tegen haar,
hoewel hij nooit zou bekennen dat, door gebrek aan een betere
kandidaat, haar echtgenoot was gestegen tot de top van de lijst
verdachten in de zaak van de bedreiging van Channing Manheim.
Hij vond het moeilijk te geloven dat een vrouw als Rachel en een
meisje als Emily van een man konden houden die niet helemaal –
en volledig – de man was die hij scheen.

Toch kon de verdwijning van Maxwell Dalton feitelijk betekenen
dat hij een nieuw leven wás begonnen, een gestoord leven waarin bedreigingen aan het adres van beroemdheden werden gepleegd,
of met de bedoeling letsel toe te brengen of in de naïeve hoop met
intimidatie afpersing af te dwingen.

Behalve klokjes uit dromen en mannen die spiegels ingingen, had
Hazard Yancy vreemdere dingen in zijn carrière meegemaakt
dan dat een professor die ooit eerlijk was, een man van de rede,
in de fout ging, krankzinnig geworden door naijver, door hebzucht.

De Daltons woonden in een goede wijk, maar Laputa woonde in
een betere, op minder dan een kwartier van hun deur vandaan.

De vroege schemering van de winter was achter de storm naderbij gekropen, terwijl Hazard koffie aan het drinken was met Rachel Dalton. De duisternis haalde alle licht uit de dag terwijl hij
naar het huis van professor Laputa reed, tot de laaghangende wolken niet meer grijs waren en van achteren belicht, maar wrang
geel en van onderen belicht door de opstijgende uitstraling van de
stad.

Hij parkeerde aan de overkant van de straat bij het huis van de
vermeend ergste van alle academische hyena's, zette de koplampen en ruitenwissers uit, maar liet de motor draaien om de verwarming te laten werken. De kinderen uit de buurt zouden geen
sneeuwforten bouwen; maar met de komst van de nacht was de
lucht winterachtig geworden naar Californische maatstaven.

Het was hem niet gelukt de professor telefonisch te bereiken. Nu,
hoewel het huis van Laputa donker was, probeerde hij het weer.
Terwijl hij het nummer liet overgaan, merkte Hazard een voet-
ganger op die aan het einde van het blok, aan de overkant van de
straat, de hoek om kwam en die in de richting van het huis van
Laputa liep.

Er was iets mis met de man. Hij had geen paraplu en geen regenjas. De stortregen was verminderd tot een gestage, gewone regenbui, maar het was geen weer waarin iemand ging wandelen. En er was nog iets: de man haastte zich niet.

Maar het was de houding die Hazard Yancy's achterdochtmachine werkelijk aanzwengelde. Als de man een spons was geweest, zou hij zo verzadigd zijn van arrogantie dat hij geen ruimte meer kon hebben voor ook maar één regendruppel.

Hij paradeerde onder de straatlantaarns, niet zoals echte zware jongens dat soms deden, maar zoals filmsterren paraderen als ze dachten dat ze de houding van zware jongens juist interpreteerden. Zijn grijze broek, zwarte coltrui en zwartleren jasje waren doorweekt, maar hij leek de regen uit te dagen.

Theatraal. In dit weer waren er geen andere wandelaars te bekennen, en op het moment reed er geen verkeer door deze rustige woonstraat, toch scheen de man een voorstelling zonder publiek te geven, voor zijn eigen vermaak.

Hazard had er genoeg van om naar het overgaan van Laputa's telefoon te luisteren en drukte op de EINDE-knop van zijn mobiele telefoon.

De wandelaar scheen in zichzelf te praten, hoewel Hazard vanaf de overkant de straat daar niet zeker van kon zijn.

Toen hij zijn raampje naar beneden deed en zijn hoofd schuin hield om te luisteren, raakte hij doof door het getrommel van de regen. Hij kreeg een paar flarden van de stem te horen en meende dat de man misschien wel zong, hoewel hij geen melodie of woorden herkende.

Tot Hazards verrassing verliet de paraderende man de stoep en volgde de oprit naar het huis van Laputa. Hij moest een afstandsbediening bij zich hebben gehad, omdat de gesegmenteerde garagedeur naar boven rolde toen hij aan kwam lopen en daarna ineens weer dichtging.

Hazard deed het autoraampje weer naar boven. Hij bleef naar het huis kijken.

Na twee minuten verscheen er een klein zacht licht bij de achterkant van de woning, in wat de keuken zou kunnen zijn. Misschien een halve minuut daarna ging een andere licht boven branden.

Of de regenliefhebber al of niet Vladimir Laputa was, hij kende goed de weg in het huis van de professor.

71

Ethan zag vanuit de entreehal, bij een raam naast de voordeur, de auto van Mr. Hachette verdwijnen over de oprit, de tikkende regen en de volledige duisternis in. De chef-kok was de laatste van de dagploeg die vertrok.

Verzonken in een muur van de hal, discreet verstopt bij een hoek, lichtte een donker scherm op toen Ethan er even met een vinger op drukte. Dit was een Crestron touch-controleenheid waarmee hij alle computergestuurde voorzieningen van het huis kon bereiken: de verwarming en airconditioning, het muzieksysteem, de gasverwarming voor zwembaden en jacuzzi's, de huis- en tuinverlichting, het telefoonsysteem en nog veel meer.

Crestron-panelen waren door het hele huis heen aangebracht, maar dezelfde faciliteiten konden ook geregeld worden vanaf elke computerterminal zoals die in Ethans werkkamer.

Nadat Ethan het scherm door aanraking had geactiveerd, verschenen drie rijen iconen waaruit hij kon kiezen. Hij tikte op de icoon die de veiligheidscamera's buiten voorstelde.

Omdat er door het hele landgoed zesentachtig buitencamera's waren aangebracht, werd hij vervolgens geconfronteerd met zesentachtig toegewezen getallen. Je moest voor het grootste deel, als je snel een kijk wilde hebben op het specifieke gedeelte van het terrein, de nummers uit je hoofd weten – in ieder geval die nummers die jij, in jouw positie, waarschijnlijk het vaakst gebruikte.

Hij raakte 03 aan en het Crestron-scherm vulde zich ogenblikkelijk met een zicht op de hoofdpoort zoals die gezien werd van buiten de muur van het landgoed. Dit was dezelfde camera die Rolf Reynerd had vastgelegd toen hij het pakje afleverde waarin de appel met het poppenoog zat.

Het hek schoof open. De auto van Mr. Hachette reed van het terrein af de openbare weg op, sloeg rechtsaf en verdween uit het beeld.

Terwijl het hek dichtschoof, raakte Ethan het scherm aan en verliet het menu van de buitencamera's. Hij beroerde het icoon van het alarmsysteem van het huis.

Niet alle personeelsleden waren gemachtigd het alarm in en uit te schakelen; daarom vroeg het scherm om Ethans wachtwoord. Hij voerde het in, kreeg toegang en schakelde het huisalarm aan.

Alle openbare gedeelten van het huis – nagenoeg alles, behalve slaapkamers, badkamers en de onderkomens van het personeel –

hadden bewegingsdetectors die het voorbijkomen van iedereen in een gang of een kamer zouden registreren. Ze stonden zeven dagen per week vierentwintig uur per dag aan, maar werden pas werkelijk aan het alarm gekoppeld als dat in de 'niemand thuis'-mode stond, als het huis volledig verlaten was, wat zelden gebeurde. Met Fric en Ethan in het huis zou de alarmsirene, als de bewegingsdetectors gekoppeld waren aan het alarm, elke keer afgaan als ze door een gemonitorde ruimte kwamen of zelfs maar een beweging met een hand maakten.

Hij hoefde alleen maar de verzekering te hebben dat de sirene zou afgaan als er een deur of een raam werd geopend. Deze voorzorgsmaatregel, samen met het team bewakers dat de andere detectievakken op de terreinen buiten het huis in de gaten hield, zorgde ervoor dat niemand hem en Fric kon verrassen.

Toch wilde hij niet dat Fric alleen ging slapen op de tweede verdieping. Vanavond niet, morgenavond niet, voorlopig niet.

Of ze zouden voorbereidingen treffen dat de jongen op de benedenverdieping zou kunnen kamperen, of Ethan zou de nacht in de woonkamer van Frics suite op de tweede verdieping doorbrengen. Hij was van plan de zaak na het eten met de jongen te bespreken.

Intussen, voor het eerst sinds hij weer thuis was gekomen, liep hij naar zijn appartement, naar zijn werkkamer waar hij de drie klokjes op het bureau had achtergelaten. Ze waren weg.

In de onderste garage van het Onze Lieve Vrouwe van de Engelen, toen hij had ontdekt dat er slechts een enkel setje klokjes uit de ambulance was verdwenen, had hij vermoed dat het setje dat Hazard momenteel in zijn bezit had, hetzelfde was als hij in zijn hand had aangetroffen voor de Forever Roses.

De geest die hij had gezien in de badkamerspiegel in Dunny's flat, de geest die in Hazards slaapkamer in een spiegel was verdwenen, was op de een of andere manier hier 's nachts gekomen toen Ethan sliep, had de klokjes gepakt en die doorgegeven aan Hazard, om redenen die geheimzinnig waren zo niet voor eeuwig ongrijpbaar. En de geest was eerder wel dan niet Dunny Whistler, dood maar weer opgestaan.

Ethan verwonderde zich erover dat hij hier kon staan met zulke bizarre gedachten en toch bij zinnen was. Hij geloofde in ieder geval dat hij bij zinnen was. Hij zou het mis kunnen hebben.

Hoewel de klokjes verdwenen waren, lagen de dingen die in de zwarte dozen hadden gezeten er nog steeds. Hij ging aan het bureau zitten en bestudeerde de zes onderdelen van het raadsel, hopend op een verhelderend idee.

Lieveheersbeestjes, slakken, een pot met tien voorhuiden, de koekpot vol scrabbleblokjes – OWE, WOE, schuld en wee – een boek
over geleidehonden, het oog in de appel...

Op betere dagen, in een beter humeur, zou hij van de boodschap
niets zinnigs hebben kunnen maken. Hij hoopte dat zijn intellectuele afweer, in zijn huidige staat van opgewonden spanning en
geestelijke uitputting, zou verdwijnen, waardoor hij plotseling alles vanuit een nieuw perspectief zou zien en zou begrijpen wat eerder onoplosbaar had geleken.

Geen geluk.

Hij belde de bewakers in het beveiligingskantoor aan de achter-
zijde van het landgoed in het gebouw van de terreinbeheerder.
Hun dienst liep van vier tot middernacht en ze wisten inmiddels
al dat hij het huisalarm vroeger dan normaal had ingeschakeld,
omdat die handeling te zien was op hun schermen.

Zonder hun een reden te geven, vroeg hij hun die avond vooral
waakzaam te zijn. 'En geef dat verzoek door aan de mannen van
de nachtdienst als ze hier komen.'

Hij belde Carl Shorter, hoofd vervoer die de groep lijfwachten van
het Gezicht in Florida leidde. Shorter had niets verontrustends te
melden.

'Ik bel je morgen,' zei Ethan. 'We zullen het over nieuwe regelingen moeten hebben die ik zal opstellen voor jullie aankomst in
L.A. op donderdag. Meer veiligheid op het vliegveld en de hele
weg hierheen naar de thuisbasis, nieuwe procedures, een nieuwe
route, alleen maar in het geval dat iemand onze gewone routine
in de gaten heeft.'

'De pleuris?' vroeg Shorter.

'De pleuris is nog niet uitgebroken,' stelde Ethan hem gerust.

'Wat is er dan aan de hand?'

'Ik heb je verteld over de rare cadeautjes in de zwarte dozen. We
hebben iets dat ermee te maken heeft, meer niet. Het is te behap-
pen.'

Nadat hij Carl Shorter had opgehangen, liep Ethan naar de badkamer om zich te scheren en op te knappen voor het avondeten.
Hij trok zijn trui uit en trok een schoon hemd aan.

Een paar minuten daarna, staande bij zijn bureau in de werkkamer, keek hij nogmaals naar de zes raadselachtige dingen.

Zijn aandacht werd getrokken door een indicatielampje op de telefoon: Lijn 24, eerst knipperend en daarna gestaag brandend.

72

De Land Rover, eigendom van Kurtz Ivory International, die dienst deed als het belangrijkste voertuig van Robin Goodfellow, mocht nooit bij Corky's huis gezien worden. Het zou hem te gemakkelijk kunnen verbinden met criminele activiteiten die waren begaan door zijn fascistische alter ego.

Hij parkeerde om de hoek en liep door de regen naar huis, terwijl hij fragmenten zong van *Das Rheingold* van Richard Wagner, inderdaad niet goed, maar met gevoel.

In de garage kleedde hij zich helemaal uit en liet zijn doorweekte kleren op de betonnen vloer achter. Hij nam de portefeuille, zijn mapje met het insigne van de National Security Agency, en de Glock mee het huis in, omdat hij vandaag nog niet helemaal klaar was met Robin Goodfellow.

Hij droogde zich af in de grote badkamer. Hij trok thermisch ondergoed aan.

Uit de inloopkast pakte hij een zwarte commando Gore-Tex/Thermolite-stormpak voor skiërs. Het was waterdicht, warm, met een volledige bewegingsvrijheid, en dit zou de perfecte uitmonstering zijn voor de aanval op het Palazzo Rospo.

Hazard had Vladimir Laputa kunnen bellen of wie het ook was die net via de garage het huis van de professor was binnengegaan, maar na een minuut nagedacht te hebben over de meest verstandige aanpak, besloot hij onaangekondigd aan de deur te verschijnen. Er viel misschien iets te winnen door de verrassing – of het ontbreken ervan – waarmee de parmantige man zou reageren bij het zien van Hazard en zijn penning.

Hij zette de motor uit, stapte uit de auto en kwam oog in oog te staan met Dunny Whistler.

Dunny, net zo bleek als een in de zon gebleekte schedel, zijn gelaatstrekken nog net zo vertrokken als tijdens zijn doodse coma, stond in de regen maar werd er niet door getroffen, droger dan bot, dan maanzand, dan zout. 'Ga daar niet naar binnen.'

Hazard schrok en bracht zichzelf in verlegenheid door het op een na beste ding te doen na de lieve-voetjes-ren-procedure. Hij probeerde naar achteren te stappen, maar kon nergens heen, omdat de auto direct achter hem stond, en toch bleef hij onwillekeurig met zijn schoenen over het natte wegdek glippen, toen zijn voeten probeerden hem dóór de sedan achter zich te drijven.

'Als jíj sterft,' zei Dunny, 'kan ik jou niet terugbrengen. Ik ben jóúw beschermengel niet.'

Het ene moment even massief als vlees, het volgende vloeibaar, stortte Dunny met een plets ineen in de plas waarin hij stond, alsof hij een verschijning was geweest die was gevormd uit water, glinsterend op het natte wegdek in verticale rimpels die in een ogenblik verdwenen, zelfs nog vloeibaarder als toen hij in de spiegel was weggeglipt.

Het waterdichte stormpak bevatte een opvouwbare kap, anatomisch gevormde knieën, en meer zakken dan een aangemeten overjas van een kleptomaan, allemaal met ritsen. Twee lagen sokken, zwarte skilaarzen en leer met nylon handschoenen – bijna net zo soepel als operatiehandschoenen, maar die waarschijnlijk minder wantrouwen zouden opwekken – completeerden het ensemble.

Corky, verheugd door zijn reflectie in de manshoge spiegel, liep door de gang naar de logeerkamer om te kijken of Mannetje Stinkkaas dood was en om hem zich dood te laten schrikken als het niet zo was.

Hij nam het 9mm-pistool met zich mee en een nieuwe geluiddemper.

Bij de deur naar de donkere kamer kon hij de stank van zijn uitgeschakelde gevangene al op de gang bespeuren. Voorbij de drempel werd wat eerst alleen maar stank was geweest een pure moerasdamp die zelfs Corky, een vurig volgeling van de chaos, minder dan aangenaam vond.

Hij knipte het licht aan en liep naar het bed.

Net zo koppig als stinkend hield de kaasman zich aan het leven vast, hoewel hij geloofde dat zijn vrouw en dochter waren gemarteld, verkracht en vermoord.

'Wat ben je toch voor een egoïstische klootzak?' vroeg Corky, zijn stem vol minachting.

Zwak, door al zo lang alle vloeibare stoffen binnen te hebben gekregen via een intraveneuze druppelaar, gevaarlijk dicht tegen een dodelijke uitdroging aan, zou Maxwell Dalton alleen maar antwoord kunnen hebben gegeven met een breekbare stem, zo vol gerochel en gepiep dat het komisch werd. Hij antwoordde daardoor alleen met zijn blik vol haat.

Corky drukte de loop van het wapen tegen Daltons gebarsten lippen.

In plaats van zijn hoofd weg te draaien, opende de liefhebber van Dickens, Twain en Dickinson, zonder dralen zijn mond en beet op de loop, hoewel deze daad de flair van Hemingway had. Zijn ogen vormden een vurige uitdaging.

Achter het stuur van de personenwagen, geparkeerd aan de straat tegenover het huis van Laputa, probeerde Hazard zichzelf weer in de hand te krijgen en dacht aan zijn opoe Rose, de moeder van zijn vader, die in magie geloofde hoewel ze die niet praktiseerde, die in klopgeesten geloofde hoewel niemand ooit had gedurfd haar keurig bijgehouden huis overhoop te halen, in geesten geloofde, hoewel ze er nooit een had gezien, die de details van duizenden beroemde spookverschijningen kon aanhalen waaronder goedaardige en kwaadaardige geesten, en die van Elvis. Opoe Rose, nu tachtig jaar – voodoo-Rose zoals Hazards moeder haar vol genegenheid noemde – werd gerespecteerd en was zeer geliefd, maar ze bleef een komische figuur in de familie door haar overtuiging dat de wereld meer was dan wat de wetenschap en de vijf zintuigen beweerden.

Ondanks wat hij net op straat had gezien, kon Hazard zijn geest niet helemaal bij het idee brengen dat opoe Rose misschien weleens een betere greep op de werkelijkheid had dan ieder ander die hij kende.

Hij was nooit een man geweest die veel twijfelde over wat zijn volgende stap zou zijn, niet in het dagelijkse leven en niet op momenten van het grootste gevaar, maar hier in de auto, in de regen, huiverend in het donker, had hij tijd nodig om te beseffen dat hij de motor aan moest zetten, en daarmee de verwarming. Maar of hij nu moest aanbellen bij het huis van Laputa of niet leek de moeilijkste beslissing van zijn leven.

Als jíj sterft, kan ik jou niet terugbrengen, had Dunny gezegd, met de nadruk op *jou*.

Een smeris kon niet weglopen omdat hij bang was om dood te gaan. Dan kon hij net zo goed zijn penning inleveren, een baan zoeken bij telefonische verkoop en een ambacht leren om zijn lege uren te vullen.

Ik ben jóúw beschermengel niet, had Dunny gezegd, met de nadruk op *jouw*, wat natuurlijk een waarschuwing was, maar die ook nog een betekenis had die Hazard duizelig maakte.

Hij wilde opoe Rose gaan opzoeken en zijn hoofd op haar schoot leggen, zodat ze zijn voorhoofd kon deppen met koele kompressen. Misschien had ze citroenkoekjes. Ze kon warme chocolademelk voor hem maken.

Aan de overkant van de straat, door een scherm van regen, zag het huis van Laputa er anders uit dan toen hij het voor het eerst zag. Toen was het een mooi Victoriaans huis geweest op een groot stuk grond, warm en gastvrij, het soort huis dat families beschermde en waarvan alle kinderen dokters, advocaten en astronauten werden, en iedereen voor eeuwig van elkaar hield. Nu keek hij ernaar en stelde zich voor dat er in een van de slaapkamers een meisje aan een zwevend bed was gebonden, terwijl ze woest kotsend Jezus vervloekte en sprak met de stemmen van demonen.

Als smeris mocht hij zich nooit laten overweldigen door angst, maar ook als vriend kon hij niet hiervandaan weglopen en Ethan achterlaten zonder dat iemand hem in zijn rug dekte.

Informatie. In Hazards ervaring ontstond twijfel door het hebben van te weinig informatie om een intelligente beslissing te nemen. Hij had iemand nodig die de antwoorden op een paar vragen ging zoeken.

Het probleem was dat hij officieel geen reden had deze aanwijzingen na te trekken. Als deze rat te maken had met enig bestaande zaak, dan was het de moord op Mina Reynerd, die op Kesselmans bureau lag, niet op dat van Hazard. Hij kon geen informatie zoeken via de gewone wegen van het bureau.

Hij belde Laura Moonves van de Technische Ondersteuning. Ze was met Ethan omgegaan en voelde nog steeds voor hem, en ze had hem geholpen Rolf Reynerd te vinden via de nummerplaten op de Honda die was gefilmd door de videocamera's van het landgoed.

Hazard maakte zich zorgen dat ze al naar huis was, maar ze nam op en opgelucht zei hij: 'Je bent er nog.'

'O ja? Ik dacht dat ik was weggegaan. Ik dacht dat ik op weg was naar huis en al was gestopt om een gebraden kip met dubbele koolsla te kopen. Nee, schoft, ik ben hier nog, maar wat maakt het uit, aangezien ik toch geen sociaal leven heb.'

'Ik heb hem gezegd dat hij een idioot is dat hij jou heeft laten gaan.'

'Ik heb hem ook gezegd dat hij een idioot is,' zei ze.

'Iedereen heeft hem gezegd dat hij een idioot is.'

'Ja? Dus misschien moeten we allemaal eens bij elkaar komen en een nieuwe strategie bedenken, omdat tegen hem zeggen dat hij een idioot is niet werkt. Ik vind hem zó leuk, Hazard.'

'Hij is nog steeds niet over Hannah heen.'

'Vijf jaar, man.'

'Toen hij haar kwijtraakte, raakte hij meer kwijt dat alleen haar. Hij raakte zijn doel kwijt. Hij kon geen grotere betekenis meer zien in de dingen. Hij heeft het nodig om dat weer te zien, want zo zit hij in elkaar.'

'De wereld zit vol sexy, slimme succesvolle mannen die nog geen betekenis in het leven zouden zien als God hen in het gezicht mepte met een ring waardoor Zijn initialen op hun voorhoofd achterbleven.'

'Dat moet dan jouw versie zijn van de pissige God uit het Oude Testament.'

'Waarom val ik toch voor een man die een doel moet hebben?'

'Misschien omdat jij dat ook nodig hebt.' Die gedachte deed Laura zwijgen en tijdens die stilte zei Hazard: 'Weet je nog die man die je hem gisterochtend hebt helpen opsporen – Rolf Reynerd?'

'Beroemde wolf,' zei ze. 'Rolf betekent "beroemde wolf".'

'Rolf betekent dóód. Kijk je geen televisie?'

'Ik ben toch geen masochist, hè?'

'Bekijk dan de moordrapporten van gisteravond. Maar niet nu. Nu wil ik dat je iets voor me doet, voor Ethan, maar niet officieel.'

'Wat heb je nodig?'

Hazard wierp een blik op het huis. De woning straalde nog steeds die tweeslachtige atmosfeer uit, alsof de Brady Bunch hun huis aan de andere kant van de poort naar de hel hadden gebouwd.

'Vladimir Laputa,' zei Hazard. Hij spelde het voor Laura. 'Laat me zo snel mogelijk weten of iemand met die naam een strafblad heeft, al is het maar voor dronken rijden, het niet betalen van een parkeerboete, alles.'

In plaats van de trekker over te halen, haalde Corky de loop weer uit Daltons mond, ervoor zorgend dat het staal langs de tanden schraapte die loszaten door ondervoeding.

'Eén schot zou te gemakkelijk voor je zijn,' zei Corky. 'Als ik een einde aan je leven maak, zal het langzaam zijn... en heuglijk.'

Hij legde het pistool weg, vertelde Dalton een paar verrukkelijke leugens over hoe hij zich van de lichamen van Rachel en Emily had ontdaan en pakte een nieuwe zak met infuus uit de koelkast vlakbij.

'Ik neem vanavond iemand mee,' zei Corky terwijl hij bezig was. 'Publiek voor je laatste lijden.'

In het vernielde gezicht, omgeven door een wasbeermasker van lijkbleke huid, glinsterend in de verzonken kassen, draaiden de ogen om Corky te volgen tijdens zijn verzorging; de ogen waren niet langer de stralende stuiters vol haat, maar waren weer ge-

kleurd door angst, de opgejaagde blik van een man die uiteindelijke geloofde in de macht van chaos en die de grootsheid ervan
begreep.
'Het is een jongen van tien, mijn nieuwe project. Je zult verrast
zijn over zijn identiteit als ik hem je voorstel.'
Na de infuuszak weer opgehangen te hebben, liep hij naar het medicijnkastje waaruit hij een verpakte injectienaald haalde en twee
kleine flesjes met medicijnen.
'Ik bind hem op de stoel naast je bed. En als hij niet kan kijken
naar wat ik voor jou in petto heb, plak ik zijn ogen open.'

Laura Moonves kon geen strafblad voor Vladimir Laputa vinden,
zelfs geen geschiedenis van onbetaalde parkeerbonnen. Maar toen
ze Hazard, na nog geen kwartier, terugbelde, had ze interessant
nieuws.
Roof/Moord had een open zaak onder de naam Laputa. Het onderzoek liep momenteel niet, ten gevolge van gebrek aan bewijs
en aanknopingspunten.
Vier jaar eerder was een vrouw die Justine Laputa heette, achtenzestig jaar oud, vermoord in haar huis. Het adres van de plaats
van de misdaad bleek het huis te zijn dat Hazard nu in de gaten
hield.
Kijkend naar het huis terwijl hij met Laura sprak, zei Hazard: 'Hoe
is ze gestorven?'
'Het hele dossier is niet via de computer te bereiken, alleen het ex-
tract van de open zaak. Volgens dat is ze doodgeslagen met een
pook.'
Mina Reynerd was in haar voet geschoten, maar de eigenlijke oorzaak van haar dood was dat ze doodgeslagen was met een marmeren met brons versierde lamp.
Een pook. Een zware lamp. In beide gevallen had de moordenaar
zijn toevlucht genomen tot een stomp instrument dat voor het grijpen lag. Dit was misschien niet voldoende bewijs voor één modus
operandi, één moordenaar, maar het was een begin.
'De moord op Justine was woest en ongewoon gewelddadig,' zei
Laura. 'De lijkschouwer schat dat de moordenaar tussen de veertig en vijftig slagen moet hebben toegebracht met de pook.'
De dood van Mina Reynerd met de lamp was net zo beestachtig
geweest.
'Wie waren de rechercheurs op de zaak?' vroeg Hazard.
'Onder anderen Walt Sutherland.'
'Ik ken hem.'

'Ik had geluk,' zei Laura. 'Ik kreeg hem vijf minuten geleden op zijn mobiel te pakken. Ik vertelde hem dat ik niet meteen kon uitleggen waarom ik het wilde weten, maar vroeg hem of hij een verdachte had in de zaak. Hij aarzelde niet. Hij zei dat Justines zoon alles had geërfd. Volgens Walt was hij een zelfingenomen gluiperd.'

'De naam van de zoon is Vladimir,' gokte Hazard.

'Vladimir Iljich Laputa. Doceert aan dezelfde universiteit als waar zijn moeder met pensioen is gegaan.'

'Dus waarom zit hij dan geen langdurige gevangenisstraf uit, ruilt hij liefde tegen sigaretten?'

'Volgens Walt had Vladimir een alibi dat aan alle kanten zo luchtdicht was dat een astronaut ermee naar de maan en terug had kunnen vliegen.'

Niets in deze wereld was perfect. Een in elkaar gezet alibi met driemaal gestikte zomen haalde altijd de trekker over van het wantrouwen van een smeris, omdat het er gemáákt uitzag, niet gevonden.

Het huis wachtte in de regen alsof het leefde, waakzaam, de paar verlichte ramen ervan als onregelmatig geplaatste ogen.

Corky mengde in de naald een verlammende cocktail van drugs om zijn gevangene rustig te houden, onbeweeglijk, maar bij zinnen.

'Morgenochtend ben je net zo dood als Rachel en Emily, en dan zal dit de kamer en het bed van de jongen worden.'

Hij gebruikte geen verdoving of hallucinogeen. Als hij ver voor middernacht terugkeerde, wilde hij niet dat Dalton warrig was of verdwaald in illusies. De walgelijke man moest helder zijn om elke subtiele nuance van zijn lang geplande dood mee te maken.

'Ik heb zoveel geleerd van dit avontuur van ons.'

Corky bracht de injectienaald in de medicijningang van het infuus. 'Ik heb er zoveel goede ideeën door gekregen, betere ideeën.'

Met zijn duim drukte hij de zuiger naar beneden en bracht de inhoud van de naald in de zoutoplossing die in Daltons ader drupte.

'De ervaringen van de jongen in deze kamer zullen zo'n beetje gelijk zijn aan die van jou, alleen kleurrijker, en schokkender.'

Na de volledige dosis te hebben toegediend, haalde hij de naald uit het infuus en gooide die in de afvalbak.

'Hoe dan ook zal de wereld de video's zien die ik opstuur. Mijn filmpjes moeten een geweldige amusementswaarde hebben, wil ik zoveel miljoenen mensen in de ban houden.'

De losse tanden van Mannetje Stinkkaas waren al gaan klapperen. Om de een of andere reden gaf dit brouwsel van verlammende drugs hem spasmodische rillingen.

'Ik ben ervan overtuigd dat de jongen opgetogen zal zijn dat hij, in zijn eerste sterrol, de massa in groteren getale fascineert dan zijn vader ooit heeft gedaan.'

Het noodweer was zijn kracht kwijtgeraakt en was in een druilregen veranderd, zonder wind. Mist wolkte door de straten, als een koude adem die afkomstig was van de schuilgaande maan.

Nu op zijn hoede door het karakter van de persoon met wie hij te maken had, zat Hazard in de auto te overdenken hoe hij Vladimir Laputa het beste kon benaderen.

Zijn mobiel ging over. Toen hij antwoordde, herkende hij de stem die hij kortgeleden op straat had gehoord, die afkomstig was van de verschijning.

Dunny Whistler zei: 'Ik ben Ethans beschermengel, niet die van jou, niet die van Aelfric. Maar als ik hem red – als ik het kán – dan heeft het geen enkele zin dat jij of de jongen sterft.'

Gewoonlijk kon Hazard putten uit een rijke voorraad aan woorden, maar hij voelde zich in dit geval bankroet. Hij had nooit eerder tegen een geest gesproken. Hij wilde er niet mee beginnen.

'Hij zal zichzelf de schuld geven voor het verlies van wie van jullie beiden ook,' vervolgde Whistler. 'En dan zal de schaduw over zijn hart een duisternis diep binnenin worden. Ga dat huis niet binnen.'

Hazard vond een stem die niet al te veel flauwer of trilleriger was dan de stem waarmee hij zich gewoonlijk bediende. 'Ben je dood of levend?'

'Ik ben dood én levend. Ga dat huis niet in. Het kevlar-vest zal je niet helpen. Je wordt in je hoofd geschoten. Twee kogels in de hersenen. En ik heb niet de bevoegdheid je weer tot leven te wekken.'

Dunny hing op.

Corky, in de keuken, stijlvol gekleed voor de bestorming van het kasteel van de regerend koning van Hollywood, wierp een blik op de wandklok en zag dat hij minder dan een uur had voor zijn afspraak met Jack Trotter in Bel Air.

Moord en rotzooi versterkten de trek. Staande, heen en weer zwervend tussen koelkast en voorraadkast, maakte hij een provisorische maaltijd voor zichzelf van kaas, gedroogd fruit, een halve do-

nut, een lepeltje butterscotchpudding, een hapje van dit, een beetje van dat.

Zo'n chaotische maaltijd paste wel bij een man die in één dag zoveel wanorde de wereld in had gebracht, en die nog veel werk te
doen had voordat hij zich te rusten kon leggen om te gaan slapen.
De Glock, met de geluiddemper erop, lag op de keukentafel. Hij
zou net passen in de diepste zak van zijn stormpak.

In andere zakken had hij reservemagazijnen, veel meer munitie
dan hij nodig zou moeten hebben, in overweging genomen dat hij
niet verwachtte behalve Ethan Truman nog iemand anders te moeten doden.

Als Hazard alleen maar een man was geweest die in leven wilde
blijven, dan was hij nu weggereden zonder de straat over te steken en aan te bellen.

Maar hij was ook een goede smeris en Ethans vriend. Hij geloofde dat politiewerk niet zomaar een baan was, dat het een roeping
was en dat vriendschap betrokkenheid vereiste, juist wanneer betrokkenheid het moeilijkst op te brengen was.

Hij opende het portier. Hij stapte uit de auto.

73

Direct na het telefoontje komt Dunny in beweging, niet per auto
dit keer maar via de snelweg van mist en water, en door het *idee*
van San Francisco.

In een park in Los Angeles trekt hij een mantel van aardgebon-
den wolk om zich heen, en hij arriveert honderden kilometers
naar het noorden, via de zachte plooien van een andere mist, en
ruilt het wandelpad in het park in voor het plankier van een aan-
legsteiger.

Omdat hij dood is, maar nog niet is overgestapt van deze wereld
naar de volgende, bewoont hij zijn eigen lichaam, een vreemde
omstandigheid. Na zijn dood in coma was zijn geest korte tijd ergens geweest wat het gevoel had gegeven van een dokterswacht-
kamer, maar zonder beduimelde tijdschriften of hoop. Daarna
werd hij weer tot de wereld toegelaten, tot zijn bekende sterfelijke omhulsel. Hij is niet zomaar een geest en evenmin is hij een traditionele beschermengel. Hij is een van de wandelende doden,

maar zijn vlees is nu in staat tot elke verbazende prestatie die zijn geest maar vraagt.

In de noordelijkere en koudere stad valt geen regen. Water klotst tegen de palen van de steiger, een onaangenaam klokken dat op hoon duidt, samenzwering en onmenselijke honger.

Misschien is het bestaan van angst wel het verrassendste aan het dood zijn. Hij zou gedacht hebben dat met de dood de bevrijding van de angst kwam.

Hij trilt door de geluiden van het water onder de steiger, door het *ponk* van zijn voetstappen op de planken die nat zijn van de condens, door de zilte, zaadachtige geur van de vruchtbare zee, door de berijpte rechthoeken die oplichten in de mist, de grote op de baai uitkijkende ramen van het restaurant waar Typhon wacht. Het grootste deel van zijn leven had hij nergens enige betekenis in gezien; nu, dood, ziet hij betekenis in elk detail van de fysieke wereld, en te veel ervan heeft een duistere waarde.

Een afslag van de steiger loopt langs de ramen van het restaurant en aan een van de betere tafeltjes zit Typhon, voor zaken in de stad maar voor het moment alleen, zoals altijd prachtig gekleed, koninklijk in houding zonder pretenties. Door de glazen ruit ontmoeten hun ogen elkaar.

Een ogenblik bekijkt Typhon hem somber, zelfs ernstig, alsof hij misnoegd is wat zeker consequenties zal hebben die Dunny niet wenst te overwegen. Dan plooit zijn mollige gezicht zich en verschijnt zijn innemende glimlach. Hij maakt een pistool van zijn duim en wijsvinger en wijst dat op Dunny alsof hij wil zeggen: *hebbes.*

Door middel van mist, glas en het kaarslicht op tafel zou Dunny in een oogwenk van de steiger naar de stoel tegenover Typhon hebben kunnen reizen. Maar met zoveel mensen in het restaurant zou die onconventionele entree het kenmerk van onbezonnenheid zijn.

Hij loopt om het gebouw heen naar de voordeur en volgt de gastheer door het drukke restaurant naar Typhons tafeltje.

Typhon gaat hoffelijk staan om Dunny te begroeten, biedt een hand om te schudden en zegt: 'Beste jongen, het spijt me dat ik je op zo'n kritisch moment op deze avond van alle avonden heb opgeroepen.'

Nadat hij en Typhon zich hebben geïnstalleerd op hun stoelen en Dunny beleefd een vraag van de gastheer of hij wat wil drinken heeft afgewezen, besluit hij dat onoprechtheid hier niet veel beter zal werken, en waarschijnlijk slechter, dan het de avond ervoor had gedaan in de hotelbar in Beverly Hills. Typhon had uitdrukkelijk om integriteit, eerlijkheid en directheid in hun relatie gevraagd.

'Meneer, voordat u iets zegt, moet ik u vertellen dat ik weet dat ik mijn bevoegdheid weer tot op het breekpunt heb gebracht,' zegt Dunny, 'door Hazard Yancy te benaderen.'

'Niet door hem te benaderen, Dunny. Door de directheid waarmee je hem hebt benaderd.' Typhon zwijgt even om van zijn martini te nippen.

Dunny wil zichzelf verklaren, maar de man met het witte haar vraagt met een opgestoken hand om geduld. Met vrolijk glinsterende, blauwe ogen neemt hij nog een slokje van zijn martini en geniet ervan.

Als hij praat spreekt Typhon hem eerst aan op zijn gedrag: 'Jongen, jouw stem is net een fractie te luid en er klinkt angst in door, waardoor je waarschijnlijk van jezelf een zaak van belang zult maken voor die andere restaurantgasten die net iets te nieuwsgierig zijn dan goed voor hen is.'

Het gekletter van aardewerk en porselein, het bijna kristalachtige gerinkel van wijnglazen die licht tegen elkaar aan gestoten worden in een toast, de elegante muziek van een piano die zacht beroerd wordt en niet aangeslagen, en het gemurmel van veel gesprekken bereikt niet die hoogte die zo gerieflijk de woordenwisseling tussen Dunny en Typhon in de hotelbar had gemaskeerd.

'Sorry,' zegt Dunny.

'Het is bewonderenswaardig dat je niet alleen wilt zorgen voor het fysieke overleven van Mr. Truman, maar ook voor zijn emotionele en psychologische welzijn. Dat behoort tot je bevoegdheden. Maar in het belang van zijn cliënt moet een beschermer zoals jij discreet werken. Aanmoedigen, inspireren, bang maken, vleien en adviseren...'

'... en gebeurtenissen beïnvloeden met alle mogelijkheden die sluw, glad en verleidelijk zijn,' maakt Dunny af.

'Precies. Je hebt je grenzen danig uitgerekt zoals je Aelfric hebt aangepakt. Uitgerekt, maar je hebt ze niet overschreden.'

Typhons manier van doen is die van een bezorgde leraar die het nodig vindt opbeurende instructies te geven aan een problematische leerling. Hij schijnt noch gramstorig noch knorrig te zijn waarvoor Dunny dankbaar is.

'Maar door Mr. Yancy ronduit te vertellen niet het huis in te gaan,' vervolgt Typhon, 'door hem te informeren dat hij twee keer in het hoofd geschoten zou worden, heb je ingegrepen in wat zijn meest waarschijnlijke lot was op dat moment in de tijd.'

'Ja, meneer.'

'Misschien overleeft Yancy het nu, niet door zijn daden of keuzes, niet door de losgemaakte uitoefening van zijn vrije wil, maar omdat jij hem zijn onmiddellijke toekomst hebt onthuld.' Typhon zucht. Hij schudt zijn hoofd. Hij ziet er triest uit alsof hij de volgende woorden een beetje betreurt. 'Dit is niet goed, beste jongen. Dit is niet goed voor jou.'

Nog geen ogenblik geleden was Dunny dankbaar geweest voor het ontbreken van woede bij zijn mentor. Nu raakt hij ongerust door Typhons rustige verbijstering en uitdrukking van spijt, want die suggereren dat er allang een beslissing is genomen.

Typhon zegt: 'Er waren een heleboel trucs waarmee je Mr. Yancy indirect van het huis weg had kunnen halen.'

De opgewekte aard van de oudere man kan niet lang onderdrukt worden. Hij breekt weer uit in een glimlach. Zijn blauwe ogen schitteren met zoveel vrolijkheid dat hij, met een valse baard in dezelfde kleur als zijn witte haar en met een minder elegant pak, over twee nachten in een slee zou kunnen stappen om vleugelloze rendieren tot vliegen aan te sporen.

Terwijl hij samenzweerderig over tafel leunt, zegt Typhon: 'Jongen, elk beetje spookachtig gedoe zou hem rennend van het huis naar zijn opoe Rose of naar een bar hebben gestuurd. Je hoefde niet zo direct te zijn. En als je op deze manier doorgaat, zul je zeker je vriend Ethan teleurstellen en zul je eigenlijk misschien zelf de oorzaak zijn van zijn dood en de dood van de kleine jongen.'

Ze staren elkaar aan.

Dunny aarzelt om te vragen of hem toegestaan is op de zaak te blijven, uit angst dat hij het antwoord al weet.

Nadat Typhon weer van zijn martini heeft geproefd, zegt hij: 'Hemeltje, maar je bent een voetzoeker, Dunny. Je bent koppig, heetgebakerd, frustrerend – maar je bent ook een giller. Je brengt me aan het lachen. Echt waar.'

Onzeker over hoe hij deze beweringen moet interpreteren, wacht Dunny, stil en zwijgend.

'Ik wil niet grof zijn,' zegt Typhon, 'maar mijn eetgasten zullen zo direct arriveren. Jouw magere en hongerige uiterlijk – om Shakespeare te citeren – en jouw ruwe kantjes zouden hen weleens kunnen verontrusten. Het is een voorzichtige groep en schichtig. Een politicus en twee van zijn campagneleiders.

Dunny durft te vragen: 'Mag ik Ethan blijven beschermen?'

'Na jouw herhaalde overtredingen, zou ik gerechtvaardigd zijn je er nu vanaf te halen. Er moeten regels gelden voor beschermengelen, vind je niet? Iets meer dan alleen maar goede bedoelingen. De positie hoort grotere ethiek te vereisen dan die van de senatoren van de Verenigde Staten en die van broodkaarters.'

Typhon komt omhoog van zijn stoel en Dunny gaat ook snel staan. 'Toch, beste jongen, ben ik geneigd je hierin voor de laatste keer enige ruimte te geven.'

Dunny accepteert de aangeboden hand van zijn mentor. 'Dank u, meneer.'

'Maar begrijp dat dit een voorlopig gratie is. Als je niet kunt opereren binnen de termen van de overeenkomst, zullen je bevoegdheid en krachten ineens ingetrokken worden en zul je ogenblikkelijk voor eeuwig naar huis worden gestuurd.'

'Ik hou me aan onze afspraak.'

'En als je naar huis wordt gestuurd, is Ethan aan zichzelf overgeleverd.'

'Ik hou me aan de regels.'

Terwijl hij een hand op Dunny's schouder legt en er een vriendelijk kneepje in geeft, als een vader die zijn zoon raad verschaft, zegt Typhon: 'Beste jongen, je hebt al zo lang regels overtreden, dat het nalaten niet zo makkelijk is. Maar nu zul je elke minuut je stappen in de gaten moeten houden.'

Te voet vertrekt Dunny uit het restaurant en hij volgt de steiger de mist in die weerklinkt van de lage, holle tonen van scheepshoorns. Reizend via mist, via het maanlicht boven de mist en via het *idee* van het Palazzo Rospo in Bel Air, vertrekt hij, maakt hij de reis en arriveert allemaal op hetzelfde moment.

74

Twee kogels in de hersenen.

Hazard met zijn kevlar borstbeschermer en zich bewust van wat voor gemakkelijk doelwit zijn leeuwachtige hoofd zou bieden, sloot het portier van de auto en stak de straat over.

Het huis van de moedermoordenaar leek de binnenkomende mist aan te trekken, die zich niet in een homogene massa bewoog maar in vreemde wervelingen: de ene snelvoetige steelsheid na de ander, staart na staart van een angoramist, alsof hier duizenden katten waren die werden aangetrokken door de geur van tonijn, vers uit blik.

De sfeer van het huis hypnotiseerde Hazard zodanig dat hij de straat was overgestoken en het privépad was gevolgd zonder dat hij zich bewust was van de regen. Pas toen hij de voet van de verandatrap bereikte, besefte hij dat hij met zo'n doelbewustheid had gelopen dat hij tot op zijn huid doorweekt was.

Terwijl hij de verandatrap beklom, voelde hij iets in zijn hand – en zag de mobiele telefoon waarmee hij met Dunny Whistler had gesproken.

Ik ben dood en *levend*, had Dunny gezegd, en Hazard op dat moment had heel erg hetzelfde gevoel.

Boven aan de trap bleef hij even staan, in plaats van recht op de deur af te lopen en aan te bellen, in het besef dat hij had nagelaten een standaardbeetje naspeurwerk te doen naar het telefoontje van Dunny, wat hij wel gedaan zou hebben als hij een dreigtelefoontje had gekregen van iemand anders die zijn mobiele nummer niet hoorde te hebben. Hij toetste *69 in.

Het telefoontje werd bij de tweede keer overgaan opgenomen, maar de persoon aan de andere kant van de lijn zei niets.

'Is daar iemand?' vroeg Hazard.

Een harde stem antwoordde: 'O, er is hier iemand. Iemand is hier, zeker wel, "hook"-neger.'

Bendepraat: 'hook' betekent nep, namaak.

'Ik ben hier, ik raakte helemaal in de war door jou, drukte twee keer af en proef nog steeds "pencil".'

'Pencil' betekent lood, kogels.

Hazard had deze stem nooit eerder gehoord, maar hij wist van wie die zou kunnen zijn. Hij kon niets zeggen.

'Als je hier naartoe komt, achter me aan, zou je een bleekscheet willen zijn, maak je maar klaar voor een miljoen nachtmerries van "eastly's". Weet je wat "eastly" is, man?'

'Ja, een lelijk mens,' zei Hazard, verrast dat hij had gesproken en hij kreeg het gevoel dat antwoord geven een slecht idee was, dat het een uitnodiging werd.

'Erger dan lelijk, man. Extreem smerig. Deze plek heeft álléén maar eastly's. Ik ben hier als je oversteekt, bleekscheet. Ik sta je als eerste op te wachten.'

Hazard wilde op EINDE drukken, de telefoon aan zijn riem klikken, maar een naargeestige fascinatie hield die bij zijn oor.

Hij stond op drie meter afstand van de voordeur van Vladimir La-

puta. Dit was geen verstandige plek om in een telefoonbabbel verwikkeld te raken met een van de rusteloze doden.

'Bleekscheet, je kent die vier-vijf waarmee ik je gisteravond af had
moeten knallen?'

In zijn geestesoog zag Hazard Calvin Roosevelt, alias Hector X,
op het grasveld voor Reynerds flatgebouw, met beide handen om
een .45, terwijl hij een schot loste en de loop vuur spuugde in de
regen.

'Luister eens, flikkertje. Jij komt hier en ik heb hier iets groters
dan mijn vier-vijf, dat ik in je reet zal schuiven, en dan kunnen alle lelijkerds je ook pakken. Tot gauw.'

Hazard drukte op EINDE en ogenblikkelijk rinkelde de telefoon in
zijn hand. Hij hoefde die niet te beantwoorden, hij kón die niet
beantwoorden omdat hij wist wie het was.

Hij was nat. Koud. Bang.

De telefoon bleef rinkelen.

Hij moest of hier hard over nadenken of er nooit over nadenken,
en hij kon geen beslissing nemen wat hij nu moest doen terwijl hij
daar stond, op de veranda van de moedermoordenaar.

Hij stak de rinkelende telefoon in een zak van zijn jasje, draaide
zijn rug naar de deur en liep de trap af, weer de regen in.

75

Het zacht ronddraaiende water in het zwembad roerde het licht
dat eruit opsteeg en veroorzaakte glinsterende uitstralingen en
schaduwen die onophoudelijk over de kalkstenen muren en het
gewelfde plafond huiverden.

Fric bracht een linnen tafelkleed naar een van de tafeltjes bij het
zwembad en dekte die met mooi porselein en een zilveren bestek.
Bijna zette hij er ook kandelaars neer, maar meende dat twee mannen niet dineerden bij kaarslicht. Misschien bij het schijnsel van
een open haard of bij Polynesische feesttoortsen, misschien bij een
kampvuur in een bos vol jagende wolven, maar niet bij kaarslicht.
Met een dimschakelaar stelde hij de muurblakers op de kalkstenen pilaren bij tot ze een zacht goudkleurig schijnsel gaven.

Bij goed weer genoot Fric van eten bij het buitenzwembad, als hij
het enige lid van de familie was dat hier resideerde en als de vrien-
dinnen van Geestpapa niet overal lagen in hun bikinibroekjes, dik

ingesmeerd met zonnecrème factor vijftig, als geplukte eenden in een marinade.

Het binnenzwembad was niet te vergelijken met het zwembad buiten: slechts vijfentwintig meter lang en zestien meter breed, helemaal niet groot genoeg als je motorbootraces wilde houden. Maar de ruimte was warm in de winter en een dubbele hoeveelheid palmbomen in enorme potten gaven er een aangenaam tropisch gevoel aan.

Drie wanden van de ruimte hadden grote ramen waarin de aangelegde tuinen te zien waren. De ramen in de derde muur werden gedeeld met de plantenkas en boden een uitzicht op het rijk van de jungle.

Eten bij het zwembad trok Fric aan omdat hij in de aangrenzende plantenkas zijn nauwgezet voorbereide onbekende en speciale geheime plaats had gecreëerd. Bij de minste reden om te geloven dat Moloch eraan kwam, zou hij in dekking kunnen schieten en zo snel als een konijn uit het gezicht verdwenen zijn.

Vreemd genoeg vermoedde hij dat Mr. Truman Moloch ook verwachtte. Dat het testen van de stroomvoorziening nonsens was. Er moest iets aan de hand zijn.

Hij hoopte dat Mr. Truman hem niet over de intercom zou oproepen zoals hij hem eerder had opgeroepen in de bibliotheek. Zelfs niet onder dwang zou Fric op de ANTWOORD-knop drukken omdat hij bang was dat die hem, net als met *69, zou verbinden met die plek waarvandaan iets had geprobeerd door het snoer van de hoorn in zijn oor te kruipen.

Hij was eerder klaar met de voorbereidingen dan hij had verwacht en hij keek op zijn horloge. Mr. Truman zou de eerste tien minuten nog niet met het eten komen.

Het door regen doorweekte, in mist gewikkelde terrein achter de ramen was door de vele tuinlampen duidelijk te zien, maar het thema was bekoring en romantiek, wat inhield dat de schaduwen in de meerderheid waren. Als Moloch tegen de muur van het landgoed omhoog was geklommen zonder ontdekt te zijn door het veiligheidssysteem, zou hij daar kunnen zitten, gehuld in de duisternis, toekijkend.

Fric overwoog naar de keuken te rennen onder het voorwendsel te willen helpen bij het eten, maar hij wilde niet behoeftig, lullig en oenig lijken.

Als hij misschien dan daadwerkelijk op een dag zou weglopen en zich bij de mariniers zou aanmelden, in plaats van zich te verschuilen in Goose Crotch, in Montana, hoorde hij te gaan denken als een marinier en zich zo te gedragen, en beter vroeg dan laat. Een marinier zou zich niet laten opjutten door de duisternis achter een raam. Een marinier zou zijn neus ophalen voor de duisternis en er zonder meer op pissen. Hij zou dan natuurlijk eerst het raam open moeten doen, om het glas niet vies te maken.

Fric was nog niet aan het niveau van zelfvertrouwen van de marinier toe. Dus hij ging maar aan de tafel zitten en wenste dat de tien minuten snel voorbij zouden zijn.

Hij haalde de foto uit een achterzak, vouwde hem open en staarde naar de mooie dame met de bijzondere glimlach en onttrok zichzelf aan de toekijkende nacht. Zijn fantasiemam.

Tot nu toe had hij nog niet gedaan wat de Geheimzinnige Beller had voorgesteld, had hij nog niemand gevraagd of ze wisten wie deze vrouw kon zijn.

Om te beginnen was het hem nog niet gelukt een geloofwaardig verhaal te bedenken om uit te leggen waar hij de foto vandaan had en waarom hij zo geïnteresseerd was in haar identiteit. Hij was een slechte leugenaar.

Bovendien, hoe langer hij niemand over haar vroeg, hoe langer ze van hem zou zijn en alleen van hem. Zodra hij erachter kwam wie ze was, zou ze niet langer zijn fantasiemam kunnen zijn.

Iets tikte tegen het raam.

Fric sprong op van de stoel en liet de foto vallen.

Het gezicht aan het raam droeg een kap en zag er afschuwelijk uit, maar de kap was een regenkap en het gezicht was dat van een van de veiligheidsagenten, Mr. Roma. Omdat hij een lange bovenlip had en een kleine neus, kon Mr. Roma zijn lip over zijn neus trekken waar die bleef zitten zodat zijn gezicht misvormd leek en zijn tanden enorm schenen. De zaklantaarn, tegen zijn kin gehouden en de straal omhoog gericht, versterkte dit effect.

'Oe-oe,' zei Mr. Roma, omdat hij zonder het gebruik van zijn bovenlip niet de *b* van *boe* kon zeggen.

Toen Fric naar het venster liep, liet Mr. Roma zijn gezicht weer in vorm schieten. De bewaker zei: 'Hoe gaat het, Fric?'

'Nu lekker,' antwoordde Fric, terwijl hij zijn stem verhief om door het glas heen gehoord te worden. 'Ik dacht heel even dat je Ming was.'

'Ming zit in Florida met je vader.'

'Hij is eerder teruggekomen,' zei Fric. 'Hij loopt hier ergens rond in de regen.'

De glimlach van Mr. Roma verstarde.

'Hij wilde dat ik met hem mee liep,' zei Fric, 'zodat hij me alles

kon leren over de regen die de geest van de planeet wast of zoiets.'
De verstarde glimlach brak, en verdween. Mr. Roma liet de lamp
voor zijn gezicht zakken en draaide Fric zijn rug toe, terwijl hij
met de straal door de nacht zwaaide.
'Je zult hem waarschijnlijk wel tegenkomen,' zei Fric.
Mr. Roma besefte dat de zaklantaarn zijn positie zou verraden en
zette hem uit. 'Tot kijk, Fric,' zei hij en schoot weg, de mistige
duisternis in.
Hoewel Fric een beroerde leugenaar was en zelfs voor zichzelf niet
overtuigend had geklonken, durfde Mr. Roma hem niet in twijfel
te trekken zolang er een kans van een op de duizend bestond dat
Ming, in een spraakzame bui en in volle goeroestemming, misschien in de buurt was.

76

In de auto, uit de regen, huiverend in de warme stroom van de
verwarming, nog steeds gezocht door de dode Hector X, luisterde Hazard naar het gerinkel, gerinkel en gerinkel tot hij het raampje naar beneden wilde draaien om het mobieltje op straat te gooi-
en.
Het bellen hield op, net op het moment dat hij beweging zag in
de woning van Laputa. Er kwam een man uit het huis, bleef even
staan om de voordeur op slot te doen, en daalde de verandatrap
af.
Ondanks de regen en de gestaag dikker wordende mist herkende
Hazard de man die eerder het huis via de garage was binnengegaan. Hij was er nagenoeg zeker van dat dit Vladimir Laputa was.
Bij de kruising van het tuinpad met de stoep sloeg Laputa rechtsaf en liep de weg terug die hij was gekomen. Hij liep nog steeds
parmantig, maar hij leek niet in zichzelf te praten of te zingen.
Hij had zich omgekleed in volledig zwarte kleding die waterdicht
leek, alsof hij straks naar het noorden naar Mammoth zou rijden
of naar een ander skioord in de Sierras.
Als een voorbode van sneeuw dreven witte massa's mist om hem
heen en onttrokken hem bijna aan het zicht voor hij bij de hoek
rechtsaf ging en uit het gezicht verdween.
Hazard had de handrem al losgezet en zette nu de auto in zijn ver-
snelling, knipte de koplampen aan en reed naar de hoek waar ver-

keer plassend voorbijreed over de kruising. Hij keek naar rechts en zag Laputa naar het noorden lopen. Toen de professor bijna uit het gezicht was, sloeg Hazard de hoek om en volgde hem.

Steeds als hij binnen een half blok van Laputa kwam, ging hij naar de stoeprand, wachtte, en liet zijn prooi verder lopen tot aan de grenzen van de door de mist verminderde zichtbaarheid. Dan reed hij weer achter hem aan.

Tijdens dit rijden en stilstaan volgde Hazard de professor tweeën-eenhalf blok ver. Daar, zonder ook maar een keer achteromgekeken te hebben, stapte Laputa in een zwarte Land Rover.

Terwijl hij te ver achterbleef om de nummerplaat te lezen en omdat hij ander verkeer van tijd tot tijd tussen hen in liet komen om zijn voortdurende aanwezigheid te maskeren, schaduwde Hazard de Land Rover over een directe route naar het Beverly Center op de hoek van Beverly Boulevard en La Cienega. Hoewel hij een beetje vreemd gekleed was voor een uitstapje naar het winkelcentrum, was Laputa blijkbaar van plan te gaan winkelen.

Om in een auto iemand in de gaten te houden in een parkeergarage was heel wat linker dan hetzelfde te doen op de openbare weg. Hazard volgde de Land Rover oprit na oprit, verdieping na verdieping, langs rijen geparkeerde voertuigen tot Laputa een lege plek vond.

Bij het einde van die doorgang wachtte een parkeerplaats op Hazards sedan. Hij parkeerde, zette de motor uit, stapte uit en hield zijn man over de daken van de geparkeerde auto's in de gaten.

Hij verwachtte dat de professor de pijlen zou volgen naar de dichtstbijzijnde ingang van het centrum. Maar Laputa keerde te voet terug naar de oprit waarover hij net naar boven was gereden. Hoewel andere winkelbezoekers door de garage liepen en talloze auto's rondreden op zoek naar een parkeerplaats en de uitgang, bleef Hazard zo ver mogelijk van zijn prooi vandaan als hij durfde. Hij maakte zich zorgen dat de professor hem zou opmerken en meteen zou weten wie hij was.

Laputa liep een lange helling af naar beneden, daarna een volgende. Twee verdiepingen lager dan de verdieping waar hij uit zijn Land Rover was gestapt, liep hij naar een geparkeerde Acura coupé, die tjirpte toen hij de portieren van het slot haalde met een afstandsbediening.

Verstard van verrassing bleef Hazard staan toen de professor achter het stuur stapte.

De man was hier niet gekomen om te gaan winkelen. Hij haalde hier een nieuwe auto op.

De Land Rover of de Acura was bijna zeker een Kleenex-auto, bedoeld om er een misdaad mee te plegen en daarna weg te gooien.
Misschien waren beide auto's een Kleenex-auto.

Hazard overwoog tot arrestatie over te gaan op basis van verdacht
gedrag.

Nee. Hij kon het niet riskeren. Niet met een respectabele univer-
siteitsprofessor. Niet nu Blondie in de Vijver bijna wijd openge-
broken zou worden en een machtig lid van de gemeenteraad op
het punt stond zijn aartsvijand te worden. Hij zat al in een onderzoek van Interne Zaken wegens het neerschieten van Hector
X. In deze omstandigheden zou elke fout die hij maakte tot de
strop geweven worden waarmee ze hem op zouden hangen.

Hij had geen legitieme reden om Laputa te volgen. De moord op
Mina Reynerd was niet zijn zaak. De hele dag had hij zijn door
de stad betaalde tijd en zijn politiebevoegdheid gebruikt om een
vriend te helpen in een persoonlijke zaak. Hij had zijn pik in een
bankschroef geplaatst en zelf de hendel aangetrokken; nu zou hij
geen plotselinge actie kunnen ondernemen tegen de professor zonder er enorm spijt van te krijgen.

In de Acura, zich onbewust dat hij in de gaten werd gehouden,
trok Laputa het portier naast zich dicht. Hij startte de motor. Hij
leek te spelen met de radio.

Hazard rende de weg terug die hij was gekomen, twee hellingen
omhoog naar de auto van het bureau.

Tegen de tijd dat hij onbesuisd naar beneden naar de uitgang van
de garage reed in de hoop de Acura nog te pakken te krijgen, was
Laputa verdwenen.

77

'Kent u dat chocolade-ijsje dat Yoo-hoo heet?' vroeg Fric.
'Ik heb ze weleens gegeten,' zei Mr. Truman.
'Het is heerlijk spul. Wist u dat je Yoo-hoo zo'n beetje eeuwig
kunt bewaren zonder dat het bederft?'
'Dat wist ik niet.'
'Ze gebruiken een speciaal soort stoom-sterilisatieproces,' onthul-
de Fric. 'Zolang het nog niet open is geweest, blijft het net zo ste-
riel als, zeg, een fles contactlensvloeistof.'
'Ik heb nog nooit contactlensvloeistof gedronken,' zei Mr. Truman.

'Wist u dat civet in een heleboel parfums wordt gebruikt?'
'Ik weet niet eens wat civet is.'
Fric straalde door die bekentenis. 'Nou, het is een dik geel af-scheidingsproduct dat uit de anaalklieren van civetkatten afkomstig is.'
'Dat lijken me heel meewerkende katten.'
'Ze zijn niet echt lid van de kattenfamilie. Het zijn zoogdieren uit Azië en Afrika. Ze produceren meer civet als ze opgewonden zijn.'
'Onder de gegeven omstandigheden moeten ze voortdurend op-gewonden zijn.'
'Civet stinkt vreselijk,' zei Fric, 'puur. Maar als je het aanlengt met het juiste spul, dan ruikt het echt goed. Wist u dat als je niest alle lichaamsfuncties een ogenblik ophouden?'
'Zelfs het hart?'
'Zelfs de hersenen. Het is net een kleine, tijdelijke dood.'
'Dat is het dan – geen peper meer op mijn salades.'
'Een nies legt een enorme druk op het lichaam,' legde Fric uit, 'vooral op de ogen.'
'We niezen toch altijd met onze ogen dicht?'
'Ja. Als je maar heftig genoeg niest met je ogen open, kan er een uit een kas schieten.'
'Fric, ik heb nooit beseft dat jij zo'n encyclopedie was van onge-wone feitjes.'
Glimlachend, blij met zichzelf, zei Fric: 'Ik vind het leuk om din-gen te weten die andere mensen niet weten.'
Het eten was heel wat beter verlopen dan Fric aanvankelijk ge-vreesd had. De kippenborst in citroenbotersaus, de rijst met wil-de paddestoelen en de asperges waren verrukkelijk en hij noch Mr. Truman was al aan voedselvergiftiging overleden, hoewel Mr. Ha-chette misschien de moord bewaarde voor het dessert.
Aanvankelijk was het gesprek stijfjes geweest, omdat ze waren be-gonnen met het onderwerp van films, dat onvermijdelijk naar de films van Manheim had geleid. Ze vonden het niet gemakkelijk om over Geestpapa te praten. Ook al zeiden ze alleen maar aar-dige dingen, ze leken achter zijn rug te roddelen.
Fric vroeg hoe het was om rechercheur bij Moordzaken te zijn, en wilde vooral horen over de meest zonderlinge moorden, afschuwe-lijk verminkte lichamen en de meest afgrijselijk krankzinnige moor-denaars die Mr. Truman ooit was tegengekomen. Mr. Truman zei dat veel van dat spul niet geschikt was voor aan tafel en dat som-mige moordverhalen niet geschikt waren voor de oren van een tien-jarige. Maar hij vertelde politieverhalen, waarvan de meeste grap-

pig waren; een paar waren grof, hoewel niet zo grof dat je je kip in citroenboter wilde uitkotsen, maar grof genoeg om van dit etentje verreweg het beste etentje te maken dat Fric ooit had gehad.

Toen Mr. Truman opmerkte dat Mr. Hachette een kokos-kersentaart voor het dessert had gemaakt, lepelde Fric zijn kennis op over de eilandennatie van Tuvalu, exporteur van kokosnoten, om een bijdrage te leveren aan hun conversatie.

Tuvalu leidde hem naar een heleboel andere dingen die hij wist, zoals het grootste paar schoenen dat er ooit gemaakt was. Het was maat vijfenvijftig, gelapt voor een reus uit Florida die Harley Davidson heette en die niets te maken had met de motorfietsfabrikant. Maat vijfenvijftig schoen was vijfenvijftig centimeter lang! Mr. Truman was oprecht verbaasd.

De reusachtige schoenen leidden uiteindelijk naar Yoo-hoo, civet en niezen, en toen ze klaar waren met het dessert – en nog steeds geen tekenen van een arseenvergiftiging vertoonden – zei Fric: 'Wist u dat mijn moeder in een gekkenhuis heeft gezeten?'

'Je moet je niets aantrekken van dat soort nare zaken, Fric. Het is een oneerlijke overdrijving.'

'Nou, mijn moeder heeft niemand aangeklaagd die dat soort dingen zei.'

'In dit land kunnen beroemdheden geen aanklachten indienen wegens laster of smaad, alleen maar omdat mensen leugens over hen vertellen. Ze moeten bewijzen dat die leugens kwaadaardig bedoeld waren. Wat moeilijk is. Je moeder wilde gewoon geen jaren doorbrengen in rechtbanken. Begrijp je?'

'Ik denk het. Maar weet u wat mensen misschien denken?'

'Ik weet niet of ik je wel volg. Wat denken mensen misschien?'

'Zo moeder, zo zoon.'

Mr. Truman leek geamuseerd. 'Fric, niemand die jou kent zou kunnen geloven dat je ooit in een gekkenhuis hebt gezeten of er ooit zult komen.'

Terwijl hij zijn lege dessertbordje wegschoof, zei Fric: 'Nou, stel dat ik op een dag een vliegende schotel zie. Ik bedoel er écht een zie, en een stelletje grote glibberige buitenaardse wezens. Weet u?'

'Groot en glibberig,' zei Mr. Truman aandachtig knikkend.

'Dus als ik het dan aan iemand vertel, denkt die als eerste: o ja, *zijn moeder heeft in een gekkenhuis gezeten.*

'Nou, of ze zich al of niet die verhalen over je moeder nog herinneren, sommige mensen in deze wereld zouden je nog niet geloven als je een van die grote, glibberige buitenaardse wezens aan een riem bij je had.'

'Ik wou dat het zo was,' mompelde Fric.

'Ze zouden mij ook niet geloven als ik er een aan een riem bij me had.'

'Maar u bent een politieagent.'

'Een heleboel mensen herkennen nog geen waarheid als ze die recht voor hun ogen krijgen. Je moet je daar geen moment zorgen over maken. Ze zijn hopeloos.'

'Hopeloos,' beaamde Fric, maar hij dacht minder aan andere mensen dan aan zijn eigen omstandigheden.

'Maar als je naar mij toe kwam of naar Mrs. McBee, zouden we alles waar we mee bezig waren laten vallen en aan komen rennen om een van die grote glibberige monsters te zien, omdat we weten dat we je op je woord kunnen vertrouwen.'

Deze opmerking schonk Fric moed, en hij ging rechtop op zijn stoel zitten. In zijn geest dromden alle dingen samen waarover hij Mr. Truman wilde vertellen – de Geheimzinnige Beller die uit een spiegel stapte en langs de dakbalken vloog, geesten die probeerden door het telefoonsnoer in je oor te komen als je *69 indrukte, beschermengelen met vreemde regels, de kinderen etende Moloch, de *Los Angeles Times* met het verhaal over zijn ontvoering – maar hij aarzelde te lang omdat hij probeerde al die dingen op een rijtje te zetten zodat het niet in één grote hysterische stroom uit hem zou vloeien.

Mr. Truman sprak als eerste: 'Fric, tot ik de fout te pakken heb en heb bedacht wat er gerepareerd moet worden, maak ik me zorgen over die stroomtoevoer in het alarmsysteem.'

De woorden van de beveiligingschef hadden net zo goed de driepuntige haak kunnen zijn van de goed gegooide worp van de visser, want zo stevig vingen die Frics volledige aandacht. Weer dat onzinverhaal over de stroomvoorziening.

'Er gebeurt niets, maar ik maak me zorgen. Hoe dan ook, je vader betaalt me om me zorgen te laten maken. Dus tot het hersteld is, heb ik liever dat je niet alleen op de tweede verdieping slaapt.'

Een scherpte in de ogen van Mr. Truman suggereerde dat hij zelf een grote, glibberige ET had gezien, of verwachtte die binnenkort te zien.

'Ik zou graag voor vannacht mijn kamp willen opslaan in de woonkamer van jouw suite,' ging hij verder, 'of je zou naar beneden kunnen komen naar mijn appartement, in mijn bed slapen, en ik verhuis dan naar de bank in mijn werkkamer. Wat vind je daarvan?'

'Of ik zou op uw bank kunnen slapen en dan hoeft u uw bed niet op te geven.'

'Dat is heel attent van je, Fric. Maar ik heb al nieuwe lakens op mijn bed gedaan voor het geval je die optie zou kiezen. Als nu blijkt dat ik ze om geen enkele reden heb verschoond en een set lakens heb verbruikt die niet op het rooster staat, zal ik me moeten verantwoorden tegenover Mrs. McBee. Breng me niet in die positie, dat smeek ik je.'

Fric wist dat Mr. Truman de bank om maar één reden wilde: hij was van plan zich op te stellen tussen de toegangsdeur van zijn appartement en de slaapkamer waarin Fric zou slapen, niet omdat Fric tijdens het slaapwandelen van de trap zou vallen, maar omdat misschien geteisem de deur van het appartement zou neerhalen om te proberen Fric te pakken te krijgen, in welk geval ze dwars door Mr. Truman heen zouden moeten.

Er was beslist iets aan de hand.

'Oké,' zei Fric, bezorgd maar ook aangenaam opgewonden. 'Ik kom naar uw appartement en u kunt op de bank. Dit zal fantastisch zijn. Ik heb nog nooit ergens buitenshuis gelogeerd.'

'Nou, je gaat niet precies het huis uit.'

'Nee, maar ik ben nog nooit in uw appartement geweest,' zei Fric. 'Zelfs niet voordat u hier kwam. Het is onbekend terrein, zoals de donkere kant van de maan – weet u? – dus dit lijkt op een volledig echte logeerpartij.'

Terwijl hij had moeten nadenken over hoe hij kon vermijden dat hij ontvoerd en vermoord werd, merkte Fric dat hij eraan dacht dat zij, als ze tot laat opbleven, misschien wat marshmallows konden roosteren, op de vloer zitten bij kaarslicht en spookverhalen vertellen. Hij wist dat dit een stom idee was, alles vanaf de stomme marshmallows tot aan de stomme spookverhalen, maar de gedachte verrukte hem toch.

Terwijl hij op zijn polshorloge keek, zei Mr. Truman: 'Het is bijna acht uur.' Hij ging staan en begon borden van de tafel op een roestvrijstalen karretje te zetten waarop hij het had binnengebracht. 'Ik breng dit naar de keuken en dan installeren we je bij mij.'

'Ik zou graag naar boven naar de bibliotheek gaan om een boek te pakken,' zei Fric, hoewel hij alleen maar in de gepotte palm wilde piesen.

Zelfs in het appartement van de beveiligingschef met een voormalige smeris die gewapend de wacht hield, was Fric niet zo enthousiast om naar de wc te gaan waar spiegels zouden zijn. Je was behoorlijk kwetsbaar als je aan het piesen was.

Mr. Truman aarzelde, wierp een blik op de ramen, op de nacht, de regen en op de mist.

'Ik val altijd in slaap als ik lees,' hield Fric aan.

'Oké. Maar hou het kort, goed? En als je eenmaal het boek hebt dat je wilt lezen, kom je direct naar mijn appartement.'

'Ja.' Hij liep naar de deur van de zwembadruimte, maar bleef na twee stappen staan. 'Misschien kunnen we later spookverhalen vertellen.'

Fronsend, alsof Fric had voorgesteld de westelijke vleugel op te blazen, misschien zelfs iets verblekend, zei Mr. Truman: 'Spookverhalen? Waarom zeg je dat?'

'Nou, hmm, omdat dat is, weet u, wat mensen doen, bij, eh, logeerpartijtjes. In ieder geval heb ik dat gehoord.' *Stom.* Maar hij kon niet ophouden met praten. 'Ze zitten op de grond, hmmm, bij kaarslicht, weet u, en ze vertellen echt enge verhalen en dan roosteren ze, hmmm, marshmallows.' *Stom, stom.* 'Of je kunt popcorn maken en elkaar geheimen vertellen.' *Stom, stom, stom.*

De frons van Mr. Truman ging over in een glimlach. 'Wil je me vertellen dat je na alles wat we net gegeten hebben ook nog wat marshmallows weg kunt werken?'

'Niet meteen, meneer, maar misschien over een uur.'

'En jij hebt een paar diepe, duistere geheimen te vertellen, hè?'

'Hmmm, ik heb wel iets, ja, een paar dingen die ik heb meegemaakt.'

'Dingen die je hebt meegemaakt. Hebben die te maken met grote, glibberige buitenaardse wezens?'

'Nee, meneer. Zo simpel is het niet.'

'Als ik deze borden naar de keuken heb gebracht, zal ik de ingrediënten voor een berg marshmallows pakken. Je hebt me nieuwsgierig gemaakt.'

In één opzicht opgelucht, terwijl hij opluchting in een andere zin nodig had, liep Fric naar de bibliotheek en bracht de stervende palmboom een volgende slag toe.

78

In zijn auto van het bureau voelde Hazard zich net zo op drift als de geest van een zeeman op een verlaten en rottend schip, geketend aan zijn drijvende verblijfplaats door alleen maar de koppige gewoonte van leven. Gedesoriënteerd en zonder doel dat ergens op sloeg.

In de regen en mist leken de straten de scheepvaartroutes van een vreemde door spoken bezochte zee, en het viel gemakkelijk voor te stellen – en bijna mogelijk te geloven – dat veel van de ogenschijnlijk doorschijnende voertuigen die langs hem gleden in de omsluierde nacht door geesten werden bestuurd die het vlees hadden opgegeven maar niet de stad.

Hij had het nummerbord van de Land Rover doorgebeld en had gehoord dat die op naam stond van Kurtz Ivory International, wat dat ook mocht zijn. Volgens de gegevens van het departement Motorvoertuigen was de enige auto die op naam van Vladimir Laputa stond geregistreerd een BMW 2002, geen Acura zoals die in de parkeergarage had gestaan.

Nadat hij de informatie binnen had, wist Hazard niet wat hij hierna kon doen. Het beviel hem niet dat hij geen actie kon ondernemen.

Maar elke keer dat hij zijn volgende zet probeerde uit te puzzelen, verscheen in zijn herinnering het beeld van Dunny Whistler die op magische wijze van vlees in een waterval was veranderd, en in een oogwenk was samengevloeid met de plas waarin hij had gestaan en was verdwenen zonder een spat na te laten.

In de nawee van dat gezicht, in de koude voortdurende echo van het gesprek met de dode Hector X, liet de logische redenering Hazard in de steek. Hij voelde zijn gedachten steeds maar weer ronddraaien in een spiraal door dezelfde verontrustende kamers, naar beneden een nautilusschelp van vrees in.

Hoewel hij de lunch had gemist, had hij geen honger. Hoewel hij geen trek had, hield hij stil bij een drive-in fastfoodpaleis voor een kingsize bord cheeseburger en frieten.

Het bord bleek natuurlijk een zak en de kelk met koffie was een piepschuimen beker vol bitter vocht dat met boombast was gebrouwen. Waarschijnlijk dollekervel.

Hij bleef te opgewonden om op de parkeerplaats van het restaurant te blijven staan om te eten. Hij reed terwijl hij at.

Hij moest in beweging blijven. Zoals een haai had hij het gevoel dat hij zou sterven als hij ooit stilhield.

Uiteindelijk keerde hij terug naar de chique wijk waar de professor woonde. Hij parkeerde in de straat tegenover het huis.

Terwijl hij daar zat, hoorde hij in zijn geest de waarschuwende stem van Dunny – *twee kogels in de hersenen* – en hij wist zonder twijfel dat hij precies dat einde gevonden zou hebben als hij bij Laputa had aangebeld.

Voorlopig was de hyena, zoals Rachel Dalton hem had genoemd, weg op een Acura-avontuur. Zonder de daar wonende demon, was het huis gewoon een huis en geen slachthuis.

Hazard belde Roof/Moord en kreeg het nummer thuis van Sam Kesselman.

Toen hij het nummer had, vroeg hij zich af wat hij ging doen. Hij wist dat hij met deze zet misschien zijn vijanden alle wapens in handen gaf die ze nodig hadden om hem te vernietigen.

Zijn opoe Rose had hem een keer verteld dat er in het eigenlijke weefsel van de wereld een onzichtbaar web van kwaad was geweven en dat over deze eindeloze constructie dodelijke spinnen op dezelfde geheime, verleidelijke muziek dansten, en allemaal hetzelfde duistere werk deden, elk op zijn eigen manier. Als je je niet verzet tegen dit kleverige web als je voelt dat het aan je plukt, zoals het vaak doet, dan word je een van de getikte achtpotige zielen die erop dansen. En als de giftige spinnen niet bij elke gelegenheid verpletterd worden, dan zullen er eerder vroeg dan laat ontelbare spinnen zijn, maar helemaal geen mensen meer.

Hazard toetste het nummer in.

Sam Kesselman nam zelf op, eerst met een kuch, een nies en een vloek, maar vervolgens met een stem zo knarsend en rauw dat hij klonk als het product van een laboratorium voor genetische manipulatie dat werkte aan kruisingen tussen mens en kikker.

'Man, jij klinkt slecht. Heb je een dokter gezien?'

'Ja. Griep is een virus. Antibiotica helpen niet. De dokter gaf me een hoestmiddel. Zei dat ik veel moest rusten, veel moest drinken. Ik drink tien biertjes per dag, maar volgens mij ga ik toch dood.'

'Ga over op twaalf.'

Kesselman wist van de moord op Rolf Reynerd door Hector X en hij wist dat Hazard op zijn beurt de schutter had neergeschoten.

'Hoe is met jou en Interne Zaken?'

'Ik kom er met een schoon rapport uit. Het klinkt alsof ze me dat nu al willen geven. Luister, Sam, er is een verband tussen de moord op Reynerds moeder, en dat is jouw zaak.'

'Wil je me vertellen dat Reynerd erbij betrokken was?'

'Jij rook vanaf het begin toch al dat er met hem iets fout zat, hè?'

'Zijn alibi was gewoon té luchtdicht.'

'Dat gebeurt heel vaak.'

Hazard vertelde Kesselman over het gedeeltelijke script, maar hij paste de verhaallijn aan. Hij vertelde over het deel van de ruil van moord voor moord, zoals in *Strangers on a Train* van Hitchcock, maar niet het gedeelte over het plan een filmster te vermoorden.

'Dus je denkt... dat Reynerd een... moordmaatje had?'

'Ik weet dat het zo is. Ik ben er behoorlijk zeker van dat die man Vladimir Laputa heet. Ik weet dat de Vamp met de Lamp jouw zaak is, Sam, maar ik wil dit graag verder onderzoeken en die Laputa grijpen als ik kan.'

Misschien had Kesselman het echt nodig om een Guinness-record aan slijm op te hoesten, of misschien was dat geschraap van zijn keel alleen maar een tactiek om uitstel te krijgen en na te denken. Ten slotte zei hij: 'Waarom? Ik bedoel, jij hebt je eigen vracht aan zaken.'

'Nou, volgens mij ligt deze sinds gisteravond op beide bureaus van ons.' Hij had nog niet direct tegen Kesselman gelogen. Nu begon hij: 'Omdat ik denk dat Laputa niet alleen Mina Reynerd heeft vermoord, maar ook dat hij de moordenaar Hector X heeft ingehuurd die Rolf heeft afgeknald.'

'Dus ook al ligt het dossier op mijn bureau, dan is het de facto ook jouw zaak. Zoals ik me nu voel, zal ik tot minstens volgende week voortdurend op minder dan twintig stappen van een wc moeten zijn, dus jij kunt er net zo goed achteraan.'

'Bedankt, Sam. Nog één ding. Als ze je ooit vragen over jou, mij en dit, zou ik dan bij je langsgekomen kunnen zijn in plaats van dat ik jou heb gebeld, en zouden we dan dit gesprek eerder vandaag gehad kunnen hebben, zoals twaalf uur geleden?'

Kesselman bleef stil. Toen zei hij: 'Wat voor helse vernietiging doe je op ons neerkomen?'

'Als ik klaar ben,' zei Hazard, 'schoppen ze je het korps uit, nemen je pensioen af, en maken de openbare wc schoon met je reputatie, maar ze zullen je waarschijnlijk niet aanrekenen dat je joods bent.'

Kesselman lachte en de lach veranderde in een hoest, maar toen het hoesten uiteindelijk voorbij was, hield hij op met lachen. 'Zolang we maar samen in dezelfde goot terechtkomen, zal het op z'n minst onderhoudend zijn.'

Nadat hij klaar was met het telefoontje, bleef Hazard een tijdje in de auto naar het huis van Laputa zitten staren en dacht na over zijn aanpak. Hij was geneigd tot snelle actie, maar hij wilde niet overhaast reageren.

Om het huis binnen te komen was het gemakkelijke deel – ook al was het niet legaal. Hij had nog steeds het slotpistool van Lockaid

dat hij had gebruikt om het lipsslot van Reynerds flat open te krijgen.

Een zoektocht uitvoeren zonder bewijs achter te laten dat hij daar
was geweest, daarna weer buiten zien te komen, allemaal even
gladjes als een geest die zich voor het eerst manifesteerde en dan
weer oploste in de geestenwereld: dát was het moeilijke gedeelte.
In zijn hele carrière had hij voornamelijk volgens het boekje gewerkt, ongeacht hoe onsamenhangend de tekst soms misschien
ook was geweest. Nu moest hij zichzelf ervan overtuigen dat de
rechtvaardiging voor een boevenstreek overweldigend was.

Uit een zak van zijn jasje haalde hij het setje zilveren klokjes. Hij
draaide het rond in zijn hand.

Om tien over acht stapte hij uit de auto.

79

Na een korte stop in de keuken liep Ethan terug naar zijn appartement met de bedoeling de zes items te verstoppen die in de zwarte dozen waren gekomen. Als Fric ze zag zou hij onvermijdelijk
vragen stellen die niet beantwoord konden worden zonder hem
onnodig bezorgd te maken over de veiligheid van zijn vader.

In de werkkamer gloeide het computerscherm. Ethan had hem
sinds hij thuis was gekomen niet aangezet.

Snel doorzocht hij het appartement maar vond geen indringer.
Toch moest iemand hier zijn geweest. Misschien iemand die via
spiegels was gekomen en gegaan.

Teruglopend naar het bureau om het scherm beter te bekijken, zag
Ethan dat er een boodschap voor hem was achtergelaten: HEBT U
UW NETWERK-E-MAIL AL GECONTROLEERD?

Netwerk e-mail – netmail in het kort – kwam van computers op
het landgoed, van die in de kantoren van Channing Manheim in
de studio, en van de computers die de beveiligingsgroep op lokatie met de acteur in Florida bij zich had. Netmail werd in een box
gesorteerd die losstond van de box waarin de e-mail van andere
schrijvers werd opgeslagen.

Ethan had drie berichten in de box voor netmail. De eerste was
van Archie Devonshire, een van de bediendes.

MR. TRUMAN, ZOALS U WEET BEN IK NIET IEMAND DIE HET ZIJN
TAAK ACHT AELFRIC IN DE GATEN TE HOUDEN EN TE RODDELEN

OVER ZIJN GEDRAG. IN IEDER GEVAL IS HIJ ZO VOORKOMEND ALS
EEN KIND MAAR KAN ZIJN, EN GEWOONLIJK NAGENOEG ONZICHT-
BAAR. MAAR VANMIDDAG WAS HIJ BEZIG MET WAT VREEMDE ZAAK-
JES DIE IK MISSCHIEN MET MRS. MCBEE BESPROKEN ZOU HEBBEN
ALS ZE AANWEZIG WAS GEWEEST. UW VRIEND DIE OP BEZOEK WAS,
MR. WHISTLER, BRACHT MIJ ONDER DE AANDACHT DAT AELFRIC…

Ethan las de schrikbarende onthulling zonder hem volledig te begrijpen, en moest terug om hem opnieuw te lezen.

UW VRIEND DIE OP BEZOEK WAS, MR. WHISTLER, BRACHT MIJ ON-
DER DE AANDACHT…

De geest of wandelende dode, wat hij ook mocht zijn, als hij een
van beide was, was ermee opgehouden zijn geheimzinnige werk
aan de randen van de waarneming te plegen, en had stoutmoedig
door de gangen van het grote huis gelopen om met het personeel
te praten.

… BRACHT MIJ ONDER DE AANDACHT DAT AELFRIC OP WILLE-
KEURIGE PLEKKEN AARDBEVINGSLAMPEN AAN HET LOSHALEN WAS
EN ZE VERZAMELDE IN EEN PICKNICKMAND. MRS. MCBEE ZOU HET
ER HIER ZEKER NIET MEE EENS ZIJN DOOR HET RISICO DAT, BIJ
EEN NACHTELIJK NOODGEVAL, SOMMIGE LEDEN VAN HET PERSO-
NEEL OF DE FAMILIE DE VLUCHT UIT HET HUIS GEHINDERD ZOU
ZIEN OF HELEMAAL VERIJDELD DOOR DE AFWEZIGHEID VAN GE-
NOEMDE LAMPEN DIE NOODZAKELIJK ZIJN OM BUITEN TE KOMEN.

Ergens in Santa Barbara was Mrs. McBee zich er ongetwijfeld on-
rustig van bewust dat er *iets* was veranderd.

De netmail van Archie Devonshire ging verder:

LATER, TOEN IK FRIC ONTMOETTE MET DE MAND, VERTELDE HIJ
ME DAT ER HAMSANDWICHES IN ZATEN DIE HIJ BEWEERDE ZELF
GEMAAKT TE HEBBEN, EN DAT HIJ VAN PLAN WAS OM TE GAAN PICK-
NICKEN IN DE ROZENKAMER. LATER VOND IK DE MAND LEEG TE-
RUG IN DIEZELFDE KAMER ZONDER BROODKRUIMELS OF SAND-
WICHVERPAKKING. DIT KOMT ME ALLEMAAL ALS HEEL VREEMD
VOOR, OMDAT AELFRIC GEWOONLIJK EEN HEEL WAARHEIDSGE-
TROUWE JONGEN IS. MR. YORN HAD EVENZEER EEN ONGEWONE
ONTMOETING EN IS VAN PLAN U DAAROVER ZELF TE SCHRIJVEN.
GEHEEL DE UWE, IN DIENST VAN DE FAMILIE, A.F. DEVONSHIRE.

De netmail van William Yorn, de terreinbeheerder, bleek slechts
in toon anders dan die van Devonshire.

FRIC IS VOOR ZICHZELF EEN SCHUILPLAATS AAN HET MAKEN IN DE
PLANTENKAS, VOLGESTOUWD MET ETEN, DRINKEN EN AARDBE-
VINGSLAMPEN. UW VRIEND WHISTLER BRACHT HET ME ONDER DE
AANDACHT. HET GAAT ME NIET AAN. WHISTLER OOK NIET. JON-

GENS SPELEN ROBINSON CRUSOE. DAT IS NORMAAL. EERLIJK GE-
ZEGD KRIJG IK DE ZENUWEN VAN UW VRIEND WHISTLER. ALS HIJ
U ZEGT DAT IK NOGAL KORTAF TEGEN HEM WAS, BEGRIJP DAN AL-
STUBLIEFT DAT HET ZO BEDOELD WAS. LATER ZAG IK FRIC ACH-
TER DE RAMEN IN DE ROZENKAMER. HIJ LEEK IN TRANCE TE ZIJN.
TOEN SCHREEUWDE HIJ IETS NAAR ME OVER HAMSANDWICHES. LA-
TER, IN REGENKLEDING, GING HIJ NAAR BUITEN HET KLEINE BOS
IN VOORBIJ DE ROZENTUIN. HIJ HAD EEN VERREKIJKER. HIJ ZEI
DAT HIJ VOGELS GING OBSERVEREN. IN DE REGEN. HIJ BLEEF TIEN
MINUTEN BUITEN. HIJ HEEFT HET RECHT OM EXCENTRIEK TE DOEN.
VERREK, ALS IK IN ZIJN SCHOENEN STOND, ZOU IK VOLLEDIG UIT
MIJN DAK GAAN. IK SCHRIJF U DIT ALLEEN MAAR OMDAT ARCHIE
DEVONSHIRE EROP STOND. IK KRIJG OOK DE ZENUWEN VAN AR-
CHIE. IK BEN BLIJ DAT IK BUITEN WERK. YORN.

De gedachte aan Dunny Whistler, dood of levend, rondsnuffelend
door het Palazzo Rospo, terwijl hij heimelijk Fric in de gaten hield,
bracht een verkilling in Ethans nek.

Hij vermoedde dat de geest van een rechercheur onvoldoende was
om de groter wordende Chinese puzzel op te lossen. Deductieve
en inductieve redeneringen zijn onvoldoende hulpmiddelen om af
te rekenen met dingen die in de nacht met elkaar botsen.

80

Voordat hij illegaal het huis binnendrong belde Hazard aan. Toen
niemand erop reageerde, belde hij weer.

De duisternis in het huis van Laputa betekende niet dat het huis
verlaten was.

Hazard ging liever gewoon stoutmoedig aan de voorkant naar binnen dan dat hij naar de achterkant van de woning sloop waar zijn
steelse gedrag misschien de aandacht van buren zou trekken. Met
de Lockaid opende hij beide sloten.

Terwijl hij de deur naar binnen duwde, riep hij: 'Iemand thuis of
alleen wij, bangeriken?'

Dit was voorzichtigheid, geen komedie. Zelfs toen de vraag met
duisternis beantwoord werd, stapte hij behoedzaam over de drempel.

Maar direct toen hij binnen was, zag hij in de hal de muurschakelaar voor het plafondlicht en haalde die over. Ondanks de re-

gen en de mist had een passerende automobilist of wandelaar hem misschien naar binnen zien gaan. Het prompte gebruik van het licht zou zijn legitieme aanwezigheid bevestigen bij wantrouwige geesten.

Bovendien, als Laputa onverwachts naar huis kwam, zou hij gealarmeerd raken als hij een lamp zag branden die niet aan was geweest toen hij was vertrokken, of de straal van een zoekende lantaarn in de duisternis, maar hij zou weinig kunnen doen als zijn hele huis volop verlicht was. Het succes van een operatie als deze hing af van doortastendheid en snelheid.

Hazard deed de deur dicht, maar sloot hem niet af. Hij wilde gemakkelijk weg kunnen komen in het geval van een onverwachte confrontatie.

De benedenverdieping bevatte hoogstwaarschijnlijk niet de bezwarende bewijzen die hij zocht. Moordenaars hadden de neiging herinneringen aan hun misdaden, gruwelijk en anderszins, in hun slaapkamers te bewaren.

De op een na favoriete opslag was de kelder, vaak in verborgen of afgesloten ruimtes, waar ze hun verzameling zonder angst voor ontdekking konden bekijken. Daar, in een atmosfeer van berekende zwakzinnigheid, konden ze dromerig het bloederige verleden herbeleven zonder angst voor ontdekking.

Omdat de streek gevoelig was voor aardbevingen en modderlawines hadden de huizen in Zuid-Californië zelden kelders. Dit huis was ook gebouwd op een grondplaat, en bezat geen deur die openging naar een lager gelegen duisternis.

Hazard verkende de benedenverdieping en nam niet de moeite kasten en laden te doorzoeken. Als hij boven niets vond, dan zou hij deze vertrekken nog een keer nazoeken, maar dan zorgvuldiger.

Op het moment wilde hij alleen maar vaststellen dat niemand zich in een van de kamers schuilhield. Hij liet overal achter zich licht branden. Duisternis was niet zijn vriend.

In de keuken haalde hij de achterdeur van het slot en liet die op een kier openstaan, waardoor hij zichzelf een tweede ongehinderde uitgang verschafte.

Tentakels mist zweefden door de open deur, aangetrokken door de warmte, waarin ze oplosten.

Alles in het huis scheen geschuurd, geboend, gestofzuigd, gelakt en opgewreven in een mate die in de buurt kwam van obsessie. Verzamelingen decoratieve spulletjes – Lalique-glas, keramische dozen, kleine bronzen beeldjes – waren neergezet, niet met een kunstzinnig oog, maar met een rigide gevoel voor orde zoals bij een schaakspel. Elk boek op elke plank stond precies een centimeter van de rand vandaan.

Het huis leek een toevluchtsoord tegen de rotzooi van de wereld buiten de muren. Maar ondanks het ruime comfort, ondanks al het gemakkelijke meubilair, ondanks de properheid en orde, was het huis niet gastvrij, had het niet de warmte van huis en haard. In plaats daarvan, ondanks de spanning die Hazard voelde door hier illegaal te zijn, hing er een gevoel van zenuwachtige verwachting in het huis en een wanhoop die zich niet liet benoemen.

De enige rommel op de benedenverdieping lag op de tafel in de eetkamer. Vijf series kaarten of blauwdrukken, opgerold en vastgebonden door elastieken. Een vergrootglas met een lange steel. Een geel gelinieerd schrijfblok. Balpennen – een rode, een zwarte. Hoewel deze zaken niet waren opgeborgen, lagen ze keurig naast elkaar.

Tevreden dat de kamers beneden geen smerige verrassingen bevatten, klom Hazard naar de bovenverdieping. Hij vertrouwde erop dat zijn activiteiten tot dusver een onderzoek zouden hebben uitgelokt als er iemand thuis was, dus hij ging zonder steelsheid verder en knipte de lichten aan in de gang boven.

De grote slaapkamer bevond zich bij de kop van de trap. Deze bleek ook antiseptisch schoon en bijna griezelig georganiseerd.

Als Laputa zijn moeder en Mina Reynerd had vermoord, en als hij aandenkens had bewaard, niet van de vrouwen maar van het geweld, zou hij hoogstwaarschijnlijk sieraden of armbanden, hangers of ringen hebben uitgekozen. Waarschijnlijk waren met bloed bevlekte kledingstukken of lokken van hun haar het beste waarop hij kon hopen.

Vaak gebeurde het dat als mannen met een positie in de maatschappij zoals Laputa, een man met een gerenommeerde baan en veel materiële bezittingen, zover kwamen om een paar moorden te plegen, zij geen herinneringen bewaarden. Niet gemotiveerd door een psychologische razernij, maar eerder door financiële winst of jaloezie, bezat hun type niet de psychologische behoefte hun misdaden herhaaldelijk opnieuw in levendige details te beleven met behulp van souvenirs.

Hazard had het idee dat Laputa een uitzondering op dat patroon zou blijken te zijn. De ongewone woestheid waarmee Justine Laputa en Mina Reynerd waren neergeslagen, suggereerde dat in de goede burger iets meer huisde dan alleen maar een hyena, een Mr. Hyde die zijn wrede misdaden met plezier, zo niet vreugde, herbeleefde.

De inhoud van de inloopkast was georganiseerd met een militaire precisie. Verscheidene dozen op de planken boven de opgehangen kleren trokken zijn belangstelling. Hij bestudeerde de plaatsing van elke doos voor hij hem verplaatste, in de hoop alle dozen precies zo terug te kunnen zetten als hij ze had gevonden. Terwijl hij bezig was, luisterde hij naar het huis. Hij keek te vaak op zijn horloge.

Hij had het gevoel dat hij niet alleen was. Misschien kwam dit omdat de achterkant van de kast een manshoge spiegel bevatte die herhaaldelijk zijn aandacht trok met de weerspiegelingen van zijn bewegingen. Misschien ook niet.

81

In de regen en mist riepen de ruïnes van dit huis voor Corky herinneringen op aan de laatste scène in *Rebecca* van Du Maurier: het enorme huis Manderley in lichterlaaie, de inktzwarte nacht 'doorschoten met rood als een spetter bloed', en as op de wind.

Deze ruïne hoog in Bel Air was niet aangeraakt door vuur en ook was er momenteel geen wind of weggeblazen as, maar het tafereel wond Corky desondanks op. In dit puin zag hij een symbool van een nog grotere chaos die zou komen.

Ooit was dit een prachtig landgoed geweest waar enorme feesten werden gegeven voor rijke en beroemde mensen. Het huis, in de stijl van een Frans château, was ontworpen met sierlijke verhoudingen, uitgevoerd met elegante details, en had er gestaan als een monument van stabiliteit en van de verfijnde smaak die voortkwam uit eeuwen van beschaving.

Tegenwoordig was onder de nieuwe prinsen en prinsessen van Hollywood klassieke Franse architectuur passé, evenals eigenlijk de hele geschiedenis. Omdat het verleden niet in de mode was, zelfs niet te begrijpen, had de huidige eigenaar van dit bezit verklaard dat het bestaande huis neergehaald moest worden om plaats te maken voor een oprijzend, uitgespreid, glazen, glanzend bouwwerk dat meer overeenkwam met het gevoel van tegenwoordig, en dat hipper was.

Hoe dan ook ligt in deze gemeenschap de waarde in het land en niet in wat erop staat. Elke onroerendgoedmakelaar zal dit bevestigen.

Het huis was eerst ontdaan van alle waardevolle architecturale details. De kalkstenen architraaf van de entree, de gebeeldhouwde frontons boven de ramen en talrijke kalkstenen pilaren waren in veiligheid gebracht.

Toen was de sloopploeg erbij gehaald. De helft van hun werk zat erop. Ze waren kunstenaars van de vernietiging.

Een paar minuten voor zevenen was Corky te voet op het landgoed gearriveerd, na de vier jaar oude Acura een paar straten verderop te hebben geparkeerd. Hij had de Acura goedkoop gekocht, onder een valse naam, om hem alleen voor deze operatie te gebruiken. Later had hij geen nut meer en zou hij hem achterlaten met de sleutels in het contact.

Bij de oprit naar dit landgoed van ruim een hectare werd de toegang versperd door een dubbel hek van stalen buizen met harmonicagaas. Er was een ketting gevlochten tussen de twee delen en vastgezet met een zwaar hangslot met een werkelijk niet te vernietigen huis en een dikke beugel van titaniumstaal waar geen betonschaar doorheen kwam.

Corky negeerde het hangslot en knipte de ketting door.

Korte tijd later had hij bij het open hek, poserend als NSA-agent Robin Goodfellow met een kleine rugzak die hij uit de koffer van de Acura had gepakt, Jack Trotter en zijn voorbereidingsploeg van twee man verwelkomd die waren gearriveerd in een vrachtwagen van twaalf meter. Corky dirigeerde hen over de bochtige oprijlaan en ze parkeerden dicht bij het huis.

'Dit is waanzin,' had Trotter verklaard toen hij uit de vrachtwagen klom.

'Helemaal niet,' wierp Corky tegen. 'De wind is helemaal gaan liggen.'

'Het regent nog steeds.'

'Niet hevig. En een beetje regen zorgt voor wat camouflerend geluid, precies wat we nodig hebben.'

Volledig in de rol van Queeg von Hindenburg droeg Trotter het pessimisme met de naargeestige autoriteit van Nostradamus in zijn somberste stemming. Zijn opgeblazen gezicht zakte in als een leeglopende ballon en zijn uitpuilende ogen waren wild door visioenen van teloorgang. 'We zijn de klos in deze mist.'

'Hij is nog niet zo dicht. Net voldoende om ons extra dekking te geven. Het is perfect. Het is een korte tocht, het doelwit is zelfs in een middelmatige mist gemakkelijk te herkennen.'

'Ze hebben ons al in de gaten voordat we nog niet eens klaar zijn om te vertrekken.'

'Het huis staat op een heuvel. Geen enkel huis kan erop neerkijken. We zijn omgeven door bomen en kunnen vanaf de straat niet gezien worden.'

Trotter bleef zich vasthouden aan rampspoed. 'Onderweg daarheen zullen we zeker door iemand gezien worden.'

'Misschien,' gaf Corky toe. 'Maar wat kunnen ze maken van wat ze hebben gezien achter een palissade van mist?'

'Palissade?'

'In heb belangstelling voor literatuur, de schoonheid van de taal,' zei Corky. 'Hoe dan ook, jouw hele missietijd is waarschijnlijk zeven of acht minuten. Je bent hier terug, hier vandaan en verdwenen voordat iemand kan bedenken waar je verzamelplaats was. Bovendien heb ik overal in deze heuvels agenten zitten en die laten geen smeris bij jou in de buurt komen.'

'En als ik uit Malibu wegga, verdwijn ik uit alle overheidsarchieven. Ik en alle namen die ik heb gebruikt.'

'Dat is de afspraak. Maar je kunt maar beter aan de slag gaan. De klok tikt.'

Grimassend als een man in een advertentie voor een middel tegen diarree, nam Trotter Corky van top tot teen op en zei toen: 'Hoe noem je dat spul dat je draagt?'

'Weerbestendig,' zei Corky.

Nu, meer dan een uur later, waren Trotter en zijn tweemansploeg bijna klaar met de voorbereidingen.

In die tijd had Corky zichzelf beziggehouden met het vanuit talrijke hoeken bestuderen van de ruïnes van het half gesloopte château.

Hij had natuurlijk niet meegewerkt met Trotter en zijn mannen. Als Robin Goodfellow was hij een hoog opgeleid, menselijk wapen, een gewaardeerd overheidsagent. Robin had zich tot taak gesteld waarheid, rechtvaardigheid en avontuur na te jagen, maar had niet toegestemd in ondergeschikt werk van welke aard ook. James Bond stoft geen meubels af of lapt ramen.

Maar zonder zijn medewerking was de ballon volledig opgeblazen.

82

De derde netmail was van Mr. Hachette.

INSPECTEUR TRUMAN, HIERMEE WENS IK BITTER MIJN UITERSTE ON-GENOEGEN UIT TE DRUKKEN DAT VAN MIJ VERWACHT WORDT OGENBLIKKELIJK HET ALLERBESTE VAN DE HAUTE CUISINE TE BE-REIDEN VOOR DE BODEMLOZE MAAG VAN EEN GAST WIENS AAN-WEZIGHEID IN HET HUIS MIJ PAS KENBAAR WERD TOEN HIJ IN MIJN KEUKEN VERSCHEEN EN ME VERRASTE ALS EEN BAKKERSTOR IN DE MEELVOORRAAD. DE FANTASTISCHE SMAAK VAN MR. WHISTLER IN ETEN EN ZIJN WAARDERING VOOR MIJN UNIEKE COQUILLES ST. JACQUES, ZOWEL ALS VOOR ELKE VERFIJNDE SCHOTEL VAN MIJN HAND, IS AANGENAAM, MAAR DAT HEELT MIJN AANGEDANE ZENU-WEN NIET DIE, IK WAARSCHUW U, GEHEEL VERWOEST EN GERAFELD ZIJN. ALS U ME DIT WEER AANDOET, ZAL IK ONTSLAG MOETEN NE-MEN MET CONSEQUENTIES VAN ONUITSPREEKBARE OMVANG. IK BEN EVENMIN VERHEUGD TE MELDEN DAT DE JONGEN BEWEERT ZON-DER TOESTEMMING IN MIJN KEUKEN HAMSANDWICHES TE HEBBEN KLAARGEMAAKT, EN DAT IK MOMENTEEL DE VOORRAADKAST VOL-LEDIG INVENTARISEER OM DE MATE VAN ZIJN DESTRUCTIE OP TE NEMEN. IN DE HOOP DAT DEZE EUVELDADEN NIET MEER ZULLEN VOORKOMEN, VERBLIJF IK, CHEF HACHETTE.

Dode Dunny was gewoon ingetrokken. En met eetlust.

Dit was krankzinnig. Ethan wilde lachen, maar hij kon nog geen glimlach opbrengen. Zijn mond was droog geworden. Zijn hand-palmen waren klam.

Hij ging terug naar de netmail van Yorn: FRIC IS VOOR ZICHZELF EEN SCHUILPLAATS AAN HET MAKEN IN DE PLANTENKAS... UW VRIEND WHISTLER BRACHT HET MIJ ONDER DE AANDACHT... JON-GENS SPELEN ROBINSON CRUSOE... IK KRIJG DE ZENUWEN VAN WHISTLER...

Tijdens Hannahs worsteling met kanker, had Ethan zich hulpe-loos gevoeld als nooit tevoren. Hij had altijd voor de mensen die hem wat deden kunnen zorgen, alles voor hen kunnen doen wat er gedaan moest worden. Maar hij had Hannah niet kunnen red-den en zij was hem het allerliefst geweest.

Weer voelde hij de macht uit zijn handen glippen. Met een aller-modernst veiligheidssysteem, bewakers in functie en goed ont-worpen veiligheidsprotocollen kon hij Dunny niet buiten het land-goed houden, buiten het huis. Dunny, man of geest, of een macht waarop niet gemakkelijk een etiket te plakken viel, had op de een of andere manier een relatie met Reynerd en waarschijnlijk met de professor over wie Reynerd in zijn filmscript had geschreven. Dunny moest deel uitmaken van de bedreiging en hij bespotte Ethan door elke keer binnen te dringen, waarmee hij bewees dat niemand hier veilig was.

Als Ethan Channing Manheim niet kon helpen, als iemand bij de ster kon komen ondanks alle voorzorgsmaatregelen, zou hij niet alleen zijn baas laten zitten, maar ook de bijzondere jongen die zonder vader zou achterblijven. Fric zou overgeleverd worden aan de genade van zijn volledig in zichzelf opgaande moeder, verder op drift raken dan ooit en terechtkomen in een grotere eenzaamheid dan waarin hij nu al zat.

Ethan was zonder het te beseffen opgestaan van de computer. Hij was geagiteerd, overweldigd door de behoefte in beweging te komen, iets te doen, maar niet in staat om te zien wat er gedaan moest worden.

Bij de telefoon drukte hij INTERCOM in en het nummer voor de bibliotheek. 'Fric, ben je daar?' Hij wachtte. 'Fric, hoor je me?'

De stem van de jongen kwam, gehuld in nieuwsgierige voorzichtigheid: 'Wie is dat?'

'Niemand anders dan wij, ingestorte oude voormalige smerissen. Heb je een boek gevonden?'

'Nog niet.'

'Doe er niet te lang over.'

'Geef me een paar minuten,' zei Fric.

Toen Ethan de knop losliet, flitste een lichtje aan op de telefoon en bleef gestaag branden: Lijn 24.

Hij bestudeerde de items die op het bureau naast elkaar tussen de computer en de telefoon lagen. Lieveheersbeestjes, slakken, voorhuiden...

Zijn aandacht dreef terug naar de telefoon. Het indicatielichtje. Lijn 24.

De half gehoorde stem, afkomstig van de andere kant van de maan, waarnaar hij de vorige avond een halfuur aan deze telefoon had zitten luisteren, was sindsdien in zijn hart blijven weerklinken. En de zwakke stem die hij deze ochtend meende te horen uit de muziekloze speaker in de ziekenhuislift.

Koekpot vol scrabblesteentjes, het boek *Paws for Reflection*, de dichtgenaaide appel met het oog binnenin...

In de lift had hij op STOP gedrukt, niet alleen maar om langer naar de stem te luisteren, maar omdat hij het gevoel had dat er, als hij de garage van het ziekenhuis bereikte geen garage zou zijn. Alleen maar klotsend water. Of een afgrond.

Op dat moment had hij het gevoel gehad dat deze absurde fobische reactie de sublimatie moest zijn van een realistischer angst die hij niet onder ogen wilde komen. Nu stond hij op het punt de werkelijke verschrikking te vatten.

Plotseling wist hij dat de werkelijkheid zoals hij hem waarnam, leek op het beeld van gekleurd glas dat werd gevormd door de schuine spiegels aan het einde van een caleidoscoop. Het patroon van werkelijkheid dat hij altijd had gezien stond op het punt voor zijn ogen te veranderen, te verschuiven naar een dat veel oogverblindender en beangstigender was.

Lieveheersbeestjes, slakken, voorhuiden...

Lijn 24, bezet.

De stem van ver weg echode in zijn geheugen, als de kreten van zeemeeuwen, melancholiek in een mist: *Ethan, Ethan...*

Het indicatielampje: een kleine versie van het koepellicht boven op het Onze Lieve Vrouwe van de Engelen-ziekenhuis, de laatste lijn van de telefooncentrale, de laatste lijn, laatste kans, laatste hoop.

Ethan ving de geur van rozen op. Er waren geen rozen in het appartement.

In zijn geestesoog: Broadway-rozen op haar graf, roodgele bloemen tegen nat gras.

De geur van rozen werd sterker, intens. De geur was echt, niet ingebeeld, sterker dan in Forever Roses.

Het gekriebel in zijn nek, op zijn hoofdhuid, was het resultaat van een minder gewone angst dan die van een nederig ontzag. Een koele huivering in de bodem van zijn maag.

Hij had geen sleutel voor de deur naar de verboden kamer achter de blauwe deur, waar telefoontjes over Lijn 24 werden opgenomen. Plotseling was hij in een stemming die sleutels onbelangrijk maakte.

Met een intuïtief gevoel van noodzaak, dat hij niet kon uitleggen maar waarop hij vertrouwde, rende Ethan van het appartement naar de trap achterin en verder, helemaal naar de tweede verdieping boven.

83

Vastgebonden met twee licht trillende touwen aan de stevige stammen van een stel oude koraalbomen en met een strakke neuslijn aan de vrachtwagen leek de ballon zich te verzetten als een aangehaakte vis, ingehaald naar de ondiepten van de lucht, maar wanhopig bezig weer op te stijgen in de diepten van de hemel.

Grijs en walvisachtig, misschien negen meter in lengte en drie of drieëneenhalve meter in doorsnede, was het luchtschip een witvis vergeleken bij dat van Goodyear. Toch leek het voor Corky enorm. De leviathan hing daar indrukwekkend, van onderen belicht door twee Coleman-lantaarns die voor het werklicht zorgden. Foliezilveren regen stroomde van de ronde flanken. Het schip was indrukwekkender dan de afmetingen zouden doen vermoeden, misschien omdat hier in Bel Air in het eerste decennium van de nieuwe eeuw een luchtschip zowel misplaatst als uit de tijd was.

Jack Trotter, behalve dat hij een overlever, een fanaat op het gebied van samenzweringstheorieën en een mafketel in diverse gevaarlijke variëteiten was, was tevens een luchtballonenthousiast. Innerlijke vrede vond hij alleen in de lucht, reizend op de wind. Zolang hij in de lucht bleef, konden de agenten van het kwaad hem niet pakken en in een vochtige cel smijten met alleen maar de rode gloed van rattenogen als licht.

Hij bezat een traditionele ballon – een kleurrijk gestreept omhulsel, de opblaasventilator, de propaanbrander, de mand voor piloot en passagiers – die hij soms alleen omhoog bracht, de enige ballonvaarder op een heerlijke lenteochtend of op een gouden zomeravond. Ook deed hij mee aan wedstrijden met hemelse navigators, als twintig of dertig of meer helder gekleurde ballonnen opstegen in ruwe synchronisatie en in een school door de hemelen dreven.

Een heteluchtballon was nagenoeg helemaal overgeleverd aan de genade van de wind. De piloot kon een bestemming niet duidelijk aangeven en evenmin een geschatte aankomsttijd benoemen tot op de minuut of zelfs tot op het kwartier.

De aanval op het Palazzo Rospo vereiste een uiterst wendbaar voertuig dat in ieder geval tegen een lichte wind in kon varen. Ook moest het kunnen opstijgen zonder het goddeloze gebulder van een propaanbrander, waardoor altijd binnen een straal van bijna een kilometer de honden begonnen te blaffen. Daarbij moest het net zo zacht kunnen landen als een duif die vanuit de wolken neerstrijkt op een tuinhuis, hoewel langzamer dan een duif, en ook kunnen zweven als een kolibrie.

Trotter genoot van de verbazing en opwinding waarmee zijn medeluchtvaarders zijn op bestelling gebouwde vaartuig bezagen op die momenten dat hij zijn heteluchtballon thuis liet en daarvoor in de plaats dit kleine luchtschip meenam. Trotter, van nature geen man van veel woorden en zonder veel sociale allure, kon toch verwachten de hit te zijn van de rally met zijn miniatuurluchtschip.

Corky vermoedde dat Trotter, in zijn eeuwig overspannen geest, zijn luchtschip ook zag als een wanhopig vluchtvoertuig voor het geval een abrupt verklaarde dictatuur om welke reden dan ook probeerde snelwegverkeer af te sluiten van en naar metropolen als Los Angeles en de omliggende gemeenten. Hij zag zichzelf waarschijnlijk de totalitaire staat dwarsbomen door op een nacht bij afnemende maan, met voldoende licht om te navigeren, maar niet voldoende om gezien te worden, hoog boven wegblokkades en concentratiekampen te zeilen, naar het noorden naar boerenland en het voorgebergte van de Sierra, waar hij uiteindelijk kon landen en te voet over land verder kon gaan naar een van zijn zorgvuldig voorbereide schuilplaatsen.

Na Corky weggehaald te hebben bij de ruïnes van het château zei Trotter: 'We zijn hier binnen vijf minuten weg.'

De twee mannen van de voorbereidingsploeg waren bezig met de laatste controles van de luchtschipsystemen en het tuigwerk.

Ze waren huurboeven, samen met Trotter betrokken bij de verkoop van ecstasy. Nadat hij Corky bij het Palazzo Rospo had afgeleverd en in het luchtschip was teruggekeerd naar het château, als deze mannen de neuslijn hadden gegrepen en verankerd aan drie lijnen, zou Trotter ze doden.

'Ik heb je de accu's niet horen laden,' zei Corky.

'Ze waren vol toen we hier aankwamen.'

'Eenmaal in de lucht kunnen we de motor geen moment gebruiken.'

'Ik weet het, ik weet het. Man, heb je me al niet voldoende op mijn kop gezeten? We hebben de motor niet nodig voor deze korte trip, met zo'n rustige lucht.'

De dubbele motor van het luchtschip, opgehangen aan de achterkant van de gondel, werd gewoonlijk voortgedreven door een motor van een grasmaaier. De draaiende propellerbladen veroorzaakten een aanvaardbaar zacht geluid, maar het motorlawaai maakte een steelse reis onmogelijk.

'Met weinig tot geen kopwind,' zei Trotter, 'kan ik twee uur op accu's vliegen, misschien langer. Maar ik haat deze regen.'

'Het is nu alleen nog maar een lichte druilregen.'

'Bliksem,' zei Trotter. 'De gedachte aan bliksem doet mijn ingewanden samentrekken, en dat hoort hetzelfde bij jou te doen.'

'Hij is opgeblazen met helium, hè?' vroeg Corky wijzend op drie weggegooide gasflessen, elk van het formaat van een zuurstoffles in een ziekenhuis. 'De Hindenburg had waterstof. Ik dacht dat helium niet kon exploderen.'

'Ik maak me geen zorgen om een explosie. *Ik maak me zorgen geraakt te worden door de bliksem!* Zelfs al scheurt de bliksem de ballon niet open en zet die in brand, kan die ons in de gondel verbranden.'

'De storm neemt af. Geen bliksem,' merkte Corky op.

'Het heeft eerder vandaag gebliksemd.'

'Slechts een beetje. Ik heb het je gezegd, Trotter, wij in de regering beheersen de storm. Als we bliksem willen, slaat die in waar we hem nodig hebben, en als we géén bliksem willen, komt er geen enkele bliksem uit de koker.'

Behalve dat hij opgeblazen was met onbrandbaar helium in plaats van waterstof, verschilde het luchtschip met een zeppelin dat hij geen vaste inwendige structuur had. De huid van de *Hindenburg* – een schip zo lang als de Eiffeltoren hoog was, bijna net zo lang als vier Boeing 747's neus aan staart – was gespannen geweest om een ingewikkeld stalen frame dat zestien reusachtige gascellen bevatte, enorme katoenen zakken die luchtdicht gemaakt waren door een coating van plastic, en een heel luxe hotel. Trotters luchtschip, elk luchtschip, was alleen maar een platte zak als hij was leeggelopen.

Nu er niets meer was om door geobsedeerd te raken en zonder kogellagers om obsessief in een hand te laten rollen à la Bogart in *The Caine Mutiny*, bestudeerde kapitein Queeg von Hindenburg de langzaam voorbijtrekkende mist boven zijn hoofd, kneep zijn ogen iets samen om een glimp van de wolken boven de mist op te vangen. Hij zag er bezorgd uit. Hij zag er kwaad uit. Met zijn oranje haar tegen zijn hoofd geplakt door de regen, zijn uitpuilende ogen en zijn walrussnor, zag hij eruit als een stripfiguur. 'Het bevalt me helemaal niet,' mompelde hij.

84

Op de tweede verdieping, aan het noordelijke einde van de westelijke vleugel, door de gang van de suite van driehonderdvijfen-
twintig vierkante meter van het Gezicht, waaronder zijn slaapkamer, bereikte Ethan de blauwe deur. Geen andere deur in het huis
leek erop.

Ming du Lac had de juiste tint blauw in een droom gezien. Volgens Mrs. McBee had de interieurontwerper zesenveertig aange-
maakte kleuren verf voorgelegd tot de spirituele raadgever tevreden was geweest dat de werkelijkheid dezelfde kleur had gekregen
als de droom.

Het bleek dat het noodzakelijke blauw precies dezelfde kleur had
als elke doos Ronzoni-pasta.

Alleen maar een telefoonlijn toe te wijzen aan telefoontjes van de
doden en die te combineren met een antwoordapparaat die ze verder afhandelde, was niet voldoende om het beeld van een serieus
onderzoek naar het fenomeen van Ming en Manheim te bevredigen. Er was een aparte ruimte nodig geweest voor de uitrusting
die in complexiteit vanuit een simpel antwoordapparaat verder
was gegroeid. En ze verklaarden dat de ambiance van de kamer
sereen moest zijn, te beginnen met de kleur van de deur.

Een heilige plaats, noemde Ming het. Sacrosanct, had Channing
Manheim gezegd.

Het simpele slot – geen lipsslot – had een sleutelgat in de knop.
Als het hem niet lukte het slot open te krijgen, zou hij de deur in-
trappen.

Een creditcard, tussen deur en deurlijst gestoken, werkte de tong
uit de sluitplaat en de blauwe barrière ging open naar een kamer
van vier bij vijf waarvan de ramen waren dichtgetimmerd met
hardboard. Het plafond en de wanden waren bekleed en vervolgens overtrokken met wit zijde. Het tapijt was ook wit. De binnenkant van de deur was niet blauw maar wit.

Midden in de ruimte stonden twee witte stoelen en een lange witte tafel. Op de tafel en voor een deel eronder stond wat Fric genoemd zou kunnen hebben een teringzooi aan hightechapparatuur
voor een computer met een enorm snelle processor. Alle apparatuur zat in een witte voorgevormde plastic behuizing; de logo's
waren overgeschilderd met witte nagellak. Zelfs de verbindings-
kabels waren wit.

Je kon sneeuwblind raken in deze kamer als de verlichting te hoog werd gedraaid. De verborgen koude-kathodebuizen in de holtes bij het plafond gingen automatisch aan als iemand binnenkwam, en ze waren afgesteld op een gerieflijk niveau waardoor de zijden wanden licht begonnen uit te stralen als sneeuwvelden in een winterse schemering.

Ethan was één keer eerder in deze kamer geweest, tijdens zijn eerste oriëntatiedag toen hij pas hier begon te werken.

De computer en ondersteunende apparatuur stonden vierentwintig uur per dag aan, zeven dagen per week.

Ethan ging op een van de witte stoelen zitten.

Op het witte antwoordapparaat was het indicatielichtje uitgegaan. Lijn 24 was niet meer bezet.

Het blauwe scherm, een andere tint dan de deur, zorgde voor de enige levendige kleur in het vertrek. De iconen waren wit.

Hij had deze computer nooit eerder gebruikt. De software die de binnenkomende telefoontjes registreerde, was echter dezelfde die het verdere telefooncircuit van het grote huis regelde.

Gelukkig waren de letters, cijfers en symbolen op het toetsenbord niet wit geschilderd en daardoor onleesbaar gemaakt. Zelfs de grijze toetsen waren in dezelfde staat als de fabrikant bedoeld had. Vergeleken met de omgeving was het toetsenbord een weelde aan kleur.

Ethan riep de data precies zo op als hij gedaan zou hebben voor de Lijnen 1 tot en met 23 als hij de computer in zijn werkkamer gebruikte. Hij wilde weten hoeveel telefoontjes op Lijn 24 waren binnengekomen. De meeste waren verkeerde nummers of verkooppraatjes.

De lijst met telefoontjes op maandag en dinsdag verscheen met het laatste aantal boven aan de kolom: zesenvijftig. Een hoeveelheid van tien weken was in twee dagen binnengekomen.

Hij was zich ervan bewust geweest dat Lijn 24 meer bezet was geweest, maar hij had niet beseft dat het gemiddeld vaker was gebeurd dan een keer per uur.

De temperatuur in deze in-gesprek-met-de-doden-zone werd met een enorme inspanning altijd op twintig graden gehouden, een getal uit Mings oorspronkelijke droom. Vanavond voelde de lucht kouder aan dan twintig graden.

Scrollend door de telefoonlijst zag Ethan dat elk van de zesenvijftig telefoontjes het nummer van de beller miste. Dit betekende dat geen ervan van verkooppraatjes afkomstig was, die nu verplicht waren om een blokkade mogelijk te maken.

Misschien waren sommige verkeerd gedraaide nummers, door

mensen die een geheim nummer hadden. Misschien. Maar hij zou alles wat hij bezat niet hebben ingezet op die mogelijkheid. Deze telefoontjes waren afkomstig van een plaats waar de telefoonmaatschappij geen diensten kon verlenen.

Onder aan de lijst, verlicht, het meest recente telefoontje, het telefoontje dat werd ontvangen toen hij beneden in zijn werkkamer zat en probeerde enige zin te vinden in lieveheersbeestjes, slakken en voorhuiden.

Opties zaten rechtsboven in de hoek van het scherm. Hij kon een uitdraai krijgen van het uitgeschreven gesprek; hij kon het transcript lezen op het scherm, of hij kon luisteren naar het telefoontje. Hij koos voor luisteren.

Als het telefoontje net zo was als dat waar hij de avond ervoor zijn oor bijna dertig minuten aan geleend had, een open verbinding vol sissen en ploppen doorweven met een zwakke stem die half verbeeld en niet helemaal begrepen was, zou hij met deze apparatuur iets beters horen. Het computergestuurde geluid filterde de statische ruis eruit, identificeerde geluidspatronen die op spraak duidden, verhelderde en verbeterde die spraak en elimineerde ten slotte hiaten om het telefoontje naar zijn essentie terug te brengen voordat het opgeslagen werd.

Beller 56 klonk alsof ze riep van grote afstand, over een afgrond heen. Haar breekbare stem deed hem naar voren buigen op zijn stoel, bang dat hij hem kwijt zou raken. Toch, door de versterking van de computer, kon hij elk woord dat gezegd werd horen, hoewel de boodschap hem verwarde.

De stem was die van Hannah.

85

In zijn geestesoor luisterde Corky Laputa naar *Die Walküre* van Richard Wagner, vooral naar de muziek die vormgaf aan de vlucht van de Walkuren.

Door de motregen en mist, door het windstille Bel Air, zeilde het krankzinnige miniluchtschip van Queeg even gladjes als de overgang van de ene droom in een andere.

Het ruisen en sissen van de regen maskeerde volledig het geluid dat de door accu's voortgedreven propellers maakten, dus het leek alsof Corky en zijn zuur kijkende piloot in volkomen stilte reisden, zonder zucht of klapperende zeilen. Noch de zon noch de maan kon een stillere opkomst en reis door de hemel opeisen.

Opgehangen onder het luchtschip leek de open gondel op een roeiboot, maar met een ronde voor- en achtersteven. De twee tweezitsbanken konden vier passagiers vervoeren.

Trotter, naar voren kijkend, zat aan het juk van het roer op de achterste bank. Hij zat direct voor de motor, de heliumtoevoer en andere controleapparatuur.

Eerst zat Corky tegenover Trotter en keek naar achteren, naar waar ze vandaan kwamen. Daarna draaide hij zich om en keek naar voren, terwijl hij zich vaak over de ene of de andere zijkant boog om herkenningspunten te zien in de mistige brij.

Boomtoppen gleden op slechts een paar meter onder hen voorbij. Omdat ze geen schaduw wierpen door de afwezigheid van maan en sterren, zweefden ze zo steels en met zo weinig beroering in de lucht dat vogels in de hoogste takken die schuilden voor de regen niet geschrokken opvlogen.

Deze rijke gemeenschap was gebouwd in een bos van eik, ficus en den, van ijzerhoutboom, podocarpus en Californische peperboom. Om juister te zijn, was er een bos geïmporteerd om deze heuvels, valleien en ravijnen, die lang geleden alleen maar halfdroge velden van wild gras en sombere kloven met struikgewas waren, te bekleden.

Om nagenoeg onzichtbaar boven het nietsvermoedende Bel Air te vliegen, moesten ze op de laagst mogelijke veilige hoogte blijven. In deze heuvels waren de meeste straten slingerend en heel smal, geflankeerd en vaak overgroeid door enorme bomen waardoor automobilisten slechts een zeer beperkt zicht hadden op de hemel. Zolang het luchtschip maar weinig straten kruiste en volledig de bossen benutte die het aan alle ogen onttrok, behalve die direct onder hen waren, zouden ze de hele weg naar het Palazzo Rospo en terug ongezien kunnen afleggen, want er zouden maar weinig – zo niet geen – wandelaars rondlopen – en in de positie zijn om omhoog te kijken – in dit weer.

Hemelsbreed was de afstand van de ruïnes van het château naar het Palazzo Rospo heuvelaf voor het luchtschip nog geen achthonderd meter. Onder windstille omstandigheden zoals nu kon het luchtschip op accu's een snelheid maken van vierentwintig kilometer per uur. Om de mist zo min mogelijk in beroering te brengen en zich zodoende te hullen in de gastvrije sluiers ervan, maakten ze slechts zestien kilometer per uur, waardoor ze in ongeveer drie minuten van deur tot deur zouden komen.

Via het internet had Corky toegang gekregen tot niet alleen geografische kaarten en kaarten van de stadsplanning, maar tot een schat aan luchtfoto's, gemaakt door de staat Californië, waardoor hij een zicht van boven had op deze exclusieve en afgesloten enclaves. De meeste huizen in deze gemeenschap waren echte landgoederen, vooral in het gedeelte waarover ze nu vlogen, en Corky had de daklijnen en de in het oog springende kenmerken van elk paleisachtig bouwsel dat op hun route lag in zijn geheugen geprent.

Trotter had zijn huiswerk ook gedaan. Maar hij richtte zich minder op oriëntatiepunten dan op het kompas.

Het enige licht van het luchtschip was de zachte gloed van het kompas, de hoogtemeter en de paar andere meetinstrumenten op het controlepaneel. Ze waren draaibaar gemonteerd op een dwarsbalk zodat Trotter ze als dat nodig was kon bijstellen. De gecombineerde uitstraling van die instrumenten was onvoldoende om ook maar de minste schittering te schilderen op de ronding van de heliumzak direct boven hun hoofden.

Inderdaad kwam meer licht van de enorme huizen waar ze overheen zweefden dan van de instrumenten. Gouden en zilverkleurige reflecties van deze omhoog stralende gloed glinsterden kort op de buik van het luchtschip, alsof die overdekt was met lichtgevend mos.

Ze vlogen op slechts een paar meter afstand langs schoorstenen, schuine, natte daken. Ze waren er dicht genoeg bij dat Corky de afzonderlijke dakpannen en spanen kon onderscheiden zelfs in de nacht en de mist.

Een ongeduldig kind bij het slaapkamerraam, hunkerend naar Kerstmis, turend naar de hemel en dromend van een door rendieren getrokken slee, zou Trotters dwaze vlucht door de regen misschien kunnen zien en denken dat de kerstman twee nachten te vroeg met een ongewoon vervoermiddel was gekomen.

En hier, nu, na zoveel planning: het Manheim-landgoed.

Onopgemerkt staken ze op ongeveer twaalf meter boven de barrière de gecontroleerde muur over.

Ze passeerden tientallen veiligheidscamera's waarvan er geen een op de hemel was gericht.

Corky wilde niet afgezet worden bij het huis. Maar hij moest zich uiterst behoedzaam uit de gondel op het dak van het gebouw van de terreinbeheerder laten zakken aan de achterkant van het landgoed.

Tot op dat moment had Trotter weinig navigatiewerk gedaan,

want de route was recht en zonder obstakels geweest. Nu moest hij het luchtschip naar het doelgebouw manoeuvreren, het op één lijn brengen met een bepaald gedeelte van het dak en laten zweven met zo min mogelijk zijwaartse of draaiende bewegingen.

De vier vinnen aan de achterkant van het luchtschip functioneerden elk als een roer. Ze werden bediend met elektrische schakelaars die werden gestuurd door stroom met een laag voltage vanaf de bediening op het juk.

Trotter kon hoogte minderen door helium uit het schip te laten ontsnappen. Als hij hoogte wilde winnen, deed hij dat door meer helium in de gaszak boven zijn hoofd te pompen of, sneller, door water uit de ballasttanks aan weerszijden van de gondel te laten weglopen.

Elegant, bijna majestueus, zette het luchtschip koers naar het gebouw van de terreinbeheerder en kwam daar even stil aan als de sterren van avond- tot ochtendschemering door de hemel draaien. Met een gratie die te vergelijken was met een reeks perfect uitgevoerde balletpassen, met een behandeling even delicaat als nodig was voor het bouwen van een kaartenhuis, bracht Jack Trotter het luchtschip lager en in de gewenste positie.

Volgens het polshorloge waaraan kritische anarchisten de voorkeur gaven – een betrouwbare Rolex – was de reistijd drie minuten en twintig seconden geweest.

8.33. De dienstverlening wat betreft alle telefoons van Manheim, vast en mobiel, was drie minuten geleden beëindigd.

86

'Fric was op een... woensdag geboren.'
In de witte kamer achter de blauwe deur was Ethan in vervoering door de stem van zijn overleden vrouw.
'Fric was op een... woensdag geboren.'
Dit was prachtige muziek voor hem, puur en opwindend. Het effect van een zeer geliefde lofzang op een religieus hart of een volkslied op een hevig patriot zou nog geen fractie van de sterke emotie hebben losgemaakt als deze stem bij Ethan deed.
'Hannah?' fluisterde hij, hoewel de opname niet kon antwoorden. 'Hannah?'
De tranen die zijn zicht vertroebelden waren grotendeels tranen

van vreugde, niet uit hem geperst omdat hij haar de afgelopen vijf jaar zo wanhopig had gemist, maar omdat deze vreemde boodschap, met haar stem gebracht, betekende dat ergens de essentie van Hannah het had overleefd, dat de gehate kanker een slag had gewonnen maar niet een oorlog. Zijn verlies was niet minder verpletterend dan het was geweest, maar nu wist hij dat het geen eeuwig verlies was.

Ze had dezelfde zes woorden tweemaal herhaald. Hij speelde Telefoontje 56 drie keer af voordat hij zijn aandacht van het wonderbaarlijke geluid van haar stem kon richten op de inhoud van de boodschap.

'Fric was op een... woensdag geboren.'

Hoewel Hannah duidelijk oordeelde dat deze informatie van belang was, zag Ethan niet in waarom de dag van Frics geboorte van belang was voor de huidige situatie.

De lijst van boven naar onderen afwerkend, ging hij naar Telefoontje 55. Net als eerder koos hij voor de geluidsoptie boven een uitdraai van het transcript.

Weer Hannah. Deze keer zei ze maar één woord, twintig of dertig keer. Zijn naam. 'Ethan... Ethan... Ethan...'

Het scherpe smachten in haar stem kwam overeen met dat in Ethans hart. Terwijl hij luisterde, kon hij nog maar nauwelijks dat beetje zelfbeheersing dat hij nog had vasthouden.

Via de telefoon, de speaker in de lift, misschien via andere middelen had ze enorm veel moeite gedaan om hem te bereiken, maar ze had zichzelf niet hoorbaar kunnen maken. Ironisch genoeg was ze, achter die Ronzoni-deur, in deze belachelijke witte kamer, met behulp van al deze ingewikkelde apparatuur, doorgekomen.

Gods wegen waren beslist vreemd, als Hij werkte via mensen als Ming du Lac.

Ethan was hierheen gekomen met een gevoel van dringende noodzakelijkheid, dat even was verdwenen maar hem nu weer overviel.

Verder terug naar Telefoontje 54. Weer Hannah.

'Maandagskind is licht van kleur...'

Ethans adem bleef in zijn keel steken. Hij gleed naar de rand van de stoel.

'Dinsdagskind is vrij van sleur...'

Hij kende dit. Een kinderversje. Hij vormde met zijn mond de derde regel samen met haar.

'Woensdagskind is vol van wee...'

Het koekjeskatje had vol gezeten met scrabblesteentjes die WEE negentig keer spelden.

Een katje was een jonge kat. Een katje was een *kind*. Zoals Fric. Waarom negentig? Misschien maakte het niets uit. Tweehonderdzeventig steentjes in totaal was het aantal dat nodig was om de pot te vullen. Woensdagskind is *vol* van wee.

Telefoontje 53. Hannah.

Zelfs met de uitgefilterde statische ruis en de versterkte spraak, was haar boodschap onbegrijpelijk alsof op deze gelegenheid de rivier tussen leven en dood zo was verbreed dat de andere oever aan de andere kant van een oceaan lag.

Telefoontje 52. Ook onduidelijk.

Telefoontje 51. Hannah met weer een kinderversje.

'Lieveheersbeestje, lieveheersbeestje, vlieg naar huis...'

Toen hij overeind schoot deed Ethan de stoel omvallen.

'Het staat in brand, je kinderen verbranden.'

Channing Manheim zou pas de middag van 24 december thuiskomen. De werkzame theorie was dat het Gezicht op zijn vroegst pas na die tijd gevaar zou lopen.

Misschien had het Gezicht zelf nooit gevaar gelopen. Misschien was het doelwit altijd Fric geweest.

Tweeëntwintig lieveheersbeestjes in een glazen pot. Waarom niet drieëntwintig of vierentwintig? Anders dan de koekpot was de pot met kevertjes nog niet halfvol geweest. Dus waarom niet vijftig lieveheersbeestjes tot aan het deksel?

Vandaag was het dinsdag 22 december.

87

Toen Corky van het midden van de bank naar de bakboordkant van de gondel verschoof, zei Trotter: 'Rustig aan, rustig aan.'

De plotselinge verplaatsing van Corky's vijfenzeventig kilo zou het miniluchtschip kunnen laten zwaaien, zelfs schommelen, en dat was een risico dat ze zo dicht bij het dak niet konden lopen.

Terwijl Corky langzaam bewoog, zich met zijn borst voorover op het dolboord in evenwicht hield, een been binnen en een been buiten de gondel, gebruikte Trotter zijn eigen lichaam als tegenwicht, schoof naar stuurboord op zijn bank en gebruikte het controlepaneel om het schip verder af te regelen.

Het luchtschip schommelde, maar niet gevaarlijk.

Op een teken van Trotter gleed Corky verder uit de gondel, hoewel hij zich niet direct liet vallen. Eerst hing hij met beide handen aan het dolboord, terwijl de piloot de verdere gewichtsverandering compenseerde.

Toen het luchtschip weer in evenwicht was, liet Corky zijn linkerhand van het dolboord zakken naar de ballasttank, daarna zijn rechter. Het metaal was koud en vochtig, maar met zijn handschoenen van leer met nylon kreeg hij een goede greep.

Naar beneden turend zag hij dat zijn bungelende voeten nog veertig of vijftig centimeter van het dak af waren.

Hij durfde zich niet dat stukje te laten vallen. Hoewel hij hoogstwaarschijnlijk zijn evenwicht zou bewaren, zou hij met te veel geluid neerkomen en de twee bewakers alarmeren in het veiligheidskantoor dat de helft van de eerste verdieping van het gebouw van de terreinbeheerder in beslag nam.

Klaarblijkelijk herkende Trotter het probleem. Hij liet een beetje helium ontsnappen en het schip zonk tot Corky het dak onder zich voelde.

Met zijn benen aan weerskanten van de nok van het dak, een voet aan de zuidkant, een voet aan de noordkant, liet hij de beugel van de ballasttank los. Hij was bijna net zo zacht geland als Peter Pan. Bevrijd van zijn gewicht schoot het luchtschip ineens drie, vier meter omhoog. De staart begon naar boven te komen, wat niet goed was, maar door het bijstellen van de roeren bracht Trotter de neus omhoog en in positie op het moment dat hij het schip ronddraaide voor de terugreis naar de heuvel die hij alleen zou maken.

Als hij de jongen in zijn macht had, zou Corky het Palazzo Rospo in stijl verlaten door een van de auto's te gebruiken uit Manheims eersteklas verzameling.

Terug bij de ruïnes van het château, als de drie lijnen eenmaal vastzaten aan de bomen en de vrachtwagen, zou Trotter de twee mannen, die als grondbemanning dienst hadden gedaan, doodschieten. Hoewel het achterlaten van het luchtschip een wond aan zijn hart zou toebrengen, zou hij het wel daar laten en naar een auto lopen die hij eerder vandaag op twee straten afstand had geparkeerd.

Onmiddellijk na zijn terugkeer in zijn huis in het ravijn in Malibu zou hij overstappen in een andere auto en verdwijnen, en voor eeuwig zijn leven als Jack Trotter achterlaten. Misschien zou hij nooit beseffen dat hij voor de gek was gehouden toen hij geloofde een afspraak te hebben gemaakt met een echte agent van de NSA die hem uit elk overheidsdossier zou wissen en hem zou toestaan daarna als een geest in de machinerie van Amerika te leven; omdat hij van plan was om toch al als een geest te leven, zou hij misschien daadwerkelijk alle officiële aandacht ontlopen, maar dan geheel en al door zijn eigen inspanningen.

De autoriteiten die de ontvoering van Aelfric Manheim onderzochten, zouden waarschijnlijk vastlopen als ze het luchtschip traceerden naar Trotter in Malibu. Op geen enkele manier zouden ze ontdekken welke nieuwe identiteit hij had aangenomen, hoe hij er hierna uit zou zien of waar hij naartoe was gegaan.

Als ze op een dag, tegen alle verwachtingen in, Trotter te pakken kregen, zou hij voor een medeplichtige alleen maar de naam hebben van Robin Goodfellow, geheim agent in speciale dienst.

Nog steeds met beide benen aan weerskanten van de nok deed Corky twee voorzichtige stappen naar voren. Zijn laarzen waren gemaakt voor echte wintercondities, voor sneeuw en verraderlijk ijs. Alleen maar beregende leien dakpannen zouden gemakkelijk te nemen moeten zijn.

Toch zou uitglijden desastreus zijn, zelfs als hij een val vermeed of die overleefde. Met de bewakers van het landgoed in de kamers direct onder hem zou de regen weinig doen om de geluiden die hij maakte te maskeren, en stilte bleef essentieel.

De ventilatiepijp die hij zocht, stond waar hij hem op de blauwdrukken had zien staan, op minder dan vijfenveertig centimeter van de nok van het dak op de zuidelijke kant.

Omdat hij het gevoel had een kwelduiveltje te zijn dat bezig was met stoute dingen, zou Corky graag een gepast liedje hebben gezongen, of zichzelf hebben vermaakt met andere capriolen. Maar hij zag in dat hij bij deze gelegenheid zijn natuurlijke uitbundigheid moest intomen.

Heuvelop naar het oosten boorden kapitein Queeg von Hindenburg en zijn Jules Verneaanse apparaat zich door de dikker wordende mist, die zich in zijn kielzog sloot en hem net zo volledig verborg als de zee had samengezworen Nemo en de *Nautilus* te verbergen.

Corky ging op de nok zitten met zijn gezicht naar de pijp. Deze ventilatiekoker die door het dak heen stak op een hoogte van dertig centimeter, liep door de vliering naar de badkamer van het veiligheidskantoor.

Corky stak zijn hand over zijn schouder en trok de rits van het bovenste vak van zijn rugzak open. Hij haalde er een plastic vuilniszak uit van veertig liter en een rol tape.

Boven op de pijp was op steuntjes van tien centimeter een puntige, uitlopende kap gemonteerd. Daardoor kon er geen regen en door de wind opgewaaide rommel in de pijp terechtkomen, terwijl de lucht van het vertrek beneden naar buiten kon circuleren. Corky trok de vuilniszak over de uitlopende kap en haalde hem met één hand zo dicht mogelijk rond de pijp.

Als de ventilator in de badkamer had gewerkt, zou die de vuilniszak vol lucht hebben geblazen en zou hij gedwongen zijn geweest deze kritische fase van de missie uit te stellen tot de ventilator was uitgeschakeld. Het slappe plastic zwol niet op tot een ballon.

Met de tape bond hij stil de opening van de zak aan de pijp waardoor hij een betrekkelijk luchtdichte afsluiting kreeg.

Terwijl hij weer over zijn schouder reikte, haalde hij een bus van het formaat van een bus haarlak uit zijn rugzak. Dit was geen gewone spuitbus, maar een 'spuitbus met een superversneller', dat door een van zijn collega's tegen aanzienlijke betaling op de universiteit was ontwikkeld voor het Chinese leger.

De bus zou de hele inhoud in zes seconden leegspuiten. De moleculen van de actieve ingrediënten waren gebonden met een gas met zo'n hoogst efficiënte uitzettingsfactor dat beide verdiepingen van het gebouw van de terreinbeheerder in vijftig tot zeventig seconden besmet zouden zijn.

De bus was ook zo ontworpen dat het van alles kon bevatten, van een verdovingsmiddel tot aan een dodelijk zenuwgas dat bij de eerste ademhaling al doodde.

Het was Corky niet gelukt de hand te leggen op een bus met zenuwgas. Hij moest zich tevreden stellen met het verdovingsmiddel.

Het verdoven van de twee bewakers vond hij prima. Hoewel hij uiterst betrokken was bij de sociale ineenstorting en de wedergeboorte ervan, was hij geen man die zonder meer doodde. Natuurlijk waren er recentelijk meer moorden nodig geweest om zijn nobele zaak voort te zetten. Maar hij zag zichzelf graag als een man die terughoudendheid net zo makkelijk kon uitoefenen als, in geval van nood, het beest in hem loslaten.

Met één vinger maakte hij een gat in de plastic zak, maakte die groter en schoof het bovenste deel van de spuitbus in de zak. Met het plakband dichtte hij het gat tussen bus en vuilniszak.

Terwijl hij het blote einde van de bus in zijn linkerhand hield, tastte hij door het plastic met zijn rechterhand tot hij tussen duim en wijsvinger een stevige greep kreeg op de trekring, die zo ongeveer functioneerde als die van een handgranaat. Hij trok de ring eruit en liet die in de zak wegglijden.

Door de tien seconden vertraging tussen activering en uitstoting van de inhoud kon de bus uit een open deur of raam gegooid worden. Corky bleef hem vasthouden en wachtte.

Toen de inhoud vrijkwam door de revolutionaire spuit, trilde de bus in zijn linkerhand en werd zo ijskoud dat hij de radicale temperatuurverandering door zijn handschoen heen kon voelen. Als hij hem in zijn blote hand gehad zou hebben, zou zijn huid aan het aluminium vastgevroren zijn.

Woesj! De vuilniszak bolde net zo abrupt op als een airbag in een auto bij een frontale botsing. Corky dacht dat die in zijn gezicht zou ontploffen waardoor hij zou baden in het verdovingsgas.

Maar de luchtpijp bood een ontsnappingsroute, dus in plaats van het plastic op te blazen tot het zou barsten, liep het gas door de pijp naar beneden, langs de stille ventilator die als hij aanstond het weer naar buiten geblazen zou hebben, de wc in van het beveiligingskantoor en daarvandaan het hele gebouw in.

Gesloten deuren zouden de verspreiding niet tegengaan. De slaap opwekkende dampen zouden tussen deur en drempel stromen, tussen deur en deurlijst, door de kleinste scheur en spleet, door verwarmingsopeningen en langs afvoerbuizen.

Vóór de patrouille over het terrein te voet, gepland om negen uur, waren beide bewakers in het kantoor onder Corky. De verdoving werkte zo snel dat in tien seconden vanaf het moment dat de ADU leegliep, de twee mannen bewusteloos zouden zijn.

Hij wachtte meer dan een halve minuut voor hij van de nok het noordelijke schuine dak af liep. Het dak was niet steil en naar beneden lopen ging gemakkelijk.

Aan de voorkant van het gebouw, dat net zo groot was als een stads herenhuis, was een loggia bedekt met een roodhouten latwerk dat al decennialang overdekt was met een trompetbloem. Hij sprong van het dak op het latwerk.

Van het latwerk sprong hij op het gazon, liet zijn knieën doorzakken als een parachutist, viel, rolde door en sprong weer overeind.

Hij voelde zich als Vin Diesel, de actieheld.

Na zijn rugzak afgeschud te hebben, haalde hij er een gasmasker uit. Hij gooide de rugzak weg en zette het masker op.

De hoofdingang van het gebouw van de terreinbeheerder zat niet op slot. Hij stapte een diensthal in.

Net als op de blauwdrukken.

Rechts van hem: een deur naar de opslag van tuinartikelen, groot genoeg om drie gemotoriseerde grasmaaiers te huisvesten, evenals de twee elektrische karretjes waarmee Yorn en zijn dagploeg de mest verspreidden en andere materialen over de immense terreinen verplaatsten.

Links van hem: een deur naar het ruime kantoor van Yorn, een andere deur die leidde naar de wc voor de tuinlieden.

Recht voor hem de trap naar de eerste verdieping.

Boven trof Corky de twee bewakers van de avonddienst bewusteloos aan in de grote monitorruimte. Eén uitgespreid op de vloer en de ander ineengezakt op een stoel voor een rij videomonitors. Ze zouden tussen de zestig en tachtig minuten diep bewusteloos blijven. Dat was meer dan genoeg tijd voor Corky om zijn werk te doen en te verdwijnen.

Hij trok een stoel voor een computer. Noch de elektriciteitsvoorziening noch de op het landgoed gerichte netwerkregelingen waren aangedaan door de nauwgezette scheiding van uitgaande en binnenkomende telefoonvoorzieningen.

In zijn gasmasker klonk zijn ademhaling als die van Darth Vader. Bij het begin van de dienst was zoals altijd een van de bewakers eerder het veiligheidssysteem binnengegaan met een persoonlijk wachtwoord. Corky zag op de ingewikkelde staat van dienst op het scherm dat, onder andere, het huisalarm was ingeschakeld, waardoor het onmogelijk werd het Palazzo Rospo via een raam of deur binnen te gaan zonder sirenes te laten loeien.

Volgens Ned Hokenberry, de freak met de drie ogen – nu de freak met de twee ogen, nu de dode freak met de twee ogen – werd het alarm gewoonlijk pas ingeschakeld om elf uur 's avonds of zelfs middernacht. Vanavond hadden ze dat vroeg ingeschakeld.

Corky vroeg zich af waarom.

Misschien waren ze angstig geworden door bepaalde zwarte dozen en de inhoud ervan.

Opgetogen dat hij hen ongerust had gemaakt en toch zo ver door hun defensie heen was gekomen, begon Corky het thema van Grinch te zingen uit *The Grinch Who Stole Christmas*. Het gasmasker verleende het liedje een heerlijk griezelige, zelfs woeste intensiteit.

Mick Sachatone, de arme dode Mick in zijn Bart Simpson-pyjama, was het beveiligingssysteem van Manheim binnengekomen via de computer van de bewapende beveiligingsdienst buiten het landgoed die vierentwintig uur per dag, zeven dagen per week, een verbinding onderhield met dit vertrek. Hij had Corky een paar rudimentaire instructies gegeven over hoe het werkte.

Ten eerste controleerde Corky de status van de twee paniekkamers in het huis. Geen werd er gebruikt.

Met de computer zette hij beide vertrekken in de belegeringsmode en deed ze op afstand op slot. Ze konden niet langer ter plek-ke geopend worden met hun verborgen schakelaars. Niemand kon zich er meer in terugtrekken.

Het alarm van het huis kon gewoon aan- en uitgezet worden door een keuze in een JA-NEE-optie. Momenteel brandde de JA op het scherm. Met de muis klikte Corky de NEE aan.

Nu kon hij met een deursleutel het Palazzo Rospo binnengaan als-of het helemaal zijn eigen huis was. Sleutels bengelden aan de riem van elk van de slapende bewakers. Hij maakte een set los, liet hem rinkelen en glimlachte.

Toen hij een telefoon oppakte, hoorde hij geen kiestoon. Hij pro-beerde een van de mobieltjes van de bewakers. Die functioneerde niet. Betrouwbare Mick.

Corky liet de bewakers verder aan hun dromen over en liep de trap af, terug naar de loggia onder het latwerk met de trompet-bloem. Hij trok het gasmasker af en gooide dat weg.

Het grote huis was door een scherm van bomen en donkere regen op een afstand van misschien tweehonderd meter naar het noor-den te zien. Met alleen Ethan Truman en de jongen in het huis waren niet veel ramen verlicht, toch deed het herenhuis Corky den-ken aan een enorm luxe lijnboot die over een nachtelijke zee voer. En hij was de ijsberg.

Hij ritste de diepste zak van zijn stormpak open en haalde er de Glock uit die hij eerder had voorzien van een geluiddemper.

88

'*Lieveheersbeestje, lieveheersbeestje, vlieg naar huis… het staat in brand, je kinderen verbranden…*'

Nadat hij naar Telefoontje 51 had geluisterd, twijfelde Ethan er niet aan dat de eerste vijftig opnamen ook waardevolle berichten voor hem bevatten, maar hij dacht niet de tijd te durven nemen om die af te luisteren, en hij wist dat hij die niet hoefde te horen om het raadsel op te lossen.

Tweeëntwintig lieveheersbeestjes. De tweeëntwintigste december. *Vandaag.* En er bleven iets meer dan drie uur over voordat de ka-lender overging op 23 december. Als er iets verschrikkelijks zou gebeuren, gebeurde dat snel.

Het pistool was in zijn appartement.

Nu moest Fric daar ook zitten wachten.

Hij vluchtte de witte kamer uit, liet de blauwe deur achter zich open...

Geen reden tot paniek. Het alarm zou gaan gillen bij de eerste overschrijding van deur of raam. Tussen de uithalen van de sirene door zou een stemmodule met een heldere computerstem aangeven in welk vertrek de inbraak had plaatsgevonden.

Bovendien zouden de mannen in het beveiligingskantoor het moment weten dat iemand over de muur van het landgoed was gekomen, allang voordat een binnendringer het huis kon bereiken.

Bij het eerste bewijs dat er een overtreding op het landgoed plaatsvond, zouden ze 911 bellen en het bewapende privébeveiligingsbedrijf.

Toch rende hij, omdat hij geen tijd had voor de lift, eerst naar het trappenhuis achter, daarna zes trappen denderend naar beneden, en hij dreunde door de deur onder aan de trap de westelijke vleugel van de benedenverdieping binnen.

Hij gooide de deur van zijn appartement open, riep Fric, en kreeg geen antwoord.

Blijkbaar was de jongen nog steeds in de bibliotheek. Niet goed. Hij had het al tien jaar van zijn leven vaker wel dan niet alleen gered, maar hij zou het deze nacht niet alleen redden.

Ethan haastte zich naar het bureau in de werkkamer. Hij had het pistool in de rechterbovenlade achtergelaten.

Hij trok de lade open en verwachtte dat het wapen weggenomen zou zijn. Maar daar lag het. Een prachtig ding.

Terwijl Ethan het in de schouderholster stak, keek hij naar de dingen op het bureau, tussen de computer en de telefoon.

Kinderliedjes.

Het staat in brand, je kinderen verbranden...

Woensdagskind is vol van wee...

Kinderliedjes.

De voorhuid besneden bij tien mannen. Tien omdat Fric tien was.

Wat zijn voorhuiden? Stukjes weefsel. Flarden. Knipjes.

En slakken zijn slakken.

Het boek met hondenverhalen. *Paws for Reflection*, een verzameling puppy*tales*, verhalen over jonge hondjes. Andere spelling, maar het klinkt hetzelfde. *Tails*. Staarten.

Waar worden kleine jongens van gemaakt?

Snips and snails, and puppy dogs' tails.

Daar worden kleine jongetjes van gemaakt.

De aantekening die met de appel die op het bureau lag was gekomen: HET OOG IN DE APPEL. DE AANDACHTIGE WORM? DE WORM VOOR DE OORSPRONKELIJKE ZONDE? HEBBEN WOORDEN NOG EEN ANDERE BEDOELING DAN VERWARRING?

In dit geval was verwarring hun enige bedoeling. Het zesde object was het gemakkelijkst te interpreteren geweest, dus de professor, wie hij ook mocht zijn, had het onderwerp in verwarring gebracht door afleidende – en honende – woorden.

Het oog in de appel is blauw, dezelfde kleur als de beroemde ogen van Channing Manheim. Niet het oog in de appel. Het oog van de appel. *Oogappel.*

Niet dat de lieve Fric ooit de oogappel van zijn vader was. Hij was de *blinde vlek* in het oog van zijn vader, zo vaak genegeerd, nooit gewaardeerd om zijn karakter. In dit geval had de afzender van de zwarte dozen een verkeerde aanname gemaakt. Het Gezicht zelf was het oog van zijn eigen appel, en er kon niemand anders zijn. Als je de werkelijke relatie kende tussen deze vader en deze zoon, zij het je misschien vergeven dat je niet het verband legde tussen het poppenoog dat midden in de met zwart draad gehechte appel zat en de heerlijke jongen. Toch vervloekte Ethan zichzelf de aanwijzing gemist te hebben.

Hij drukte INTERCOM in op het toetsenbord van de telefoon en vervolgens het lijnnummer van het beveiligingskantoor achter op het landgoed. 'Pete? Ken? Er kan iets aan de hand zijn.'

Niemand antwoordde.

'Pete? Ken? Zijn jullie daar?'

Niets.

Ethan greep de hoorn van de telefoon. Geen kiestoon.

89

De hyena sliep in een schoon leger, niet bezoedeld door souvenirs van zijn moorden. Geen kledingstukken vol bloedvlekken van het slachtoffer die tegen het gezicht gehouden konden worden om te genieten van de geur van de dood. Geen sieraden die hij kon betasten. Geen polaroidfoto's van Justine Laputa of Mina Reynerd nadat hij hun sterfelijkheid beproefd had met een pook en een met brons afgezette marmeren lamp. Niets.

Nadat Hazard snel, maar nauwgezet, de inloopkast had doorzocht, de bureauladen, de nachtkastjes, elke plek waar Laputa het soort pornografie kon hebben verstopt die niet appelleerde aan een obscene belangstelling maar aan een obsessie voor geweld, vond hij geen bewijs van óf een misdaad óf van psychopathie.

Zoals eerder was het meest opmerkelijke aan het huis van Laputa de nauwgezette properheid, die zich kon meten met die van een hermetisch afgesloten en veelvuldig ontsmet laboratorium voor chemische wapens, en de fetisjistische opstelling en geometrie van elk object, groot en klein. Niet alleen de objecten die openlijk waren neergezet, maar ook de inhoud van de laden, waren neergelegd alsof het met behulp was gegaan van een micrometer, gradenboog en liniaal. De sokken en truien schenen te zijn opgevouwen en opgeborgen door een op precisie geprogrammeerde robot.

Weer kreeg Hazard het gevoel dat voor Vladimir Laputa dit huis een wanhopig toevluchtsoord was voor de smerigheid van de wereld achter de muren ervan.

Hij verliet de slaapkamer en liep naar de gang boven, waar hij een ogenblik gespannen bleef staan luisteren, maar hij hoorde alleen de matte taptoe van de minder wordende regen op het dak. Hij wierp een blik op zijn horloge en vroeg zich af hoeveel tijd hij had, als hij die had, om in de andere kamers op de eerste verdieping te kijken.

Zijn instinct liet Hazard zelden in de steek, maar dat zei hem nu niets. De professor kon elk moment terugkeren of pas over uren, dagen.

Hij probeerde de eerste deur voorbij de grote slaapkamer, aan dezelfde kant van de gang en knipte het licht aan.

Zo op het oog was dit een opslagkamer. Effen kartonnen dozen, slechts versierd door rode opgedrukte getallen, stonden driehoog in geordende rijen.

Een huivering van belangstelling trok Hazard een paar stappen over de drempel. Toen besefte hij dat de dozen waren afgesloten met nauwgezet aangebrachte stroken papieren plakband. Als hij er een paar openscheurde, zou het hem niet lukken ze weer in die mate te herstellen dat hij het feit dat hij hier zonder machtiging aan het rondkijken was kon verhullen.

Toen hij de laatste kamer aan die kant van de gang naderde, bespeurde hij een onaangename geur. Tegen de tijd dat hij de open deur had bereikt, was de kwalijke reuk een stank geworden.

In de stank herkende Hazard de geur van rottend vlees, waarmee hij meer dan een beetje ervaring had in zijn carrière bij Roof/Moord. Hij vermoedde dat hij hier minstens een van Laputa's aandenkens zou vinden die hem zouden doen wensen dat hij eerder niet was gestopt voor cheeseburger en patat.

Het schijnsel van de muurlampen in de gang viel slechts over een korte afstand de kamer in. Hazard kon niet veel zien.

Toen hij over de drempel stapte en de muurschakelaar overhaalde, ging een lamp op een nachtkastje branden. Een ogenblik dacht hij dat de man op het bed, minder dan voor de helft bedekt door een laken, een lijk was.

Toen knipperden de bloeddoorlopen ogen die meelijwekkend op hem gericht waren.

Hazard had nooit eerder met eigen ogen een levend mens in zo'n beklagenswaardige conditie gezien als deze man. Zo hadden de uitgehongerde slavenarbeiders in concentratiekampen eruitgezien toen ze, na zich doodgewerkt te hebben, in grove graven gegooid werden.

Ondanks de infuusstandaard en de door een catheter gevoede urinepot wist Hazard onmiddellijk dat hier professor Laputa niet de verzorger was die een familielid verpleegde. De man in het bed had geen enkele tederheid gekregen waar een patiënt recht op had, maar alle wreedheid die door een krankzinnige cipier over een gevangene uitgestort kon worden.

Beide ramen waren dichtgetimmerd en gebreeuwd om het daglicht buiten te houden en alle geluiden binnen.

Op de vloer in een hoek lagen kettingen, handboeien en beenkluisters op een hoop. Deze ketenen waren natuurlijk voor de eerste dagen van de gevangenschap geweest toen de man in het bed nog sterk genoeg was om verzet te bieden.

Hazard had een tijdje hardop gesproken voor hij zichzelf echt hoorde. Hij was teruggebracht tot de gebeden uit zijn kindertijd die opoe Rose hem lang geleden had geleerd.

Hier was het kwade in de meest pure vorm die hij ooit had gezien, eeuwig voorbij het begrip van de eenvoudige zondaar zoals hij. Op deze manier was een verdorven wezen gekomen en gegaan, en zou weer komen, als een demon op sabbatsverlof uit de hel.

De ongewone properheid en orde elders in het huis vertegenwoordigden niet Laputa's behoefte zich terug te trekken van de wanorde van de wereld buiten. Maar het was in plaats daarvan een wanhopige ontkenning van hoe apocalyptisch de chaos was die in hem woedde.

Tegen de tijd dat Hazard de rand van het bed bereikte, werd hij misselijker van elke ademhaling die hij deed. Weken van opgedroogd zweet, ranzige lichaamsvetten en zwerende doorligplekken veroorzaakten een misselijkmakende stank.

Toch pakte Hazard voorzichtig de dichtstbijzijnde fragiele hand van de vreemde. De man had niet voldoende kracht meer om zijn arm op te tillen en hij kon nauwelijks de hand van zijn redder knijpen.

'Het is goed nu. Ik ben een politieagent.'

De vreemdeling keek hem aan alsof hij een fata morgana was.

Hoewel instinct Hazard een ogenblik ervoor in de gang in de steek had gelaten, hielp dat hem nu wel. Hij was verrast, maar toen ineens niet, zichzelf te horen zeggen: 'Professor Dalton? Maxwell Dalton?'

Het groter worden van de vochtige ogen van de uitgedroogde man bevestigde zijn identificatie.

Toen de gevangene moeite deed om te praten, bleek zijn stem zo flauw, zo droog, zo gebroken en piepend, dat Hazard zich dicht voorover moest buigen om betekenis uit de woorden te halen. '*Laputa... heeft mijn vrouw, mijn dochter... vermoord.*'

'Rachel? Emily?' vroeg Hazard.

Dalton sloot ongelukkig zijn ogen, beet op zijn onderlip en knikte trillend.

'Ik weet niet wat hij u heeft gezegd, maar ze zijn niet dood,' verzekerde Hazard hem.

Daltons ogen schoten snel als een camerasluiter open.

'Ik heb ze vandaag nog gezien, bij u thuis,' vervolgde Hazard. 'Nog geen paar uur geleden. Ze zijn ziek van bezorgdheid, maar ze hebben niets.'

Een ogenblik leek de gevangene het nieuws niet te willen geloven, alsof hij ervan overtuigd was dat het weer een volgende wreedheid moest zijn waarmee hij gekweld werd. Toen ontwaarde hij waarheid in Hazards oprechte blik. Zijn knokige hand verstrakte iets om die van zijn redder en ergens uit zijn gedroogde lichaam vond hij het vocht om zijn ogen vol te laten lopen met tranen.

Even aangedaan als hij misselijk was, bestudeerde Hazard de bungelende infuuszak, de infuuslijn, de canule in Daltons ader. Hij wilde dit allemaal losmaken, omdat dit allemaal de man geen goed deed. Maar hij was bang dat hij onopzettelijk Dalton iets zou aandoen. Dit kon het beste overgelaten worden aan de ambulancebroeders.

Aanvankelijk was Hazard het huis binnengegaan met de bedoeling een illegale en clandestiene zoektocht te ondernemen waarna hij de boel zou afsluiten en zou vertrekken om na te denken over een mogelijk bewijs dat hij zou vinden, en het genoemde bewijs achter te laten zonder het geringste teken van zijn bezoek. Dat plan ging niet meer op. Hij moest 911 bellen en wel zo snel mogelijk.

Maar er bestonden rechters en meer dan een paar van hen zouden Vladimir Laputa in vrijheid stellen omdat Dalton was gevonden tijdens een illegale zoektocht, gepleegd zonder huiszoekingsbevel of zonder duidelijke aanleiding. Daarbij, met Blondie in de Vijver nog voor hem, kon Hazard zich geen berisping of disciplinaire maatregelen permitteren op zijn staat van dienst.

'Ik haal u hier uit,' beloofde hij de gevangene. 'Maar ik heb een paar minuten nodig.'

Dalton knikte.

'Ik ben zo terug.'

Aarzelend liet de verschrompelde man zijn hand los.

Op de drempel, op het punt de kamer te verlaten, bleef Hazard staan, stapte terug van de deuropening en trok zijn pistool. Toen hij zich in de bovenste gang waagde, deed hij het behoedzaam.

Hij bleef de hele weg naar beneden, door de benedenverdieping naar de keuken op zijn hoede. Hij sloot de achterdeur die hij eerder open had gelaten als ontsnappingsroute. Hij deed hem op slot.

Grenzend aan de keuken was een klein washok. De deur aan de andere kant van het washok kwam uit op de garage.

Er stonden geen auto's in de garage. Een doorweekte hoop kleren lag op de betonnen vloer, de kleding die Laputa had gedragen toen hij naar huis was gekomen, paraderend als een zware jongen.

Hier was ook goed gereedschap in laden en opgehangen aan een bord met gaatjes. Ze waren net zo schoon en obsessief geordend als de verzameling Lalique-kristal in de woonkamer.

Hazard koos een klauwhamer en rende terug naar boven, blij dat hij zoveel lichten had aangedaan toen hij net in het huis was aangekomen.

Hij was opgelucht te zien dat de gevangene nog steeds leefde. Dalton scheen op de trillende rand van de dood, alsof hij elk moment kon wegglijden.

Hazard legde zijn wapen op de vloer en gebruikte de klauwhamer om spijkers los te wrikken uit een van de dikke platen waarmee Laputa de ramen had dichtgetimmerd. De spijkers waren zeven centimeter lang en kwamen moeizaam los met een knarsend geluid. Hij scheurde het bord los van het raam en zette het opzij, tegen de muur.

Het geplooide gordijn had gevangengezeten tussen de plaat en het raam. Hoewel verkreukt en stoffig was het precies wat hij nodig had om zijn vingerafdrukken van de hamer te vegen voordat hij die op de vloer liet vallen.

Dit was een achterafslaapkamer, in die zin dat hij het verst van de trap vandaan was. Net als de grote slaapkamer lag hij aan de voorkant van het huis. Door het raam kon hij zijn geparkeerde sedan aan de overkant van de straat zien.

Terugkerend naar het bed zei Hazard: 'Ik kwam hier binnen op een ingeving, zonder huiszoekingsbevel. Nu moet ik de situatie herstellen om mezelf te redden en om er zeker van te zijn dat we Laputa te pakken krijgen. Begrijpt u?'

'Ja,' kraakte Dalton.

'Dus wat u moet zeggen dat er gebeurd is, is dat hij zo zeker van uw onvermogen was om zelfs maar een geluid te maken dat iemand op straat kon horen, dat de schoft vanavond de plaat alleen maar heeft losgehaald om u te kwellen met het zicht op vrijheid. Kunt u dat zeggen?'

Op een dorre fluisterende ademhaling, schraapten en krasten breekbare woorden uit Daltons keel. 'Laputa heeft gezegd... dat hij me vanavond... zou vermoorden.'

'Oké. Goed. Dan lijkt het zinnig dat hij zoiets gedaan kan hebben.'

Van het nachtkastje pakte Hazard een spuitbus met naar dennengeur ruikend desinfecterend middel. De bus voelde halfvol aan, zwaar genoeg.

'Daarna,' zei hij tegen Dalton, 'moet u hun vertellen dat u diep binnen in uzelf uit uw diepste krachtreserves hebt geput, en dat u op de een of andere manier de wil, de energie, de woedende energie hebt gevonden om deze bus van het nachtkastje te pakken en naar het raam te gooien.'

'Dat lukt wel,' beloofde Dalton trillend, hoewel hij eruitzag alsof hij niets anders meer kon dan alleen maar met zijn ogen knipperen. 'De bus ging door het raam heen en rolde over het dak van de veranda net toen ik het pad op kwam lopen. Ik hoorde uw zwakke geroep om hulp, dus ik forceerde de deur.'

Het verhaal was klote. De eerste agenten ter plaatse zouden weten dat het kul was, maar gezien Daltons beproeving zou dit een vleugje kul zijn dat ze wel konden slikken.

Tegen de tijd dat Laputa in de rechtszaal was, zou Dalton grotendeels hersteld zijn en de jury zou niet weten hoe afschuwelijk zwak hij was geweest in de nacht van zijn redding. De tijd zou dit verhaal voldoende luister geven om het er aantrekkelijk te laten uitzien.

Terwijl hij zijn ogen verplaatste van de open deur naar Hazard, zei Dalton angstig: 'Snel', alsof hij bang was dat Laputa elk moment kon terugkeren.

Hazard wierp de bus met desinfecterend middel naar het raam. Het glas versplinterde met een bevredigende knal.

90

Na de wortels van de gepotte palm te hebben verziekt met zijn machtige Manheim-urine, die hij waarschijnlijk had kunnen bottelen en aan de meest krankzinnige fans van zijn vader had kunnen verkopen, zocht Fric de planken in de bibliotheek na voor een boek, denkend aan Mr. Truman die had gezegd niet te treuzelen. Voor het geval ze geen marshmallows zouden roosteren en op de vloer zittend elkaar enge verhalen zouden vertellen, nam hij de moeite een boek te zoeken dat hij echt leuk zou vinden om te lezen. Hij dacht dat hij het grootste deel van de lange nacht wakker zou zijn, en niet omdat hij opgewonden was over kerstavond over twee dagen. Als hij geen boek zou hebben om de tijd door te komen, zou hij net zo krankzinnig worden als de kat met twee koppen van Barbra Streisand.

Hij had net een roman gevonden die er goed uitzag toen hij een geluid boven zijn hoofd hoorde: een glinsterend helder geluid dat leek op het zachte geklingel van honderd kleine windklokjes die allemaal tegelijkertijd bewogen werden.

Toen hij omhoogkeek naar de glas-in-loodkoepel, zag hij honderden stukjes glas van het lood loskomen en naar hem toe vallen.

Nee. Geen glas. Het glas-in-loodmozaïek bleef waar het zat over de hele boog van de koepel van negen meter. Scherven kleur en schaduw vielen uit het glas zonder het te breken, vielen door het glas heen uit de nacht erboven of misschien ergens vandaan dat onmetelijk veel vreemder was dan de nacht.

De scherven vielen langzaam, niet volgens de wetten van de zwaartekracht, en terwijl ze naar beneden dwarrelden, veranderden ze van kleur. Terwijl ze van kleur veranderden, tuimelden ze door elkaar heen en versmolten met elkaar. Terwijl ze samensmolten, kregen ze grotere afmetingen en een vorm.

De samensmeltende scherven werden de Geheimzinnige Beller, die

Fric nog maar kortgeleden afgebeeld had gezien in de *Los Angeles Times* in de rozenkamer vanmiddag, die hij de vorige avond voor het laatst levensgroot had ontmoet in de doolhof van herinneringen. Zoals de beschermengel toen had gezweefd zonder hulp van vleugels van de dakbalk naar de zoldervloer, zo daalde hij nu in een geluidloze elegantie naar het tapijt op slechts een paar passen van Fric vandaan.

'Jij hebt echt een manier om binnen te komen,' zei Fric, maar zijn trillende stem ontkende de aanmatigende houding van het Hollywood-kind.

'Moloch is hier,' zei de beschermengel op een toon zo onheilspellend dat het Frics hart ook zou samenknijpen en daarna tegen zijn ribben stoten als de boodschap slechts een fractie zo verschrikkelijk was geweest. 'Vlucht naar onbekende en speciale schuilplaats, Fric. Vlucht nú.'

Wijzend op het glas-in-lood van de koepel zei Fric: 'Waarom breng je me niet gewoon daarheen, naar buiten, waar je vandaan bent gekomen, waar ik veilig zal zijn?'

'Ik heb je verteld, jongen, dat je je eigen keuzes moet maken, je eigen vrije wil moet gebruiken en je jezelf moet redden.'

'Maar ik...'

'Bovendien kun je niet naar de plekken waar ik heen ga of reizen op de manieren zoals ik doe, niet voor je dood bent.' De bewaker deed een stap naar voren, boog zich voorover en bracht zijn bleke gezicht tot op een paar centimeter van dat van Fric. 'Wil je afschuwelijk sterven alleen maar om wat gerieflijker te reizen?'

Frics hamerende hart sloeg alle woorden uit zijn keel voor hij ze kon uitspreken, en terwijl hij moeite deed sputterend door zijn zwijgen heen te komen, werd hij van de vloer getild en hoog opgehouden door zijn vreemde beschermengel.

'Moloch is in het huis. Verberg je, jongen, in 's hemelsnaam, verberg je.'

En daarna gooide de Geheimzinnige Beller hem weg alsof hij slechts een lappenpop was, maar gooide hem met een magische truc waardoor hij niet hard tegen het meubilair dreunde. In plaats daarvan buitelde hij in slow motion door de bibliotheek, over de clubfauteuils en tafels, langs de eilanden van boekenplanken.

Terwijl hij halsoverkop om een vreemde as draaide, zag Fric de foto van de mooie dame, zijn bedachte moeder, die uit zijn zak was gevallen en nu loom naast hem door de lucht dreef, binnen zijn invloedssfeer. Als een astronaut die zijn hand uitstak naar een zwevende tube eten in de zwaartekrachtvrije omgeving van een spaceshuttle hoog in zijn baan, greep hij naar de foto maar kon er zijn hand niet goed omheen krijgen.

Abrupt raakte hij de vloer op beide voeten bij de kerstboom die volgehangen was met engeltjes, raakte rennend de vloer, of hij nu wilde rennen of niet, alsof zijn benen waren betoverd om hem malend hier weg te dragen.

Voorbij de kerstboom, in de open deur van de bibliotheek, draaide hij zich om en keek achterom.

De engel was verdwenen.

De foto was nergens te zien.

Moloch is in het huis.

Fric ontvluchtte de bibliotheek, en sprintte via de kortste weg naar de plantenkas.

91

Op een van de bronzen openslaande deuren met geslepen glas die uitzagen op de tweeduizend vierkante meter patio, fonteinen en zwembad, gebruikte Corky Laputa de sleutels van de beveiligingsagenten om de grote salon binnen te komen.

Met de mooie brokaten gordijnen droogde hij zichzelf zo goed mogelijk af. Als hij in beweging kwam in het huis door de gangen met kalkstenen vloeren, moest hij geen verraderlijk spoor achterlaten dat Truman misschien vond voordat hij Truman vond.

Hij knipte de lichten aan.

Hij was niet bang opgemerkt te worden. Er liepen slechts drie mensen rond in een huis dat groter was dan sommige winkelcentra. Het was onwaarschijnlijk dat ze elkaar bij toeval tegen het lijf liepen.

Een schitterend opgetuigde kerstboom luisterde de ruimte op. Hij kwam in de verleiding rond te kijken om de schakelaar te vinden waarmee hij deze spar in heel zijn knipperende schoonheid kon zien. Maar chaos kon soms een harde opdrachtgever zijn en hij moest geconcentreerd blijven op het plan dat hem hier met luchtschip en storm had gebracht.

Terwijl hij het enorme vertrek overstak, veegde hij zijn voeten op het antieke Perzische tapijt om zijn laarzen grondig droog te krijgen.

Twee ver uit elkaar staande dubbele deuren leidden naar de noordelijke gang. Naast een van die uitgangen was een touch-control-scherm van Crestron in de muur weggewerkt.

Hij raakte het dode grijze scherm aan. Ineens kwam het panel tot leven en presenteerde hem drie rijen iconen.

Mick Sachatone had Corky de basisinstructies gegeven om het te bedienen. Mick had hem niet volleerd gemaakt op het systeem, maar hij wist voldoende om verder te komen.

Hij beroerde de icoon voor de bewegingsdetectors in het interieur en een lijst van zesennegentig lokaties verscheen. Volgens Ned Hokenberry waren er geen bewegingsdetectors geïnstalleerd in slaapkamers en badkamers, of in enige kamer in de suite van Channing Manheim op de tweede verdieping.

Onder aan de lijst was het woord SCAN, waar hij op drukte. Dit gaf hem de optie beweging te scannen op de tweede verdieping, de eerste verdieping en op de begane grond, de eerste kelderverdieping en de tweede kelderverdieping.

Later zou hij deze mogelijkheid gebruiken om de jongen te zoeken. Eerst moest hij Ethan lokaliseren en hem vermoorden.

Hij zou misschien de jongen kunnen grijpen en hem uit het huis wegtoveren onder de neus van de veiligheidschef vandaan. Maar hij zou zich veel meer op zijn gemak voelen met Aelfric als hij wist dat de ex-smeris dood was.

Elke verdieping van het grote huis was te groot om helemaal op het Crestron-scherm te passen in een schaal die gemakkelijk af te lezen viel. Daarom verscheen de oostelijke helft van de benedenverdieping als eerste.

Een enkele piep knipperde en gaf Corky's positie in de grote salon aan. Hij bewoog zich niet, maar de bewegingsdetectors waren in wezen bewegings- én warmtedetectors. Zelfs in dit geïsoleerde stormpak produceerde hij voldoende warmte om door de gevoelige sensors geregistreerd te worden.

Hij deed twee stappen opzij naar rechts.

Op het scherm bewoog de kleine stip van Corky naar rechts, synchroon met hem.

Toen hij terugstapte naar het scherm van het touch-controlpaneel, bewoog zijn stip ook.

De ingewikkelde plattegrond van de westelijke helft van de benedenverdieping verscheen op het scherm met slechts een enkele eenzame stip in al die kamers en gangen: zonder twijfel Ethan Truman, in de woonkamer van zijn appartement.

Hier had Corky gehoopt en verwacht de man te vinden.

Hij verliet het scherm met bewegingsdetectors, liep naar de dichtstbijzijnde dubbele deuren en stapte stilletjes de noordelijke gang op.

Voor hem lag de hal van de ingang met weer een spectaculaire kerstboom. De bewoners en het personeel van het Palazzo Rospo waren volop in kerststemming.

Corky vroeg zich af wat voor verrukkelijk baksel mensen van deze rijkdom tot zich namen. Als hij Truman had vermoord en de jongen te pakken had, zou hij het misschien aandurven een paar minuten de voorraad aan gebakken lekkernijen in de keuken te onderzoeken. Misschien nam hij een blik zelfgemaakte lekkernijen mee naar huis om later van te genieten.

Hij sloeg rechtsaf en volgde de noordelijke gang langs de theekamer, de intieme eetkamer, de grote eetkamer, naar de keuken en uiteindelijk naar de westelijke gang waar Truman in zijn appartement wachtte om vermoord te worden.

92

De telefoon op het bureau in Ethans werkkamer gaf geen kiestoon, en toen hij probeerde zijn mobiel te gebruiken, merkte hij dat die geen server had.

Vaste telefoonverbindingen kunnen heel soms een storing geven als het twee dagen gestortregend heeft. Mobieltjes niet.

Toen hij in de slaapkamer de telefoon op zijn nachtkastje probeerde, hoorde hij alleen maar een dode verbinding. Geen verrassing.

Uit de lade van het nachtkastje haalde hij een tweede magazijn munitie voor zijn pistool.

Hij had dit reservemagazijn tien maanden ervoor op zijn eerste dag in het Palazzo Rospo klaargelegd. Destijds had het erop geleken dat hij onnodige voorzorgsmaatregelen trof. Een langdurige schietpartij waarvoor meer dan tien kogels nodig waren binnen deze goed beschermde muren had een mogelijkheid geleken die zo klein was dat hij niet te berekenen viel.

Ethan liet het magazijn in zijn broekzak glijden en haastte zich naar zijn werkkamer.

De appel van zijn oog.

Fric. Fric moest nog steeds op de eerste verdieping zijn, in de bibliotheek, bezig met uitzoeken van een boek om hem de nacht door te helpen.

Goed. Hij moest dus naar de bibliotheek. De jongen naar de dichtstbijzijnde paniekkamer brengen. Hem veilig wegstoppen in die comfortabele, gepantserde op zichzelf staande kluis. Dan op zoek naar de bron van deze situatie, zien uit te vinden wat er verdomme aan de hand was.

Hij stapte zijn appartement uit, sloeg linksaf de westelijke gang in en rende naar de trap achterin die hij eerder naar de tweede verdieping en de witte kamer had genomen.

Spelend, met meer lol dan de wet toestond, soms voortgaand met een overdreven steelsheid, ineengedoken als een commando die door de vijandelijke verdedigingslinie heen sloop, op andere momenten rechtop lopend als Vin Diesel als hij wist dat volgens het script alle kogels hem zouden missen, volgde Corky de noordelijke gang langs de ontbijtkamer, de butlerskeuken, de keuken.

Hij wenste dat het praktisch zou zijn geweest zijn gele regenjas en zijn slappe, gele hoed te dragen. Hij zou er enorm van genoten hebben om Trumans verbaasde gezicht te zien als die geconfronteerd werd met een banaangele moordenaar die dood spuugde.

In de westelijke gang stond de deur van het appartement van de veiligheidschef open.

Toen hij dit zag, werd Corky ineens ernstiger. Voorzichtig naderde hij het appartement. Hij ging met zijn rug tegen de muur van de gang naast de open deur staan en luisterde.

Toen hij de drempel overstak ging hij laag en snel naar binnen, de Glock met beide handen vasthoudend en hij liet hem snel van links naar rechts en van rechts naar links zwaaien.

De werkkamer was verlaten.

Snel maar voorzichtig zocht hij de rest van het appartement af en vond geen spoor van zijn prooi.

Hij keerde terug naar de kamer voorin en zag de inhoud van de zes zwarte dozen op het bureau. Klaarblijkelijk was Truman nog steeds bezig de puzzel te ontraadselen. Amusant.

Zijn aandacht werd getrokken door regels tekst op het computerscherm. Truman scheen weggelopen te zijn toen hij e-mail aan het lezen was.

Terwijl hij toegaf aan de nieuwsgierigheid die zo'n wezenlijk bestanddeel van hem uitmaakte en hem door de jaren heen opmerkelijk goed van dienst was geweest, zag Corky de naam Yorn aan het einde van de e-mail. William Yorn, de terreinbeheerder.

Hij las het bericht vanaf het begin: FRIC IS VOOR ZICHZELF EEN SCHUILPLAATS AAN HET MAKEN IN DE PLANTENKAS... Veel van

Yorns klachten zeiden Corky niets, maar het gedoe over de schuilplaats interesseerde hem beslist wel.

Nu Corky's twee doelwitten buiten zijn gezichtsveld aan het zwer-
ven waren, had hij een ander Crestron-paneel nodig en snel. Een
zat er verzonken in de muur van de slaapkamer in dit appartement van de beveiligingschef, maar Truman kon elk moment terugkeren, terwijl Corky afgeleid werd in een andere kamer.

Hij zag iets op de grond bij de bank. Een mobiele telefoon. Alsof
hij niet was gevallen, maar weggegooid.

Voorzichtig ging hij terug naar de westelijke gang. Hij volgde die
naar de deur van het appartement van de McBee's.

De blauwdrukken hadden een Crestron-paneel gemeld in hun
woonkamer. Gelukkig waren ze in Santa Barbara.

Volgens Ned Hokenberry sloten de inwonende stafleden om het
schoonmaken en andere huishoudelijke bezigheden te vergemakkelijken zelden de deuren af naar hun privéonderkomens, behalve als ze in het huis verbleven.

Die brave Hokenberry, de freak, hij bleek net zo betrouwbaar als
de blauwdrukken. Corky ging het appartement van de McBee's in
en sloot de deur achter zich.

Naast de voordeur lichtte het Crestron-paneel bij zijn aanraking
op. Hij nam niet de moeite een lamp te ontsteken.

Een snelle scan met de bewegingsdetectors op de benedenverdieping toonde geen andere stip dan die van Corky hier in de woonkamer van de McBee's.

Op de eerste verdieping liep iemand van de westelijke gang de lange noordelijke vleugel in, op weg naar de bibliotheek. Misschien
Truman. Misschien de jonge Manheim. Wie dan ook, hij leek zich
te haasten.

Geen beweging of naspeurbare lichaamswarmte op de tweede verdieping.

Hij verkende de twee ondergrondse verdiepingen. Niets.

De persoon op de eerste verdieping had de bibliotheek bereikt. De
stip moest Ethan Truman zijn. Hij moest naar boven zijn gegaan
via de trap achter in de westelijke vleugel.

Waar was de jongen? Niet te vinden. Geen beweging. Hij produceerde geen warmte in de buurt van de sensors.

De jongen kon in zijn slaapkamer zijn of in een badkamer. Er waren geen sensors in die ruimtes.

Of hij zat misschien in zijn schuilplaats in de plantenkas.

Dit gedoe van zich verbergen was vreemd. Gezien Yorns boodschap vond het personeel het ook vreemd.

Truman die naar de bibliotheek rende. De jongen die vermist werd. De mobiel die op de grond was gegooid in Trumans appartement. Corky Laputa geloofde in zeer nauwkeurige planning en op de getrouwe uitvoering van het plan. Hij was ook een vriend van de chaos.

Hij herkende de hand van de chaos in dit moment. Hij vermoedde dat Truman wist dat er iemand het landgoed was binnengedrongen.

Corky liet het plan voorlopig varen, zijn hart opgewonden door deze onverwachte ontwikkeling, en vertrouwend op de chaos rende hij naar de plantenkas.

Nadat hij Maxwell Dalton alleen had achtergelaten met de verzekering dat hij in een ogenblik zou terugkeren, haastte Hazard Yancy zich naar beneden terwijl de raambrekende bus naar dennengeur ruikende luchtverfrisser nog van het verandadak op het gazon stuiterde.

De voordeur werd geflankeerd door hoge zijramen, maar geen van beide was breed genoeg om een man door te laten, vooral geen man die zo groot was als Hazard. Daarbij maakte de afstand van de zijramen tot de deur het voor hem onmogelijk te beweren dat hij zijn hand naar binnen had gestoken om de grendel los te maken nadat hij een van de ruiten had ingeslagen.

Toen Hazard zijn pistool in de holster stak en de deur opende, verwachtte hij plotseling geconfronteerd te worden met Laputa. Of met Hector X. Maar hij werd alleen maar begroet door de koude en natte avond.

Hij stapte de veranda op. Voor zover hij kon zien, had het geluid van brekend glas geen buren naar buiten gebracht.

Misschien keek iemand vanuit een raam toe. Hij had grotere risico's genomen.

Op de veranda stonden verscheidene planten in potten. Hij pakte een kleine op.

Na gewacht te hebben tot een auto plassend door de straat kwam rijden, gooide hij de terracotta pot van vier kilo, met plant, door een van de ramen van de woonkamer. Het erop volgende gerinkel van exploderend en vallend glas moest de aandacht getrokken hebben in deze wijk waar bemoei-je-met-je-eigen-zaken het credo was.

Hij trok zijn wapen en gebruikte de kolf om een paar koppige scherven uit het raam weg te tikken. Daarna klom hij door het raam naar binnen, duwde de gordijnen opzij, stootte een sokkel

444

met een vaas om, stuntelde alsof hij niet eerder in het huis van Laputa was geweest.

Nu had hij zijn verhaal. In reactie op de kreet om hulp die door
het gebroken slaapkamerraam had geklonken, had hij aangebeld
en op de deur gebonkt. Toen er niemand was gekomen, had hij
een raam ingegooid, was naar boven gegaan en had Maxwell Dalton gevonden.

Dit verzinsel had niet de structuur van een mooie lieve waarheid
maar die van een koeienvla; maar dit was zíjn koeienvla en hij zou
die enthousiast opdienen.

Na teruggekomen te zijn op de veranda via de normalere route van
de voordeur, gebruikte Hazard, de gevaarlijke conditie van Dalton in overweging genomen, zijn mobiel om 911 te bellen. Hij gaf
de telefoniste zijn penningnummer en legde de situatie uit. 'Ik heb
een ambulance nodig en een paar juten, sneller dan snel.' In een
bijkomende gedachte zei hij: 'Juten zijn geüniformeerde agenten.'

'Dat weet ik,' zei ze.

'Het spijt me,' zei hij.

'Dat geeft niet,' zei ze.

'Ik heb een technische ploeg nodig,' zei hij.

'Dat weet ik,' zei ze.

'Het spijt me,' zei hij.

'Ben je nieuw, rechercheur?'

'Ik ben eenenveertig,' zei hij, onmiddellijk beseffend dat zijn antwoord om een prijs wegens stompzinnigheid vroeg.

'Ik bedoel bij Roof/Moord,' zei ze.

'Nee, dame. Ik ben al zó door de wol geverfd dat ik nu zo'n beetje geen enkele kleur meer heb.'

Maar dit was zijn eerste zaak waar een geest bij betrokken was,
of wat Dunny Whistler ook mocht zijn als hij vorm kon geven aan
je dromen en in een spiegel kon verdwijnen. Dit was ook de eerste keer dat er een telefoontje van een dode huurmoordenaar bij
betrokken was, en zijn eerste keer waarin een dader betrokken
was die een slachtoffer uithongerde en martelde terwijl hij hem in
leven hield met een infuus.

Sommige dagen dacht je dat je alles wel had gezien. Dit was niet
zo'n dag.

Nadat hij klaar was met zijn 911-telefoontje schoot hij in de regen de straat over naar zijn auto van het bureau. Hij stopte de
Lockaid-slothaak onder de stoel van de chauffeur.

Tegen de tijd dat hij terugkeerde op de veranda hoorde hij sirenes
naderbij komen.

Toen hij door de bibliotheek kwam, zag Ethan de verkreukte en beduimelde foto op de vloer liggen. Hannah. Dezelfde foto die eens op het bureau in Dunny's flat had gestaan en die uit het zilveren lijstje was gescheurd.

Het verdwijnen van het koord met de kleine klokjes van Ethans bureau veronderstelde dat Dunny in het Palazzo Rospo was geweest. De e-mails van Devonshire, Yorn en Hachette hadden ondersteund wat de ontbrekende klokjes betekenden. Voor zover Ethan betrof, was deze foto een hard bewijs.

Dood, hartstikke dood, volgens dr. O'Brien van het Onze Lieve Vrouwe van de Engelen, bleef Dunny vrij rondlopen in de wereld, maar met krachten die de rede ontkenden en die een bovennatuurlijke entiteit inhielden.

Hij was in het Palazzo Rospo geweest.

Hij was hier nu.

Ethan zou niet in een wandelende dode hebben geloofd als hij niet van dichtbij in zijn buik was geschoten, niet was gestorven en weer tot leven was gewekt, als hij niet aan flarden was gereden door een PT Cruiser en een vrachtwagen en niet binnen een ogenblik weer op zijn voeten had gestaan na zijn tweede dood. Hijzelf was geen geest, maar na de gebeurtenissen van de afgelopen twee dagen kon hij zeker wel geloven in een geest, en in een heleboel dingen waaraan hij eerder geen geloof had gehecht.

Maar Dunny was ook geen geest. Hij kon iets anders zijn waarvoor Ethan geen naam had.

Wat Dunny ook zou blijken te zijn, hij was niet langer alleen maar een man. Zijn motieven konden daardoor ook niet geïdentificeerd worden door het proces van deductie of door de intuïtie waarop een smeris vertrouwde.

Toch voelde Ethan nu dat zijn vriend uit zijn jeugd en zo lang van hem vervreemd, niet de bron van de dreiging voor Fric vormde, dat Dunny's rol in deze bizarre gebeurtenissen eerder gunstig was dan niet. Een man die van Hannah had gehouden, die haar foto vijf jaar lang na haar dood had bewaard, moest in potentie goed zijn en kon zeker niet de pure kwaadheid koesteren die nodig was om een onschuldig kind iets aan te doen.

Terwijl hij de foto opgevouwen in een zak stak, riep Ethan: 'Fric! Fric, waar ben je?'

Toen hij geen antwoord kreeg, haastte hij zich door de bibliotheek, langs de kloven vol boeken, van Aesopus en Conraid Aiken tot Alexandre Dumas, van Gustave Flaubert tot Victor Hugo, van Somerset Maugham tot Shakespeare, en helemaal tot aan

Emile Zola, bang de jongen dood te vinden en hem helemaal niet te vinden.

Geen Fric.

De leeshoek die het verst van de ingang van de bibliotheek was, bevatte niet alleen leunstoelen, maar ook een werktafel met een telefoon en een computer.

Hoewel de uitgaande lijnen niet meer werkten, was de intercom binnenshuis een functie van het systeem dat gescheiden opereerde van de telefoonmaatschappij. Alleen een enorme storing kon hem uitschakelen.

Ethan drukte de knop in waarop INTERCOM stond, toetste daarna HUIS in en brak een van de kardinale regels van Mrs. McBee door de jongen op te roepen vanaf de tweede verdieping tot in de laagste garage. Zijn oproep klonk uit de luidspreker van elke telefoon in het grote huis: 'Fric? Waar ben je, Fric? Waar je ook bent, praat tegen me.'

Hij wachtte. Vijf seconden waren een ondraaglijk lange tijd. Tien kwamen overeen met de eeuwigheid.

'Fric? Praat tegen me, Fric!'

Naast de telefoon ging de computer aan, Ethan had hem niet aangeraakt.

De geest die de computer bediende, ging het huisprogramma in. In plaats van hem te presenteren met de gebruikelijke drie kolommen iconen, onthulde het scherm direct de plattegrond van de benedenverdieping van het herenhuis, de oostelijke helft.

Voor hem, ongevraagd, zag hij het beeld van de bewegingsdetectors. Een stip, die beweging en lichaamswarmte vertegenwoordigde, knipperde in de plantenkas.

De plantenkas, tweeëntwintig meter in doorsnede, vijftien meter van vloer tot plafond, was een oerwoud met ramen, hoge panelen in lood gevat glas, gered uit een paleis in Frankrijk dat in de Tweede Wereldoorlog voor het grootste deel vernietigd was.

Hier onderhielden Mr. Yorn en zijn mannen een verzameling exotische palmbomen die ze voortdurend aanvulden: palmen, tulpenbomen, rode jasmijnen, mimosa's, vele soorten varens, anthuriums, eendagsbloemen, orchideeën en een teringzooi aan andere planten die Fric niet kon identificeren. Smalle paden van vergruisd graniet slingerden door de ingebedde planten.

Een paar stappen nadat je het groene maaswerk was binnengegaan was de illusie van tropische wildernis al compleet. Je kon doen alsof je verdwaald was in Afrika op het spoor van de zeldzame albinogorilla of op zoek naar de verloren diamantmijnen van koning Salomo.

Fric noemde het Giungla Rospo, wat Italiaans was voor 'Padden-oerwoud', en had het gevoel dat het alle prima dingen van een echt tropisch woud had, maar niet de slechte. Geen reuzeninsecten, geen slangen, geen apen in de bomen die krijsten en hun stront naar je hoofd gooiden.

In het hart van de zorgvuldig opgebouwde wildernis bood Giungla Rospo een huisje, gemaakt van bamboe en Afrikaans palissander. Daar kon je eten of liederlijk dronken worden, als je oud genoeg was, of gewoon doen alsof je Tarzan was voordat Jane genoeg van je had.

Het huisje was vier meter in doorsnede, stond anderhalve meter boven de grond van de plantenkas, was te bereiken met acht houten treden, en bevatte een ronde tafel en vier stoelen. Een geheim paneel in de vloer toonde als het weggeschoven werd de deur van een kleine koelkast vol cola, bier en flessen natuurlijk bronwater, hoewel niet zo natuurlijk dat het dysenterie, tyfus, cholera of vraatzuchtige parasieten bevatte die je van binnen naar buiten levend opvraten.

Een ander geheim paneel gaf als het opzij geschoven was toegang tot de anderhalve meter hoge ruimte onder het open huisje. Van hieruit kon de koelkast gerepareerd worden als hij stuk was en schonk de mogelijkheid voor de mensen van de ongediertebestrijding om onder het huisje te komen en ervoor te zorgen dat geen smerige spinnen of ziektedragende muizen nesten zouden maken in deze knusse donkere schuilplaats.

Donker was het. Overdag drong geen greintje zonlicht binnen in het hol van het huisje, wat betekende dat 's nachts de noodlantaarns niet van buitenaf gezien konden worden als alle lampen van de plantenkas uit waren.

Fric had dit, toen hij donuts en ander geluidloos eten, in folie verpakte vochtige handdoekjes en Rubbermate-piespotten had meegenomen, tot zijn onbekende en speciale geheime plaats uitgeroepen. Met Moloch in het huis zat hij nu in indiaanse vergaderstijl, met gekruiste benen, in zijn palissanderhouten bunker die, zoals zijn beschermengel klaarblijkelijk geloofde, hem zou beschermen tegen de eter van kinderen.

Hij zat nog geen twee minuten in zijn schuilplaats en luisterde naar zijn hart dat rennende paarden nadeed, toen hij iets anders dan de hoefslag in zijn borst hoorde. Voetstappen. Die beklommen het huisje.

Hoogstwaarschijnlijk was het Mr. Truman die hem zocht. Mr. Truman. Niet Moloch. Niet een kinderetend monster met babybotjes tussen zijn tanden. Alleen maar Mr. Truman.

Rondlopend maakten de voetstappen een kringetje over het platform, eerst naar het verborgen paneel toe, toen ervandaan. Daarna weer terug.

Fric hield zijn adem in.

De voetstappen hielden op. De messing-en-groef planken boven zijn hoofd kraakten toen de man daar zijn gewicht verplaatste.

Fric ademde stilletjes de verschaalde lucht uit zijn longen, en haalde stilletjes frisse lucht naar binnen en hield ook zijn adem in.

Het kraken hield op en werd gevolgd door subtiele geluiden: een vaag vegen, een zacht geschraap, een klik.

Nu zou een slecht moment zijn voor een astma-aanval.

Fric schreeuwde het bijna hardop uit tegen zichzelf dat hij zo stom was om zo'n stomme gedachte te hebben op zo'n gevaarlijk moment als dit. Stom, stom, stom.

Alleen maar in films kreeg een astmatisch kind, of een diabetisch kind, of een epileptisch kind een aanval op het allerslechtste moment. Alleen maar in films. Niet in het echte leven. Dit was het echte leven, of in ieder geval iets dat ervoor doorging.

Voelde hij gekriebel tussen zijn schouders? Dat zich uitspreidde tot in zijn nek? Een echte jeuk zou een teken zijn van een ophanden zijnde astma-aanval. Een denkbeeldige jeuk zou een teken zijn dat hij een volslagen zielige, lafhartige, hopeloos zwakke sukkel was.

Direct boven hem schoof het geheime paneel open.

Hij kwam oog in oog met Moloch die klaarblijkelijk slimmer was dan Frics beschermengel, een man met sproeten, ogen van een jakhals en een grote grijns. Geen splinters van babybotten tussen zijn tanden.

Zwaaiend met het mes van vijftien centimeter dat hij uit de messenlade van Mr. Hachette had gepakt, zei Fric waarschuwend: 'Ik heb een mes.'

'En ik heb dit,' zei Moloch, terwijl hij een kleine spuitbus te voorschijn haalde ter grootte van een bus peperspray. Hij blies Fric in het gezicht met een koude stroom spul dat smaakte naar nootmuskaat en dat rook naar zoals waarschijnlijk onversneden civet rook.

93

's Nachts was de plantenkas magisch verlicht: met elke gouden stralenkrans, sterrenfonkeling en zijden sjaal van nagemaakt maanlicht even betoverend als de beste lichttovenaars van Hollywood konden ontwerpen. Na zonsondergang werd een stukje oerwoud met het overhalen van een schakelaar dit tropische Shangri-La.

Toen Ethan binnenkwam, het pistool in twee handen, riep hij niet om Fric. De stip die hij op het scherm van bewegingssensors had gezien in de bibliotheek was misschien niet van de jongen geweest. Het lukte hem niet zich voor te stellen hoe iemand het terrein van het landgoed en daarna het huis binnen had kunnen komen zonder talrijke alarmapparaten in werking te stellen. Maar het idee van een indringer die het Palazzo Rospo was binnengekomen, verbaasde hem heel wat minder dan de andere dingen die hij de laatste tijd had meegemaakt.

De losse kiezels van het vergruisde graniet knerpten onder hem, waardoor een steelse zoektocht onmogelijk werd. Hij stapte voorzichtig om het geluid minimaal te maken. De kleine, bewegende stukjes steen bleken een onstabiele ondergrond.

De schaduwen bevielen hem ook niet. Schaduwen, schaduwen overal, in een gelaagde ingewikkeldheid, berekend voor een dramatisch effect, onnatuurlijk en daardoor dubbel misleidend.

Toen hij het hart van de jungle naderde, hoorde Ethan een vreemd geluid, *sssjup,* en daarna weer *sssjup,* en hoorde een klik-geritsel-krak, maar besefte pas dat er op hem geschoten werd toen de stam van een palm door een kogel werd geraakt op een paar centimeter voor zijn gezicht en hij werd besproeid door deeltjes groen materiaal.

Hij liet zich snel plat op de grond vallen. Hij rolde van het pad af en kroop door varens en pittosporum, door maskerbloemen vol roodpurperen bloemen, naar de beschuttende duisternis waar hij dankbaar was voor alle schaduwen, echt of namaak.

De juten arriveerden voor de ambulance, en nadat Hazard hen op de hoogte had gesteld en hun had verteld waar de ambulancebroeders heen moesten, ging hij naar boven om naar Maxwell Dalton te kijken.

De verschrompelde man, bij de derde keer zien nog afschuwelijker uitgemergeld dan hij had geleken bij de eerste en tweede keer, draaide zijn ingevallen ogen en trok een grimas, heel opgewonden, deed moeite om scherpe woorden uit te hoesten uit zijn ongetwijfeld gebarsten en bloedende keel.

'Rustig, rustig nou,' zei Hazard. 'Kalmeer. Alles komt nu goed. U bent veilig, professor.'

De hoekige randen van de woorden deden Dalton pijn toen hij ze uitspoog, maar hij wilde zeggen: 'Hij... komt... terug.'

'Goed,' zei Hazard, dankbaar de sirene van de ambulance te horen opklinken in de nacht achter het gebroken raam. 'We weten precies wat we moeten doen met de zieke klootzak als hij verschijnt.'

Enorm overstuur lukte het Dalton zijn hoofd van de ene naar de andere kant te rollen en een angstig gemauw uit te brengen.

Denkend dat Dalton zich misschien zorgen maakte om zijn vrouw en dochter, vertelde Hazard dat hij net een paar geüniformeerde agenten naar hun huis had gestuurd, niet alleen om Rachel te informeren dat haar man levend gevonden was, maar ook om haar en Emily bescherming te bieden tot Laputa gelokaliseerd kon worden en gearresteerd.

Met een sissende, hakkelende stem zei Dalton: 'Komt terug met', en kromp ineen toen de pijn in zijn keel opspeelde.

'Span je niet in,' gaf Hazard als raad. 'Op het moment bent u behoorlijk zwak.'

Aan het einde van de straat kwam de gillende ambulance de hoek om. De regenachtige nacht likte de laatste schrille toon van de sirene en slokte die op toen de remmen gierden op het asfalt voor het huis.

'Brengt... een jongen mee,' zei Dalton.

'Een jongen?' vroeg Hazard. 'U bedoelt Laputa?'

Het lukte Dalton te knikken.

'Heeft hij dat gezegd?'

Weer een knik.

'Zei hij dat hij vanavond een jongen mee zou nemen?'

'Ja.'

Toen hij de ambulancebroeders de trap op hoorde denderen, boog Hazard zich dichter naar de uitgeteerde man toe en zei: 'Welke jongen?'

Ineengedoken tussen maskerbloemen, daglelies en varens hoorde Ethan een tweede salvo, drie of vier schoten uit een wapen met een geluiddemper, en na een halve minuut stilte een derde salvo. Geen van de schoten leek bij hem in de buurt te komen. De schutter moest hem kwijt zijn geraakt. Of misschien had de man nooit geweten waar Ethan was, had hij blindelings in het oerwoud geschoten en was alleen bij toeval met het eerste salvo kogels dicht in de buurt gekomen.

Schutter – alleen. Man – één.

Het gezonde verstand argumenteerde dat een aanval op dit landgoed teamwerk vereiste, dat een man niet over de muur kon springen, de elektronische veiligheidsmaatregelen kon bedotten, de bewakers kon uitschakelen en het huis kon binnendringen. Dat was Bruce Willis op het grote scherm. Dat was Tom Cruise in vermomming. Dat was Channing Manheim die een rol speelde aan de duistere kant. Dat was geen echt iemand.

Maar als een gecoördineerd team ontvoerders binnen het Palazzo Rospo was gekomen, zouden er meer schutters zijn dan een die korte salvo's gedempte schoten afvuurde. Ze zouden op Ethan ingehakt hebben met een, twee, drie volautomatische geweren. Uzi's of erger. Hij zou nu op de grond liggen, dood zijn en dansen in het paradijs.

Toen de stilte na het derde korte salvo aanhield, kwam hij uit zijn dekking en bewoog zich behoedzaam door de varens, tussen de palmen naar de rand van het looppad.

In elke oerwoudfilm gaf een stilte als deze altijd het personage die het oerwoud kende het teken dat de boeven in de een of andere vorm de natuurlijke wereld waren binnengekomen, waardoor krekel en krokodil gelijkelijk zwegen.

De geur van groen sap van kapotte vegetatie steeg op onder zijn voeten.

De gedempte stem van de fan van het verwarmingssysteem snorrend in de muren.

Een mot, een mug, zwevend in de lucht voor hem, zwevend.

De smaak van bloed in zijn mond, de ontdekking dat hij in zijn tong had gebeten toen hij zich op de grond had laten vallen, het kloppen dat nu pas voelbaar werd in de beet.

Een geritsel van gebladerte deed hem rondwervelen en hij bracht het pistool naar het geluid.

Geen gebladerte. Vleugels. Door het oerwoud, hoog boven het pad, vloog een vlucht helder gekleurde papegaaien, blauw en rood, geel en het lichtgevende groen van bepaalde vreemde zonsondergangen.

Er huisden geen vogels in de plantentuin. Ook geen vlucht papegaaien en zelfs geen mus.

Neerduikend voor Ethan maar dan weer omhoogschietend, vlogen de kleurrijke vogels langs zonder kreet of gekras, en veranderden opstijgend in witte duiven.

Dit was de geest in de bewasemde spiegel. Dit was het onmogelijke setje klokjes in zijn hand voor de bloemenzaak. Dit was de zware geur van Broadway-rozen in zijn werkkamer toen daar geen rozen waren, de heerlijke stem van zijn gestorven vrouw die in de witte kamer sprak over lieveheersbeestjes. Dit was de hand van de een of andere bovennatuurlijke kracht die naar hem was uitgestoken en hem graag wilde leiden.

Na hoog rondgedraaid te hebben in een dolzinnig gefladder, kwam de zwerm duiven weer naar beneden, de lucht vol veren, naar hem toe, langs hem heen, met een getokkel dat hem zowel opbeurde als beangstigde, dat klanken van verwondering van zijn hart plukte en ook de harde oerwoudtrommel van verschrikking sloeg van het primitieve binnenin.

Zij vlogen. Hij rende. Zij leidden. Hij volgde.

'Wacht,' zei Hazard tegen de ambulancebroeders toen ze snel naar het bed kwamen ondanks de gore stank, terwijl ze met wijd open ogen en open mond bleven staan ondanks alle verschrikkingen die ze dag na dag hadden gezien in de uitoefening van hun vitale werk.

'Jongen,' zei Dalton schor.

'Welke jongen?' vroeg Hazard, terwijl hij weer de verschrompelde hand van de man had gepakt en die in beide handen vasthield.

'Tien,' zei Dalton.

'Tien jongens?'

'Tien... jaar.'

'Een tienjarige jongen,' zei Hazard, aan wie het niet lukte te begrijpen waarom Dalton dacht dat Laputa van plan was hier terug te komen met een jongen, niet zeker of hij wel juist interpreteerde wat de gesloopte man hem wilde vertellen.

Dalton deed moeite om te praten ondanks de pijn in zijn keel die hem in een kramp dreigde te brengen. 'Zei... beroemd.'

'Beroemd?'

'Zei... beroemde jongen.'

En Hazard wist het.

In de lift liet Moloch Fric vallen en Fric viel in een losse hoop op de vloer, zonder te weten wat er met hem was gebeurd. Niet alleen maar peper in die peperspray. Hij kon zien, maar kon zijn ogen niet bewegen met de gewone snelheid, hij kon ermee knipperen, maar alleen langzaam. Hij kon zijn armen en benen bewegen, maar alsof hij zich verzette tegen de druk van diep water, zoals een vermoeide zwemmer naar beneden wordt getrokken door een meedogenloze onderstroom. Hij kon niet slaan uit zelfverdediging, kon zelfs zijn hand niet volledig sluiten tot een vuist.

Terwijl ze naar beneden naar de garage gingen, grijnsde Moloch tegen Fric en zwaaide met de kleine spuitbus. 'Kort werkend half verlammend inhaleringsmiddel, ontwikkeld door een collega met behulp van een aanzienlijke toelage van de Iraanse geheime politie. Ik wilde je kalm, maar alert.'

Fric hoorde zichzelf ademen. Geen astmatisch gepiep.

'Dat huisje stond niet op de bouwplannen,' zei Moloch. 'Maar direct toen ik het zag, wist ik het. Ik ben nog altijd in contact met het kind in mij, de wilde geest die we zijn als we worden geboren, en ik wíst het.'

Fric hoorde evenmin het geluid van een gezonde ademhaling. Helder, maar ondiep, een zwak gefluit in zijn keel.

Met angstaanjagende gelaatsvertrekkingen van vreugde die Frics blaas inderhaast leeg zou hebben doen lopen als hij niet zo kortgeleden zichzelf ontlast had in de gepotte palm, zei Moloch: 'Ik wilde dat je erbij bleef om heel de verschrikking te beleven dat je weggerukt bent uit je luxe kamertjes, en te weten dat je grote vader niet neer kan komen in een cape en maillot of op een vliegende motor zoals je ooit hebt gedacht dat hij zou kunnen. Geen gespierde filmster ter wereld, zeker niet alle supermodellen, zelfs niet de opgepompte lijfwachten in Bel Air kunnen je gekoesterde leventje redden.'

Fric wist dat hij zou gaan sterven. Er was geen enkele kans dat hij weg kon glippen naar Goose Crotch in Montana. Er was geen hoop dat hij op een dag een normaal leven zou leiden. Maar misschien eindelijk een beetje rust.

Als de schaapherder voor de schapen, als de hond voor de drijfjacht, als de verkenner voor de cavalerie, toonden de duiven Ethan de weg, vogel voor vogel, de plantenkas uit, naar de oostelijke gang, door het zwembad in huis, naar de noordelijke gang en dan naar het westen naar de entreehal.

Wat een gezicht: dertig of veertig lichtgevend witte duiven die door de gang vlogen, een gevederde rivier in deze kloof van een kostbaar ingericht decor, zoals een gezelschap van bevrijde geesten misschien naar het walhalla zou vliegen.

Ze vlogen de hal in en cirkelden rond alsof ze gevangen waren in een maalstroom van een zich vormende cycloon tot Ethan bij hen was waarop de vogels dichter bij elkaar gingen vliegen tot ze samenklitten tot een turbulente entiteit. Ze vlogen van tweehoog naar beneden naar de vloer, veranderden onderweg van kleur, veranderden weer van vorm en werden die vriend uit de jeugd die zijn weg was kwijtgeraakt.

Op slechts drie meter van Ethan vandaan zei de verschijning die Dunny Whistler was: 'Als je deze keer sterft, kan ik je niet terugbrengen. Ik ben aan de grenzen van mijn bevoegdheid. Hij neemt Fric mee naar beneden naar de garage. Hij is al bijna buiten.'

Voor Ethan iets kon zeggen, was dode Dunny Dunny niet meer, maar weer duiven, die explodeerden in een glorie van stralende vleugels die recht op de enorme kerstboom af schoten. Ze vlogen niet de naaldtakken in, maar de zilverachtige en scharlakenrode glans van de versieringen, geen vogels meer maar slechts schaduwen van vogels, die donkerder werden op de glinsterende rondingen en daarna verdwenen.

Aan een vuistvol hemd werd de half verlamde Fric voortgesleept over de garagevloer, zijn gezicht afgewend van zijn overweldiger, kijkend naar de nis van de lift die kleiner werd in de verte.

Moloch had autosleutels van het sleutelbord gegrist waar elk setje hing onder een label met het merk, model en jaar. De ontvoerder leek zijn weg heel goed te kennen alsof hij in het Palazzo Rospo had gewoond.

Ook op een steeds grotere afstand van Fric lag zijn inhalator, zijn dierbare astmamedicijn. Het apparaatje was van zijn riem losgeraakt. Hij had de inhalator proberen te grijpen toen hij net loskwam, maar zijn ledematen waren van gelei.

Moloch kon krankzinnig of gewoon kwaadaardig zijn. Maar Fric kon zich niet voorstellen wat de Iraanse geheime politie tegen hem had.

In zijn tien jaar had hij angst gekend. Eigenlijk was dat bijna een constante geweest. Maar de angst die hem al zo lang zo vertrouwd was, was die van de stille variëteit, eerder een knagen dan een bedreigende kracht, eerder het voortdurend pikken van kleine vogels dan de tierende woestheid van een pterodactylus. Bezorgdheid dat de periodes van afwezigheid van zijn vader steeds langer zouden gaan duren, tot het jaren werden, net zoals die van zijn moeder. Een knagende bezorgdheid dat hij voor altijd die sul zou blijven die hij nu was, dat hij er nooit achter zou komen wat hij met zijn leven aan moest of met zichzelf, dat hij oud zou worden en nog steeds alleen maar de zoon van Channing Manheim, het

Gezicht, zou zijn. Maar tijdens elke seconde van de afstand tussen de plantentuin en de garage sloeg een enorme duistere verschrikking zijn leren vleugels uit in de kooi van zijn hart, zwierde door de holtes van lichaam en ziel, deed vlees, bloed en bot huiveren.

Voor zijn ontsnapping had Moloch kunnen kiezen uit de verzameling van alle oudere klassieke auto's die honderdduizenden dollars waard waren. In plaats daarvan koos hij een recenter model, een favoriet van Fric: de kersenrode Buick Super 8 uit 1951, met verchroomde vinnen en bumpervleugels.

Hij tilde Fric op de passagiersstoel, sloeg het portier dicht, haastte zich om de Buick heen en stapte achter het stuur. De motor startte direct omdat elke auto uit de verzameling in perfecte conditie werd gehouden.

In geval van nood kon je blijkbaar niet op beschermengelen rekenen. De Geheimzinnige Beller had trouwens nooit erg op een engel geleken: te spookachtig uiterlijk, zijn stijl te dreigend en zoveel verdriet in zijn ogen.

Toen Moloch achteruit het parkeervak uitreed, vroeg Fric zich af wat er met Mr. Truman was gebeurd. Die moest dood zijn. Toen hij zich concentreerde op de gedachte dat Mr. Truman dood was, ontdekte Fric dat het half verlammende middel hem er niet van weerhield te huilen.

Toen Ethan de bovenste garage via de trap bereikte, hoorde hij het gegrom van een motor en rook uitlaatgassen.

De Buick stond onder aan het talud bij de uitgang klaar om te vluchten, en de garagedeur was bijna helemaal naar boven gerold en uit de weg.

Een man achter het stuur. Eén man. Geen medeplichtigen op de achterbank. Geen schutters elders in de garage.

De rechterkant van de auto was het dichtst bij Ethan toen hij erheen rende. Tegen het zijraampje voorin de verwarde haardos van Fric tegen het glas geleund. Hij kon het gezicht van de jongen niet zien, maar het hoofd leek te knikkebollen, alsof Fric bewusteloos was.

Bijna had Ethan de Buick bereikt voordat de omhooggaande deur de doorgang vrijmaakte. Toen sprong de auto met zo'n snelheid naar voren naar de deur en het talud erachter dat een man te voet hem niet te pakken kon krijgen.

Ethan kwam van een ren in een tweebenige schutterspositie, direct achter het doelwit, het rechterbeen naar achteren voor evenwicht, de linkerknie gebogen, beide handen op het wapen. Ethan drukte drie snelle schoten af, richtte laag uit angst Fric te raken met een ricochet, op de rechterachterband.

De spatlap van het spatbord dekte bijna de helft van het wiel af en gaf hem slechts een klein frame waarin hij het schot kon plaatsen. Eén kogel boorde zich door metaal, één ging mis, maar één doorboorde de band.

De wagen zakte naar achteren en naar één kant. Bleef doorrijden. Nog steeds te snel om in te halen. Het *slep-slep-slep* van los rubber markeerde zijn klim tegen de onderste helft van het talud op. Het kwartsiet van het wegdek gaf een goede greep, droog of nat, maar de achterbanden van de Buick draaiden even door, wierpen een nevel van vuil water en blauwe rook op, misschien door het hellen naar rechts.

Toen Ethan de kloof weer dichtte, kreeg de Buick tractie en schoot naar voren, naar boven. Loshangend rubber klepperde luider dan ervoor, en de kale velg beet in het kwartsiet met het geluid van een steenzaag door kiezel.

Toen Ethan boven aan de helling was gekomen, zag hij de auto de oprit langs de zijkant van het huis volgen. Naar de voorkant. Twaalf meter verderop. Maakte snelheid ondanks de lekke achterband. Niets om hem ervan te weerhouden het hele einde naar de poort door te malen die automatisch openging als de sensors in het wegdek vertrekkend verkeer registreerden.

Ethan ging er achteraan. Hij kon de auto niet inhalen. Geen hoop. Hij bleef toch in de achtervolging omdat hij niets anders kon doen. Het was te laat om terug te gaan, sleutels te pakken en een andere auto te nemen. Tegen de tijd dat hij de garage uit reed, zou de Buick al door de poort heen zijn en zijn verdwenen. Hij rende, rende, spatte door koude plassen, rende, pompend met zijn armen terwijl hij probeerde het gewicht, de massa van het pistool in zijn rechterhand te compenseren, omdat goed rennen een kwestie van evenwicht was, rende, rende, want als Fric gedood werd, zou Ethan Truman ook dood zijn, dood vanbinnen, en zou de rest van zijn tijd in deze wereld op zoek zijn naar een graf, een wandelend lijk, net zozeer als Dunny Whistler er ooit een was geweest.

94

Corky Laputa, blij dat hij hiermee bewees dat Robin Goodfellow net zo moedig en fantastisch was als elke échte agent van de NSA, was altijd van plan geweest het landgoed te verlaten in een van de dure klassieke auto's van de acteur. De complicatie van een lekke band zou geen verandering van plannen veroorzaken; het was voornamelijk irritant.

De rit was ruw, het stuur trok koppig in zijn handen, maar hij, als connaisseur van chaos en meester over wanorde, reageerde op de uitdaging met de blijdschap die elk kind kende dat moeite had gedaan een botsautootje in zijn macht te krijgen op een kermis. Elke ruk en hobbel bezorgde hem opwinding.

Hij moest alleen de Buick de poort uit zien te krijgen en drie straten verder rijden waar hij de Acura had geparkeerd. Daarvandaan zou de rit naar huis snel gaan. Binnen een halfuur zou het verwende joch geïntroduceerd worden aan Mannetje Stinkkaas, zou hij begrijpen welke verschrikking hij zou erven en zou hij beginnen aan zijn lange beproeving en aan zijn eigen carrière als mediaster.

Als onderweg alles verkeerd liep, als voor het eerst chaos Corky niet ten dienste was, zou hij de jongen nog eerder doden dan hem aan wie ook over te geven. Hij zou de jonge Manheim zelfs niet gebruiken om te onderhandelen over zijn eigen overleving. Lafheid had geen plaats in de heldhaftige levens van hen die voorgingen in de ineenstorting van de maatschappij en het oprichten van een nieuwe wereld op de puinhopen ervan.

'Als iemand me tegenhoudt,' beloofde hij de jongen, 'knal ik je door je kop – *pop, pop, pop* – en maak van jou het grootste object van wereldwijde rouw sinds prinses Di.'

Hij rondde de hoek van het huis. Op enige afstand naar links lag de reflecterende vijver midden in de rotonde voor het huis. Hij reed nog steeds op de zijweg die zich over vijftig of zestig meter bij de oprit zou voegen.

Net voorbij het bereik van de koplampen gebeurde iets dat zo vreemd was dat Corky het uitriep van verrassing, en toen de twee lichtstralen de ware aard van het obstakel voor hem onthulden, werd hij gegrepen door een gevoel van schrik. Hij trapte zijn voet zo hard op de rem dat hij de auto in een spin bracht.

Moloch had gezegd dat hij Fric door zijn kop zou schieten, maar

Fric had een directere zorg omdat het kriebelen tussen zijn schouders deze keer echt was, niet denkbeeldig, en zich snel uitspreidde naar zijn nek.

Hij had verwacht een aanval te krijgen op het moment dat hij in zijn gezicht gespoten werd, maar misschien had het middel dat Moloch hem had toegediend een neveneffect en vertraagde het de astmatische reactie. Maar nu kwam die, en op volle kracht.

Fric begon te piepen. Zijn borst verstrakte en hij kon niet voldoende adem halen.

Hij had zijn inhalator niet bij zich.

Net zo erg, misschien wel erger: hij bleef half verlamd, niet in staat zichzelf overeind te trekken van een slappe ineengezakte positie naar volledig rechtop. Hij moest meer rechtop zitten om de spieren van zijn borstkas te gebruiken en die van zijn nek om elke vastzittende adem eruit te persen.

Nog erger: de zwakke pogingen die hij deed om rechtop te zitten zorgden ervoor dat hij in plaats daarvan verder onderuitzakte. Hij leek eigenlijk bijna van de stoel af te glijden. Zijn benen gaven mee en draaiden, vouwden op in de knieruimte onder het dashboard, en zijn achterste hing op de rand van de stoel. Van zijn middel tot aan zijn hals lag hij plat op de zitting, zijn hoofd iets schuin tegen de rug ervan.

Hij voelde zijn luchtwegen versmallen.

Hij piepte, zoog, snoof naar adem, haalde een beetje binnen, perste minder naar buiten. Dat bekende hardgekookte ei zette zich vast in zijn luchtpijp, die steen, die blokkerende prop.

Hij kon op zijn rug niet ademhalen.

Hij kon niet ademhalen. Hij kon niet ademhalen.

Moloch trapte op de rem. De achterkant slipte weg, en de auto kwam in een spin.

Op de oprit, naar Corky toe rennend terwijl hij op hen af reed, waren Roman Castevet, die hij had vermoord en opgeborgen onder een laken op de koude lade van het mortuarium, en Ned Hokenberry teruggekomen om de hanger op te halen waarin zijn derde oog zat, en de anorectische Brittina Dowd, net zo naakt en graatmager als hij haar op de vloer van haar slaapkamer had achtergelaten, maar niet verbrand, en Mick Sachatone in de Bart Simpson-pyjama.

Hij had moeten weten dat dit een zinsbegoocheling was, had ze zonder meer omver moeten rijden, maar hij had nog nooit zoiets gezien, of gedroomd dat zoiets mogelijk was. Ze waren niet doorzichtig maar schenen net zo solide als een pook of een bronzen marmeren lamp.

Toen hij op het rempedaal drukte, trapte hij te hard en misschien trok hij onbedoeld aan het stuur. De Buick schoot zo scherp rond dat het pistool op zijn schoot op de vloer bij zijn voeten viel en zijn hoofd zo hard tegen het zijraampje sloeg dat er een barst in kwam.

Aan het einde van de draai van 360 graden, waren zijn vier slachtoffers niet verdwenen, maar bleven daar gewoon hangen, en allemaal wierpen ze zich op de auto, waardoor Corky geschrokken een kreet slaakte die te meisjesachtig klonk voor Robin Goodfellow. Een, twee, drie, vier, de kwade doden sloegen tegen de voorruit, tegen het gebarsten zijraampje, in hun haast hem te pakken te krijgen, maar braken, toch uiteindelijk niet echt, uiteen in voornamelijk vormen van regen en schaduw, wolken van opgeworpen water uiteengespat in vormloze nevels, vlogen weg, en waren verdwenen.

Een volledige draai maakte geen einde aan de beweging van de Buick, maar ze tolden nog negentig graden verder en kwamen in botsing met een van de bomen naast de oprit, waardoor ze abrupt tot stilstand werden gebracht toen de passagiersdeur opensprong en de voorruit aan diggelen ging.

Lachend in het aangezicht van chaos tastte Corky langs het stuur naar de Glock op de vloer tussen zijn voeten. Hij raakte de handgreep van het wapen aan, greep het, bracht het wapen omhoog om de jongen neer te schieten.

Het portier naast hem ging open met een schril protest van gedeukt metaal en Ethan Truman greep naar binnen naar Corky, dus in plaats van de jongen neer te schieten, schoot hij de man neer.

Ethan bereikte de Buick op het moment dat die knallend tot stilstand kwam, en hij sloeg het pistool op het dak en liet het daar liggen omdat hij niet in de auto wilde schieten, niet met Fric in de vuurlijn. Zonder aan gevaar te denken, rukte hij het gedeukte portier open en greep naar binnen. De chauffeur richtte een wapen op hem – *ssjup* – en hij zag niet alleen de flits van de loop maar rook die ook.

Hij voelde niets op het moment van het schot, te gericht op het gevecht om het wapen om vast te kunnen stellen of hij nu geraakt was of niet. Hij zwoer dat hij het tweede schot een scheiding in zijn haar voelde maken, en toen had hij het pistool.

Terwijl hij het wapen direct weggooide, verwachtte hij de

chauffeur uit de Buick te sleuren, maar de schoft kwam zonder aandringen en dreunde tegen hem aan. Ze gingen allebei harder neer dan de zwaartekracht voorschreef, Ethan onderop, en hij sloeg met zijn achterhoofd tegen de kwartsieten straatkeien.

Na de botsing, toen het portier openvloog, merkte Fric dat hij van de stoel uit de Buick gleed naar het wegdek vol plassen. Plat op zijn rug, de ergste van alle posities als hij geen adem kon halen.
De regen die op zijn ogen viel vervormde zijn zicht, maar hij maakte zich minder zorgen om zijn zicht dan om de rode tint die in de nacht kroop en robijnen van de regendruppels maakte.
Zijn gedachten vertroebelden net als zijn zicht – te weinig zuurstof in de hersenen – maar hij was helder genoeg om te beseffen dat de gevolgen van de troep die hij had ingeademd misschien afnamen. Hij probeerde zich te bewegen, en kon het, maar niet gracieus of beheerst, eerder als een aangehaakte vis die spartelde op het land.
Op zijn zij had hij meer vermogen om de spieren in zijn hals, borst en middenrif aan te trekken en te ontspannen, wat hij moest doen om de verbruikte lucht die tot siroop gecondenseerd in zijn longen zat naar buiten te dwingen. Meer vermogen, maar niet voldoende. Als papier een geluid was, zou het niet zo dun zijn als zijn gepiep was geworden, geen menselijke haar zo dun, en ook geen stoflaag.
Hij moest rechtop zitten. Hij kon het niet.
Hij had zijn inhalator nodig. Weg.
Hoewel de wereld voor hem scharlakenrood was geworden, wist hij dat hij er voor de wereld blauw moest uitzien, want dit was een van de echt hevige aanvallen, erger dan hij ooit eerder had gehad, een moment voor intensive care, voor de artsen en verpleegsters met hun gebabbel over Manheim-films.
Geen adem. Geen adem. Vijfendertigduizend dollar om zijn kamers opnieuw in te richten, maar geen adem.
Grappige gedachten kwamen in zijn hoofd op. Niet grappig van ha-ha. Grappig eng. Rode gedachten. Zo donkerrood aan de randen dat het rood eigenlijk zwart was.

Momenteel niet in de stemming om de deconstructieve literatuurtheorie te onderwijzen, maar in een stemming om alles te deconstrueren, met een wolfachtig gehuil in zijn schedel, móest Corky ogen uitsteken, kauwen op het gezicht onder hem, scheuren met zijn tanden, klauwen en openrijten.

Toen hij zijn kaken spande voor de eerste beet, besefte hij dat Truman verdoofd was geraakt toen hij met zijn hoofd tegen het wegdek sloeg, dat zijn verzet niet zo groot was als verwacht. In zijn woeste razernij besefte Corky ook vaag, dat als hij zich overgaf aan de dierlijke aandrang om de zaak met tanden en nagels af te maken, iets in hem zou knappen, een laatste organiserende belemmering, en dat hij over uren na nu nog gebogen over het verwoeste lichaam van zijn slachtoffer gevonden zou worden, met zijn snuit in de vlezige resten, zoekend naar weerzinwekkende happen als een varken naar truffels.

Als Robin Goodfellow, die niet echt een opleiding had gekregen om een dodelijk wapen te zijn maar die zijn deel aan spionageverhalen had gelezen, wist hij dat een scherpe klap met de muis van zijn hand tegen de neus van een vijand het neusbot zou breken en de scherpe splinters in de hersenen zou jagen, waardoor een directe dood het gevolg was, en dus deed hij dat en hij riep het uit van verrukking toen Trumans bloed de slag beantwoordde met een heldere straal.

Hij rolde zich van de onbruikbare smeris, wendde zich naar de Buick en ging op zoek naar de jongen. Corky boog zich voorover bij het portier naast het stuur om naar binnen te kijken, maar Fric was blijkbaar eruit gekomen via de open deur aan de andere kant. Het half verlammende middel kon nog niet helemaal uitgewerkt zijn. Dat rotjoch kon niet ver weg gekropen zijn.

Corky kwam overeind van het portier en zag een handwapen op het dak van de Buick liggen, recht voor zijn ogen.

Regen glinsterde als diamanten inlegsel op de ribbels van de greep. Trumans wapen.

Zoek de jongen. Schiet hem neer, maar alleen in het been. Om hem ervan te weerhouden ergens heen te gaan. Daarna snel terug naar de garage voor een ander setje sleutels, een andere vluchtwagen.

Corky kon nog steeds het plan volgen, want hij was de zoon van chaos, net zozeer als Fric de zoon was van de grootste filmster ter wereld, en chaos zou zijn kind niet in de steek laten zoals de acteur dat wel met dat van hem had gedaan.

Hij liep om de auto heen en zag de jongen op zijn zij liggen, schoppend tegen de doorweekte grond, naar voren schuivend als een kreupele krab.

Corky ging achter hem aan.

Hoewel Fric zich voortbewoog op de vreemdste manier die Corky ooit had gezien, terwijl hij een fluitend geluid maakte dat leek

op de gebroken veer van een stuk opwindspeelgoed, was de jongen van de oprit op het gras gekomen. Hij leek te proberen een stenen tuinbank te bereiken die antiek scheen.
Naderbij komend hief Corky het pistool.

William Yorn, de ijverige terreinbewaarder, onderzocht elke boom en struik op ziektes en behandelde zijn groene peetkinderen bij het eerste teken van schimmel, meeldauw of pestilentie. Maar zo nu en dan kon een plant niet gered worden en dan werd een vervanging besteld bij een boomkwekerij.
Grote bomen werden vervangen door hetzelfde soort in de grootst mogelijke afmeting. De nieuwe schoonheid werd of door een vrachtwagen gebracht en daarna door een gehuurde kraan naar de plek gedirigeerd of ingevlogen door een grote industriehelikopter met een dubbele set rotors en vanuit de lucht op zijn plaats neergezet.
Kleinere soorten werden geplant met strategieën en tactieken die minder militair van aard waren, en in het geval van de kleinste nieuwe boom, bleek een heleboel handarbeid voldoende om de klus te klaren. In sommige gevallen was een boom zo klein dat hij gestut moest worden om zijn groei te begeleiden voor een jaar of twee en hem weerstand te geven tegen de wind.
Terwijl sommige daar stonden waar zijn nog steeds gebruikte houten staken de tere jonge bomen stutten, gaf Mr. Yorn de voorkeur aan stalen spijlen van twee of vier centimeter in lengtes van tweeëneenhalf tot drie meter, want die rotten niet, gaven een steviger steun en konden hergebruikt worden.
Nadat hij een spijl van tweeëneenhalve meter had losgewrikt en de plastic banden waarmee hij aan de boom vastzat had losgescheurd, liep Ethan wankelend achter de krankzinnige schoft in zijn stormpak aan, haalde met de staak zo hard hij kon uit naar zijn hoofd en sloeg hem tegen de grond.
Voorover vallend vuurde de ontvoerder in een reflex het pistool af. De kogel ricocheerde van de granieten tuinbank en verdween jankend in de regen en de duisternis.
Het stuk schorem zakte in elkaar, rolde op zijn rug. Hij had dood moeten zijn of bewusteloos, maar hij zag er alleen maar verdwaasd en verward uit. Hij had het pistool nog in de hand.
Ethan liet zich met beide knieën op zijn belager vallen en dreef de lucht uit zijn longen, en misschien met een beetje geluk brak hij ook een paar van zijn ribben en verpletterde hij zijn milt. Hij klauwde naar de gehandschoende hand waarin het pistool zat,

kreeg het wapen te pakken, rukte eraan en zag het tot zijn ontzetting net buiten bereik kletteren.

Hoewel zijn schedel moest klinken als de klokken van de Notre
Dame, haalde de schoft uit naar Ethan en kreeg een handvol haar
van hem te pakken, draaide er pijnlijk aan, probeerde zijn gezicht
naar beneden te trekken naar ontblote, bijtende tanden.

Hoewel hij de tanden vreesde, klemde Ethan toch zijn rechterhand
rond de keel van de man om hem vast te pinnen, en sloeg hem
daarna met de knokkels van zijn linkerhand tegen het rechteroog,
en daarna weer, maar zijn haar bleef verwikkeld in die ijzeren vingers en werd er met wortel en al uitgetrokken. Hij voelde een dikke juwelenketting rond de keel van de maniak en dacht eraan te
draaien, hij draaide en sloeg, draaide en sloeg, tot zijn linkerhand
pijn deed en de strakke ketting die in zijn rechterhand kerfde ten
slotte brak als een goedkoop draadje.

De tanden hielden op met bijten. De ogen fixeerden zich op iets
voorbij Ethan, voorbij de nacht zelf. Slappe vingers lieten gedraaide haarlokken los.

Snakkend naar adem, overeind komend van de dode man, keek
Ethan naar de ketting in zijn hand. Een hanger. Een glazen bol
waarin een aandachtig oog dreef.

Moloch leek dood te zijn, maar hij had al eerder dood geleken.
Fric zag het gevecht vanuit een filmoogpunt en door een scharlakenrood waas, en hij vroeg zich af welke cameraman ervoor had
gekozen een actiescène op te nemen met een vervormende lens én
een roodfilter.

Dit alles vroeg hij zich bezorgd af, niet met een volledige aandacht
maar dromerig, alsof hij sliep en twee nachtmerries tegelijkertijd
had, een die te maken had met twee mannen die verwikkeld waren in een gevecht op leven en dood en de andere over stikken.
Hij was weer in het bekende stikkatorium, piepend als een oude
mijnwerker met stoflongen, zoals in die film die Geestpapa zo verstandig was geweest af te wijzen, en de moeder van de oorspronkelijke eigenaar van het Palazzo Rospo probeerde hem te smoren
met een bontjas.

Mr. Truman tilde hem op en droeg hem naar de tuinbank. Mr.
Truman begreep dat Fric tijdens een aanval rechtop moest zitten
waardoor hij de spieren van zijn nek, borst en middenrif beter kon
gebruiken om lucht uit zijn longen te persen. Mr. Truman wist
hoe het moest.

Mr. Truman zette hem op de bank neer. Hield hem rechtop. Zocht

464

Frics riem af naar de medicinale inhalator.

Mr. Truman spoog een reeks smerige en obscene woorden uit, die Fric allemaal eerder had gehoord in zijn jaren te midden van de elite van de amusementswereld, maar hij had ze nog nooit gehoord van Mr. Truman, tot nu.

Nog meer rood overal en nog meer verdonkerend naar zwart, en er kwam zo weinig lucht door de minkjas heen, het sabelbont, de vos, wat het ook mocht zijn.

Ademend door zijn mond omdat zijn neus vol zat met kapotgeslagen aderen en klonterend bloed, wist Ethan niet of hij wel voldoende lucht had om de jongen rennend terug te dragen naar huis, helemaal naar het kantoor van Mrs. McBee waar de reserve-inhalators opgeborgen lagen.

Een kogel had ook zijn linkeroor geschampt, en hoewel de wond oppervlakkig was, volgde bloed de vouwen van het oor naar de weerklinkende diepten, hem halfdoof makend, maar het stroomde ook zijn buis van eustachius en zijn keel in waardoor hij hoestaanvallen kreeg.

Na een aarzeling, beseffend dat Fric meer dan zomaar een astmaaanval te verduren had, dat dit iets levensbedreigends was, tilde hij de jongen van de bank in zijn armen, draaide zich om naar het huis – en kwam tegenover Dunny te staan.

'Ga met hem zitten,' zei Dunny.

'*Ga in 's hemelsnaam uit de weg!*'

'Het komt allemaal goed. Ga gewoon zitten, Ethan.'

'Hij is er slecht aan toe. Ik heb hem nog nooit zo slecht gezien.' Ethan hoorde in de schorheid van zijn stem een emotie die dieper en verder ging dan angst en woede: de rauwe en verstikkende liefde voor een ander mens, waarvan hij niet had geweten dat hij de mogelijkheid had die te voelen. 'Hij heeft geen kracht meer om er deze keer tegen te vechten, hij is zo zwak.'

'Dat is de verlammende nevel, maar de werking houdt op.'

'Nevel? Waar heb je het over?'

Met één hand en met een vriendelijke kracht die groter was dan een gewone menselijke kracht duwde Dunny Whistler Ethan achteruit met de jongen in zijn armen, en hielp hem te gaan zitten op de natte tuinbank.

Voor hem staand, een bleke en ietwat verwilderde man in een mooi pak, scheen Dunny helemaal niet speciaal, toch liep hij door spiegels heen, veranderde zich in papegaaien die vliegend in duiven veranderden, en die verdwenen in de versieringen van een kerstboom.

Ethan besefte dat het pak van zijn oude vriend droog bleef in de regen, net zoals Dunny zelf. De druilregen leek hem te raken, maar zonder gevolg. Hoe gespannen Ethan ook tuurde, hij kon niet zien wat er met elke druppel gebeurde die Dunny's pak en gezicht trof, kon niet achter het geheim van de truc komen.

Toen Dunny een hand op Frics hoofd legde, explodeerde de gevangen lucht uit de longen van de lijdende jongen. Fric huiverde in Ethans armen, tilde zijn hoofd achterover, en haalde ádem, zoog koele lucht naar binnen zonder remming, ademde een bleke luchtpluim uit zonder astmatisch gepiep.

Opkijkend naar Dunny – in coma vermagerde, wasachtig uitziende Dunny – voelde Ethan niet minder verbijstering dan toen hij, nadat hij was verongelukt in het verkeer, zichzelf levend terugvond voor de deur van Forever Roses. 'Wat? Hoe?'

'Geloof je in engelen, Ethan?'

'Engelen?'

'De laatste nacht van mijn leven,' zei Dunny, 'terwijl ik lag dood te gaan in coma, kreeg ik bezoek. Een geest die zichzelf Typhon noemt.'

Ethan dacht aan dr. O'Brien van het Onze Lieve Vrouwe van de Engelen, eerder deze zelfde dag. De dvd-opname van Dunny's hersengolven. De onverklaarbare bètagolven van een bewust, alert en geagiteerd persoon in scherpe punten op het scherm toen Dunny diep in coma had gelegen.

'In de uren voor mijn dood,' vervolgde Dunny, 'kwam Typhon naar me toe om het noodlot van mijn beste vriend te onthullen. Dat ben jij, Ethan. Ondanks alle verloren jaren tussen ons en alle manieren waarop ik in de fout ben gegaan, ben jij het nog altijd. Mijn vriend… en Hannahs man. Typhon liet me zien wanneer en waar en hoe je vermoord zou worden door Rolf Reynerd in die zwart-witte kamer met al die vogels, en ik was zo bang voor jou… en had verdriet om jou.'

Op verschillende momenten had de EEG woeste gepunte bètasporen geregistreerd die volgens dr. O'Brien de hersengolven vertegenwoordigden van een doodsbang mens. Ondergroepen van bètagolven hadden een gesprek aangegeven.

Dunny zei: 'Mij werd een aanbod gedaan… ik kreeg de kans om… de beschermengel te zijn die jij de afgelopen twee dagen nodig had. Met de kracht die me was gegeven voor deze korte missie, kon ik onder meer de tijd terugdraaien.'

Als een man voor je zegt dat hij de tijd kan terugdraaien en je gelooft hem meteen en je accepteert ook met een minder wordende

verbazing dat hij droog blijft in de regen, ben je voor altijd veranderd – en waarschijnlijk ten goede, ook al heb je het gevoel dat
de aarde onder je vandaan is getrokken, alsof je in een konijnenhol ben gevallen dat dieper en vreemder is dan Alice ooit heeft gedroomd.

'Ik besloot je je dood in de flat van Reynerd, je vaststaande noodlot, te laten ervaren, en je daarna terug te brengen naar het moment voor het gebeuren. Ik dacht dat je je de kolere zou schrikken en het jou de extra scherpte zou geven die je nodig had voor
de rest van wat er komen zou – en om deze jongen erdoorheen te
halen.'

Dunny glimlachte naar Fric en trok een wenkbrauw op alsof hij
wilde suggereren dat er iets was dat de jongen wilde zeggen.

Nog steeds zwak van lichaam maar weer snel van geest, zei Fric
tegen Ethan: 'Je ben waarschijnlijk verrast dat engelen "kolere"
kunnen zeggen. Dat was ik ook. Maar weet je, het staat wel in het
woordenboek.'

Ethan herinnerde zich het moment in de bibliotheek met Fric, eerder deze avond, toen hij de ontdane jongen had verteld dat iedereen hem aardig vond. Vol ongeloof en in verlegenheid gebracht
had Fric in zijn voortdurende bescheidenheid geen woorden kunnen vinden.

In de kerstboom in de bibliotheek achter Fric, hadden de engel-
versieringen gedraaid, geknikt en gedanst bij afwezigheid van
tocht. Een vreemde hoop had toen bezit genomen van Ethan, een
gevoel dat misschien een deur naar begrip in zijn hart op het punt
stond open te gaan. Toen was dat niet gebeurd, maar nu was hij
wijd opengeworpen.

Dunny ziet zijn vriend met de jongen op zijn schoot, in zijn armen, en hij ziet de jongen zich zo stevig mogelijk aan Ethan vasthouden, maar hij ziet veel meer dan hun verwondering over zijn
bovennatuurlijke aanwezigheid en meer dan hun opluchting nog
in leven te zijn. Hij ziet een surrogaatvader en de zoon die hij onofficieel zal adopteren, ziet twee levens opgekomen vanuit wanhoop door de volledige overgave van de een aan de ander, ziet de
jaren die voor hen liggen, vol vreugde die geboren is uit onzelf-
zuchtige liefde maar ook gemarkeerd door de smarten van het leven die uiteindelijk alleen door liefde genezen kunnen worden. En
Dunny weet dat wat hij hier heeft gedaan, het beste en het mooiste is dat hij ooit heeft gedaan of, ironisch genoeg, ooit zal doen.

'De PT Cruiser, de vrachtwagen,' zegt Ethan verwonderd.

'Je bent een tweede keer gestorven,' zegt Dunny, 'omdat het noodlot probeerde het patroon zoals het moest zijn te herstellen. Jouw dood in Reynerds flat ontstond door je eigen vrije wil, door keuzes die jij maakte. Door de tijd terug te zetten, verhinderde ik je zelfgekozen nootlot. Je hoeft het niet helemaal te begrijpen. Je kunt het niet. Weet alleen dat nu... het noodlot het patroon niet zal herstellen. Door jouw keuzes en jouw daden heb je nu een ander noodlot voor je zelf gemaakt.'

'De klokjes uit de ambulance,' vraagt Ethan, 'alle spelletjes ermee...?'

Dunny glimlacht tegen Fric. 'Wat zijn de regels? Hoe moeten wij, engelen, opereren?'

'Indirect,' zegt de jongen. 'Aanmoedigen, inspireren, bang maken, vleien, adviseren. Jij beïnvloedt gebeurtenissen door alle middelen die slim, glibberig en verleidelijk zijn.'

'Zie je, dat is iets wat jij weet en wat de meeste mensen niet weten,' zegt Dunny. 'Belangrijker misschien dan te weten dat civet uit de anaalklieren van katten in parfumflesjes wordt geknepen.'

De jongen heeft een glimlach die zijn modelmoeder uit het geheugen doet verdwijnen en een innerlijk licht dat schijnt zonder de hulp van spirituele raadgevers.

'Die mensen die... die opstonden vanuit de oprit en zich op de auto wierpen,' zegt Ethan met een langzame verbijstering.

'Beelden van Molochs slachtoffers die ik te voorschijn toverde uit water en op zijn auto afstuurde om hem bang te maken,' legt Dunny uit.

'Verdomme, dat heb ik gemist!' zegt Fric.

'Daarbij, wij beschermengelen trekken niet onze witte gewaden om ons heen en verplaatsen ons van hier naar daar door op harpen te tokkelen zoals films je willen laten geloven. Hoe reizen we, Fric?'

De jongen begint goed, maar aarzelt: 'Je reist via spiegels, mist, rook, doorgangen...'

'Doorgangen in water, trappen die we maken van schaduwen, over wegen van maanlicht,' souffleert Dunny.

Fric pakt de draad van zijn geheugen op: 'Door wens en hoop en eenvoudige verwachting.'

'Zou jij een laatste vertoning willen zien van een engel op die manier zoals engelen echt vliegen?'

'Cool,' zegt de jongen.

'Wacht,' zegt Ethan.

'Ik kan niet wachten,' zegt Dunny, want hij ontvangt nu de op-

roep en kan die niet negeren. 'Ik ben hier voorgoed klaar.'
'Mijn vriend,' zegt Ethan.
Dankbaar voor die twee woorden, onzeglijk dankbaar, verandert Dunny zijn lichaam door de macht die hem bij contract is toegezegd en wordt honderden lichtgevende vlinders die gracieus in de regen opvliegen en zich een voor een, met een gefladder van vleugels, opvouwen in de nacht, weg uit het zicht van sterfelijke ogen.

95

Als Dunny reagerend op de oproep materialiseert op de tweede verdieping van het enorme huis, stapt Typhon door de dubbele deuren van Manheims privésuite de noordelijke gang op terwijl hij vol verbazing zijn hoofd schudt. 'Beste jongen, heb jij deze kamers al verkend?'
'Nee.'
'Zelfs ik heb niet zo'n luxe gekend. Maar aan de andere kant, door al mijn reizen logeer ik voornamelijk in hotels, en zelfs de beste bieden geen suites die hiermee te vergelijken zijn.'
In de nacht buiten klinken sirenes op.
'Mr. Hazard Yancy,' zegt Typhon, 'heeft de cavalerie ietsje te laat gestuurd, maar ik ben ervan overtuigd dat die welkom is.'
Samen lopen ze naar de grote lift die bij hun nadering opengaat.
Met zijn gewone elegantie geeft Typhon aan dat Dunny voor hem naar binnen moet gaan.
Als de deuren achter hen sluiten en ze aan de afdaling beginnen, zegt Typhon: 'Prachtig werk. Schitterend eigenlijk. Ik geloof dat je alles hebt bereikt wat je hoopte, en nog veel meer.'
'Veel meer,' geeft Dunny toe, want tussen hen mag hij alleen maar de waarheid spreken.
Met een vrolijke twinkeling in zijn ogen zegt Typhon: 'Je moet erkennen dat ik aan alle voorwaarden die we zijn overeengekomen heb voldaan, en eigenlijk heb ik ze met aanzienlijk veel rek geïnterpreteerd.'
'Ik ben u heel zeer dankbaar voor de gelegenheid die u me hebt geboden.'
Typhon geeft Dunny een liefdevol klopje op zijn schouder. 'Beste jongen, een paar jaar lang dachten we dat we je kwijt waren geraakt.'

'Nog op geen meter.'

'O, veel meer dan je denkt,' verzekert Typhon hem. 'Je was bijna verloren. Ik ben zo blij dat het op deze manier gelukt is.'

Typhon geeft hem nogmaals een klopje op de schouder en het lichaam van Dunny valt op de vloer van de lift, terwijl zijn geest daar nog in pak en das staat, met het beeld van het lijk aan zijn voeten, maar veel minder solide in verschijning dan het levenloze vlees.

Na een ogenblik verdwijnt het lichaam.

'Waar?' vraagt Dunny.

Met een aangenaam gegrinnik van vrolijkheid zegt Typhon: 'Er zullen een paar geschokte en verwarde mensen in de tuinkamer zijn van het Onze Lieve Vrouwe van de Engelen. Het naakte lichaam dat ze zijn kwijtgeraakt, wordt plotseling goed gekleed teruggevonden met een pak bankbiljetten in zijn zakken.'

Ze hebben de benedenverdieping bereikt. De garage wacht daaronder.

Met die klank van lieve bezorgdheid die zo karakteristiek voor hem is, vraagt Typhon: 'Beste jongen, ben je bang?'

'Ja.'

Bang maar niet doodsbang. Op dit moment heeft Dunny in zijn onsterfelijke hart geen ruimte voor verschrikking.

Een paar minuten eerder, kijkend naar Ethan en de jongen op de stenen bank, zich bewust van de liefde tussen hen en van de toekomst die ze zouden delen als vader en zoon in alles behalve naam, was Dunny door een spijt doorboord geweest die scherper was dan iets wat hij ooit eerder had gevoeld. De nacht dat Hannah stierf, was er een verdriet door hem heen gestroomd dat hem bijna onderuit had gehaald, verdriet niet alleen om haar, niet alleen om haar te verliezen, maar verlies ook om de troep die hij van zijn leven had gemaakt. Verdriet had hem veranderd, maar had hem niet voldoende veranderd, want had hem niet dichter bij het punt van spijt gebracht.

De angst die hem nu overvalt, onderweg van benedenverdieping naar garage, is eigenlijk niet alleen maar een sterkere spijt, maar in plaats daarvan wroeging die zo sterk is dat hij zich hevig gestoken en verscheurd voelt door schuld, wat de moeder van wroeging is, en een vreselijk knagen in de botten van zijn geest ervaart. Hij trilt, huivert, schudt woest met het eerste besef van het afschuwelijke gevolg dat zijn slecht geleide leven had op anderen.

In zijn herinnering stijgen gezichten op, de gezichten van mannen die hij heeft kapotgemaakt, van vrouwen die hij met een onzegbare wreedheid heeft behandeld, van kinderen die hun weg naar een leven vol drugs, misdaad en puin hebben gevonden over het pad dat hij hun heeft gewezen, en daardoorheen zijn gezichten die hem pijnlijk bekend voorkomen, hij ziet ze alsof het voor het eerst is, omdat hij nu elk gezicht ziet, zoals hij ze nooit eerder had gezien, een individu met hoop en dromen en de potentie voor het goede. In zijn leven zijn al die mensen voor hem de middelen geweest om zijn begeertes en behoeftes te bevredigen, voor hem helemaal geen mensen, maar voornamelijk bronnen van plezier en instrumenten om te gebruiken.

Wat voor hem na de dood van Hannah op een wezenlijke transformatie van het hart had geleken, was meer een sentimenteel zelfmedelijden geweest dan een betekenisvolle verandering. Hij had verdriet gekend, ja, en een zekere mate van spijt, maar hij had deze scherpe wroeging niet gekend en de vernietigende nederigheid die ermee samenkomt.

'Beste jongen, ik begrijp wat je doormaakt,' zegt Typhon als ze langs de bovenste garage komen. Hij bedoelt de verschrikking die volgens hem nu Dunny verteert, maar voor Dunny is de verschrikking wel het minste.

Alleen maar wroeging is ook een onvoldoende beschrijving, want dit is zo'n verwoestende wroeging, zo'n verpletterende pijn, dat hij er geen woord voor weet. Terwijl de gezichten hem belagen, gezichten vanuit een vermorst leven, vraagt Dunny hun vergeving, een voor een, smeekt om vergeving met een uiterste nederigheid die ook nieuw voor hem is, roept naar hen hoewel hij dood is en niets kan herstellen, hoewel velen van hen voor hem stierven en niet kunnen horen hoe wanhopig hij wenst dat hij het verleden ongedaan zou kunnen maken.

De lift is de laagste garage gepasseerd en blijft dalen. Ze zijn niet meer in de lift, voornamelijk in het *idee* van een lift, en een vreemde lift. De muren zijn bespikkeld met schimmel en vuil. De lucht stinkt. De vloer ziet eruit als... samengepakte botten.

Dunny is zich bewust dat er veranderingen in het gezicht van Typhon plaatsvinden, dat de lieftallige androgyne gelaatstrekken en de vrolijke ogen plaats maken voor iets dat beter de geest weerspiegelt in de grootvaderlijke vorm, die hij tot nu toe heeft aangenomen. Dunny is zich dit alleen bewust vanuit zijn ooghoeken, want hij durft niet rechtstreeks te kijken. Durft het niet.

Verdieping na verdieping dalen ze verder, hoewel de nummers op het paneel boven de deur slechts lopen van een naar vijf.

'Ik begin behoorlijk trek te krijgen,' zegt Typhon tegen hem. 'Voor zover ik me kan herinneren – en ik heb een goed geheugen – heb ik nog nooit zo'n honger gehad. Ik ben beslist uitgehongerd.'

Dunny weigert te denken wat dit kan betekenen, en eigenlijk maakt hij zich nergens meer zorgen om. 'Ik heb verdiend wat er moge komen,' zegt hij, terwijl de gezichten uit zijn leven nog steeds in zijn herinnering spoken, gezichten in legioenen.

'Snel,' zegt Typhon.

Dunny staat in geest gebogen, kijkt naar de vloer waarvan zijn lichaam was verdwenen, gereed om elk lijden te accepteren dat er komt als het betekent dat het een einde maakt aan deze ondraaglijke pijn, deze knagende wroeging.

'Hoe verschrikkelijk dit ook zal zijn,' zegt Typhon, 'misschien zou het net zo slecht voor jou zijn geweest als je mijn deal had geweigerd en had verkozen duizend jaren te wachten in het vagevuur voor je... naar boven ging. Je was er niet klaar voor om direct naar het licht te gaan. De heerlijke deal die ik je heb gegeven, heeft je zoveel eentónig wachten bespaard.'

De lift vertraagt, komt tot stilstand. Een *ping* geeft de aankomst aan, alsof ze alleen maar naar zoiets prozaïsch gaan als naar het werk in een kantoorgebouw.

Als de deuren openglijden komt er iemand binnen, maar Dunny wil niet opkijken naar de nieuwkomer. Hij heeft nu ruimte vanbinnen voor verschrikking, maar hij wordt er nog niet door gedomineerd.

Bij het zien van de persoon die de lift is binnengekomen, vloekt Typhon explosief en met een onmenselijke woede, de stem nog steeds herkenbaar maar zonder ook maar iets van de eerdere humor of charme. Hij werpt zich voor Dunny en zegt met bittere veroordeling: 'We hebben een afspraak. Jij hebt je ziel aan mij verkocht, jongen, en ik heb je meer gegeven dan waarom je hebt gevraagd.'

Door uitoefening van zijn sterkere wil, door de vreselijke kracht die hij oproept, doet Typhon Dunny naar hem kijken.

Dit gezicht.

O, dit *gezicht*. Dit gezicht gedestilleerd uit duizend nachtmerries. Dit gezicht waarvan geen enkele sterveling zich in de geest een voorstelling kan maken. Zou Dunny nog in leven zijn geweest, dan zou het zien van dit gezicht hem gedood hebben, en hier doet het zijn geest verschrompelen.

'Je vroeg Truman te redden en je hebt het gedaan,' herinnert Typhon hem op een toon die met het woord keelachtiger wordt en meer doordrenkt van haat. 'Beschermengel, zei je tegen hem. Duistere engel zou dichter bij de waarheid zijn geweest. Je vroeg alleen om Truman, maar ik gaf je ook het joch en Yancy. Jij bent zoals die patjepeeërs in die hotelbar, als die politicus en zijn campagneleiders die ik in San Francisco te pakken heb gekregen. Jullie denken allemaal dat je zo slim bent onder de deal uit te komen die je met mij hebt gemaakt als de tijd aanbreekt om aan de voorwaarden te voldoen, maar allemaal betalen jullie uiteindelijk. *Afspraken worden hier niet gebroken!*'

'Ga weg,' zegt de nieuwkomer.

Dunny heeft verkozen niet naar deze persoon te kijken. Als er ergere aanblikken zijn dan wat Typhon hier is geworden – en zeker zullen er in toenemende mate ergere aanblikken zijn – zal hij er alleen maar naar kijken als hij ertoe gedwongen wordt, zoals Typhon hem heeft gedwongen.

Dringender nu: '*Ga weg.*'

Typhon stapt de lift uit en als Dunny hem wil volgen, op weg naar het noodlot dat hij heeft verdiend en geaccepteerd, schuiven de deuren dicht, blokkeren zijn uitgang, en hij is alleen met de nieuwkomer.

De lift begint weer te bewegen en Dunny trilt bij het besef dat er misschien nog wel diepere gebieden zijn dan de afgrond waar Typhon in is gegaan.

'Ik begrijp wat je doormaakt,' zegt de nieuwkomer, de verklaring echoënd die Typhon eerder had gedaan toen ze uit het Palazzo Rospo waren afgedaald naar plekken die steeds vreemder werden. Toen ze alleen maar had gezegd *ga weg*, had hij haar stem niet herkend. Nu doet hij het wel. Hij weet dat dit een truc moet zijn, een kwelling en hij wil niet opkijken.

Ze zegt: 'Je hebt gelijk dat het woord wroeging het verdriet dat je nu voelt, of die tranen die zo pijnlijk voor je geest zijn, niet kan beschrijven. Ook kunnen *verdriet* of *spijt* of *smart* dat niet. Maar je hebt het mis als je denkt dat je het woord niet kent, Dunny. Je hebt het een keer geleerd, en je kent het nog steeds, hoewel het tot nu een emotie is geweest die je ervaring te boven ging.'

Hij houdt zoveel van die stem dat hij niet eeuwig zijn blik afgewend kan houden van haar, die ze uitspreekt. Zichzelf wapenend tegen de ontdekking dat de lieftallige stem afkomstig is van een gezicht dat net zo afschuwelijk is als dat van Typhon, slaat hij zijn ogen op en ziet dat Hannah er dood net zo prachtig uitziet als toen ze nog leefde.

De verrassing wordt gevolgd door verbazing. Hij had de beweging van de lift verkeerd ingeschat. Ze gaan niet naar beneden naar een duisternis die nog dieper is dan de zichtbare duisternis. Ze klimmen.

De wanden zijn niet langer bedekt met schimmel en vuil. De lucht stinkt niet meer.

Met verwondering, terwijl hij nog niet durft te hopen, zegt Dunny: 'Hoe is dit mogelijk?'

'Woorden zijn de wereld, Dunny. Ze hebben betekenis, en dankzij het feit dat ze betekenis hebben, hebben ze macht. Als jij je hart openstelt voor verdriet,' zegt Hannah, 'als je na verdriet spijt voelt en als je na spijt wroeging bereikt, dan ligt er achter wroeging berouw, wat het woord is dat je leed nu beschrijft. Dit is een woord met een ontzaglijke kracht, Dunny. Met dit woord oprecht in je hart is geen uur te laat, geen duisternis eeuwig, geen stompzinnige afspraak bindend voor een man die zo is veranderd als jij.'

Ze glimlacht. Haar lach is stralend.

Het Gezicht.

Haar gezicht is heerlijk, maar erin ziet hij een ander Gezicht, zoals er in Typhon een ander gezicht had gezeten, hoewel dit gelaat niet is voortgekomen uit een distillatie van nachtmerries. Onmogelijk, dit Gezicht – hét Gezicht – in haar gezicht is nog mooier dan dat van haar, de bron van haar straling, zo uiterst mooi dat hij ademloos zou zijn blijven staan als hij geen geest was die het ademen had opgegeven toen zijn lichaam hem werd afgenomen.

Het Gezicht van een oneindige en prachtige complexiteit is ook het Gezicht van genade dat hij – zelfs nu, in zijn stijgende hoedanigheid – niet volledig kan begrijpen maar waarvoor hij onuitspreekbaar dankbaar is.

En nog een verwondering: hij beseft uit Hannahs uitdrukking dat ze in zijn gelaat hetzelfde glanzende ontzagwekkende Gezicht ziet dat hij in dat van haar ziet, dat hij in haar ogen net zo stralend is als zij voor hem.

'Het leven is een lange weg, Dunny, zelfs als het afgebroken wordt. Een lange weg en vaak een moeilijke. Maar dat ligt achter je.' Ze grinnikt. 'Maak je gereed voor de volgende en betere rit. Man, je hebt nog niets gezien.'

Ping!

96

Ethan en Fric stonden naast elkaar voor het raam op de eerste verdieping van de salon, die bekendstond als de groene kamer, om redenen die iedereen duidelijk kon zien behalve degenen die kleurenblind waren.

Ming du Lac geloofde dat geen groot huis van deze afmetingen een plaats van spirituele harmonie kon zijn zonder een kamer die geheel was ingericht en gemeubileerd in tinten groen. Hun feng-shui-goeroe was het eens met deze verordening van groen, misschien omdat zijn eigen filosofie ook een dergelijk idee bevatte, maar waarschijnlijker omdat hij wel uitkeek om Ming dwars te zitten.

Alle tinten groen die hier waren aangebracht in wanden, bekleding, tapijt en houtafwerking waren door Ming in dromen gezien. Je moest je wel afvragen wat hij voor het slapengaan gegeten had. Mrs. McBee noemde deze kamer 'de verschrikkelijk moskuil', hoewel niet waar Ming het kon horen.

Achter het raam presenteerde het landgoed betere tinten groen, en erboven hing een glorieuze blauwe hemel ontdaan van zelfs de herinnering aan regen.

Vanwaar ze stonden konden ze de poort zien en de massa aan media op de openbare weg erachter. Zonlicht schitterde van auto's, nieuwswagens en vrachtwagens van de grotere televisiestations met satellietschotels op de daken.

'Dat wordt een circus,' zei Fric.

'Het wordt een kermis,' beaamde Ethan.

'Het wordt een freakshow.'

'Het wordt een dierentuin.'

'Het wordt halloween op kerstavond,' zei Fric, 'als je ziet hoe ze ons op het tv-nieuws zullen gebruiken.'

'Kijk dan niet,' stelde Ethan voor. 'Het tv-nieuws kan de pot op. Hoe dan ook, het zal allemaal snel voorbij zijn.'

'Mooi niet,' zei Fric. 'Het zal weken duren, enorme verhalen over de kleine prins van Hollywood en de mafketel die me bijna te pakken had.'

'Zie jij jezelf als de kleine prins van Hollywood?'

Fric trok walgend een grimas. 'Zo zullen ze mij noemen. Ik kan het nu al horen. Ik kan pas in het publiek verschijnen als ik vijftig ben en zelfs dan zullen ze me in mijn wang knijpen en zeggen hoeveel zorgen ze zich om me gemaakt hebben.'

'Ik weet het niet,' zei Ethan, 'volgens mij overschat je hoe belangrijk je bent voor de gemiddelde bevolking.'

Fric durfde hoopvol op te kijken. 'Denkt u?'

'Ja. Ik bedoel, je bent niet een van die Hollywood-kinderen die in het familiebedrijf willen.'

'Ik eet nog liever wormen.'

'Je speelt geen rolletjes in de films van je vader. Je zingt of danst niet. Je doet toch ook geen imitaties, hè?'

'Nee.'

'Jongleer je, of hou je twaalf borden tegelijkertijd op bamboestokken draaiend?'

'Niet allemaal tegelijk, nee,' zei Fric.

'Goocheltrucs?'

'Nee.'

'Buikspreken?'

'Ik niet.'

'Zie je, ik verveel me nu al met je. Weet je waar ze volgens mij allemaal zo opgewonden door raken in dit verhaal, waar ze zich echt op richten?'

'Wat?' vroeg Fric.

'Het luchtschip.'

'Het luchtschip,' beaamde Fric, 'is echt cool.'

'Ik bedoel er niks mee, maar een jongen van jouw leeftijd, met jouw gebrek aan ervaring... Het spijt me, maar je kunt gewoon niet concurreren met een luchtschip in Bel Air.'

Aan de noordelijke grens van het landgoed begonnen de hekken open te gaan.

'Hier komt de club,' zei Fric toen de eerste zwarte limousine vanaf de straat naar binnen gleed. 'Denk je dat hij daar zal stoppen en de verslaggevers wat sterrentijd gunt?'

'Ik heb hem gevraagd het niet te doen,' zei Ethan. 'We hebben absoluut niet voldoende mankracht om zo'n mediabende in de hand te houden, en ze vinden het niet leuk als ze onder toezicht geplaatst worden.'

'Hij stopt wel,' voorspelde Fric. 'Ik zet een miljoen dollar in tegen een hoop koeienvla. In welke limousine zit hij?'

'Nummer vijf van de zeven.'

De tweede limousine reed het hek door.

'Hij zal wel een nieuwe vriendin hebben,' zei Fric zorgelijk.

'Het wordt een makkie voor je.'

'Misschien.'

'Je hebt de perfecte ijsbreker.'

'Wat is dat?'

'Het luchtschip.'

Fric klaarde op. 'Ja.'

De derde limousine verscheen.

'Denk eraan wat we hebben afgesproken. We gaan niemand iets vertellen over... het vreemde aan alles.'

'Ik zeker niet,' zei Fric. 'Ik wil niet in een gekkenhuis terechtkomen.'

De vierde limousine kwam binnen, maar de vijfde bleef buiten de hekken staan. Van deze afstand, zonder verrekijker, kon Ethan niet zien of Channing Manheim werkelijk uit de limo was gestapt om zich te presenteren voor de camera's en om de pers te charmeren, maar hij was er toch moreel van overtuigd dat hij Fric een hoop koeienvla schuldig was.

'Lijkt helemaal niet op kerstavond,' zei Fric zacht.

'Dat komt,' beloofde Ethan.

Kerstochtend, in zijn werkkamer, luisterde Ethan toch weer alle zesenvijftig boodschappen af die waren opgenomen op Lijn 24.

Voordat Manheim en Ming du Lac waren teruggekeerd naar het Palazzo Rospo, had Ethan de opgewaardeerde opnamen op een cd gezet. Daarna had hij ze gewist in de computer in de witte kamer en ze uit het telefoonlogboek gehaald. Alleen hij zou ooit weten dat ze ontvangen waren.

Deze boodschappen waren van hem, en alleen van hem, het ene hart dat tegen het andere sprak door de eeuwigheid heen.

In sommige ervan loste Hannah elk element van de raadsels van de maniak op. In andere herhaalde ze alleen maar Ethans naam, soms smachtend, soms met diepe genegenheid.

Hij speelde Telefoontje 31 vaker af dan hij zich kon herinneren. In dat telefoontje herinnerde zij hem eraan dat ze van hem hield, en als hij naar haar luisterde, leken vijf jaar helemaal niets, en zelfs kanker had geen macht, of het graf.

Hij maakte een blik koekjes open dat Mrs. McBee had achtergelaten toen de telefoon overging.

Fric zette de wekker altijd vroeg op kerstochtend, niet omdat hij zo graag wilde ontdekken wat er voor hem onder de boom was achtergelaten, maar omdat hij de stompzinnige cadeautjes wilde openmaken om er maar vanaf te zijn.

Hij wíst wat er in die mooie verpakkingen zat: alles op de lijst die hem was gevraagd op vijf december aan Mrs. McBee te geven. Ze hadden hem nooit iets ontzegd wat hij had gevraagd en elke keer dat hij om minder vroeg, werd hem verzocht zijn lijst aan te passen tot die minstens zo lang was als de lijst van het jaar ervoor. Beneden, onder de boom van de salon, zou een teringzooi aan prachtig spul liggen, en geen verrassingen.

Maar op deze kerstochtend werd hij wakker en zag iets dat hij nooit eerder had gezien. Terwijl hij had liggen slapen, was iemand zijn kamer binnengeslopen en had een cadeautje achtergelaten op zijn nachtkastje, naast de wekker.

Een kleine doos, in wit papier verpakt met een wit lint.

De kaart was groter dan de doos. Niemand had hem ondertekend, maar de afzender had de volgende woorden geschreven: *Dit is magie. Knippert het niet, dan zul je enorme avonturen beleven. Huilt het niet, dan zul je een lang en gelukkig leven leiden. Slaapt het niet, dan zul je opgroeien tot de man die je wilt zijn.*

Dit was zo'n opmerkelijk briefje, zo geheimzinnig en zo vol mogelijkheden, dat Fric het een aantal keren las en zich verwonderde over de betekenis ervan.

Hij aarzelde de witte doos open te maken, want hij geloofde niet dat het iets kon bevatten dat overeenkwam met de belofte in dit briefje.

Toen hij ten slotte het glanzende papier weghaalde, het deksel optilde en het tissuepapier wegtrok, merkte hij dat – o! – de inhoud overeenkwam met het briefje.

Aan een nieuwe gouden ketting hing een glazen hanger, een bol, en in de bol dreef een oog! Hij had in zijn leven nog nooit zoiets gezien en wist dat het ook nooit meer zou gebeuren. Een herinnering aan het verloren continent Atlantis, misschien het sieraad van een tovenaar of de beschermende amulet gedragen door ridders van de Ronde Tafel die vochten voor gerechtigheid onder de bescherming van Merlijn.

Knippert het niet, dan zul je enorme avonturen beleven.

Dit knipperde niet, knipperde nooit, want dit oog had geen ooglid.

Huilt het niet, dan zul je een lang en gelukkig leven leiden.

Geen traan, geen traan vanaf nu tot in onheuglijke tijden, want dit oog kon niet huilen.

Slaapt het niet, dan zul je opgroeien tot de man die je wilt zijn.

Geen slaap, zelfs geen dutje, want dit oog was altijd wijd open vol magische betekenis, en behoefde geen rust.

Fric bestudeerde de hanger bij zonlicht, bij lamplicht, bij het schijnsel van een zaklantaarn in een verder donkere kast.

Hij bestudeerde de bol onder een krachtig vergrootglas en daarna indirect in een opstelling van spiegels.

Hij stak het in de borstzak van zijn pyjama en wist dat het bleef zien.

Hij hield het in zijn gesloten rechterhand en voelde de wijze blik ervan op de kussentjes van zijn gesloten vingers en wist dat dit oog, op een dag, als hij zijn hart zuiver hield en zijn geest wijdde aan de verdediging van wat goed was, precies zoals ridders hoorden te doen, hem de toekomst zou tonen zoals hij hem wilde zien en hem zou leiden in de voetsporen van Camelot.

Nadat Fric over duizend dingen had nagedacht die hij zou kunnen zeggen en er negenhonderdnegenennegentig had verworpen, legde hij de hanger terug in de doos en, terwijl hij de eenogige blik van de piraat bezag, pleegde hij zijn telefoontje.

Hij grijnsde terwijl hij in zijn geest de eerste negen tonen van de titelsong van *Dragnet* hoorde.

Toen werd opgenomen, zei Fric: 'Zalig Kerstmis, Mr. Truman.'

'Zalig Kerstmis, Fric.'

Met slechts die woorden hingen ze allebei op, met onuitgesproken onderling goedvinden, want op dit moment in de tijd hoefde er niets meer gezegd te worden.

AANTEKENING

In hoofdstuk 32 krijgt Dunny Whistler van Mr. Typhon de raad inspiratie te halen bij Sint-Duncan, naar wie hij was vernoemd. Er is nooit een Sint-Duncan heilig verklaard. We kunnen alleen maar speculeren over de motieven van Mr. Typhon voor dit ogenschijnlijk kleine bedrog.